教科内容学に基づく教員養成のための教科内容構成の開発

日本教科内容学会 編

●●●まえがき●●●

本書「教科内容学に基づく教員養成のための教科内容構成の開発」は、日本教科内容学会におけるプロジェクト研究「教員養成のための教科内容学研究」の成果をまとめたものである。

プロジェクト研究の目的は、教員養成の教科内容学研究として「各科の教科内容の体系性と全教科の教科内容を俯瞰した体系性（教科内容学の原理）の究明」によって教員養成のための教科内容構成のモデルとシラバスを提案することであった。

本テーマに関する先駆的研究として、2006年から兵庫教育大学連合学校教育学研究科におけるプロジェクト研究として取り組み、その成果を2009年3月に『教育実践から捉える教員養成のための教科内容学研究』（風間書房）として刊行したものがある。この研究は、教員養成大学・学部の教科専門の教育内容が文学部や理学部等のものと同じになっており、学校の教科内容との乖離があるという課題に応えるために、教科の認識論から各教科の教科内容構成の原理を析出することによって、児童生徒の学力育成に寄与する教員養成の教科内容の在り方を検討し提案したものである。この研究の成果と課題は、次の点にある。

成果の一つは、この研究によって各教科の教科内容構成の開発は、教科の認識論的定義によって可能だということがわかったことである。二つは、この研究によって教員養成の教科専門と教科教育の教員が「教科内容学」研究の意味と役割を認識し、このことが動機となり日本教科内容学会の設立（20014年6月）に結実したことである。課題として、この研究での取り組みが7教科（国語・社会・数学・理科・音楽・美術・体育）で全教科を網羅していなかったこと、教科によって考え方にばらつきがあったこと、各教科の研究は原則として教科専門と教科教育の教員によって取り組んだが、教科によっては教科教育の教員のみというものもあり、そのため研究成果において教科専門の内容が十分に反映されていないものもあったことが挙げられる。この度のプロジェクト研究は、これらの研究の成果と課題を踏まえ取り組んだ。

わが国の戦後の教員養成は、指導技術に偏っていたと批判された戦前の師範学校の教育を反省し、教員が学問・科学・芸術等の専門を学ぶことで深い教養と専門性を身に付けることを理念とするもので始まった。そして、この理念は、教員免許法（1949年公布）によって免許の履修基準を設け、これに「教養科目」と「教科専門科目」の履修を位置づけることで具体化された。そして、この教科専門科目の授業を担当する教員は、主に理学部や文学部等の専門学部で学問・科学・芸術等の専門教育を受けた者が就き、これが今日まで続いている。このような教養と専門の履修を理念とした教員養成は、教科専門重視のものと言える。

ところが近年の次のような教員養成の提言や政策は、教職専門重視へと転換されたと言える。①まず文部科学省「在り方懇」報告書（「国立の教員養成大学・学部の在り方に関する懇談会」2001年）は、教員養成大学・学部の教科専門は他の学部と同様の専門性を志向するのではなく教員養成の目的に沿って取り組むべきで、その具体として教科専門と教科教育の分野を結びつけた新しい分野を構築することや教科専門の役割は教科の指導ができる能力の養成にあると述べている。②次に2016年改正の新教員免許法では、それまで「教科に関する科目」と「教科の指導法に関する科目」は別々に位置づけられていたものが「教科及び教科の指導法に関する科目」と「大括り化」され両科目が同じ枠に位置づけられた。この免許法の改正は「在り方懇」の「教科専門と教科教育の分野を結びつけた新しい分野を構築すること」を法律で規定化したものと理解される。③大学院修士課程の教科教育専攻が教職大学院に改組・移行となり、その教育課程には従来の教科専門の科目は必修としてない。これは、修士レベルの教員養成も教職専門重視に転換されたものと言える。教科専門は、教職専門重視の教育課程に沿った授業科目の開発が求められる。

これらの近年の教員養成の提言や政策の内容は、教科専門重視から教職専門重視に転換しており、教員養成大学・学部の目的に沿った教育課程の改革を求められていると言える。その第一は、教科専門の教育内容を教員養成の目的に沿ったものとして捉え直し創出することである。そこでわれわれは、この課題に応えるために各科の教科専門の教育内容を教科内容学の観点から捉え直し、教科内容構成として開発することに取り組んだ。教科内容構成の開発は、教科内容構成の開発を全教科同じ原理によること、開発した教科内容構成をシラバスに具現するまで一貫性を保つことから次のような作業仮説によって進めた。

仮説１．教科の認識論的定義
仮説２．教科内容構成の原理
仮説３．教科内容構成の柱
仮説４．教科内容構成の具体
仮説５．教科内容構成によって教員養成学生及び子どもに育成される能力
仮説６．教科と人間（個人・社会）とのかかわり
仮説７．教科内容構成の創出による教科専門の授業実践（教科内容構成の創出によって教科専門の授業はどう変わるか）

このような作業仮説を基にわれわれのプロジェクト研究は、次のような計画で取り組んだ。期間は５年計画（2016年～2020年）である。研究組織は、教科専門の大学教員を中心にした①理論部門と②教科部門の18名（具体は後に記載）である。そして、プロジェクトは、学会の研究大会だけでなく、年２回関東と関西で研究会を開催し研究成果を公表した。これらを通して学会員や会員外の意見を聞き研究に反映させた。

本書は、序章と終章を挟んで三部構成からなっている。「序章　わが国の教員養成における教科専門の背景と課題」では、戦後の教員養成の経緯を概観し課題を整理した。「第一部　教員養成における教科内容学研究」は、この研究の理論編として、これまでの教員養成における教科内容学の研究の歴史、教員養成における教科内容構成開発の原理、全教科を俯瞰した教科内容の体系性（全教科の教科内容に共通する原理）について論述した。「第二部　教科内容構成開発の具体（小学校・中学校・教職大学院のシラバスと授業実践展開例）」は、この研究の実践編になるものである。第１章から第10章のそれぞれの章において各教科の教科内容開発の仮説とその解説、そしてそこから導いたシラバスを提案し、最後にシラバスの一部の授業実践展開例を示した。「第三部　教科内容構成の観点からの学習指導要領の検討」は、各教科で導出した「教科内容構成の柱」の観点から当該学習指導要領を批判的に検討した。「終章　教員養成における教科内容構成開発研究の意義と展望」では、教員養成における教科専門を「教科内容構成」として開発研究することの意義と「教科専門」と「教科教育」を関連させた授業創出等が課題になることを論述した。

本研究によって提案した教科内容構成のモデルとシラバスは、教科専門と教科教育の教育内容を関連させた授業創出の設計図になるものである。本研究がわが国の教員養成や教科内容学研究にわずかでも貢献できることを願っている。関係者の忌憚のないご意見・ご批判を賜れば幸いである。

2020 年 10 月

プロジェクト研究代表　聖徳大学　　　西園芳信

プロジェクト研究の組織

プロジェクト研究代表　西園芳信

理論部門

西園芳信（聖徳大学特命教授、鳴門教育大学名誉教授）
増井三夫（聖徳大学副学長）
浪川幸彦（椙山女学園大学客員教授、名古屋大学名誉教授）
下里俊行（上越教育大学大学院教授）
小野瀬雅人（聖徳大学教授）

教科部門

数学：松岡隆（四天王寺大学教授、鳴門教育大学名誉教授）
理科：佐藤勝幸・胸組虎胤（鳴門教育大学大学院教授）
音楽：中島卓郎（信州大学教授）
美術：新井知生（島根大学名誉教授）
国語：村井万里子（鳴門教育大学大学院教授）
英語：松宮新吾（追手門学院大学国際教養学部教授）
社会：下里俊行（上越教育大学大学院教授）
技術：菊地章（鳴門教育大学特命教授、鳴門教育大学名誉教授）
家庭：平田道憲（広島大学名誉教授）鈴木明子（広島大学大学院教授）＊村上かおり（広島大学大学院教授）＊冨永美穂子（広島大学大学院准教授）＊広島大学大学院人間生活教育学コース
体育：荒木秀夫（徳島大学名誉教授）・綿引勝美（鳴門教育大学特命教授、鳴門教育大学名誉教授）
松井敦典（鳴門教育大学大学院教授）

＊は、研究協力者

●●●目　次●●●

序章　わが国の教員養成における教科専門の背景と課題

1　教科教育を展開できる教員養成

(1) 日本の戦後の教員養成教育

現在の日本の学校の教育課程には、教科としては次のような内容が設定されている。小学校は、国語・算数・理科・社会・生活・音楽・図画工作・家庭・体育・外国語で、中学校は、国語・数学・理科・社会・音楽・美術・技術家庭・保健体育・外国語で成立している。高等学校は、国語・地理歴史・公民・数学・理科・保健体育・芸術・外国語・家庭・情報で構成されている。

では、学校教育においてこのような教科の教育を展開できる教員養成の教育はどのような内容や方法であったのか。この点について、日本の戦後（1945年、昭和20年以降）の教員養成を概観し、教員養成における教育内容を整理する。

戦後の日本の教育は、教員養成の教育も新しい考え方のよって開始された。戦後の教員養成の特徴は、まず第1は、教員の養成を大学（短期大学を含む）で行うこと（教員の資格を持つには、大学で学び学士等の学位を取得することが条件となる。）、第2は、開放性（理学部や文学部等の専門大学においても教職課程を設置することで教員免許の取得が可能）によること、第3は、免許法（学校種や教科毎に所定の教職課程を履修することで教員資格取得が可能）によることである。

これらの新しい教員養成の制度は、まず、戦前の師範学校による教員養成の反省・批判の上に成り立っている。

では、戦前の師範学校の教育は、どのようなものだったのか。津留宏は、『教員養成論』の中で青山師範学校での自らの体験的師範教育（昭和5年から昭和10年）について以下のように述べている。現在の中学校2年生の14歳で入学し、最初の全寮制の1年間の師範教育で自分の性格が変わるほどの影響を受けた。習った教科目は多かった。「5年間を通じてある教科も多い。このうち力を抜けなかったのは体操（体操・教練・武道）と図工・手工・音楽の芸能教科である。教育と呼ばれる現在の教職科目に当たるようなものが3年生からはいってくる。」教練では、1，2年生で兵式体操、集団動作、号令のかけ方などを、3年以上で軍事訓練を受けた。「小学校全教科をまんべんなく教えられる力を付けなければならなかったから、どの教科も力を抜くわけにはいかない。」国語は、上級になるといろいろな出典の抜粋ばかりで、バラバラによまされて面白いところまでいかなかった。「1教科に偏ることは好まれない。職業的な教育は受けたが、何よりも自由な思索や学問を奨励するふうはなかった」「すべてが教材研究的で学問的ムードの低いものだった」。津留は、このような体験の総括として「師範生はなに一つ深めることもできず、その教養は浅く広く現実的になっていったと思う」と師範教育を批判的に捉えている[1)]。

また、横須賀薫は、師範学校の教員養成が批判される根拠を次のように述べている。

「養成された教師も全体の傾向として一つの鋳型にはまった無個性的なタイプが多く、また教育の技術面に偏することになったから、学問研究とは別世界となり、常に文化論の立場から批判を受けることになった」[2)]。

これは、戦前の教員養成機関であった師範学校の教育は、指導技術面が強調され、そのことで学問や芸術に親しみ研究するという精神面が阻害され、結果的に視野の狭い型にはまったタイプの教員の養成になったという批判である。この批判の上に立ち、戦後の教員養成教育が制度化された。

その教員養成の理念は、教育技術よりも、まず、教養や学問・科学・芸術等を広く修め広い視野を持つとともに学問や芸術によって真理を知り美を体験することを重視することであった。このような新しい教員養成教育の理念について、海後宗臣は次のように述べている。

「教科に関する専門教育，つまり特定の学問・芸術に関する専門教育についても，特別に教員向けのものであるべきではない」「教員養成の教育においても、学問・芸術の特定の領域に関して研究者・芸術家にもなりうるような教育が追究されなければならない。すなわち、教科に関する専門教育も、『学問とは何か芸術とは何かを実感できる国民の造出』ということが基本的に目ざされるべきだろう」[3)]。

そして、この理念は、「免許法」（教育職員免許法）の中で各教科の専門分野の教育内容によって基準化された。具体的には、以下の通りである。戦後の教員養成では、教養と学問・科学・芸術・技術等の専門を修めることが学校教育における教科教育を展開する能力とした。ここでは、教員免許法の教育内容の基準の中でも特に「教科の専門科目」に関する内容を中心に捉える。

1）教員免許法による教育内容の基準化

戦後最初の教育職員免許法は、1949年（昭和24）5月に公布された[4)]。

免許法で示す基準は、大学において修得すべき教育内容と最低修得単位数を示したもので、教員養成を行う大学のカリキュラムの基準としての意味をもつ。それが表序-1である。

小学校又は幼稚園、中学校、高等学校の学校種毎に一級、二級と区別し、科目は、一般教養と専門教養（教科、教職）からなり、それらに即して履修単位の基準が設定されている。なお、甲教科と乙教科は、次のように区分されている。甲教科、社会、理科、家庭、職業（高校では、農、工、商、水産）。乙教科、国語、数学、音楽、図画工作、保健体育、職業指導、外国語、高等学校には、図工、工作、書道もある。

◇表序-1　1949年、教員免許法、履修基準

学校種		一般教養	専門教養	
			教科	教職
小学校 又は幼稚園	一級 学士	36	24	25
	二級 2年以上	18	12	20
中学校	一級 学士	36	甲30 乙18	20
	二級 2年以上	18	甲15 乙10	15
高等学校	二級 学士	36	甲30 乙18	20

注：数字は単位数

そして、この免許法の基準を実際的に実施する際の規則になる教育職員免許法施行規則では、単位の修得方法について、次のように定めている[5)]。

○一般教養科目

人文科学（音楽、美術等情操教育に役立つ科目を含む）、自然科学、社会科学（日本国憲法2単位を含む）について修得する。

○教科に関する専門科目

・小学校又は幼稚園

小学校の教科のうち3以上の教科に関する専門科目を各2単位以上履修する。幼稚園は、音楽、図画工作及び保健体育を必ず2単位以上含む。

1級については12単位、2級については、6単位を6以上の教科の教材研究（幼稚園は保育内容の研究）を履修する。保育内容研究の半数までは教材研究で代替できる。

・中学校

各教科の分科科目の3分の2以上の科目について、各2単位を最低必修単位とする。科目は、甲教科と乙教科からなる。

甲教科

社会：「法律学、政治学、社会学、経済学」「日本史、外国史」「人文地理学、地誌学」「哲学、倫理学」公衆衛生学

理科：物理学、化学、生物学、地学（天文学、気象学を含む）「農学、生理学、衛生学」

家庭：食物及び栄養学、被服及び被服学（技芸を含む）、家族関係、家政学及び住居学、「育児、家庭看護学」、職業指導

職業、産業総論、「農業、工業、商業、水産」、職業指導

乙教科

国語：「国語学、言語学」、国文学、漢文学、書道

数学：数学、「統計学、測量、計測」

音楽：声楽、器楽、「音楽理論、音楽史（鑑賞を含む）」

図画工作：絵画、工芸、美学美術史（鑑賞含む）

保健体育：「体育原理、体育管理」、運動生理学、個人及び公衆衛生、・学校保健管理、体育実習

保健：生理学、細菌及び免疫学、栄養学、「個人及び公衆衛生、救急処理及び看護法」学校保健管理

職業指導：職業指導の原理及び技術、職業情報及び進学指導、自己分析及び職業分析、「相談、職業あっ旋、補導」、職業指導の組織及び運営

外国語（英）：「英語学、言語学」、英文学

・高等学校

およそ中学校に準ずるが、職業は、農業、工業、商業、水産に分かれ、図画工作が図画と工作に分かれ、書道が独立するなど細分化されている。

○教職に関する専門科目

・小学校

教育心理学、児童心理学（成長と発達を含む）、教育原理（教育課程、教育方法及び指導を含む）教育実習について履修する。その他に、教育哲学、教育史、教育社会学、教育行政学、教育統計学、図書館学などから選択履修する。

・中学校・高等学校

児童心理学の代わりに、青年心理学を履修する。専門教科の教科教育法を履修する。その他は、小学校と同様である。

以上のように戦後の教員養成における特徴の一つとなる「免許法」について、法的基準が定められた。この中で小学校は、教科専門については、一級は24単位、二級は12単位を履修することとなり、中学校一級は、甲教科30単位、乙教科18単位を履修する。例えば、中学校、甲教科の「理科」は、物理学、化学、生物学、地学（天文学、気象学を含む）「農学、生理学、衛生学」から30単位を、乙教科「音楽」は、声楽、器楽、「音楽理論、音楽史（鑑賞を含む）」から18単位を履修する。このように戦後の教員養成教育の理念となる学問・芸術を深く学び修めることの具体として、「免許法」という法律によって教科専門科目の単位数と各教科の専門科目の内容が規定された。

以上の教員免許法及び同施行規則は、1954年（昭和29）に大幅に改定された[6]。この中で免許状取得基本条件および最低修得単位数については、表序-2の通りとなる。1949年（昭和24）の最初の免許法では、履修科目は、一般教養と専門教養（教科、教職）と二つ区分していたものを、1954年の免許法では、一般教育、専門教育、教職教育の三つに区分している。また、1949年の免許法の履修基準と1954年の履修基準を比較すると、中学校と高等学校は、教職専門科目の単位数は減少し、教科専門科目の単位数が増加している。

この中で教職教育に関する科目の最低修得単位数は、次の通りである。

小一級、教育原理 4、教育心理学 4、教材研究 16、教育実習 4

中一級、教育原理 3、教育心理学 3、教科教育法 3、教育実習 2

高一級、教育原理 3、教育心理学 3、教科教育法 3、教育実習 2

◇表序-2　1954 年、教員免許法、履修基準

		一般教育	専門教育	教職教育
小学校	一級 学士	36	16	32
	二級 短大	18	8	22
中学校	一級 学士	36	甲教科 40 乙教科 32	14
	二級 短大	18	甲教科 20 乙教科 16	10
高等学校	一級 修士	36	甲教科 62 乙教科 52	14
	二級 学士	36	甲教科 40 乙教科 32	14

注：数字は単位数

その後の免許法の一部改正で、教科の甲、乙の区別はいずれの教科も教科の専門性を重視する観点から廃止された。また、普通免許状の種類については、「専修免許状」（基礎資格、大学院修士課程修了）、「一種免許状」（基礎資格、学部卒業）「二種免許状」（基礎資格、短期大学卒業）の三種に改善され（1988 年（昭和 63）12 月）これが現在に引き継がれている。

（2）1998 年の免許法改正

1949 年に公布された最初の免許法は、その後部分的に改訂されてきたが、免許法の骨子となる教育内容は継承されてきた。ところが、1998 年（平成 10 年）には、免許法が大幅に改正された。それが、次の表序 -3 である。これによると中学校教諭、高等学校の教諭の教科専門科目の最低単位数が 40 単位から 20 単位と半減され、その分が教職専門科目の単位数の増加になっている。これは、当時の学校におけるいじめや学級崩壊に対応するために教育方法を重視するために免許法が改正されたものである [7]。教員養成が教科専門から教職専門重視へと転換されたことを現している。

◇表序-3　1998 年（平成 10 年）改正免許法

免許状の種類		基礎資格	大学において修得する最低単位数		
			教科に関する科目	教職に関する科目	教科又は教職に関する科目
小学校教諭	専修免許状	修士の学位	8	41	34
	一種免許状	学士の学位	8	41	10
	二種免許状	短期大学士	4	31	2
中学校教諭	専修免許状	修士の学位	20	31	32
	一種免許状	学士の学位	20	31	8
	二種免許状	短期大学士	10	21	4
高等学校教諭	専修免許状	修士の学位	20	23	40
	一種免許状	学士の学位	20	23	16

注：数字は単位数

（3）新免許法にみる履修基準

次に 2019 年（平成 31 年）4 月から施行の新免許法は、それまでのものと比べ教員免許の枠組みが大きく改正されている [8]。表序 -4 が新免許法のものである。教員免許の教育内容の枠組みついて、旧免許法（1998 年、平成 10 年改正）のものと新免許法を比較すると次のような改正点がある。

◇表序-4　教員免許の教育内容の条件、新免許法（2016 年（平成 28 年改正）

免許状の種類		基礎資格	大学において修得する最低単位数
			教科及び教職に関する科目
小学校教諭	専修免許状	修士の学位	83
	一種免許状	学士の学位	59
	二種免許状	短期大学士	37
中学校教諭	専修免許状	修士の学位	83
	一種免許状	学士の学位	59
	二種免許状	短期大学士	35
高等学校教諭	専修免許状	修士の学位	83
	一種免許状	学士の学位	59

注：数字は単位数

新免許法（表序-4）の大きな改正点は、「大学において修得する最低単位数」について、旧免許法（表序-3）では「教科に関する科目」、「教職に関する科目」、「教科又は教職に関する科目」と区分し、それぞれに単位数の基準を示していたものを、この三区分をなくし「教科及び教職に関する科目」として総単位数を示していることである。そして、免許状の種類による総単位は、旧免許法の総単位数と同じになっている。

次に、実際の単位履修の基準を示す教員免許法の改正点を示す[9]。

改正点の第1は、免許法で基準となっている「教科及び教職に関する科目」（小学校一種、中学校一種の免許状の最低履修基準は59単位）の科目区分が変更されたことである。この科目区分について、旧と新とを比較したものが、表序-5である。

◇表序-5　旧と新の免許法の比較

旧　免許法（1998年、平成10年改正）	新　免許法（2016年、平成28年改正）
○教科に関する科目 ○教職に関する科目 ・教職の意義に関する科目、 ・教育の基礎理論に関する科目、 ・教育課程及び指導法に関する科目 ・生徒指導、教育相談及び進路指導に関する 　科目 ○教科又は教職に関する科目	○教科及び教科の指導法に関する科目 ○教育の基礎理解に関する科目 ○道徳、総合的な学習の時間の指導法及び生徒指導、教育相談等に関する科目 ○教育実践に関する科目 ○大学が独自に設定する科目

（下線は、筆者による。）

2016年（平成28）の免許法改正で特に大きな改正点の第1は、旧では「教職に関する科目」の中に位置付けられていた「指導法に関する科目」（教科教育法）が、新では、「教科に関する科目」と「教科の指導法に関する科目」が一緒になり「教科及び教科の指導法に関する科目」となったことである（上記下線の部分）。この科目の大括り化で、教科の内容と指導法を併せて指導できる授業の開設が可能になった。後述するが、ここに学部段階の教員養成教育の課題として、教科に関する科目（教科専門）を子どもの教育という教育実践との観点で捉え直す教科内容学の研究の重要性の一つがある。

改正点の第2は、科目の大括り化に対応して修得単位数の基準が示されたことである。特に「教科及び教科の指導法に関する科目」として「教科に関する専門的事項」と「各教科の指導法」とを括って履修単位の基準が規定されたことが大きな改正点となる。小学校、中学校、高等学校のそれぞれの科目の履修単位数を示すと下記の通りである[10]。

◇表序-6　小・中・高等学校の各科目の単位数

科	小学校			中学校			高等学校		
科目区分	専	一	二	専	一	二	専	一	二
○教科及び教科の指導法に関する科目、イ教科に関する専門的事項、※「外国語」を追加。ロ各教科の指導法（情報機器及び教材の活用を含む。）（各教科それぞれ1単位以上修得）	30	30	16	28	28	12	24	24	／
○教育の基礎理解に関する科目	10	10	6	10	10	6	10	10	／
○道徳、総合的な学習の時間の指導法及び生徒指導、教育相談等に関する科目	10	10	6	10	10	6	8	8	／
○教育実践に関する科目	7	7	7	7	7	7	5	5	／
○大学が独自に設定する科目	26	2	2	28	4	4	38	12	／

専：専修免許状、一：一種免許状、二：二種免許状を表す。数字は、単位数を表す。

改正点の第3は、「教科及び教科の指導法に関する科目」において「教科に関する専門的事項」として履修する「教科に関する科目」が一部変更されたことである[11]。下線は追加の科目、又は、名称変更点である。

小学校普通免許状

教科に関する科目、国語（書写を含む）、社会、算数、理科、生活、音楽、図画工作、家庭、体育及び外国語

中学校普通免許状、

教科に関する科目、免許教科の種類に応じ各科目を修得

・国語：国語学（音声言語及び文章表現に関するものを含む）、国文学（国文学史を含む）漢文学、書道（書写を中心とする。）

・社会：日本史及び外国史、地理学（地誌を含む）、「法律学、政治学」、「社会学、経済学」、「哲学、倫理学、宗教学」

・数学：代数学、幾何学、解析学、「確率論・統計学」、コンピュータ

・理科：物理学、物理実験（コンピュータ活用を含む。）、化学、科学実験（コンピュータ活用を含む。）、生物学、生物学実験（コンピュータ活用を含む。）、地学、地学実験（コンピュータ活用を含む。）

・音楽：ソルフェージュ、声楽（合唱及び日本の伝統的な歌唱を含む）、器楽（合奏及び伴奏法並びに和楽器を含む。）、指揮法、音楽理論、作曲法（編曲法を含む。）及び音楽史（日本の伝統音楽及び諸民族の音楽含む。）

・美術：絵画（映像メディア表現含む。）、彫刻、デザイン（映像メディア表現含む。）、工芸、美術理論及び美術史（鑑賞並びに日本の伝統美術及びアジアの美術を含む。）

・保健体育：体育実技、「体育原理、体育心理学、体育経営管理学、体育社会学」及び運動学（運動方法学を含む。）、生理学（運動学生理学を含む。）、衛生学及び公衆衛生学、学校保健（小児保健、精神保健、学校安全及び救急措置を含む。）

・技術：木材加工（製図及び実習を含む。）、金属加工、（製図及び実習を含む。）、機械（実習を含む。）、電気（実習を含む。）、栽培（実習を含む。）、情報とコンピュータ（実習を含む。）

・家庭：家庭経営学（家族関係学及び家庭経済学を含む。）、被服学（被服製作実習を含む。）、食物学（栄養学、食品学及び調理実習を含む。）、住居学、保育学（実習を含む。）

・英語：英語学、英語文学、英語コミュニケーション、異文化理解

高等学校普通免許状

教科に関する科目は、免許教科の種類に応じ各科目を修得する。その各科目の内容は、上記中学校普通免許状のものとほぼ同じ内容となる。

新免許法では、教科に関する科目は、小・中・高等学校共「教科及び教科の指導法に関する科目」の中の「教科に関する専門的事項」で履修することになる。小学校一種では、国語（書写を含む）、社会、算数、理科、生活、音楽、図画工作、家庭、体育及び外国語から1以上の科目について30単位（教科の指導法を含んだ単位）の範囲で履修する。国立の教員養成大学における小学校教員養成においては、従来通りに上記10教科（各教科2単位）を必修として履修するようになるところが多いと予想される。

次に中学校一種では、免許教科の種類に応じ各科目を修得する。その際の単位数は、28単位（教科の指導法を含む）の範囲で履修する。国立の教員養成大学における中学校教員養成においては、「教科の指導法」については、旧免許法と同様に「教科教育法」として8単位を履修させ、残りの20単位を「教科専門」として履修させるところが多いと予想される。従って、これによると例えば、中学校の「数学」の教員免許取得においては、「教科に関する専門的事項」の単位として代数学、幾何学、解析学、「確率論・統計学」、コン

ピュータ、の授業科目から20単位を履修することになる。

（4）教科教育に関する学問的研究

戦後の教員養成は、大学において教養科目として自然科学・社会科学・人文科学の学問の履修によって教養を高めること、そして「教科に関する科目」として、学問・科学・芸術・技術等の各専門学問を分科した「教科専門科目」を履修することで教科指導の能力を養成した。一方には、「教科の指導法」として、小学校では「教材研究」（教科の指導法）を中学校では「教科教育法」を履修することになっていた。

ところが、このような新しい理念によって展開されてきた教員養成について、1955年頃（昭和30年の後半）になると、この「教材研究」や「教科教育法」に関して、教員養成教育におけるこの専門分野の理論研究が進められた。それは、教科の指導において、教科に関する専門科目（教科専門）は、それぞれの教科において学問の背景を持つことから研究としても歴史を持つ。これに対し教科の指導法（教材研究、教科教育法）は、教育現場の実践知に留まっており、この実践知と教育学とを関連・統合した理論化が進んでいなかった。ここに、教科の教育を担う一方の専門分野となる教育内容を「教科教育学」としての理論化する動機があった。教員養成における「教科教育の研究」についての重要性は、次のように理解されていた。

「教科教育の研究は、子どもの成長発達にとって学問・芸術のもっている意義と役割を追究する。すなわち、学問・芸術が子どもの成長発達にとって真に糧となっていくための教育実践と、そして学習主体としての子どもがこれを摂取していく過程の構造と論理を追究する。それは、教材に関する優れた学識と人間の成長発達に関する洞察を結合した教授学習の理論として追究されなければならない。そのためには、学問・芸術についての総合的認識と人間の成長発達に関する諸科学についての認識を高い次元で結合していく新しい教養内容が追究されなければならない」[12]。

このような経過の中で各教科の指導方法を含めた教員養成に貢献する「教科教育学」の理論的研究が開始された。そして、1955年頃（昭和30年）から1965年（昭和40年代の前半）に掛け、日本教育大学協会の二部会を母体に各教科の教科教育を学問的に研究する学会が設立された。例えば、日本理科教育学会は、1952年（昭和27）に設立された。日本音楽教育学会は、1969年（昭和44）に設立され、この時に残された教科は英語だけであった[13]。各教科の教科教育の学会設立によって、その研究成果が教員養成の教科教育の授業内容に反映されるようになった。

一方には1960年（昭和40）代の後半から教育系の大学院に修士課程が設置され、専修免許を持った教員養成の道が開かれ、また、修士課程に教科教育の専攻が設置されたことで、教科教育学の学問的研究の基盤が作られた。具体的には、1966年（昭和41）に東京学芸大学に、68年（昭和43）には大阪教育大学に修士課程が設置された。この後、大学院を中心とした新構想の大学が設置された。1978年（昭和53）には兵庫教育大学と上越教育大学が、そして、81年（昭和56）には鳴門教育大学が新構想の大学として開学し、大学院が設置された[14]。その後、教員養成大学・学部に大学院の設置ができるよう法的改正（1979年1月、昭和54）がなされ[15]、国立の全ての教員養成大学・学部に大学院修士課程が設置された。このような教育環境の整備によって、現職を含め教職を目指すものが高度な教育を受けられるようになった。

加えて、修士課程に例えば国語科教育専攻等の教科教育の研究分野が設置されたことは、教員養成の高度化に貢献することになった。この修士課程の教科教育の専攻においては、教科専門の教員の他に教科教育の専任教員についても基準化され、教科教育の専任教員は各教科○合教授と合助教授の二名を配置することとなった[16]。このような教員養成の高度化のなかで「教科教育学」の研究が進展し、教員養成教育における教科教育の授業だけでなく学校における教科教育の実践にも貢献するものとなった。

ところが、近年の国立の教員養成大学大学院修士課程の教職大学院化によって、この修士課程の教科教育専攻の分野の全てが教職大学院に改組することが進められており、これまでの教科教育の研究分野が解体されているのである。そのため、特に教科教育専攻における教科専門の分野の教育がこれまでの方法と大きく変わり、教科専門の教育内容をそのまま扱えないということになる。この修士課程の専門職大学院化に伴い、教科専門を教科内容学の観点から研究することによって対応することの一つがある。

(5)「在り方懇」提言における教員養成の教科専門の問題点の指摘

「在り方懇」(「国立の教員養成大学・学部の在り方に関する懇談会」2001年・平成13年)は、提言のなかで教員養成における教育内容となる「教科に関する専門科目」(教科専門)の問題点について指摘している。それは、教員養成大学・学部の教科専門の教育が教員養成独自のものになってないという指摘である。

①教科専門科目の目的・内容

○「教員養成において、教科専門科目にどのような目的・内容を持たせるかが重要な意味を持っている。」[17]

○「教科専門科目の分野は、理学部や文学部など一般学部でも教育されている。教員養成大学の独自性を発揮していくためには、教科専門科目の目的は他の学部とは違う、教員養成独自のものが要求される。」[18]

○「教員が教科を通して教育活動を展開していくということを考えれば、子ども達の発達段階に応じ、興味や関心を引き出す授業を展開していく能力の育成が教員養成学部の教科専門に求められる独自の専門性といえよう。」[19]

②小学校教員養成の教科専門在り方

○「小学校における教育の充実のため、教科専門と教科教育の分野を結びつけた新たな分野を構築していくことが考えられる。」これを構築していくことが「教員養成学部の特色の発揮につながっていくと考えられる。」[10]

○小学校教員養成の教科専門の在り方については、「各大学でその内容を研究し、構成していかなければならない。」例えば「理科は、物理学、化学、生物学、地学をそれぞれ区々に教授するのではなく、大学教員が協力して小学校理科という大学レベルの科目を構築していくことが求められる。」[21]

③中学校教員養成の教科専門在り方

○「中学校教員は多くの一般学部でも養成しており、それだけに中学校教員養成の教科専門科目の在り方については、教員養成学部の独自性の発揮が求められる分野である。単に一般大学とは専門科目の単位数に違いがあるというのではなく、その内容に本質的な違いがあってしかるべきである。基本的には、生徒の発達段階や他教科との関連性を踏まえてどのような授業を展開すべきかということを内容とすることが、中学校教科専門科目の特色と考えることができる。」[22]

④教科専門科目の担当教員の在り方

○「教科専門担当教員は、他学部と同じような専門性を志向するのではなく、学校現場で教科を教えるための実力を身に付けさせるためにはどうすべきかという、教員養成独自の目的に沿って教科専門の立場から取り組むことが求められる。」[23]

このような教員養成における教科専門について

の「在り方懇」の提言は、理学部や文学部と同じものを志向するのではなく、教員養成大学・学部独自のものを求めるべきで、それは学校の教科を展開できるような能力の養成というところに主眼をおくこととしている。この提言は、従来の学問・科学・芸術等の専門を深く学び教養と教科の専門を身に付けるという立場から教職専門を重視したものになっていると言えよう。このような教員養成大学・学部における教科専門の問題点の指摘が、教科専門を教科内容学の観点から研究することの必要性の一つとなる。

2 教員養成教育の課題

以上の戦後の教員養成教育について、特に免許法の制定と改正内容を概観することで、教科の教育を展開できる教員の能力育成の条件を捉えた。免許法の規定によって教科の教育を展開できる能力は、主に教科の専門科目と教科の指導法によって育成することが確立されていることが分かった。このような戦後の教員養成教育の概観で、教員養成における教科専門の課題として次の三点が浮かび上がった。

①「在り方懇」　第1は、「在り方懇」が指摘した問題点である。それは、教員養成大学・学部の教科専門の教育が文学部や理学部を志向したものになっていて、そのため教科専門科目が学校の教科の教育を展開する能力の育成につながっていない。教科専門科目は、学校の教科との関連性を担保し、教科の教育を展開できる能力の育成につながるようようにすべきだという問題点の指摘である。また、小学校教員養成の教科専門については、「教科専門と教科教育の分野を結びつけた新たな分野を構築」することを提言している。戦後の教員養成の理念は、学問・科学・芸術等を深く修めることを重視し、そのために学問・科学・芸術等を背景にもつ各教科の専門科目の履修を重視した。「在り方懇」の問題点の指摘は、この戦後の教員養成教育の理念に対して修正を求めるもので、教員養成における教科専門の教育内容の在り方を根本的に問い直すことを求めていると言えよう。

②学部教育　次の第2と第3は、文部行政が求める教育課程の改革から出てきた課題である。まず、第2は、学部教育における課題である。学部教育においては、免許法の改正に伴って「教職課程」の見直しが進めらた。それは、教職課程に新しい授業科目として「教科及び教科の指導法に関する科目」が設けられたことから、この授業科目を開発することである。

これまでの免許法は、大きく「教科に関する科目」と「教職に関する科目」に分かれ、指導法に関する科目は、「教職に関する科目」に配置されていた。ところが新免許法では、「教科に関する科目」と「教科の指導法」は同じ枠に配置され、「教科及び教科の指導法に関する科目」と大括り化された。この大括り化の趣旨は、一つは、「教科に関する科目」の中で教材や指導法を含んで授業を構成すること、あと一つは、「教科に関する科目」の中に「教科の内容及び構成」(「教科内容構成」)等の科目を設け展開するということにある[24)]。この、免許法改正による「大括り化」は、「在り方懇」で提言した「教科専門と教科教育の分野を結びつけた新たな分野を構築」について法律で規定化したものと理解できる。教科専門と教科教育を関連させ結びつけるには、教科専門の教科内容が教科内容構成として明示化されなければならない。学部教育の教科専門については、免許法の改正から「教科の内容及び構成」(「教科内容構成」)科目の開発が求められているのである。

③大学院（修士課程）教育　第3は、国立大学における大学院（修士課程）の教職大学院化による課題である。国立の教員養成大学・学部の大学

院は、現在、専門職大学院への改組が進められている。この修士課程における教科教育専攻についても全ての教科が教職大学院に改組・移行することになる。ところが、教職大学院の教育課程には、教科専門科目は必修として位置付けがない。これは何を意味するか。それは、従来の修士課程の教科教育専攻の学問重視のものから教職重視に転換されたと理解される。従って、教科専門科目は、この教職重視の教職大学院の理念と教育課程の目的に沿って授業を開発することが求められる。

教職大学院の教員養成の理念は、新しい学校づくりの有力な教員となり得る新人教員の養成、地域や学校における指導的な役割を果たし得るスクール・リーダーの養成で、実践的能力を養成することである。この理念を実現する教育課程は、履修単位は45単位以上で、教職に関する共通科目（教育課程の編成に関する領域、教科等の実践的指導方法に関する領域、生徒指導、教育相談に関する領域、学級経営、学校経営に関する領域、学校教育と教員の在り方に関する領域）が20単位以上（2017年にこの教職に関する共通科目の5領域単位数は、引き続き5領域全てを学ぶことを条件に16～18単位で可とするとなった。）、教育実習が10単位以上、残り15単位が選択の単位となる[25)]。

例えば、鳴門教育大学教職大学院の2019年度の教育課程は、次の通りである。共通科目18単位（必修）、専門科目18単位（選択）、実習科目10単位（必修）の合計46単位となっている。この教育課程の基準では、教科に関する専門科目は、上記の専門科目の中で選択の授業科目として設定するとなっている。しかもＩ教科の単位数は限定的で、また、それは教科の指導法と一体となった授業として開設することが求められている。このような専門職大学院の理念や教育課程から、従来の修士課程の分化した各教科の教科専門科目をそのままの内容で開設することは出来ず、形を変え、（例えば分科した専門分野を「教科内容構成」科目として再構成）開講するしかない。そして、これと「教科教育」を関連させた授業として展開することである。ここに、教職大学院院における「教科内容構成」の科目の開発が求められる理由がある。

戦後の教員養成の理念は、教育技術よりもまずは学問・芸術等を深く修めることを重視し、そのために各教科の専門科目の履修によって学問・科学・芸術を広く深く学ぶことを求めた。このような教員養成の理念は、教科専門重視のものと言える。ところが、「在り方懇」の教員養成学部としての独自の専門性の発揮できるものとして教科専門と教科教育の分野を結びつけた新たな分野を構築についての提言、教員免許法の改正における教科専門と教科の指導法の「大括り化」、修士課程の教科教育専攻の教職大学院への改組・移行等は、いわば教職専門重視の教員養成の理念に転換されたことの現れであると言えよう。これは、教員養成の教科専門を教員養成大学・学部本来の目的に沿ったものとして創出することの理念的理由となる。

【注及び引用文献】

1） 津留宏『教員養成論』1978年、有斐閣新書、pp.33 – 47.
2） 横須賀薫『教員養成　これまでとこれから』ジアース教育新社、2006年、p.119.
3） 海後宗臣『教員養成』東京大学出版会、1971年、p.558.
4） 同上書、p.184.
5） 同上書、pp.184 – 186.
6） 同上書、1971年、p.186.
7） 土屋基基「教師教育をめぐる現状と課題」『日本教師教育学会年報第18号』2009年、p.8.
8） 文部科学省省令第41号「教育職員免許法施行規則一部改正」平成29年11月27日、pp.6 – 10.
9） 文部科学省省令第41号「教育職員免許法施行規則一部改正」平成29年11月27日、pp.6 – 10.
10） 文部科学省省令第41号「教育職員免許法施行規則一部改正」平成29年11月27日、pp.6 – 10.
11） 文部科学省省令第41号「教育職員免許法施行規則一部改正」平成29年11月27日、pp.6 – 10.
12） 海後宗臣『教員養成』東京大学出版会、1971年、p.559.

13）　木村信之『昭和戦後音楽教育史』音楽之社、1993年、P.252.
14）　山田昇『戦後日本教員養成史研究』風間書房、1993年、pp.433 − 434.
15）　同上書、p.441.
16）　同上書、p.440.
17）　文部省「国立の教員養成大学・学部の在り方に関する懇談会」懇談会報告書、平成13年、p.14.
18）　同上書、p.14.
19）　同上書、p.14.
20）　同上書、p.15.
21）　同上書、p.15.
22）　同上書、p.16.
23）　同上書、p.18.
24）　中央教育審議会「これからの学校教育を担う教員の資質能力の向上について（答申）」平成27年12月1日、p.32.
25）　文部科学省「専門職大学院設置基準及び学位規則の一部を改正する省令の公布等について（通知）」平成19年3月1日、「一　教職大学院関係」の項。

（西園芳信）

第一部

教員養成における
教科内容構成の研究

第1章　教員養成における教科内容学研究の歴史

1 はじめに—問題の所在

教科内容学研究の歴史については、すでに増井三夫（2009）が、1960年代以降の日本の教育学界における「教科内容」に関わる言説を批判的に分析し、教科内容学の新たな研究理念として次の3つの課題を提起している。すなわち、第1に、教科内容学を、教科専門と教科教育の「両者を統合した科学」として構築する課題であり、この課題を解決するために提起されていたのが、教科内容学の「学」としてのディシプリン（研究分野・専門科目）を確立するための「認識の枠組」の確定である。その際、増井は、この「認識の枠組」とは、「学習指導要領における各教科の目標ではない」と指摘し、逆にそれぞれの教科の「目標を成り立たせている認識の枠組」であると強調することで、「学」としての教科内容学が、行政文書としての「学習指導要領」に対して基盤的な役割を果たすという両者の位置関係を明示した。増井が指摘した第2の課題は、統合科学としての教科内容学の対象についての基本認識（新たな認識）と、そこから導出される「体系」、さらにその体系の「内容構成」を明らかにすることである。そして、第3の課題が、教科内容学の「ディシプリンの統合」である。新しい統合科学としての教科内容学を具体化するためには既存のディシプリンとの差異を明確にすることが不可欠であるが、この課題は従来の教科専門のあり方への批判と不可分に結びついている。増井の主張を敷衍していえば、そもそも個別のディシプリンは、①自己の歴史的系譜に執着し、②他のディシプリンとの境界設定を明確化しようとし、③自己のディシプリンの内部で下位分野に際限なく細分化しようとする傾向をもっており、この傾向は従来の教員養成課程の教科専門のあり方に関しても該当する。しかし、増井によれば、授業実践での「教科内容」は、教科専門と教科教育の区別からは独立するかたちで「確固とした一つの統合された領域」として扱われるべきであり、そのような「教科内容」を学ぶことは、本質的に「人類の認識活動の一つの形態」であり、「専門的知識の体系として構成されなければならない」という。その意味で、教科内容学においては、個別ディシプリンの細分化の傾向に対して「教科としての全体知」を求めることが新しい統合科学としての教科内容学にとって肝要であると指摘した[1)]。

総じていえば、増井（2009）が提起した3つの課題（①認識枠組、②対象の基本認識・体系・内容、③ディシプリンの統合）は、教科の認識枠組を出発点としていわば演繹的に教科の対象規定・体系性・内容構成・その統合といった全体構造が構築されるべきであるという方向性を示している。いいかえれば、教科内容学研究は、従来の教科内容の細分化・断片化・非体系性に対して、教科内容を構築するための基盤としての体系性を志向しなければならないということである。このことを象徴的に示しているのが増井の「全体知」という表現である。

そこで本章では、増井が指摘した教科内容学の構築に不可欠な3つの課題は今日までにどの程度解決されてきたのか？という問いを基軸にして、日本での教科内容学の歴史を捉え直すことにしたい。

2 教科内容学研究の今日的到達

日本における「教科内容」に関わる研究史については、新井知生（2015）が、増井（2009）を踏まえつつ、最新の動向を概観している。以下では、この二つの先行研究を参照しつつ原資料に拠って研究史を整理することにする。

（1）教科内容学研究の第１期（萌芽期）

「教科内容学」という名称が日本で最初に本格的に教育課程に登場するのが1978（昭和53）年の広島大学であり、その意味は「教科専門の担当者が共有する学問領域」であるとされた。これ以降、広島大学を中心に教育実践の観点から各教科専門の内容を構成することを主眼にして、特に中等教育の教科内容を中心に研究が進められていったとされる[2)]。この広島大学での取り組みにおいて「教科内容学」という名称は、1978年の学部の高等学校教員養成課程を改組する際に、教科専門科目群をくくるものとして成立し、その後、1986年の大学院博士後期課程の設置の際にも「教科内容学」の位置づけが議論されており、そこでは「教科内容学は、教科専門科目を、文・理学部など他学部の教育研究とは違って、真に教員養成に役立つ教科専門学問とすることをねらい、そして現在他学部出身者で占められている教員養成系大学・学部の教科専門のポストにつける研究者を養成していくという案である」という考え方にもとづき「教科教育学と教科内容学が相補的関係を保ちながら教科の教員養成に寄与する」という方向で、この両者を「広義の教科教育学」と呼ぶことも提起されていた[3)]。

この新しい学問の理念をおそらく最初に概念化したのが樋口聡（1987）である。樋口によれば、「教科内容学」という名称が、学部改組の際に、教科専門群に「教科教育学科らしい名称」を付ける必要性から生まれたという経緯を紹介しつつも、「内容学」の定義の問題について次のように指摘している。「科学論が科学哲学となるように、『内容学とは何か』という問題は『内容学』そのものではなく、それを問う哲学的な視座を必要とする、言わば教育哲学の問題である。〔…〕physicsを超えたmetaphysicsが求められるところに、『内容学とは何か』が容易に明瞭になりえない一因があるのだろう。」[4)] つまり、樋口が強調しているのは、教科内容学は、教科内容そのものをメタ次元で考察することから始める必要があるという認識である。これは、増井の「認識の枠組」論を萌芽的に主張するものであった。しかし、樋口が提案した「内容学」の図式的展望は、増井が主張した「体系性」とは異なる方向であった。それは、増井自身が、広島大学の流れを、教育実践の観点からの教科内容研究であったと総括的に評価しているように、教科教育における「教材」をめぐる問題を出発点として、そこで解決すべき課題の観点から「基礎学」（物理、化学、数学、音楽学、スポーツ科学…）と、どのように関係すべきか、という「関係性」の面から「内容学」を定義するものであった。樋口によれば、教育に諸科学の方法を当てはめるのではなく、教育の問題を「考える」ことが重要であり、教師と生徒の媒介項である「教材」の研究の観点から、基礎学にアプローチし、再び、基礎学から教材へと回帰するという「ループ」をつくることが「内容学」の核心であるという。そのうえで注意事項として、「このループをつくる作業は、特に内容学では教育の関係図式から多かれ少なかれ一時的に遊離することを含むから、個々の研究のたびごとに――同質の研究でも形式的には――つくる必要があること、ループをつくる作業の骨組みは『論理』であって、当該の内容学の研究に対する基礎学的な研究の位置づけを理路整然と示すこと」である、と指摘している[5)]。

教科の体系性ではなく、むしろ個別の教育実践から出発して、論理を重視しつつ個々の教材研究をおこなうというプロセス重視の内容学研究は、その後の広島大学での豊富な研究成果をもたらすことになった。1994年に紀要が『教科教育学研究』と改称され、教科内容学の論文も掲載されるようになったが、「この頃から教科内容学を、教科専門の特質を生かして、教材の内容選択、教材の内容構成や教材開発に寄与する研究分野という考え方も出てきた」[6] と指摘されている。その後の教科教育学の方向性についてプロジェクト研究の報告書の中で、池田（2004）は、次のようにまとめている。「(1) 対象：教科の内容（幼・小・中・高）及び高等教育（高専、短大、大学）、教師教育（教員養成、現職教育）、生涯教育の教育内容。(2) 目標：教育現場の教育内容の改善、教育内容の原理の確立。(3) 方法：教育内容選択の史的研究、教育内容選択の原理の研究、教育内容の選択をめぐる実証的研究（〔…〕）。(4) 体系：教育内容・教材に関して、教科内容学的な研究を通して、教材を開発し、それを教育実践を通して評価する」[7]。

この方向性の特徴は、「教科内容学」が教師教育に限定されていない点、教科内容の原理的研究と教育実践（とくに教材）との関わりとが並列的に位置づけられている点である。このことは、同じ報告書の中で竹村信治（2004）が、教科内容学の研究領域を「専門研究の研究成果を、教科教育実践の豊かで先端的な展開に向けて再構築していく研究領域」[8] と定義していることとも重なり合う。

いずれにしても、この時期の「教科内容学」は、学問としての原理や体系性というよりも、教育実践との関わりが重視されており、教材研究・開発を軸にして、教科内容の細分化・実践化が重視されたため、教科内容の体系性、すなわち教科としての「全体知」への見通しが不明瞭のままだったことは否定できない。

とはいえ、その背景にあった教科専門を取り巻く状況に目を向ける必要がある。その状況とは、教科内容がそれ自体として認識論的に定義されないまま、学習指導要領に記述されている「教科の目標」が、各教科の研究の端緒になっていたことである。この時期には、教科の目標や、学習指導要領を「自立した学問」の観点から相対化・対象化して検討するという課題が十分に意識化されていなかったのである。それとともに、学習指導要領を前提にして、教育実践との相互作用のプロセスを重視するタイプの教科内容学研究が第１期の特徴になった理由として、教科専門をめぐる、もっと大きな状況が作用していたことも考えられる。それは、教科専門の在り方について、教科専門それ自体の自己変革を否定する次の３つの異なる考え方が併存していたという状況である。

それは、第１に、教科専門における「アカデミズム論」[9] と呼ばれるもので、教員養成における教科専門の教育内容は、研究者養成や芸術家・アスリート養成と同じようなものであるべきだ、と考える立場である。今日にいたるまで教員養成課程における教科専門の担当教員の多くが、それぞれの専門分野の研究者養成大学院の出身者であるという事情が、この立場の背景にある。しかし、教科専門と教科教育の一体化や「教員養成学」の研究が中長期的課題として提唱されている現在では [10]、あまりにも守旧的であるが、とはいえ、現実には教員養成課程において根強い立場でもある。

第２の立場は、教科内容学を教科専門と教科教育を媒介する新分野として創設するべきだという「第３のカテゴリー」論である [11]。この議論は、かつて教職科目、教科専門とは別の「教科構成学」という名称で提起されたこともあった。この考え方に立つならば、教科専門の教員はなんら自己改革する必要がなくなってしまうし、場合によっては（教科専門科目は専門学部での科目で代替すればよいという議論を惹起して）教員養成課程における教科専門の存在意義の否定になりかねない。しかし、そのような二つの領域の中間領域ではなく、「教員養成における教科専門の創出や構成を目指す教員養成学部独自の教育・研究分野(discipline)」として「教科内容学」という名称が妥当であるという判断が、後述するように2011年の先導的大学改革推進委託事業の研究成果として打ち出されることになる[12]。

第3の立場は、教科専門の教員に学校現場での経験を要求することによって教科専門の改革を期待する行政的発想に由来する立場である。この点について、新井（2015）は、「現場の経験は専門内容と教科内容を結びつけるためにあった方がよいだろうが、教員養成にふさわしい専門内容を教授できるという保証にはならないであろう」と指摘している[13]。学校現場の経験という要因は、教科専門の内在的改善という次元とは別の次元である。教科内容学が教科専門に要求される学的内実を獲得するために不可欠なのは、理論的構築であって、そこに経験的な要素が関わるとしても、その経験的な要素を理論化する過程が不可欠である以上、教科専門の教員にとって教科内容学はどうしても必要となる。

これらの3つの立場は、教科内容学の確立過程で必然的に繰り返し浮かび上がってくる「紛れ」のような流れであるといえよう。このような「紛れ」を整理していく過程が次に検討する第2期の動きである。

（2）教科内容学研究の第2期（形成期）

教科内容学研究の第1期を集中的に担っていたのが広島大学であるとすれば、第2期を担っていくのが、鳴門教育大学、上越教育大学、兵庫教育大学を中心として2002年度から始まった各種プロジェクト研究の動きである[14]。この動きは、2001（平成13）年のいわゆる「在り方懇」での教員養成大学の教科専門の独自性についての指摘[15]を受けて、独自の教科内容学の観点から研究を進めたものであった。

とくに大きな成果を収めたのは、2006～2008年に兵庫教育大学大学院連合学校教育学研究科の共同研究プロジェクト「教育実践の観点から捉える教科内容学の研究」の成果として刊行された西園芳信・増井三夫編『教育実践の観点から捉える教員養成のための教科内容学の研究』（風間書店、2009年）であった。同書の目的として掲げられたのは「小・中・高等学校各教科の教科内容の選択や構成の原理と枠組みを析出することによって、児童・生徒の学力育成に寄与する教員養成の教科内容の在り方を検討し、提案する」ことであった。とりわけ教科内容の原理と枠組みの検討では、視点1として、各教科の認識論的定義から教科内容構成の原理の究明、その柱立ての導出という理論的構成の設計図が提起され、視点2として、視点1で導出された教科内容を教育実践から捉え直して教科内容構成の体系化を図り、視点3では、この体系性の観点から学習指導要領を批判的に検討し、視点4では、視点2で導出された教科内容構成を実践的に検討するというプロセスで検討がすすめられ、その結果として、各教科に即して、教育実践から捉える教科内容構成の原理、教員養成の教科内容（教科専門）構成の在るべき姿についての提案がなされた[16]。この研究成果の意義は、教科内容学について各教科の「認識論的定義」を端緒として、体系性、学習指導要領批判、教育実践からの検討、シラバス案の提起にいたる首尾一貫した系統的な視点から教科内容学の研究の枠組を構築した点である。

さらに重要なのは、教科内容学研究が、教員養成に関わる「在り方懇」による問題提起を受けた教科専門による自己改革の営みだけでなく、世界的な規模での「教育の危機」に対しても創造的に応えようとする姿勢を内包していた点にある。本書の「あとがき」で増井三夫は、教育学が「教授法一般の科学」になってしまい、教師が「本来学ばれるべき内容から完全に遊離してしまった」というアメリカの哲学者ハンナ・アーレントに言及しつつ、「アーレントは『教育の危機』を教育学の非体系性による危機と認識していた」[17]と指摘している。ここに、本論冒頭で掲げた増井による教科内容学研究の3つの課題の問題意識の源泉の一つがあるように思われる。新井（2015）は、同書について「以降の教科内容学研究の土台を作った」と高く評価し、一連のプロジェクト研究によって教科内容学が組織的に研究され、体系としてほぼまとまっていく中で、各大学においても教科内容学にもとづく授業内容の検討、テキスト作成、カリキュラム化が進められていった経緯についてまとめている[18]。

（3）教科内容学研究の第３期（確立期）

このような第2期の成果を踏まえて、「教科内容学」の学術的な確立をめざして2014年5月に設立されたのが、日本教科内容学会であり、ここから第3期が始まると言える。同学会の「設立理念」では、「教員養成における教科専門の教育内容が理学部や文学部の内容と同じで、そのために学校教育との乖離があり、子ども達の発達を想定したものになっていない」ので「この課題を解決するには教員養成大学・学部が独立した専門分野を築き、教員養成大学・学部独自の教科専門の創出が必要である」という現状に対する批判的認識に立脚して、それに応えるかたちで、「教科専門の各教科の教科内容を学校教育の教育実践に生き、子どもの学力育成と発達を助成するものとして捉え直し『教科内容学』として創出すること」を課題とし、各教科の教科内容を「教科の専門の立場と教育現場の授業実践の立場から捉え、『教科内容学』として体系性を創出することを目的として」設定したと宣言した[19]。

学会活動としては、2019年までに年次研究大会を6回開催し、学会誌として『日本教科内容学会誌』を第5巻まで刊行した。それらの成果を踏まえ、同学会は、2019年に日本学術会議協力学術研究団体に登録申請し承認された。同学会はさらに5年計画のプロジェクト研究「教員養成における教科内容学研究―各科教科内容構成の開発―」を実施してきた。その成果の一部は、第6回研究大会（京都教育大学）で数学・美術・社会・体育・理科・音楽・国語・英語・技術・家庭について理論的仮説とシラバスが提案され[20]、さらにプロジェクト研究会での検討を踏まえたかたちで成果を具体化したのが本書である。

このような研究の進展のなかで提起された様々な教科内容学の定義について検討した新井（2015）は、次のように総括的に述べている。「〔教科内容学の多様な〕定義に先立ち教科内容学で認識され、共有されるべき根底の考え方として、常に上がる論点は次の2点である。①『教科内容学』はあくまで教科専門に関わるものである。②『教科内容学』は学習指導要領に従うのではなく、そのもとになる原理までをも含むものである」[21]。

このような共通認識を踏まえて、新井（2015）は、教科専門と教科教育の「架橋」という表現について、「架橋」とは「専門諸科学の成果を教科として『統合』することである」という増井の解釈を敷衍するかたちで「当該研究分野を理解する上で必要な内容を、教師が授業をするために必要な内容に再構成することである」と解説している[22]。いずれの表現も、増井のいう「全体知」に関わる理解、いいかえれば教科専門の側から見ても、教科教育の側から見ても、教科内容学において「ディシプリンの統合」を志向しなければならないことを意味している。

こうした第3期の「教科内容学」研究の動向に対して、最近になって大きな影響を与えている教育政策上の動向として次の点を指摘しなければならない。第1に、2016年の教員免許法改正において科目区分の大括り化による「教科に関する科目」と、「教職に関する科目」のなかの「教科の指導法」とを一体化させた「教科及び教科の指導法に関する科目」への移行が打ち出されたこと、第２に、学部において「教科に関する科目」のなかに「教科の内容及び構成」にかかわる科目を設けることで教科専門と教科教育の連携強化が重視されたこと、第３に、大学院修士課程の教職大学院への全面的移行が推進されるなかで教科に関する教育分野を教職大学院のカリキュラムへ組み込むことが不可欠になったことである。これらの事情は、従来の「教科に関する科目」を担当していた教科専門の授業内容の見直しを促す外在的な要因として作用することは疑いないだろう。

こうした政策的情勢の変化を背景にして、先にあげた教科内容学会が主導している取り組みと並行して、各大学および各教科において、独自の取り組みがなされている点にも言及する必要がある。

例えば、岡山大学では、「教科内容学」に通ずるものとしつつも、「教科内容構成」という名称のもとで、「教科の内容に関わる知識・技能と教科の指導法に関わる知識・技能の分離という問題を克服する」ために「教科の内容と指導法に関わる知識を統合し、それらを応用して、教師が自ら『どのような内容をどのように教えるべきか』を考え、授業づくりに取り組むことができるようになるための考え方を示す」課題を掲げ、2018年以降、具体的な授業プランを提案している[23)]。考え方としては、第１期の広島大学での教材研究を端緒とした教科内容学の捉え方に近く、焦点が「授業づくり」に向けられている点が特徴である。しかし、新井（2015）が教科内容学の共通認識として指摘した２つの論点に、どのように関わっていくのかは不明瞭である。

また、島根大学教育学部では、2019年に「新しい教科専門教育の可能性」と題して『教育学部紀要』別冊を刊行した。それは、教員養成に関わる制度変更や有識者会議の動向を念頭に置きながら、2006年度以降に実施されてきた学部授業「教科内容構成研究」の蓄積を踏まえ[24)]、「新しい教科専門教育が果たすべき役割と方法について、私たち教育学部担当教員が自ら検証・改善していく手がかり」として、教科専門の授業の現状と課題を明らかにしようとする試みであった[25)]。具体的には、国語科、社会科、英語科による「文系教科における教科内容構成研究の現状と課題」、算数科・数学、理科、技術科による「理系教科における教科内容構成研究の現状と課題」、音楽科、美術科・図画工作科、保健体育科・体育科による「芸術・実技系教科における実践的教育活動の現状と課題」などから構成され、個々の授業の概要や実践事例が紹介されている。注目すべき点は、各教科をさらに、文系、理系、芸術・実技系というかたちで類型化するかたちで統合的に捉えようとする志向であり、専門性から教科書・教材の内容を批判的に相対化しようとする姿勢、教科の本質を捉え直し、各専門的学術の歴史を教科の本質に関連させようとする姿勢、そして、学術的専門性を日常の次元に置き換えていくための技能を重視している点である。いずれも、教科専門の立場に立脚した教科内容の捉え直しという点で共通している。しかし、授業の現状把握と改善という課題のなかで、各教科それ自体の体系性をどう捉えて、その枠組のなかにそれぞの授業内容をどのように位置づけ配置すべきなのか、という「ディシプリンの統合」という視点、履修生の側から「全体知」がどう構成されるのか、という現象学的な視点が全体に共有されていない点に課題がある。

また、上越教育大学では、大学全体として「教科内容構成◯◯」のテキスト作成と授業に取り組んでいると同時に、個別の教科としても、例えば、2014～2018年度に科研費研究として「教科教育と教科専門を架橋する社会科内容構成に関する基礎的研究」を実施し、その成果として『社会科内容構成学の探求―教科専門からの発信―』（風間書房、2018年）を刊行した。そのなかで、教科専門と教科教育の担当教員からなる執筆者の共通の土台が「学術的な基盤に立脚した教科内容であり、その教科内容が学術的専門性と教育実践に即してたえまなく有機的に構成されるべき対象である」という立場を打ち出し、教員養成の観点から「専門性に立脚した力ある知識をベースにしつつ、それらを有機的に構成しながら持続的に成長することができる教員の力量の育成」という課題に応える責務を強調している[26]。注目すべきは、ここでいう「力ある知識」論が、志村（2018）が指摘するように、A．センのケイパビリティ論を援用した教科固有の知識論・教員養成論を展開する国際共同研究プロジェクトの動向とも親和的である点である[27]。そのような基本的方向性を踏まえたうえで、「ディシプリンの統合」という観点からいえば、社会科のような多元的なディシプリンから構成されている教科の場合、社会科の「全体知」へと向かうという課題は相当な困難を伴うという点を指摘しなければならない。

3　おわりに―今後の課題

以上のように教科内容学研究の歴史を振り返ったとき、増井（2009）が提起した3つの課題（①認識枠組、②対象の基本認識・体系・内容、③ディシプリンの統合）は、どの程度、解決されてきたのか？が改めて問われることになる。認識の枠組や対象については、かなりの程度、明確になってきているとはいえ、教科におけるディシプリンの統合、すなわち、体系性の構築という観点からは、まだ解決すべき課題が山積しているといえよう。具体的にいえば、第1に、各教科の枠内での児童・生徒の発達段階に応じた教科内容の体系性の在り方の検討である。たとえば、小学校の生活科から理科・社会への分岐、さらに中学での物理・化学・生物・地学、地理・歴史・公民科、さらに高等学校でのさらなる教科内容の分化という「教科」設定の在り方に対して、教科内容学はどのような知見を提供できるのか、という課題である。第2に、このような通時的な教科の分化に対応して、共時的な次元での各教科の相互関係を諸教科の体系性の観点から明確化していく課題である。第3に、日本学術会議に登録している学会の多種多様さを見ても明らかなように、専門的学術研究は、伝統的な学問領域の内部だけでなく、その外部に新たな研究領域が設定されることで、ますます学際化し、文理融合型や領域横断的な研究対象と内容を扱う傾向を強めている。そのなかで、これらの多種多様な学術的内容を、教科内容学はどのように原理的に取り扱うのかという課題も重要である。その場合には、既存の教科区分の在り方についても検討対象になるはずである。

さらに従来の日本における教科内容学研究は、国際共同研究をどのように進めていくのか、という課題も引き受けなければならない。教科の「全体知」という場合、日本一国内で均質で完結したものではありえない。それは、一方で、日本を含めた様々な地域固有のローカルな独自の文化を遺産として継承する側面と、他方で、日本のナショナルな文化を超えたグローバルな規模で展開されるべき文化遺産の継承を担う側面とを含むはずである。その意味で、日本における教科内容学研究は、その長い道のりを始めたばかりにすぎないと言えるだろう。

【注及び引用文献】

1）増井三夫「第1章　教員養成としての教科内容学（教科専門）研究の歴史」，西園芳信，増井三夫編『教育実践から捉える教員養成のための教科内容学研究』風間書房，2009年，pp.25 － 27.

2）具体的には，2002年度から始まった広島大学の一連の研究プロジェクトである。『教科内容学の体系的構築に関する研究』広島大学大学院教育学研究科，2004年；『中等教育における教科内容指導研究』広島大学大学院教育学研究科，2005年；『中等教育における教科教育内容とその指導に関する研究』広島大学大学院教育学研究科，2006年；『中等教育における教科教育内容とその指導に関する研究』広島大学大学院教育学研究科，2007年；『中等教育における教科教育内容に関する研究』広島大学大学院教育学研究科，2009年。ここで注目すべき点は，2002 － 2003年度のプロジェクト研究では「教科内容学」の「体系的構築」が唱われていたのに対して，2004年以降は，「教科内容」あるいは「教科教育内容」の「指導」のあり方へと研究の基調が変化していったことである。

3）丸尾修・池田秀雄「第1章　教科内容学の教育・研究　第1節　教科内容学の位置づけ」，「教科内容学の体系的構築に関する研究」プロジェクト・研究代表者・今岡光範『教科内容学の体系的構築に関する研究：平成14～15年度広島大学大学院教育学研究科リサーチオフィス研究経費・研究報告書』広島大学，2004年，p.1.

4）樋口聡「教科『内容学』の図式的展望」『広島大学教育学部紀要』第2部，第36号，1987年，p.203.

5）樋口，前掲論文，pp.207 － 210.

6）丸尾・池田，前掲論文，p.2.

7）丸尾・池田，前掲論文，p.6.

8）竹村信治「第2章　諸科学専門研究と教科内容学研究　1. 人文諸科学の研究動向のなかで」，「教科内容学の体系的構築に関する研究」プロジェクト・研究代表者・今岡光範『教科内容学の体系的構築に関する研究：平成14～15年度広島大学大学院教育学研究科リサーチオフィス研究経費・研究報告書』広島大学，2004年，p.6.

9）新井知生「『教科内容学』研究の成果と課題―教員養成カリキュラムにおける教科専門の授業の在り方を中心に―」『島根大学教育学部紀要（教育科学）』第49巻，2015年，pp.27 － 28.

10）例えば，国立教員養成大学・学部，大学院，附属学校の改革に関する有識者会議『教員需要の減少期における教員養成・研修機能の強化に向けて～国立教員養成大学・学部，大学院，附属学校の改革に関する有識者会議報告書』2017年.

11）新井，前掲論文，p.28.

12）増井三夫・西園芳信「教科内容学研究の現在と可能性」，三大学協議会編『平成22 － 23年度文部科学省先導的大学改革推進委託事業研究成果報告書・教科専門と教科教育を架橋する教育研究領域に関する調査研究』上越教育大学，2011年，pp.37 － 38.

13）新井，前掲論文，p.28.

14）具体的には，2002年度から始まった各種プロジェクト研究である。『教科内容学を基盤とした教員養成コア・カリキュラム開発』鳴門教育大学，2003年；『教科内容学を基盤とした教員養成コア・カリキュラム開発（第二次）』鳴門教育大学，2004年；『教育実践の観点から捉える「教科内容学」の研究』兵庫教育大学大学院連合学校教育学研究科，2007年；『教員養成における「教科内容学」研究』上越教育大学，2011年；三大学研究協議会『教科専門と教科教育を架橋する教育研究領域に関する調査研究』上越教育大学，2011年；『教員養成モデルカリキュラムの発展的研究：教科内容学研究協議会　平成24年度成果報告書』鳴門教育大学・上越教育大学・岡山大学教育学部，2012年。

15）国立の教員養成系大学・学部の在り方に関する懇談会『今後の国立の教員養成大学・学部の在り方について：今後の国立の教員養成系大学・学部の在り方について：国立の教員養成系大学・学部の在り方に関する懇談会報告書』2001年.

16）西園芳信「はじめに」，西園芳信，増井三夫編『教育実践から捉える教員養成のための教科内容学研究』風間書房，2009年，p.i.

17）増井三夫「おわりに」，西園芳信，増井三夫編『教育実践から捉える教員養成のための教科内容学研究』風間書房，2009年，pp.255-256.

18）新井，前掲論文，pp.28-29。具体的には，島根大学での授業科目「教科内容構成研究」の開設（2006年～），広島大学の「教科内容学の体系的構築に関する研究」（2006年～）と「◯◯授業プランニング論」などの授業開設（◯◯には教科名―以下同じ），岡山大学の「先進的教員養成プロジェクト」（2011～2015年）と『「教科内容構成指導法ハンドブック』（2014年）の作成と「教科内容論」，「教科内容開発」などの授業開設，上越教育大学での「『教科内容構成に関する科目」構築のための専門部会」設置（2012年）と2014年以降の学部での「教科内容構成◯◯」の授業開設と授業用テキスト作成（大学院でも「教科内容構成特論◯◯」の授業開設とテキスト作成），鳴門教育大学教科内容学研究会によるテキスト『教科内容学に基づく小学校教科専門科目テキスト◯◯』（2015年）などである。

19）http://www.jsssce.jp/files-institute/EstablishmentPhilosophy.pdf [2020年2月13日閲覧]

20）http://www.jsssce.jp [2020年2月13日閲覧] 研究大会の実施経緯は以下の通り。第1回（2014年，鳴門教育大学），第2回（2015年，聖徳大学），第3回（2016年，上越教育大学），第4回（2017年，奈良教育大学），第5回（2018年，椙山女学園大学），第6回（2019年，京都教育大学）。第7回研究大会（2020年，山梨大学）

21）新井，前掲論文，p.29.

22）同上。

23）土屋聡・岡崎正和・宇野康司・桑原敏典「教科内容構成による小学校の授業づくりと教員養成プログラムの改善（1）―国語科，算数科，理科を事例として―」，『岡山大学大学院教育学研究科研究集録』第167号，2018年，p.92.

24）島根大学教育学部「教員養成学部における教科内容研究―「教科内容構成研究」授業の実態と課題」，『島根大学教育学部紀要』第45巻別冊，2012年。

25）長谷川博史「特集にあたって～「新しい教科専門教育の可能性」『島根大学教育学部紀要』第52巻別冊，2019年，p.1.～」

26）「はじめに」，松田愼也監修『社会科内容構成学の探求―教科専門からの発信―』風間書房，2018年，p.i.

27）志村喬「第5章　社会科教育学と教科内容　第1節　イギリス教育界における『知識への転回』と教員養成―地理教育を中心に―」，松田，前掲書 pp.223-224. さらに志村は，英米でのＰＣＫ（Pedagogical Content Knowledge）論を検討するなかで「教科内容」と「教科教授的知識」の相互関係的存在性を強調し，教育界全体の「知識への転回・回帰（Knowledge turn)」の背景に，知識論研究者と教科教育研究者と実践者（現場教師）の協働研究の進展があることを指摘している。志村喬「PCK（Pedagogical Content Knowledge）」論の教科教育学的考察—社会科・地理教育の視座から—」，『上越教育大学研究紀要』第37巻第1号，2017年，p.145.

（下里俊行）

第２章　教員養成における教科内容構成開発の原理

はじめに

序章では、戦後の教員養成における教科専門の背景と課題について整理した。戦後の教員養成の理念は、教育技術よりも教養や学問・科学・芸術等を広く修め広い視野を持つことと捉えられていた。そして、その具体は教員免許法によって基準化され、教養科目と教科専門科目を履修するとした。これは、教科専門重視、すなわち教員の資質能力を教職専門よりも教科専門を修めることを重視した教員養成といえる。ところが近年の文部科学省の教員養成に関わる次のような提言や政策は、教科専門重視から教職専門重視に転換されたものといえる[1]。

第１は「在り方懇」(2001年) の提言である。すなわち、提言では教員養成大学・学部の教科専門は他の学部と同様の専門性を志向するのではなく教員養成の目的に沿って取り組むべきで、その具体として教科専門と教科教育の分野を結びつけた新しい分野を構築することや教科専門の役割は教科の指導ができる能力の養成にあると述べている。

第２は、2016年改正の新教員免許法である。改正ではそれまで「教科に関する科目」と「教科の指導法に関する科目」は別々に位置づけられていたものが「教科及び教科の指導法に関する科目」と「大括り化」され両科目が同じ枠に位置付けられた。この免許法の改正は「在り方懇」の「教科専門と教科教育の分野を結びつけ新しい分野を構築すること」を法律で規定化したものと理解され、これの具体化には、教科専門を捉え直しが必然となる。

第３は、大学院修士課程の教科教育専攻が教職大学院に改組・移行の問題である。教職大学院の教育課程には従来の教科専門科目は必修としてない。これは、修士レベルの教員養成も教職重視に転換されたものといえる。教科専門は、教職重視の教育課程に沿った授業科目として開発が求められる。

このような近年の文部科学省の教員養成についての提言や政策は、教科専門重視から教職専門重視、すなわち教員の資質能力において教科専門を修めることよりも教職専門の能力の方を重視したものに転換され、教員養成大学・学部の本来の目的に沿った教育課程の改革が求められているものと言える。その第一の改革が教科専門の教育内容を教員養成の目的に沿ったものとして捉え直すこととなる。

1　教員養成における教科内容構成の研究

本学会は、上記の教員養成の課題に応えるために教員養成の教科専門の教育内容を「教科内容学」の観点から捉え直し、「教科内容構成」のモデルとシラバスを提案することを企画し、2016(平成28) 年７月に「教員養成における教科内容学の研究」を目的にしたプロジェクトを設置した。教員養成における「教科内容構成」の開発は、教員養成の教科専門の教育内容を「教科内容学」の観点から捉え直すことで実現できると判断した。そこで、まずプロジェクト研究の前提となる「教科内容学」、すなわち、教員養成に関する新しい学問研究「教科内容学」について、その理念・目的・研究分野を述べる。

(1) 教科内容学研究の理論

①　教員養成における「教科内容構成」の位置

教員養成における教育課程には、教員免許法で規定されている教科に関する科目として「教科専門」と「教科の指導法」がある。これらの授業科目を教員養成の教育課程の授業科目として整理すると、前者は「教科専門」となり後者は「教科教育」となる。授業担当は、前者は各科の教科専門の教員で後者は各科の教科教育の教員になる。（図 2-1 参照）本研究の目的は、前者の「教科専門」を「教科内容学」の観点から捉え直し、「教科内容構成」として開発することで教員養成の「教科専門」を学問化することである。

［教科専門（「教科内容構成」］《担当：教科専門》 + ［教科の指導法（「教科教育」）］《担当：教科教育》

◇図 2-1　教員養成における教科に関する授業科目

② 「教科内容学」とは

では「教科内容学」とは、どのような学問研究か。日本教科内容学会の設立理念によると、「教科内容学」研究の理念と目的は次のようになる[2)]。

「教科内容学」研究の理念：教科専門の各教科の教科内容を子どもの学力育成と発達を助成するものとして捉え直し「教科内容学」として創出すること。

「教科内容学」研究の目的：教科内容学研究は、研究の対象を教員養成及び学校教育における各教科の教科内容とし、それらを教科専門の立場と教育現場の授業実践の立場から捉え、「教科内容学」として体系性を創出すること。

③ 「教科内容学」の研究分野

次に教員養成における「教科内容学」の研究は、どのような分野によって成立するのか。次の 4 分野となる[3)]。

①人間形成にとっての学問（「教科内容」）の教育的価値：人間形成における学問（教科内容）の教育的価値の研究

②学問史：学問の発生から発展の過程でその学問（教科内容）がどのように組織されてきたか学問の歴史的研究

③学問から教科内容の演繹：学問の内容・構造・価値を研究し教科内容として導出（今回のプロジェクトの取り組みはこれに該当する。）

④教員養成で用いる素材・教材の開発：子どもの能力・学力育成を促すには、どのような素材・教材でその学問内容を提示したらよいかを研究

(2)「教科内容学」研究に関連する用語の定義

次は、「教科内容学」の研究に関係する用語の概念を定義する。

①「教科内容」:「各教科で扱う基本的な概念・法則・原理・用語・技術の体系のこと」

②「教科内容学」:「各教科専門が対象としている学問や諸科学の内容を教育実践における教科内容として構成し、体系的に捉えること」

③「教科内容構成」:「各教科の教科内容の体系的・原理的研究から創出された各教科内容について組織化・構造化されたもの」

④「教科専門」:「教員免許法で規定されている教科の専門科目を指す。」例：理科（ 物理学・化学・生物学・地学等）数学科（代数学・幾何学・解析学「確率論・統計学」等）音楽科（声楽・器楽・指揮法・音楽理論等）美術科（絵画・彫刻・デザイン・工芸・美術理論・美術史）

⑤「教科教育学」:「研究対象は、各教科の教育実践にあり、教育実践の成立によって児童・生徒の成長・発達を助成することを a. 基礎認識論、b. 目標論、c. 内容論、d. 方法論、e. 学力と評価論の観点から体系的に捉えること」

⑥「技術」と「技能」。「技術」：○物事をたくみに行うわざ。○（technique）科学を実地に応用して自然の事物を改変・加工し、人間生活に利用するわざ。（『広辞苑』第 4 版）。「技能」（skill）：

技芸を行ううでまえ。(『広辞苑』第４版)。「技術」と「技能」の違いは、「技術」は、多数の人によりより改善・向上されて、他の人や世代へ受け継がれてゆく能力を、「技能」は、特定の人が修得した能力を言う。

⑦「文化」:「人間が自然に手を加えて形成してきた物心両面の成果」(『広辞苑』第４版)

2 教員養成における教科内容構成研究の目的と方法

(1) 教員養成における教科内容構成研究の目的

研究の目的は、教員養成の教科専門の教育内容を「教科内容学」の観点から捉え直し、教員養成のための「教科内容構成」のモデルとシラバスを提案することである。

この目的のための手続きは、次のようになる。

第１は、各教科の教科内容の体系性と教科内容構成開発の原理の究明

第２は、全教科を俯瞰した教科内容の体系性とそれを支える教科内容学の原理の究明（第一部、第３章で取り上げる。)

この手続きによって教員養成のための「教科内容構成」のモデルを提案する。そして、この「教科内容構成」のモデル提案の枠組みは、次のことを条件とする。

第１は、学校教育の教科内容との関連性を保証

第２は、教科内容の体系性と構造化を担保

では、上記のような教科内容学の観点からの教員養成における「教科内容構成」の開発は、どのような研究方法によるのか、次はこのことを述べる。

(2) 教員養成における教科内容構成研究の方法

教科内容の体系性の研究（「教科内容を構成する考え方」）には次の二つがある[4)]。

1) 人間の認識を基底として、その分析をもとに教科の存在や区分、内容を構成する考え方（蛯谷米治）。まず人間の認識活動を感覚、思考、行動に分け、次に感覚を起点に対象を自然、人、社会に特定し、さらに思考を抽象・記号化の能力とし、これらの認識の様態として教科を言語、数量・図形・式の内容と、行動を表現とし、造形、音楽等の教科に区分する。

2) 教育の機能は、文化の伝達・発展にあるとし、このことから既存の学問を基底とし、そこから教科の存在や区分、内容を構成するという考え方（角屋重樹）。これは、既存の学問を基底とする教科内容は、第１に、各教科の本質（認識）を確定し、第２に、教科固有の人間性の涵養、すなわち教科の教育的価値を確定することで成立するという考え方である。そして、この立場から理科の事例で提案している。それは、まず、学問の体系を分類し、分類した自然科学（物理学、化学、生物学、地球科学）に関する認識の仕方の特徴を抽出する。次に、この自然科学固有の人間性の涵養について確定する、というものである。

角屋は、上記第１について自然科学の認識方法の特徴を次の４種に整理する。①自然事象をエネルギーという視点で「関係的」かつ「量的」に扱う分野。②自然事象を主に「実体的」に捉えかつ「質」を捉える分野。③主に生命に関する事象について「全体と部分との関係」で捉える分野。④地球やそれを取り巻く現象の中から主に地球や宇宙に関する事象について「全体と部分の関係」で捉える分野。

そして角屋は、後者第２について理科（自然科学）固有の人間性の涵養（教育的価値）を次のように説明する。理科という教科の本質は、子どもが実験を行いながら自然事象に関して働きかける方法とその結果としての知的体系を構築していく。これらの学習によって子どもは再現性や実証性、客観性を保証する教科「理科」の特質を理解

する。この理科の本質から子どもは、実験を通して理科の特質を理解しこれが理科独自の人間性の涵養となる。

本プロジェクト「教科内容構成」の研究は、後者2）の角屋の立場をとる。なぜか。その理由の一つは、われわれの先行研究『教育実践から捉える教員養成のための教科内容学研究』[5)]において「各教科の教科内容構成の開発」は教科の認識論によって可能であることが実証されているからである。理由の二つは、角屋の主張するように教育の機能は、文化の伝達・伝承にあると考えるからである。

従って、本研究においては、まず、教育は文化の伝達・発展を担うものと捉える。文化は、人類が創出した学問・科学・芸術・技術等（以下学問と記す）からなる。各教科には、この学問が背景にあり、その学問を分科したもので成立しているとみなされる。これらのことから、文化を理論化した既存の学問を基底とし、その認識論から教科の存在や区分や内容を導出するという考え方をとる。

以上から科内容構成開発の原理は、「教科独自の認識論的定義」と「人間形成としての教科の教育的価値」から成立する。前者が教科の独自の認識対象と認識方法で、後者が人間形成としての各教科の教育的価値となる。これらが教科内容創出の根拠と教科の固有の存在根拠となり教科内容構成開発の原理になる。

次にこの教科内容構成開発の原理による具体的な研究方法は次の手順となる。

a 文化体系を学問分野に整理し、その学問分野に則して教科を配置

b 各学問分野について認識対象と認識方法を整理

c 教科独自の認識対象と認識方法から教科固有の教科内容構成（教科内容の柱）を導出

d 教科内容の教科専門としての具体を整理

e 教科独自の認識対象と認識方法から教科の教育的価値を整理

3　教科内容構成開発の具体

ここでは、教科内容構成開発の具体として、まず人類が創出した文化体系を分野ごとに整理する。次に、学問分野ごとにａ学校の教科を対応させ、ｂ教科独自の認識対象と認識方法（教科の認識論的定義）を整理し、この認識論的定義からｃ教科固有の教科内容（教科内容構成）を導出し示す。そして、ｄ教科内容の具体としての各科の教科専門を特定し、最後にｅ教科の教育的価値を述べる。

この手順の中で「ｂ教科独自の認識対象と認識方法（教科の認識論的定義）」と「ｃ教科固有の教科内容（教科内容構成）を導出する」ことについては、４の項目において各教科が仮説によって導出した内容を転載する。

（1）文化体系としての学問分野の整理

人類が創出した文化体系は、次の５分野に整理できよう[6)]。

第１分野は、現実世界や自然や社会及び人間が創出した文化を対象にこれを科学的・概念的に捉え真理をもとめる学問的世界（数学・自然科学・人文科学・社会科学）である。

第２分野は、人間の内的世界や外的世界に対するイメージや感情を様々な素材を通して表現する芸術（音楽・美術）表現の世界である。

第３分野は，学問的世界の知識を生かして生活を創造する世界（技術・情報、家政学）である。

第４分野は、様々な競技やスポーツによって身体の健康を訓練する体育である。

第５分野は、人間の精神の在り方に関する宗教と倫理及び道徳である。

次にこれらの学問分野ごとに教科を配置し、そ

れぞれの認識対象と認識方法とこの認識論的定義から導出される教科固有の教科内容及びこれの具体としての教科専門と教科の教育的価値を整理する。

(2) 各学問の認識対象と認識方法及びこれの具体としての教科専門と教科の教育的価値

第1分野：第1分野は、学問的世界（数学、自然科学、人文科学、社会科学）で、これらと学校の教科を対応させると、次のようになる。

(1) 数学、自然科学＝数学・理科

(2) 人文科学（哲学、歴史学、言語学、文学等）＝社会・言語（国語・英語）

(3) 社会科学（社会学、経済学、政治学、法学等）＝社会

第1分野の（1）数学、自然科学は、学校の教科としては、数学と理科になる。

a 数学は、b 現実世界に見られる量，形，変化を抽象化した概 念，およびそれらの再抽象化 からなる「数学の世界」を対象とし，厳密な論理を用いて導かれた概念相互の関連を，命題として表したものである。この認識論的定義から c 数学の教科固有の教科内容として①数学の内容（量・形・変化，学校数学との繋がり）②数学と世界との繋がり、③数学の構造化に用いる要素が導出される。そして、これらの教科内容は、d 数学の教科専門として代数学・幾何学・解析学「確率論・統計学」によって学問化されており、これらの専門科目で教育を行う。

a 理科は、b 自然現象を対象として、物質・エネルギー、時間・空間、生命等の要素に関わる量的・質的把握、因果関係、斉一性と多様性、パターン等の観察・実験・理論を構造化の手段に用い、法則性を把握して客観的自然観を獲得し，それを生活に活用するものである。この認識論的定義から c 理科の教科固有の教科内容として①自然現象（物質・エネルギー，時間・空間，生命等）②科学的アプローチ：課題の発見，仮設定，検証と観察・実験，論理的証明，法則化、③自然観の構築と活用が導出される。そして、これらの教科内容は、d 理科の教科専門として物理学、化学、生物学、地球科学によって学問化されており、これらの専門科目で教育を行う。

この第1分野の（1）数学、自然科学（理科）は、認識の対象が人間の外の世界にあり、これを科学的（客観性・普遍性・合理性）に数量的・概念的に認識し真理を求めるもので、e 教科の教育的価値は、科学的認識の価値となる。

第1分野の（2）人文科学（哲学、歴史学・言語学、文学等）と（3）社会科学（社会学、経済学、政治学、法学等）は、学校の教科では、言語（国語・英語）と社会になる。後者の社会には第5分野の宗教と倫理が加わる。

a 国語は、b 外的世界や内的世界の認識の生成と共有の方法手段である第一言語（日本語）を対象に，主体間の活動を統合する「記号化」の方法によって，その「4相」（下記①～④）を生成し，相互関連的・統合的に機能させるものである。この認識論的定義から c 国語の教科固有の教科内容として①言語活動H（4種の活動）②言語行為A（遂行的意味）③言語規則G（概念機能体系）④言語作品W（談話・文章）が導出される。そして、これらの教科内容は、d 国語の教科専門として国語学・国文学・漢文学・書道に理論化・技能化されており、これらの専門科目で教育をこなう。

a 英語は、b 言語（目標言語と母国語）と文化（目標言語文化と自国文化）を対象とし、言語運用能力の育成を通じて、言語が用いられている社会、文化や人間の存在価値や意義を認識・理解するための教科である。そして、この認識論的定義から c 英語の教科固有の教科内容として①英語の形式的側面（言語学習）、②英語の体系的側面（言語理解、メタ言語能力）、③英語の技能的側面

(英語運用能力)、④英語の文化的側面が導出される。そして、これらの教科内容は、d英語の教科専門として英語学・英語文学・英語コミュニケーション・異文化理解に理論化・技能化されており、これらの専門科目で教育を行う

この第1分野の（2）人文科学の中の言語（国語・英語）は、言語（国語・英語）によって物や事象の世界を認識しその価値を他者と共有するという言語による認識分野となり、e教科の教育的価値は、言語的認識の価値となる。

a社会は、b「社会」という表象や現象を対象とし,その存在と価値を理解し，実践する。この認識論的定義からc社会の教科固有の教科内容として①存在の枠組としての空間、②存在の枠組としての時間、③価値の枠組としての人格、④価値の枠組としての共同性、⑤価値の枠組としての公共善、⑥存在と価値の次元を統合する技法が導出される。そして、これらの教科内容は、d社会の教科専門として日本史及び外国史、地理学、法律学、政治学、社会学、経済学、哲学、倫理学、宗教学によって学問化されており、これらの専門科目で教育を行う。

この（2）人文科学の一部となる教科専門（哲学、歴史学）と（3）社会科学の教科専門（社会学、経済学、政治学、法学等）は、社会という表象の意味内容と価値内容を認識する社会的認識の分野で、e教科の教育的価値は、社会的認識の価値となる。

第2分野：第2分野は芸術（音楽・美術）表現の世界である。芸術は、内的世界（感情）や外的世界（質）の認識を音や色彩・形などの素材による組織化によってこの世になかったものを創造し表現する。教科としては素材の組織的配列によって芸術的表現を求める音楽と美術になる。

a音楽は、b外界の質（音）や内面（内的経験）を認識の対象とし、時間軸上に音を用い、音楽的表現要素（音色・リズム・速度・旋律・強弱・テクスチュア・形式・構成等）を組織化することによって感性的に形象化し、人間感情や自然の質などを表現したものである。この認識論的定義からc音楽の教科固有の教科内容として①音楽の「形式的側面」（音楽的表現要素とその組織化）②音楽の「内容的側面」（曲想・雰囲気・特質・感情・イメージ等）③音楽の「技能的側面」（声や楽器を操作する技能、合唱や合奏の技能、創作の技能、読譜や記譜の技能、批評の技能等）④音楽の「文化的側面」（風土・文化・歴史等）が導出される。そして、これらの教科内容は、d音楽の教科専門として声楽・器楽・指揮法・音楽理論・ソルフェージュに理論化・技能化されており、これらの専門科目で教育を展開する。

a美術（絵画・彫刻・映像等）は、b外界（形）や内面（内的経験）を対象として、空間・平面の媒体上に色・物質等の媒介物を用い、美術的表現要素である造形要素（色、調子、量等）を構成することによって感性的に形象化し、人間感情や自然の質を表現したものである。デザイン・工芸等の領域においては、上記の定義が人間生活上の目的・機能に沿ったものとなる。この認識論的定義からc美術の教科固有の教科内容として①美術の形式的側面－表現スタイル（具象的表現，抽象的表現、制作者独自の表現等）②美術の内容的側面－リアリティ，イメージ，感情，概念，機能等、③美術の技能的側面－技術，方法，素材の解釈等、④美術の文化的側面－時代，歴史，地域，環境，批評，教育が導出される。そして、これらの教科内容は、d美術の教科専門として絵画・彫刻・デザイン・工芸・美術理論・美術史に理論化・技能化されており、これらの専門科目で教育を展開する。

第2分野の芸術は、認識の対象は、外的世界と内的世界にあり、この両者の融合・合一による芸術的表現を実現するものである。e教科の教育的

価値は、芸術的表現の価値となる。

第３分野：第３分野は生活創造の世界である。教科としては技術・情報と家政学である。第１分野の学問的世界の知識は、それだけでは生活創造につながりにくい。学問的世界の知識を生活創造につなげ、生活の質の向上を目指す世界が技術・情報と家政学である。

a 技術・情報は、b 生活や社会 における表象や現象を対象として、持続可能社会を構築する要素としてのものづくりや情報を、空間的、時間的、経済的、工程的、論理的な側面から評価を伴って科学的に理解、生活における問題発見・解決や知的創造に関連する知識と技能の統合を指向する。この認識論的定義から c 技術・情報の教科固有の教科内容として① ものづくり、○生活における材料・生物・エネル ギーの利用、○ものづくりによる問題発見と問題解決 ○ものづくりによる生活ならびに社 会への支援、○ 産業社会への主体的な参画と持続可能社会の構築 ② 情報生活における情報の利用、○情報による問題発見と問題解決、○情報処理による生活ならびに社会への支援、○情報社会への主体的な参画と持続 可能社会の構築が導出される。そして、これらの教科内容は、d 技術・情報の教科専門として工学・農学の分化として材料加工・生物育成・エネルギー変換・情報に学問化されており、これらの専門科目で教育を行う。

a 家庭は，b 生活事象や生活の総体を対象として、生活事象を構成する要素に関連する知 識と技能を、空間軸と時間軸の視点から科学的に理解し、生活自立、生活問題発見・生活問題解決、生活創造を生成するために、理解した知識と技能の統合を指向する。この認識論的定義から c 家庭の教科固有の教科内容は、①生活を構成する要素、家族・家庭生活衣食住生活、消費生活・環境、②生活の空間軸、個人・家庭・地域・社会の相互作用、③生活の時間軸、生涯発達、異世代理解、④生活自立、⑤生活問題発見・生活問題解決、⑥生活創造が導出される。そして、これらの教科内容は、d 家庭の教科専門として現在、家庭経営学、被服学、食物学、住居学、保育学などに学問化されており，これらの専門科目で教育を行う。

第３分野の技術・情報と家庭の認識対象と教育的価値は、次のようになる。まず、技術・情報は、物や機械，情報を創出する産業生活を中心とする知識と技術の価値を、次に家庭は、衣食住、保育、家庭経営などの個々人の生活や家庭生活を中心とする知識と技術の価値を認識する分野となる。これらの知識と技術によって、人間は、生活の質の向上を目指すことができる。したがって、e 技術・情報と家庭の教科の教育的価値は、生活の質の向上のための生活認識の価値となる。

第４分野：第４分野は、人間の身体的な健康をつくる体育である。文化を創造するのは、人間の精神的活動の結果である。しかし、「健全なる精神は、健全なる身体に宿る」という格言が在るように、文化を創造する精神は、健康的な身体の上に成り立つ。つまり、精神の生は、身体の生に条件づけられている。それゆえ、体育によって身体的健康を訓練することは必然となる。

a 体育は、b 知性・感性を育む“身体性(=embodiment)”とスポーツ運動行為を対象とし，エネルギー動員、創造性（play)、言語の身体化、身体の言語化および社会性を要素とする。これらを身体各部位間の相互の関係性において、①身体像の形成、②環境の取り込み、③社会性の向上へと段階的方向性をもって構造化し、基礎運動（体操)、スポーツ，戦術・戦略の創造的理解をもって形式化する。この認識論的定義から c 体育の教科固有の教科内容は、①身体を意のままに操作する運動・動作に先行するイメージを前提とし、その実際の運動・動作において、イメージとの差を体感する運動・動作（体操・表現運動など）②“言語の身体化”と“身体の言語化”を引き出す運動・動作課題に共通となる身体・運動能力としての“身体環境”と“外部環境”を適合させる運動・動作（陸上・水泳・球技・格技など）③競争と協同の混在により、ルール・規範を創造的に思考し，感受する集団的行動（球技・マスゲーム・組体操など）が導出される。そして、これらの教科内容は、d 体育の教科専門として体育学・体育実技・運動学生理学・衛生学及び公衆衛生学・学校保健に学問化・実技化されており、これらの専門科目で教育を展開する。

第 4 分野、体育（スポーツ）は、身体性とスポーツ運動行為による身体的健康を認識対象とし、これの e 教育的価値は、身体面において健康的に生きるための身体的運動認識の価値となる。

第 5 分野：第 5 分野は、人間の精神そのものの在り方に関する宗教と倫理及び道徳である。

a 宗教は、b 神や仏などの人間を超えた絶対的なものと自己の精神との相互関連によって得られる宗教的経験を対象に、祈りや信仰等の方法によって、人間を超えた絶対的なものと精神との一体化を求める宗教的経験を得るものである。

a 倫理は、b 人間の生き方・在り方等の道徳心について、先哲や現実の人間の生き方・在り方の事例を通して、道徳の起源・発達・本質・規範等を知る学問である。

そして、これらの宗教や倫理の内容は、d 教科専門としては、宗教、倫理に学問化されており、これらの専門科目で教育を展開する。ただし、宗教と倫理は、教員養成においては第 1 分野の (2) 人文科学（哲学、歴史学、言語学、文学等）＝社会の一分野の学問として学ぶ。

第 5 分野の宗教と倫理は、人間の精神の在り方を認識の対象とし、これの e 教育的価値は、宗教的・倫理的価値となる。

第 5 分野の人間の精神そのものの在り方に関するものとして道徳がある。

道徳

この道徳については、小・中学校の教育課程の教育内容の一つに位置付けられていることから、教員養成においては教職課程の教育内容の一つの専門として学ぶ。だが、この道徳は、学校教育の教育内容の一つとしても他の国語や算数・数学などの教科とは性格が異なる。2019 年告示以前の学習指導要領における、小・中学校の教育課程の教育内容は、次のようになっている。小学校は、教科（国語・社会・算数・理科・生活・音楽・図画工作・家庭・体育）と教科外の活動（道徳・総合的な学習の時間・外国語活動・特別活動）で中学校は、教科（国語・数学・社会・理科・音楽・美術・保健体育・技術・家庭・外国語）と教科外の活動（道徳・総合的な学習の時間・特別活動）からなる。この教科と教科外の活動の違いはどこにあるのか。それは、教科は背景に歴史的に継承されてきた学問・科学・芸術等が存在しており、教科外活動にはそれが存在しないということにある [7)]。このことから前者は学問・科学・芸術等の知識・技術を基にした教科書が存在し、これに対して教科外活動は背景に学問が存在しないことから教科書は作成されない。

以上の小・中学校の教育課程の教育内容における教科と教科外の活動の区分のなかで、これまで教科外に位置付けられていた道徳は背景に独自の学問が存在しないと判断される。ところが 2017 年（平成 29）の学習指導要領の一部改正によって、道徳は「特別の教科　道徳」と名称が変わり、教科書も作成された。しかし、「特別の教科　道徳」であって、国語や算数等の教科と同様の意味の教科とはみなされない。このことは、2016 年（平成 27）に改正された教員免許法（教科等の単位履修基準を示すもの）においても、道徳の位置づけは「教科及び教科の指導法に関する科

◇表１　人間形成と教科の教育的価値の関連

	人間形成（理想的人間像）	教科の教育的価値
(1)	科学的真理（真理の探究）	科学的認識の価値（数学・理科）
(2)	芸術的表現（美や真実の表現）	芸術的表現の価値（音楽・美術）
(3)	言語的認識（言語的表象と思考の表現）	言語的認識の価値（国語・英語）
(4)	社会的認識（社会的表象の真理と価値の探究）	社会的認識の価値（社会）
(5)	生活創造的認識（生活の質の向上）	生活認識の価値（家庭・技術・情報）
(6)	身体的健康（生命としての身体的健康の保存と発展）	身体的運動認識の価値（体育）
(7)	道徳的善（他者と自己との社会的関係の規律の生成）	道徳的認識の価値（道徳）

目」ではなく、教科外となる「道徳、総合的な学習の時間の指導法及び生徒指導、教育相談等に関する科目」に位置付けられていることからも理解される。

道徳は、根拠となる学問が存在しないということは、道徳は本来個人の心の内的世界のことで、その在り方や内容は時代や地域によって異なるとみなされる。道徳は、人格育成に必要な教育内容として小・中学校の教育課程に設定されているが、道徳の専門には、学校教育という公教育において誰にもでも共通に教えることができる普遍的内容が存在するとは必ずしも言えない。これらの理由から、教職課程における専門科目としての道徳は、本教科内容学の研究（教科内容構成の開発）の対象にしないこととした。

以上の内容を「教科内容構成」の体系性として整理したものが付録資料の表2-1「教科内容の体系」である。

(3) 人間形成と教科等の教育的価値

次に人間形成と教科の教育的価値との関連性について述べる。人間形成とは、人が身体的健康、道徳的善、科学的真理、芸術的表現、宗教的聖等の価値を備え、理想的人間へと涵養されることである。

理想的人間像を科学的真理、芸術的表現、言語的認識、社会的認識、生活創造的認識、身体的健康、道徳的善等の価値を備えた人間とするならば、それらの各種価値を育成する教科の教育的価値は、上記の表１のように整理されよう。

(4) まとめ

以上から「教科内容構成開発の原理」と「教科内容構成研究の手続き」は、次のように整理される。

教科内容構成開発の原理

科内容構成開発の原理は「教科独自の認識論的定義」と「人間形成としての教科の教育的価値」となる。

各科の教科内容構成開発の手順

各科の教科内容構成開発の実際的な手順は、下記ａ～ｆとなる。

ａ 学問・科学・芸術・技術等の文化体系を学問分野に整理し教科を配置

ｂ 各学問の教科における認識対象と認識方法を整理

ｃ 教科独自の認識対象と認識方法から教科固有の教科内容（教科内容構成の柱）を導出

ｄ 教科内容の教科専門として具体を整理

ｅ 教科独自の認識対象と認識方法から教科の教育的価値を整理

ｆ 人間形成と各教科の教育的価値との関連を整理

4 認識論的定義から教科内容構成開発 ―各仮説の意味―

ここでは、上記教科内容構成開発研究の中で残された課題「c 教科独自の認識対象と認識方法から教科固有の教科内容を導出する」方法について取り上げる。その方法は、作業仮説による。なぜこの項目を特別に取り上げるか。その理由は、次の3点にある。○教科内容構成開発においては、認識論的定義から教科内容構成の原理の確定し、その上で教科内容構成を導出するという手続きが必要である。○ 10 教科が同じ原理によって教科内容構成の開発をするには、開発のための共通の作業仮説が必要である。○開発した教科内容構成をシラバスの具体的目標まで一貫したもので設定するには段階を踏んだ手続きが必要である。

（1）各教科内容構成開発の仮説

仮説1～仮説7は、各教科の教科内容を体系的に成立させると仮定する観点（作業仮説）を示す。全体は①「教科内容創出における体系性の枠組み」と②「教科内容創出における体系性の観点からの考察」及び③「仮説からシラバス作成までの手順」からなる。「体系」とは「一定の原理で組織された知識の統一的全体」を意味する。

①教科内容創出における体系性の枠組（仮説1～仮説6）

仮説 1．教科の認識論的定義

各教科は、その教科の背景に学問を持つ。その学問は、人間が自然・社会・文化との相互作用の中で対象とする内容や構造を認識したものが知識となり、学として体系化され人類文化の価値として継承されてきたものである。「教科の認識論的定義」は、この学問が対象とする内容や構造の意味とそれを知る方法を確定し定義する。

仮説 2．教科内容構成の原理

そして、この「認識論的定義」から「教科内容構成の原理」を各学問が対象とする内容や構造の意味の生成条件を視点にして析出する。この「教科内容構成の原理」における原理は、教科内容を導出する原理となり、従って、この原理は、各科の教科内容の内容（柱）が予見できるものとなる。

仮説 3．教科内容構成の柱

「教科内容構成の原理」から「教科内容構成の柱」を導出する。「教科内容構成の柱」は、導出された教科内容の根本的内容を構造的に示すものとなる。

仮説 4．教科内容構成の具体（教科内容の概念・技能）

「教科内容構成の柱」は、教科内容の基本的内容を構造的に示したものであるが、この「教科内容構成の柱」の基本的内容を更に具体化することで、「教科内容構成の具体」（教科内容の概念や技能）を導出する。この「教科内容構成の具体」は、教員養成における授業において直接的に指導内容として対象になるものである。

仮説 5．教科内容構成によって教員養成学生及び子どもに育成される能力

教員養成において「教科内容構成」を教育内容とすることによって、学生には各科独自の能力が育成される。「教科内容構成によって教員養成学生及び子どもに育成される能力」は、第1は教員養成の学生に「教科内容構成」を教育内容とし指導した時に育成される能力を示す。また、この能力は教員が教育現場において、教科指導を実践的に展開する際の教科の能力になるもので、従って第2は子どもに育成される能力を示す。

仮説6．教科と人間（個人・社会）とのかかわり

教科（教科内容構成）を学ぶことは、人間（個人・社会）にとってどのような意義や役割があるのか、教科を学ぶことと人間とのかかわりについて、「教科と個人」「教科と社会」の視点から示す。

②教科内容創出における体系性の観点からの考察

仮説7教科内容構成の創出による教科専門の授業実践（教科内容構成の創出によって教科専門の授業はどう変わるのか）

教科内容構成の創出とその内容による教科専門の授業実践によって、実際の授業はこれまでの授業とどう変わるのか、①概念的・理論的な観点、②授業実践事例、③従来の教科専門の問題点の観点から示す。

以上の仮説1～仮説7について、各教科で究明したものが表2-2. 表2-3.（付録資料）になる。

③仮説からシラバス作成までの手順

上記の仮説からシラバス作成までの手順は、次の図のような段階を取る。

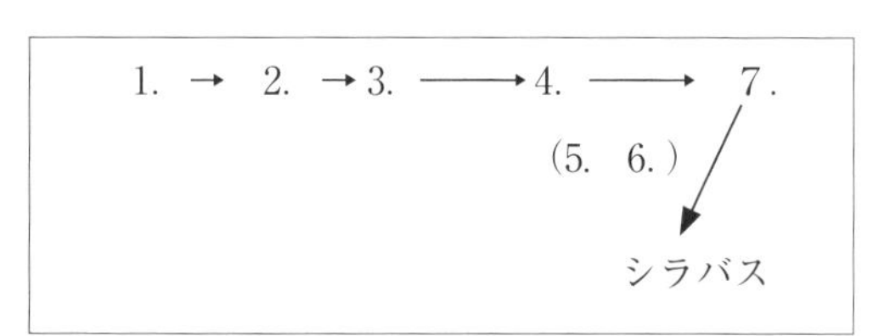

図・仮説からシラバス作成までの順序（数字は各仮説）

（2）教科内容構成の観点からの学習指導要領の検討

2017年（平成29）に新学習指導要領が告示された。この最新の学習指導要領について、各教科共小学校、中学校、高等学校（平成30年告示）の指導内容を、上記の仮説3で理論化した「教科内容構成の柱」の観点から学習指導要領の教科内容の体系を批判的に捉えた。この内容は、第三部で取り上げる。その内容を整理したものが表2-4（付録資料）になる。

5　教科内容の体系性と構造化の意味及び教育方法

（1）教科内容の体系性と構造化の意味

本学会プロジェクト研究の目的は、教員養成の教科専門の教科内容を「教科内容学」の観点から捉え直し教員養成のための「教科内容構成」のモデルとシラバスを提案することであった。

この目的のための手続きは、次のようになっていた。

第1は、各教科の教科内容の体系性について究明すること。

第2は、全教科を俯瞰した教科内容の体系性とそれを支える教科内容学の原理について究明すること。

これらの手続きによって教員養成のための「教科内容構成」のモデルを提案することであった。

次に「教科内容構成」のモデル提案の枠組みについては、次のことを条件とした。

第1は、学校教育の教科内容との関連性を保証すること。

第2は、教科内容の体系性と構造化を担保すること。（これは、教科専門の限定的な単位数に対応するためでもある。）

このような条件としての「教科内容構成」モデルは、次のような作業仮説によって創出した。まず「認識論的定義」から「教科内容構成の原理」を導出し、そして、この「教科内容構成の原理」から「教科内容構成の柱」を導出した。「教科内容構成の柱」は、導出された教科内容の根本的内容を構造的に示すものであった。ここで言う「構造的」の意味は、各教科の教科内容（知識・技能）を幹になるものと枝葉になるものとを分け、幹になるものによって組織・構成することである。「教科内容構成の柱」は、各教科の教科内容の幹になるものを示している。これらの手続きによって各教科の教科内容構成（知識・技能）は上位の概念のものと下位の概念のものが関連性を保って具体化され、このことから各教科の教科内容構成の体系性が組織される。それゆえ「教科専門の限定的な単位数」にも対応できるものとなる。

ところで、教育学において教科の内容について「構造化」を主張したのは、J.S. ブルーナーであった[8]。第二次大戦後は、科学技術の発展によって情報量が増加したことで、子ども達に指導すべき内容も大量となり、そのすべてを限られた時間の中でいかに修得させるかが問題になった。また、現代科学の最前線の成果を教育内容に反映させ、子どもの発達に則して教えることが求められた。これらの課題に応えたのが1960年刊行の『教育の過程』(1959年開催のウッズホール会議の内容を議長のブルーナーがまとめたもの）である。この本によってブルーナーは、教科の構造・基本的観念を基準にカリキュラム内容を編成し、それを「発見学習」によって学習することを提案した。

ブルーナーが主張した教科の構造(structure）とは、教科の基本的観念(fundamental-ideas）のことである。つまり、ブルーナーは、各教科には幹になる部分と枝葉になる部分があり、この枝葉になる部分を取り除き、幹になる部分すなわち教科を成立させている「基本的観念」を「構造」と言っているのである[9]。ブルーナーは、この教科の「構造」を指導することによって、次の利点があるとみた[10]。

①基本的なものを理解すれば、教科を理解しやすくする。

②細かい部分は、構造化されたパターンの中に位置づけておくと忘れにくい。

③基本的な原理や観念を理解すれば、転移が可能になる。

④学校で教えられる教材をその基本的性格の観点から不断に吟味すれば進んだ知識と初歩の知識のギャップがせばめられる。

ブルーナーが提唱する教科の「構造」は、学問の根底にある「構造」でもあり個の認知構造でもある。つまり、ブルーナーが提唱する教科の「構造」は、学問・科学の根底に自明視されている単純な原理構造であり、また、人間が経験を通して学習するときの認知構造でもある。従って、教科の「構造」は、教育学において教科の本質と学習の本質の両面から原理となるものとなる。その意味で教員養成の各教科の教科内容を「構造化」することは、教育学の観点から次のような教育を保障するものとなる。

先述したように教員養成のための「教科内容構成」のモデルを提案する条件として「教科内容の体系性と構造化を担保すること」とした。この教員養成における「教科内容の体系性と構造化」の「構造」は、教科の根底にある原理構造を学ぶものであり、また、学習者の認知構造を現すものであることから教員養成教育においても教育の原理になるものとなる。従って、教員養成の学生は、「教科内容の体系性と構造化」された「教科内容構成」を経験を通して学ぶことで人類が継承し体系化された学問・科学・芸術・技術等の文化の本質を理解し継承することとなる。それゆえ、彼らのこのような学びによる各科の教科内容の理解は、子ども達の学力育成に寄与するものとなる。

(2) 教員養成における教科内容構成の教育方法

先に教科の「構造」は、学問の根底にある「構造」でもあり個の認知構造でもあると述べた。前者は、人類が継承し体系化された学問・科学・芸術・技術等の文化の本質を「構造」として学ぶものでいわば「教科の論理」になる。これに対して後者は、人間は本来「構造」を認知する能力を持つことを意味し、いわば「学習の論理」になる。

では、「教科の論理」となる学問・科学・芸術・技術等の文化の本質となる「構造」は、どのような「学習の論理」によって修得されるのか。それは、先に示した「経験を通して学ぶ」という方法になる。この方法は、言い換えると「なすことによって学ぶ」[11] (learning by doing) という方法になる。「なすこと」は、講義内容を一方的に聞く方法ではなく、学習者が学習対象に働きかけ働き返されるという能動と受動の「経験」が伴っていなければならない。「経験」とは、学習者が教材（内容）に働きかけるという能動と、学習者はその影響を被るという受動によって自己の認知が再構成されることである。「経験」とは、このように学習者の持つ既存の知識・技能によって教材に働きかけその影響を受けるという能動と受動の相互作用によって自己の認知が変わることである。このような「経験を通して学ぶ」方法は、具体的には、「生成の原理」[12]や「アクティブ・ラーニング」による教育方法になる。

「生成の原理」による教育方法は、教員の一方通行の講義による方法ではない。「生成の原理」による教育方法は、まず、学ぶ内容がどのように生成されているか学ぶ内容に働きかけ、その生成過程を知ることで自分の知識・経験が再構成、すなわち生成されることである。つまり、「生成の原理」による教育方法は、学習者が外的世界の学ぶ内容（知識・概念）に働きかけ、その内容（知識・概念）の生成過程を知ることで影響を受け学習者の内的世界の知識・経験が再構成（生成）されるという外的世界と内的世界の二重の変化が伴う学習である。このような「生成の原理」による教育方法には、学習者が教材（内容）に働きかけるということと学習者が対象の教材（内容）の影響を受けるという能動と受動の相互作用という経験が備わっている。

次の「アクティブ・ラーニング」の教育方法は、大学教育の質的転換を目的に2010年代に日本の大学教育に取り入れられたもので、次のような概念で説明されている。

「教員による一方的な講義形式の教育とは異なり、学習者の能動的な学習への参加を取り入れた教授・学習法の総称。学習者が能動的に学習することによって、認知的、倫理的、社会的能力、教養、知識、経験を含めた汎用的能力育成を図る。」[13]

「アクティブ・ラーニング」による教育方法は、大学教育の質的改善を狙い、それまでの教員の一方的な講義中心の授業から学習者の能動的な学習を促すものとして提唱されたものである。その具体的な方法は、教員の一方的な講義だけでなく、授業の中に問題解決学習、課題解決学習、実験、実技、発表、討論、グループ学習、対話等の学生の能動的な学習を取り入れることで教育の質を変えるものである。授業の中に問題解決学習、課題解決学習、実験、実技、発表、討論、グループ学習、対話等の学習者の能動的な学習を取り入れた「アクティブ・ラーニング」の教育方法も「経験を通しての学習」と捉え展開することで実質を伴ったものになる。つまり「アクティブ・ラーニング」の教育方法においても、学習者が持つ知識・経験によって教材（内容）に直接働きかけ、また、他者との対話・交流によって教材（内容）の秘密を認識し教材（内容）を理解するという、学習者と教材との相互作用という経験を通して学ぶようにすることである。「アクティブ・ラーニング」の教育方法も学習者が教材としての対象に働きかけ働き返されるという能動と受動の相互作用の経験が備わることで「経験を通しての学習」になり「構造」の学習として実質的になる。

本研究が提唱する教員養成大学の「教科内容構成」の教育方法は、学生が教科内容の本質を理解し、また、子ども達の学力育成に寄与できるような能力を育成するために「生成の原理」や「アクティブ・ラーニング」による教育方法（「経験を通して学ぶ」）によって展開することを期待している。

【注及び引用文献】

1）　船寄俊雄は、わが国の教員養成について、教科専門教養重視（アカデミズム）と教職専門教養や教育実習を重視（プロフェッショナリズム）に区分し、戦後の教員養成は教科専門教養重視で出発したと述べている。「『大学における教員養成』原則と教育学部の課題」（『教育学研究』第76巻第2号、2009年6月）

2）　日本教科内容学会、http://www.jsssce.jp/

3）　西園芳信「第一部　理論編　第2章　カリキュラム開発の目的と内容及び構造」鳴門教育大学コア・カリ開発研究会編『教員養成コア・カリキュラム―鳴門プラン―』暁教育図書、2006年、pp.16～26.

4）　角屋重樹、椙山女学園大学における講演資料「教科内容学の共通基盤を求めて―教科教育学の見地から―」(2018年6月30日）から引用。

5) 西園芳信・増井三夫編著『教育実践の観点から捉える教員養成のための教科内容学研究』風間書房、2009年。

6) 学問の分類は、次の図書を参考にした。P．フルキエ著、中村雄二郎・福井純訳『哲学講義Ⅰ』筑摩書房、1976年。

7) 前川喜平『面従腹背』毎日新聞出版、2018年、p.126.

8) J.S.ブルーナー、鈴木祥蔵・佐藤三郎訳『教育の過程』岩波書店、1972年。

9) 佐藤三郎著『ブルーナー教育の過程を読み直す』明示図書、1986年、pp.168～169.

10) J.S.ブルーナー、鈴木祥蔵・佐藤三郎訳『教育の過程』前掲書、pp.29～34.

11) J.デユーイ、帆足理一郎訳『民主主義と教育』春秋社、1959年、p.184.

12) 西園芳信『質の経験としてのデユーイ芸術的経験論と教育』風間書房、2015年、pp.185－192.

13) 中央教育審議会「新たな未来を築くための大学教育の質的転換に向けて～生涯学び続け、主体的に考える力を育成する大学へ～（答申）」2012年。

（西園芳信）

第３章　全教科を俯瞰した教科内容の体系性

はじめに

本章は言わば間奏曲に当たる。すなわち（以下第二部で展開される）教科毎の教科内容構成の提案に先立って、それらに共通する、あるいはそれらを統合する「体系」がいかなるものかを述べる。それは2種類ある。第1は、本書の基盤となっている教科内容学が教育学の中でいかなる位置を占めているか、すなわち教育学における位置づけの確認である。第２は、教科に共通の体系・枠組みの解説である。第二部の教科別提案を記述する共通の枠組みについては前章で既に説かれているが、ここではその具体的記述に当たって考慮すべき諸観点を挙げる。これにより教科間の比較がより明確になり、逆に教科の特色も明らかになる。

したがって前章に続いて第二部の各担当教科を直接読まれるのが、教科毎の論理の流れとしてはむしろスムーズであろう。しかし他教科、特に内容的に隣接する教科との関連を考えようとするとき、またはより根本的あるいは全体的な意味を考えようとする場合には本章に立ち帰ることで、なにがしかのお役に立てるのではないかと期待する。また記述のある部分は前章と重なるところもあるが、読者の理解を図るべく重複を厭わなかった。

なおこの全教科をまたぐ共通性の根拠は、教科内容学の研究対象が「個人の持つべき知識（全体)」であると規定することにより担保されると考える。

1　「教科内容学」の「教育学」内での位置づけ

（1）教育学における教科内容学

「教科内容学」は、(理念的には）実践的な教育学分野の一である「教科教育学」に属すものとして、当該教科の教育目標および内容を認識論的に考察し根拠付けることにより、その教育課程を具体化し（「生成する｣）実践するための理論的な基盤を与えようとする。簡単に言えば「教科教育の（実践）哲学」である[1)]。

（2）教育課程論での位置づけ

したがって教科内容学は教育課程論としての「カリキュラム」、特に「計画された（intended）カリキュラム」に深く関わり、その教育内容の理論的根拠となる（[安彦（2017)］参照)。

（3）学校教育および（高等教育における）教員養成教育における意味

「教科」を扱う以上、基本的に学校教育の枠内で考えることになる。したがって教科内容学は一般的な学校教育学の内部に位置づけられる。また「教科」は実践的な理由から、現行教科の枠組みを前提として論じられる[2)]。

同時に教科内容学、特に本書の主題である教科内容構成論は、教員が教科を理解し、教育実践を行うための基礎的教養となるべきものであり、教員養成課程において基本的な重要性を持っている。すなわち教員養成のための大学教育としての位置づけを併せ持っている。本書もそのために書かれた。その場合本章で「教育者」と言われているのは、多くの場合彼ら（未来の）「教員」である。

この意味で教科内容構成論は日本学術会議が策定しつつある「大学教育の分野別質保証のための教育課程編成上の参照基準」と本質的に共通する意味内容を持つ。実際そこでの記述の枠組みも我々のものとかなり近い。ただし後者は大学学部専門教育のための基準であり、2012年から現在迄に哲学、言語・文学等32分野の参照基準が公表されている[3)]。

2 「教科内容学」の（教科に共通の）体系・枠組み

（1）教科内容学の研究対象と目標

本章では、教科内容学の研究対象とその目標を以下のように提示したい：

主たる研究対象は、学修者「個人の知識」（ただし成人になってからの知識）であり、その主な目標は、

・これがいかなるものであるべきか？（内容）

・それをいかに形成してゆくか？（構成／編成）

の二つの問を、学校教育（主に義務教育）の場で、教育者の立場から考えることである。

教科内容学はその方法論として、この個人の学修（知的成長）を人類の学問・文化との対比から明らかにしようとする。

教育学であるから、知識・能力を養成するのであるが、その「養成すべき知識・能力」に二重性がある（I（3）参照）。すなわち：

①学修者個人の持つべき知識・能力；

②教育者の持つべき知識・能力。

教科内容学ではこの二重性に周到な注意が必要である。両者は密接に関係すると共に意識的に区別すべきである。すなわち前者を考えることは学校教育学として当然のことで、学校教育カリキュラムの根拠を与える。しかし同時に後者を考えることが教師教育に資することとなる。そこで本章では学修者個人についてはなるべく「知識」（knowledge）の語を能力まで含めた一般的な意味で用いる（後述3（1））。

教科内容学で提示すべき「体系性」にも二重性があることを注意しておこう。すなわち：①教科教育における教科の体系性（系統性）（学修者にとっての時系列を含む）；②教科内容学における学問的体系性、の二つである。さらにより根本的には、個人の内部における「知識」そのものが体系的であり、知識の獲得にはその自己体系化、構造化が不可欠である[Bruner（1961）]。「体系」の語を用いる場合には、これらを自覚的に区別しなければならない。

（2）「教科内容構成」を体系的に具体化するために考慮すべき諸観点の提示

①　不易と流行

A）．人類の文化を継承するとの観点（不易）

ギリシャ時代から、文化は真・善・美・聖と言われる。すなわち真は学問、美は芸術、善は倫理、聖は宗教である。しかし最後の宗教は公教育としてはこれに介入しないのが（現代、特に日本での）原則であり、本書でも扱わない。教科教育としては主に真・美たる学問・芸術に関わる。倫理教育は基本的に私教育に属するが、現代は様々の形で学校教育も倫理問題に関わらざるを得ない（具体的内容は流行に属する）。

学問は人文科学（文学、歴史）、社会科学、自然科学（理学、博物学）等に大別される（第2章参照）。

B）．個人は現在21世紀の日本に生きるとの観点（流行）

一方学修者個人は現在の21世紀を生きる存在であり、学問文化もまた文化的、歴史的、社会的に現代という時代に深く依存している。各教科教育もまたこの事実を（ただし批判的に）考慮する必要がある。

特に現在問われているのは21世紀の教育であり、20世紀後半からの世界的諸課題、核問題・コンピュータ情報化・地球環境問題などへの考慮が必要である。ここでは倫理的諸課題にも向き合わざるを得ない（終章参照）。

また日本の教育としてその教育原則は、教育基

本法が謳う構成員全員による民主主義社会の中での教育であり、その目標は個人の「人格の完成」、その基本は「人格の尊厳・独立」である[4]。

さらにここで考えるのは日本の学校教育であるから、母語は原則として日本語であり、学修者は日本の社会・文化の中で生きている。21 世紀はしかし多言語文化の要素が大きくなっている。

②　個人と外界との関係の双方向性

個人の知識は外界との関わりにおいて形成され用いられるものである。このとき外界から個人に向かうのと個人から外界に向かうのとその働きに二つの方向性がある。前者が「認識」であり、後者が「表現」である。

具体的に科学の中で言えば、理学（狭義の"science"）と工学（technology)、より古い用語で言えば scientia（科学）と ars（技芸）の対応である[5]。

この両者は通常同じ科目の中に共存するが、科目によりその重みには差があり、また場合によっては複数科目にまたがる（例：理科、技術)。

これに対し個人内部における知識の働きとしては「思考」（体系化）を考えるのが妥当であろう（「人間は考える葦である」「私は考える、それ故に私は有る」)。

③　個人の生活と人類文化との対比

教科内容学では、人類文化と個人（の知識）とを対比するのであるが、それらを区別すると共に平行性を考えることが重要である。

A).「社会」の語の多重性

「社会」の語の多重性は、この語の基本的重要さを示すと共に、この語を用いる場合の複雑さに留意すべきことを教える。まず①人類文化としての「社会」と②学修者個人が生きている「社会」（共同体）との区別が必要である。「人間は社会的動物」であり、学校教育は主に教科「社会」の中で行われる[6]。

さらに「社会」（共同体）自体が多層性を持っている。現代は「国家」が公教育との関連で重い（教育の中立性の課題)。教育は狭隘なナショナリズムから明確に決別すべきことが、日本の教育基本法では求められている。これと対比されるのが家庭を中心とする私教育である。また個人にとっては学校がきわめて重要な社会共同体である。

B). 人類文化と個人の生活との関係性

これは教科内容が個人とどう関わるかとして、すなわち文化の教育的価値の根拠として重要になる。通常次の３種類に分かたれる：

・専門　職業として、趣味として；
・教養　社会人として（思考・判断)、趣味として；
・実用　生活の中で。

教科あるいは校種等により、これらのバランスあるいは性格に多様な違いがある。

④　基礎としての言語（広い意味で。特に数学・芸術・身体表現を含む）

（発達した）言語は人間に固有のものであるが、学問・文化の基礎として特別な重要性を持っている。個人においても、その内部での認識・思考・表現、社会の中でのコミュニケーション（双方向）は主に言語によって担われる。

特に学校教育の場で用いられる言語（授業言語）は学修者にとってある意味特別なものであり、従って教育において言語教科のみならず、すべての教科はこの観点からの考慮が必要である[7]。例えば記述言語が個人の生活におけるそれ以上に重要性を持っている。この意味で科学の基礎言語としての数学を言語教科に加えたい。実際現行学習指導要領ではその言語教科としての位置づけから高等学校において国語・外国語に加え数学にも必履修科目を置いている。

言語科目は文化・学問との対比では後者の自由学芸（artes liberalis）に相当する。ピタゴラス学派の意味での“mathematics”が「学ばれるべきもの」（things to be learned）の意味であることを想起したい。

言語としては、ロゴス（論理的言語）と情緒の別が基本的に重要である[8]。

言語にも（幾つかの）二重性がある。その基本はラング（社会的共通性を持つ「言語」）とパロール（個人の活動としての「言語」）である[9]。またシニフィアン（能記）とシニフィエ（所記）の別も言われるが、これはむしろ古典ギリシャ語の“rema”と“logos”の関係に近い。

⑤　認知科学（現象学）的観点の意識

個人の内的認識の中心に「超越的自己」（transcendental I）（フッサール）があるとの観点を意識することは、教育において特に重要である。なぜなら教師はこの超越的自己の「外化」と見られるからである。これは「メタ認知」においてもより深い理解を与える。極言すれば教育の「究極目標」は「自分で学べる」こと、つまり教師が不要になることであり、これこそが真の「人格的独立」である[10]。

⑥　いわゆる「親学問」

この語は以前から用いられてきた用語だが教科によって意味合いが異なる：

・学問知的な科目では内容そのものがその親学問；

・芸術的科目では美学を中心として実践の基礎；

・総合的科目（家庭科、技術科、保健体育等）では複数の関係科目、

特に当該教科の総合に対応する学問もあり得る（家政学、運動学）；

・言語的科目（数学を含む）は別に扱った方がいいかもしれない。

こうした状況を踏まえ、「親学問」の定義として「教科の認識論的定義における原理的概念を与える専門分野」を提案したい[11]。

3　「教科内容構成」の具体化

以上に述べてきたのは主に認識論的把握の中に現れるキーワードであるが、その認識を踏まえて教育課程の具体化を図ることになる。その課題は次の通りである：

○教科内容をより具体的にいかに選択していくか（狭義の内容論）；

○教科内容をどう教育過程の中で配置していくか（構成［編成］論）；

○そこでどんな教材を選び、それでどんな能力を身に付けるのか？（教材論）；

○人間性の他のどのような要素を育成するか？（個人的）価値・（社会的）意味・倫理（価値論）。

これらの具体化に当たっては、様々の実践的・理論的学問知識を併せて広く応用することになる（“content knowledge”[Shulman（1986）]）。本書は上の第一項を除けば、こうした議論に殆（ほとん）ど立ち入らないが、以下の実践例ではこれらが併せ考慮されたものになっている。以下でその原則を略述する。

（1）「教育内容」の選択

教科課程論の立場からは以下の4つがあるとされる［安彦（2017）］。

・学問的要請：教科内容学の立場で。専門家養成ではないので以下を併せて考慮する；

・社会的要請：この「社会」の語に多重性がある点に留意（2.（3）A））。すなわち一般社会と個人が属する社会［地理的・歴史的背景］と；

・心理的要請：個人（認知科学的内容を含む）；

・人間的要請：一般社会（環境問題等、21世紀的課題）。

なおここでの「内容」は広い意味で用いられ、特に能力（competency）を含むことに注意してほしい。実際「知識」（knowledge）は「概念的（conceptual）知識」と「手続き的（procedural）知識」とに二大別される[12]。能力は後者に含まれる。

ここで「リテラシー」概念をうまく使うことを提案したい。到達目標は「成人」の知識で、これは現代の教養とも言い換えられる。教育はそこに至るプロセスと見なすのである[13]。すると例えばほぼ同じテーマの内容を用いて、教材を変えることにより各校種段階で同じ目的のシラバスを組むことが可能になる。

注意しておくが、教科内容は教材とは異なる。教科内容を実践的に教育の場で学修者の発達段階に応じた形で具体化し展開したものが教材である。

(2) 教科内容の配置（構成［編成］）

次はこのようにして選ばれた内容を、成人の知識に至る学修過程、すなわち個人の成長に沿うダイナミックな行程としてさらに具体化し配置してゆくことになる[14]。

ここで人間発達上の段階を区別する必要がある[15]。それらは基本的に校種に対応するが、安彦氏は、

幼児教育；小学校低学年；（同高学年）；

中学校（＋高等学校１年）；高等学校

とグループ化する。

その境界として特に重要なのは次の二つである[16]：

① 十歳の壁、ここで脳の前頭前野が完成し、カリキュラムに質的違いが生じる；

② 三歳の壁（いやいや期）、そこでは母語の充実が起きる。

この個人の発達過程は、個々の学問の理論体系とよりも学問の歴史あるいは進歩過程（developing process）との関係の方が緊密であろう[17]。また目標となる持つべき知識は成人段階のものであるから、学校段階、特に義務教育段階ではそれを学べる能力（readiness）を獲得できれば良い。これをはっきり意識しないと「あれもこれも」という教え過ぎ（詰め込み教育）が生じる。

日本では学校教育の中で豊富な実践経験知識が積み上げられており、学問的に国際貢献しうるものを数多く持っている[18]。ただしその経験を（日本以外の人々が理解できるように）言語化、理論化することが必要である。

(3) 学問的要請についての幾つかの補足

現代は、学問自体の内容、体系そのものが激しく動いている。科学だから、普遍性がある、絶対的な「正しさ」がある、とは言えない。そもそも学問そのものが絶えざる「追求過程」であって、「学問智」にも終わりはない。

したがって二項対立的な方法論は止め、複線的思考、立場の違いを認めた上で、共通の基盤に立った建設的議論を行う態度が必要である。知識は相対的なものである。

また日本においては、「学問智」が「西洋智」に偏していた歪みを認めねばならないだろう。一方で「理性」はその限界を認めつつも、なお有効である。太平洋戦争の過ちを繰り返してはならない。

【参照文献】

・安彦 忠彦(2017)：「教育課程編成論　―学校は何を学ぶところか―」（改訂版）、放送大学教育振興会、p.160.

・安彦 忠彦(2019)：「カリキュラム論から見た教員養成教科内容学研究の構想」、日本教科内容学会誌、第５巻招待論文、pp.3-16.

・J. S. Bruner (1960)："The Process of Education", Harvard Univ. Press、p.97.

・梶原 郁郎(2015)：「教科内容学構築の基礎条件 ―J.S. ブルー

ナーの『教育の過程』に立ち返る―」、日本教科内容学会誌、第1巻、pp.15-28.
・西園 芳信・増井 三夫編著(2009)：「教育実践から捉える教員養成のための教科内容学研究」、風間書房、p.256.
・L. S. Shulman(1986)："Those Who Under-stand:Knowledge Growth in Teaching", *Educational Researcher*、15 (2)、pp.4-14.

【注】

1) その意味では本章は「形而上学」に対応すると言えようか。本来教科教育学自身がこのような俯瞰的視点を持たなければならない。
2) 将来的には教科の再編成の方向付けをも与えるべきであろう(終章参照)。
3) 2020年8月に教育学分野が公表された。
4) ここではむしろ教育者の側に考慮すべき様々の倫理的課題が突きつけられる。
5) 今用いられているSTEAMの用語法には違和感を感じる。[一方Aristotelesはtheoria(観想)、praxis(実践)、poiesis(創作)とやや異なる用語を用いている。]
6) 詳細は「社会科」の記述を参照。
7) バーンステインの研究等。この観点からすると現在進められようとしている英語教育の方針は問題がある。母語と社会的言語との区別が付いていない。
8) この意味では、数学は徹底して情緒を排する記述言語である。
9) ソシュールの用語。教育はパロールをラングとして育ててゆく営みとも言える。またソシュールがこの枠組みを単に狭義の言語学だけでなく、一般記号学(semiology)でのそれとして構想していたことも想起したい。
10) 以後教師は学修者の「知的学びの友人」となる。
11) この「原理的概念」はBrunerの言う基本観念(fundamental idea)に近い。
12) Hiebert & Lefevreの用語。また「手続き的知識」は単なる「ハウ・ツー」ではない。
13) Brunerの著書の題名「教育の過程」は本質を突いている。
14) ドイツ語のEntwicklung, あるいはBildungの語は良く意味を伝えている。
15) 現在の教育における混迷の主原因の一つは、この発達段階に適合した教育に対する考慮の欠如である(英語教育、情報教育が典型)。
16) これらの段階で言語(特に母語)の果たす機能が根本的に変化する。
17) そこにかっての「現代化」の陥った過ちがあった。
18) 数学教育に例を取れば、緑表紙算数教科書の発刊、遠山啓の算数教育理論等を挙げることができる。

(浪川　幸彦)

第二部

教科内容構成開発の具体
（小学校・中学校・教職大学院のシラバスと授業実践展開例）

第1章　数学

1　数学の教科内容構成開発の仮説

仮説1　教科の認識論的定義

数学は、現実世界に存在する量、形、変化を抽象化した概念、および、それらを再抽象化して生み出された高次の抽象概念からなる「数学の世界」を対象とし、厳密な論理を用いて導かれた概念相互の関連を命題として表したものである。このように、数学自体は完全な抽象世界であるものの、現実世界から切り離されて孤立した存在ではない。

学問としての数学の対象は「数学の世界」である。この数学の世界は、我々の身の回りの世界の事物や現象のうち主に量、形、変化に係るものから抽出された抽象概念と、それらに対しさらに再抽象化を行って生み出されてきた高次の抽象概念全体からなる。数学は、この数学の世界に属する抽象概念相互の関連について厳密な数学の論理に基づきながら探究し、得られた法則を命題の形で表す学問である。従って、数学の起源は現実の世界であるが、数学の対象自体は完全な抽象世界であり、この点が他の諸科学と性格を大きく異にするところである。

このように、数学は、現実世界とは切り離された数学的論理の世界の中で発展を遂げてきたが、元々は身の回りの世界を理解したいという動機から発生したものであり、その目的は今も不変である。また、数学の発展自体が、内部の自律的な動機によるもののみではなく、現実世界との相互作用の影響によることも少なくない。そのため、教科内容学における数学の認識としては、数学を現実から切り離して捉えることは適切ではなく、現実世界との関連についても対象として含めておく必要がある。

仮説2　教科内容構成の原理

①数学の諸概念を現実世界における源に応じて整理し体系化する。これにより、数学の内容は次の3つに大別される。・量の抽象化から発展したもの　・形の抽象化から発展したもの
・変化の抽象化から発展したもの
②次も構成の中に含める。
・学校数学との繋がり　・数学と現実世界との繋がり（抽出、数学化・解釈）　・数学の構造化に用いる要素（論理、集合）

仮説1の認識論的定義から、上記の原理が導かれる。まず、数学の内容は、現実世界に存在する量、形、変化の抽象化から発展した概念に分類される。物の個数、長さ、かさ、重さなど自然界に現れる量からは、個数を表す概念である「自然数」と、2つの量の比を表す「実数」の概念が生まれた。自然界に見られる形からは、ある特徴だけに着目し理想化した「図形」の概念が、また、変化からは関数等の概念が生まれた。数学はこれらを出発点にして、大きな発展を遂げてきた。これら数学概念相互の関連を明らかにすること、すなわち数学の構造化のためには、論理と集合が用いられる。なお、以前の研究[1)]では、「量の抽象化から発展したもの」を「数学の内容（数）」と表していたが、「数」は抽象概念であり内容の源を表すものではないため今回表現を改めている。

数学と現実世界との繋がりについては、上で述べた現実の事物や現象から数学概念を抽出する側面以外に、「数学化・数学的処理・解釈」のプロセスがある。このプロセスは、現実の事柄を数学概念で表して数学の世界に移行し（数学化）、数学内部の問題に変換されたものを操作・処理して（数学的処理）、得られた知見を現実の事柄に当てはめること（解釈）からなる。学校で扱われる

「数学化」の例としては、測定（単位を用いた量の数値化）、事象を関数で表すこと、社会生活の事象などから数値の集まりであるデータを収集すること、事象の起こりやすさを数値として表わすこと（確率）などがある。第三部で詳述するように、新学習指導要領では、このプロセスが目標の中核の１つとして取り上げられている。

ここでは、数学の内容を、量、形、変化に関するものの３つに大別したが、数学の内容の分類に該当するものとして、数学リテラシーにおける分類もある。「OECD生徒の学習到達度調査(PISA)」では、「数学的内容」は、実生活でみられるような数学的概念のまとまりと定義されており、量、空間と形、変化と関係、不確実性とデータの４つのカテゴリーに分けられている[2)]。

また、国内でも、成人段階を念頭において全ての人々に身に付けてほしい科学・数学・技術に関係した知識・技能・物の見方を明らかにすることを目的とした「科学技術の智」プロジェクトにより、数学的リテラシー像を明らかにする研究が行われている[3)]。その研究における数学内容の分類は、数量、図形、変化と関係、データと確からしさであり、PISA調査の区分と本質的に同じである。

これら数学的リテラシーの領域「量」または「数量」、「空間と形」または「図形」、「変化と関係」はそれぞれ、仮説２の①数学の内容のうちの量、形、変化の抽象化から発展したものに含まれると考えられる。また、「不確実性とデータ」、「データと確からしさ」は現実の事柄を対象としているため、②の数学と現実世界との繋がりに含まれる。このように数学的リテラシ―における分類は、仮説２における分類と整合性があると考えられる。

仮説３　教科内容構成の柱

①数学の内容（量・形・変化、学校数学との繋がり）
②現実世界との繋がり
③数学の構造化に用いる要素

仮説２の原理に従って、教科内容構成の柱をまとめると上記のようになる。

仮説４　教科内容構成の具体

次の６つの要素を構成要素とする。①数学の体系性：数学という学問が雑多な概念・事柄の寄せ集めではなく、それらが相互に深く繋がり全体が大きな体系をなしていること ②学校数学との繋がり ③現実世界との繋がり：我々を取りまく世界に様々な数学が存在し、数学で世界のある側面が理解できること ④数学の実用性 ⑤数学の文化的価値：数学の歴史と美的価値 ⑥探究的活動：授業が、算数・数学の面白さ・奥深さを伝えて興味・関心を引き出し、創造の場となるよう工夫できる能力を育てる。

仮説３の柱立てに基づいて具体的に教科内容を構成するための現実的な方法は、上記の６要素で内容を構成することであると考える。６つの要素のうち、①と②は仮説３の「①数学の内容」、③と④は「②現実世界との繋がり」に対応する。要素⑤は「①数学の内容」と「②現実世界との繋がり」の両方に関係する。要素⑥は、他の５要素の理解を深め、また数学的な発想力や工夫する力を育成するために取り入れるものである。仮説３の「③数学の構造化に用いる要素」は、その必要性が自明のため、ここでは特に要素として取り上げていない。

要素①では、数学の体系の中で諸概念が相互に深くつながっていることや、数学概念をさらに抽象化することにより様々な対象が同じ構造をもつものとして統一的に理解できることを扱う。特に、一見全く異なる範疇に属するように見える概念間の関連を取り上げることが重要である。要素②では、学校で扱う算数・数学の背景に大きな数学の世界が広がっていることを示す。また、実際に数学がどのように学校での内容に繋がるのかも示す。

数学の実用性は現実世界との繋がりの一側面であるため、要素④は要素③の中に含まれる。従って、要素④をわざわざ設ける必要はないともいえる。しかし、「現実世界との繋がり」が実用性のみを指すとの誤認識を避けるため、要素④をあえて要素③から独立させた。その意味で、要素③は、現実世界の事柄や現象で数学によって説明できるもののうち、我々の生活に直接役立ってはいないものを指すことにする。一例として、宇宙が永遠に存在するかどうかやその終焉の姿について物理学で様々な説があり、それらの基盤として数学が不可欠であるが、宇宙の終焉の理解が直接我々の生活に役立つわけではない。

要素⑤では、数学の文化的価値として、次の2つの側面を取り上げる。

・数学がいかなる状況や必然性の下に生まれ発展してきたか
・数学のもつ美しさ、面白さ、豊かさ

最後の要素⑥では、自らの力で数学的発見を行う創造的体験を積むことができるような題材を取り上げる。これにより、自らの数学的発想力を伸ばすとともに、子どもたちに算数・数学の面白さ、奥深さを伝えて、興味、関心、学習意欲を喚起し、授業が活発な創造の場となるよう工夫できる能力を育てる。

後で示すシラバス解説では、これら6要素が実際に授業にどのように組み込まれているかを説明するが、各要素を視覚的に判別しやすくするため、これらを①～⑥ではなく、略号M、S、R、P、C、Aで表すことにする。これはそれぞれの意味を端的に表すキーワードである、数学、学校、現実、実用性、文化、活動に対応する英単語Mathematics、School、Reality、Practicality、Culture、Activityの頭文字をとったものである。

仮説5　教員養成学生及び子どもに育成される能力

（教員養成のみ記載）

○数学の体系・本質、現実世界との繋がり、豊かさ・美しさを理解し、それを元に学校教育における算数・数学の内容の意義付けを行うことができる。○「数学の学習＝問題が解けること」という狭小な数学観から脱却し、教科観を子どもの発達に本質的な寄与を与えるものに改めることができる。

仮説4の「⑥探究的活動」を除く5要素により、上記の能力が育成されると考える。算数・数学の内容に係る5要素の理解を通して、内容のもつ意義が分かれば、子どもがそれらを学ぶことの価値が理解でき、さらに、学生自身の教科観を豊かなものにできる。また、この他、次の能力の育成も図られる。

・学校教育の内容のどの部分に重点を置くべきか、あるいは置く必要が無いかを見抜くことができる。
・教科内容が将来どのように変更されようとも迅速・的確に対応できる。
・子どもの発言やつまずきに含まれる発想の芽や本質的な点を見逃さず、拾い上げて発展させていくことができる。

さらに、要素⑥も加えることにより、次の能力育成の素地が形成される。

・独自の工夫を加えて、内容を分かりやすく説明できる。
・知的好奇心を呼び起こす教材や数学的活動を創意工夫して作ることにより、興味・関心を引き出す授業を展開できる。
・子どもが数学を作り出す知識探究・創造型の授業を展開できる。

仮説6　教科と人間（個人・社会）とのかかわり

○数学科と個人　・世界を量、形、変化の側面から捉えることができる。・数学を生活に活かすことができる。・世界を数学的側面から捉えて、その不思議さや美しさを感じることができる。・論証を正しく行う能力が育成される。
○数学科と社会　・自然や社会における現象や法則を数学概念で表すことができ、数学は諸科学の基盤を与える。・数学的考察により、自然や社会における法則を発見できる。・数学の成果が社会で活かされている。

仮説３でみたように、数学科は、数学の内容、現実世界との繋がり、数学の構造化に用いる要素から構成される。従って、個人や社会と上記のように係わる。

仮説７　教科内容構成の創出による教科専門の授業実践

①概念的・理論的な観点

○内容構成の方針・授業内容を仮説４の６要素で構成する。・数学の発想や考え方（仕組みや発想が分かること、様々な視点から見て考えること等）を重視する。
○６要素の扱い方の留意点・「①数学の体系性」の理解のため、授業で扱う数学分野で、現在までに生まれた主要な考え方すべてに触れ、その発展の様子が分かるよう構成する。・可能な限り、授業で自ら考え発見する体験ができるよう工夫することで、「⑥探究的活動」の要素を実現する。（体験的授業化）

内容構成の方針の１つ目は、６要素で内容を構成することである。特に、要素「①数学の体系性」については、授業で扱う数学分野において現在までに生まれた主な考え方すべてに触れ、その発展の様子が分かるよう構成する。この際、最先端の研究内容ではなく、古くから知られていることであっても、人類の文化における意義が大きいものは積極的に取り上げる。ただし、教科専門授業に取り入れる際には、伝統的な学問構成に縛られず自由に再構成すべきである。教科書として数学の入門書や専門書が指定されている場合でも、それにそのまま従うのではなく、授業に適した形へ編成しなおすことが必要である。

また、可能な限り体験的授業化を目指すこと、つまり授業で自ら考え発見する体験ができるよう工夫することで、要素「⑥探究的活動」の実現を図る。

方針の２つ目にある数学の発想や考え方は、仕組みや発想が分かることや、様々な視点から見て考えること等を指す。これらは、新学習指導要領に記された「数学的な見方・考え方」とは異なるものであることに注意しておく。「数学的な見方・考え方」は、算数では「事象を数量や図形及びそれらの関係などに着目して捉え、根拠を基に筋道を立てて考え、統合的・発展的に考えること」と定義されている。中学校および高等学校の数学でもほぼ同様である。ここにおける「統合的に考察する」とは、異なる事柄に共通点を見いだして一つのものとして捉え直すことで、仮説４の要素「①数学の体系性」に繋がる考え方である。また、「発展的に考察する」とは、考察の範囲を広げていくことで新しい知識や理解を得ようとすることである。従って、方針２の「仕組みや発想が分かること」や「様々な視点から見て考えること」は、上記の学習指導要領における見方・考え方の範疇には入らないものである。

仕組みや発想が分かることは、次の意味で重要である。物事の深い理解のためには、論理的のみならず直観的な理解が欠かせない。論理と直観は、理解のための車の両輪と言える。例えば、ある数学的事実に対し、数学的帰納法で論理的証明を行うことは、単に定理が正しいことの確認に留まり、どのような仕組みが結論を成り立たせているのかの本質を理解することはできない。仕組みや発想が分かることで、本質を感覚的に捉えて、直観的な理解を得ることができる。仕組みや発想を理解させるための工夫としては、例えば、仕組みの視覚化や、具体例を調べて核心にある仕組みを捉えさせることが挙げられる。

「様々な視点から見て考えること」の例としては、問題が備えている構造を、数式で表したり、論理を用いて明らかにしようとしたり、視覚的・直観的に捉えたりするなど、異なった視点から捉えることが挙げられる。また、多様な説明方法を考えることも大切である。このような機会を積極的に設けたい。

②授業実践の事例

○「平面幾何」において内容構成に含める6要素の例 ①数学の体系性②学校数学との繋がり：ユークリッド幾何や学校の平面幾何の公理系 ③現実世界との繋がり④実用性：形を写真にとればどう写るかを射影の概念で考える ⑤文化的価値：和算や折り紙との関連、幾何の美しさ ⑥探究的活動：多角形の合同条件の発見、現実世界との繋がりを考える体験 ○「フラクタル幾何」において内容構成に含める6要素の例 ①数学の体系性：フラクタルの本質としての相似概念、代数に現れる自己相似、対数を用いるフラクタルの発見方法、2次関数が生成するフラクタル ②学校数学との繋がり：相似の応用、比例・反比例の拡張としてのべき乗則 ③現実世界との繋がり：自然界や社会現象に見られるフラクタル図形、べき乗則 ④実用性：画像圧縮、フラクタルアンテナ ⑤文化的価値：関数を用いた美しい形の生成 ⑥探究的活動：海外線の法則の発見、フラクタル図形を作る活動

ここでは、幾何学諸分野のうち、2つの分野「平面幾何」と「フラクタル幾何」の内容構成に含める6要素の例を述べた。「平面幾何」は学校教育における算数・数学の内容に最も近く教員養成で標準的に扱われている古典的内容[4)、5)]である。また、「フラクタル幾何」は最も新しい幾何学理論であり、現実世界との関連を重視する近年の数学研究の潮流の代表例として選んだ。古典的内容か最新の理論かに関わらず、教科内容構成の考え方が同様に適用できることが分かる。

③従来の教科専門の問題点

これまで数学科の教科専門では、理学部と同じ発想による授業がしばしば行われてきた。そのような授業では、仮説4の要素のうち「①数学の体系性」のみが考慮され、他の5要素については殆ど触れることがないことが大きな問題点であると考えられる。

理学部では理論的かつ厳密な展開の下に現代の数学について学ぶことが目的であり、研究の最先端まで到達できるための素地を形成するカリキュラムを組んでいる。従って、仮説4の要素のうち、「①数学の体系性」については当然重視されているものの、その他の5要素については殆ど顧みる余裕はない。つまり、理学部では数学の体系性の要素のみ重視されているといえる。教員養成における数学科の教科専門の実態として、理学部と同じ発想の授業がしばしば行われてきたことは否めない。本稿で提案する教科専門授業の構成は、体系性以外の5要素も同等に重視する点が理学部とは全く異なるところである。

2 シラバス（数学）

次ページより、学部の小学校・中学校教員養成のための教科専門科目（各2単位）、および教職大学院の教科内容構成に係る専門科目（2単位）のシラバスとその解説を示す。中学校教員養成のための教科専門科目としては、標準的な「平面幾何」を選んだ。

シラバス	学部（小学校）	授業科目名　算数

授業の目標

算数の内容の元にある数学概念や考え方と、数学概念が算数の中でいかに生活場面など現実の事象に結び付けられて児童に理解可能な形に改変されているかを理解する。これらを通して次の能力を高める。

1. 算数の内容を数学体系の下に整理して捉えることができる。
2. 現実の事象に現れる数学的構造を認識できる。
3. 数学の内容を知的好奇心を引き出したり探究創造型授業に用いる素材として捉えることができる。

教科内容構成の具体（教科内容の概念・技能）

次の６つの要素で構成する。①数学の体系性Ｍ：数学という学問が雑多な概念・事柄の寄せ集めではなく、それらが相互に深く繋がり全体が大きな体系をなしていること ②学校数学との繋がりＳ ③現実世界との繋りＲ：我々を取りまく世界に様々な数学が存在し、数学で世界のある側面が理解できること ④数学の実用性Ｐ ⑤数学の文化的価値Ｃ：数学の歴史と美的価値 ⑥探究的活動Ａ：授業が、算数・数学の面白さ・奥深さを伝えて興味・関心を引き出し、創造の場となるよう工夫できる能力を育てる。

評価の観点

1. 減法・除法と０の導入、分数とその演算を構成する考え方、分数と小数の関係、量の分類と加法・除法の代数的構造、図形の包摂関係、空間図形の２次元化、比例・反比例の関数としての理解、変化を捉える関数の意味、などについて説明できる。
2. 生活における、四則演算、量の数値化、形の特徴の捉え方、データを扱う方法などを説明できる。
3. 知的好奇心を引き出す目的や探究創造型の授業に用いることができる数学の素材を説明できる。

主　　題	教科内容・展開
1. 数と演算１（記数法）	自然数の概念と位取り記数法を理解する。また、十進法と二進法等の変換方法を理解し、実際に変換作業を体験する。
2. 数と演算２（自然数の四則演算）	四則演算について、その定義・基本法則と算数での具体物を用いた導入方法を理解する。四則を表す文章題を作成する。
3. 数と演算３（数の拡張：負の数の導入、整数）	負の数と四則演算の抽象的定義を理解し中学校での導入を捉え直す。演算規則の証明を試みる。整数の性質を理解する。
4. 数と演算４（数の拡張：分数の導入）	分数の抽象的定義を理解し、導入方法を整理する。
5. 数と演算５（数の拡張：分数の演算）	分数の四則演算の抽象的定義を理解し演算規則を証明する。
6. 数と演算６（分数と小数の関係）	分数と小数の関係について理解し、変換操作を行う。
7. 量と数１（量の意味、異種の二つの量の除法）	量の分類、異種量の除法に関する公式記憶術の難点と視覚化の有用性を理解する。具体例を考察する。
8. 量と数２（同種の二つの量の除法）	同種量の除法の定義と視覚化の方法を理解する。
9. 量と数３（単位と面積）	量の保存、測定と単位、平面図形の面積について理解する。三角形等の面積を求める方法を見つける課題に取り組む。
10. 図形１（要素と変換）	図形の要素と対称性を理解し、平面図形の対称性を調べる。
11. 図形２（平面図形の分類）	図形の包摂関係について理解する。図形の分類を体験する。
12. 図形３（空間図形）	見取り図と投影図の特徴の違い、展開図の性質を理解する。
13. 変化と関係１（関数、比例・反比例）	関数について理解し、比例・反比例の判定を行う。
14. 変化と関係２（表現、変化の捉え方）	比例・反比例の表・式・グラフと変化の割合を理解する。
15. 統計（統計的な見方・考え方）	統計的方法、統計的課題探究プロセス、統計量とヒストグラムの対応を理解する。実験を行い統計的に考察する。

解　説

仮説４に従い、６要素を中心に授業内容を構成している。主題のうち、「数と演算」、「図形」、「変化と関係」は仮説３①の数学の３分類に対応し、「量と数」、「統計」は、仮説３②の「現実世界との繋がり」に対応する。

学習方法（生成、アクティブラーニング等）は要素Ａにより行うこととし、各回の授業で自ら考え発見する体験の時間を設けている（仮説７①留意点）。

６要素Ｍ、Ｓ、Ｒ、Ｐ、Ｃ、Ａに該当する部分には、その末尾に対応する記号を括弧書きで示している。

1　ものの個数や順序（Ｒ）を表すために創られた自然数の定義を理解する（Ｓ）。様々な文化（Ｃ）における記数法を比較し（Ａ）、位取り記数法の優位性を確認する（Ｓ）。十進法と二進法を変換する方法を学び、変換作業を体験する（Ａ）ことにより、位取り記数法の仕組の理解を確実なものにする。

2　四則演算の数学的定義と基本法則（Ｍ）、算数における具体物（Ｒ）を用いた導入方法（Ｓ）を理解する。生活に係る（Ｐ）文章題で四則の意味を表すもの（Ｓ）を作成し（Ａ）、その意味理解を確実にする。

3　分数は、中学校で学ぶ負の数（Ｓ）と類似の方法で数学的に定義される（Ｍ）。そこで、分数導入の準備として、負の数の抽象的定義を理解する。さらに、負の数の加法・乗法は、自然数の加法・乗法を３法則（結合・交換・分配法則）により拡張して得られる（Ｍ）ことと、減法・除法が加法・乗法の逆演算で定義される（Ｍ）ことを理解する。また、中学校での負の数の導入方法と整数の性質（Ｓ）を理解する。演算規則の証明を部分的に試みて（Ａ）、３法則によって拡張するという考え方を理解する。

4　分数の抽象的定義を理解することにより、算数における分数の導入方法（Ｓ）を整理し捉え直す。

5　負の数と同様に、分数の加法・乗法も自然数の加法・乗法を３法則により拡張して得られる（Ｍ）ことと、分数の減法・除法が加法・乗法の逆演算として定義される（Ｍ）ことを理解し、算数での扱い方（Ｓ）を捉え直す。演算規則の一部の証明を試みる（Ａ）ことにより考え方の定着を図る。

6　分数と小数の関係（Ｍ、Ｓ）を理解する。これらの変換（Ａ）と定理の証明（Ａ）を行い、理解の定着を図る。

7　量の分類（Ｒ）と異種の２量の除法である「度」（Ｓ）について理解する。「度」が係る３つの公式（Ｓ）について、広く流布している記憶術に頼ることの危険性を認識し、その代わりに数直線によって視覚的に捉える（Ｍ）ことの意義を理解する。生活に現れる具体的な量（Ｐ）の分類を行う（Ａ）とともに、公式記憶術のもつ問題点（Ｓ）を明らかにし、数直線による視覚化を行う（Ｍ）課題に取り組む（Ａ）。

8　同種の２量の除法である割合（Ｓ）の定義と視覚化を理解する。割合の生活における具体例（Ｐ）の分類と数直線による視覚化（Ｍ）を行う。

9　量の保存、比較と測定の方法、単位の意味（Ｓ、Ｒ）を理解する。面積の定義（Ｓ）を確認し、三角形と平行四辺形の面積（Ｓ）を、異なった図形に変形（Ｍ）することによって求める課題に取り組む（Ａ）。

10　図形を構成する要素（Ｍ、Ｓ）を確認し、また図形を対称性の下に分類する（Ｍ、Ｓ）。具体的な平面図形の対称性を調べる課題に取り組む（Ａ）。

11　図形の包摂関係（Ｍ）の意味を理解する。長さ、角度、対角線、平行などの要素（Ｓ）による四角形の分類を行い（Ａ）、包摂関係の意味を確認する。

12　空間図形の見取り図と投影図の特徴の違い（Ｍ､Ｓ）、展開図の性質・法則（Ｓ）を理解する。具体的な図形の展開図を考える（Ａ）。

13　関数の概念と考え方を理解する。生活に現れる具体的な関係（Ｐ）が比例・反比例（Ｓ）かどうかを判定する課題に取り組む（Ａ）ことにより、比例・反比例の理解を深める。

14　比例・反比例の表・式・グラフによる表現方法（Ｍ、Ｓ）と変化の割合（Ｓ）について理解する。関数の変化の割合が、極限概念や多項式の特徴の把握に繋がる（Ｍ）ことを理解する。

15　記述統計と推測統計におけるデータ活用の方法の違いと統計的課題探究プロセス（Ｐ）、代表的な統計量（Ｓ、Ｒ）について理解する。統計量とヒストグラムの対応を考える問題に取り組み（Ａ）、統計量の意味を捉える。紙テープを目測で10cmに切り取る実験を行って統計的な処理の工程を体験する（Ａ）。

シラバス	学部（中学校・専門）	授業科目名　平面幾何

授業の目標

中学・高校における平面幾何の歴史的特性と全体構造を把握し、またそれらを元に豊かな数学世界が広がっていることを理解する。幾何学と身近な世界との繋がりの例として、形を写真に撮るとどのような図形に写るかという問題を射影の概念を通して考える。さらに、射影幾何学のもつ美しさに触れる。

教科内容構成の具体（教科内容の概念・技能）

次の６つの要素で構成する。①数学の体系性M：数学という学問が雑多な概念・事柄の寄せ集めではなく、それらが相互に深く繋がり全体が大きな体系をなしていること ②学校数学との繋がりS ③現実世界との繋がりR：我々を取りまく世界に様々な数学が存在し、数学で世界のある側面が理解できること ④数学の実用性P ⑤数学の文化的価値C：数学の歴史と美的価値 ⑥探究的活動A：授業が、算数・数学の面白さ・奥深さを伝えて興味・関心を引き出し、創造の場となるよう工夫できる能力を育てる。

評価の観点

1. 多角形の合同条件を求める考え方を説明できる。
2. 三平方の定理の証明に用いる多様なアイデアを説明できる。
3. 形を写真に撮る数学的な仕組みと、形の性質で写真に撮った時に変らないものを説明できる。また、具体的な形がどのような図形に写るかや、形の中心が像のどこに写るかについて説明できる。
4. 射影幾何の定理について、具体例を用いてその特徴を説明できる。

主　　題	教科内容・展開
1. 学校で扱う平面幾何の公理体系	公理・定理・定義の意味、学校での平面幾何とギリシャ数学の公理体系を理解する。
2. 多角形の合同条件	四角形の合同条件を見つける活動を行う。
3. 多角形の合同条件（続き）	前回の活動を継続し、五角形以上も扱う。
4. 三平方の定理の様々な証明	古典的な証明で用いられる図を元にして、証明を見出す。
5. 三平方の定理の様々な証明（続き）	敷き詰めを用いた証明を理解し、実際に証明を見出す。
6. 和算の幾何問題の例	円を扱った和算の問題を解く。
7. 三平方の定理の和算への応用	和算の円にまつわる不思議な現象について理解し、証明を試みる。和算とつながる現代の発見について理解する。
8. 和算の幾何問題集と折り紙数学	円を扱った和算の問題集に挑戦する。紙を折って現れる現象を考える。
9. チェバ・メネラウスの定理と応用	多様な証明を見つける。応用や一般化について理解する。
10. 形はどう写るか－射影の概念	スマートフォンを用いて正方形、円等を観察して像の特徴を把握し、図形の性質で射影で不変なものを見つける。
11. 射影で不変な性質の応用	射影で不変な性質を用いて、面積の大小や中点・中心の像を求める課題に取り組む。
12. 透視図法の応用	遠近法の一種である透視図法について理解し、写真上で線分の中点や円の中心の像を求める問題に取り組む。
13. 像を求めるための代数的方法	図形の像を数式で代数的に求める方法を理解する。
14. 二次曲線の像を代数的に求める	二次曲線の写る形を代数的に求める課題に取り組む。
15. 射影幾何学－射影で不変な定理	射影で不変な定理群を理解し、実際に作図しそれらが成り立つことを確認する。また、定理の応用を知る。

解　　説	
仮説4に従い、6要素を中心に授業内容を構成している。学習方法（生成、アクティブラーニング等）は要素Aにより行うこととし、各回の授業で自ら考え発見する体験の時間を設けている（仮説7①留意点）。 6要素M、S、R、P、C、Aに該当する部分には、その末尾に対応する記号を括弧書きで示している。 1　数学の体系性の意味を捉えるため、公理・定理・定義の意味と、体系の模範とされてきたギリシャ数学の公理体系（M、C）を理解する。さらに、中学校・高等学校で扱われている平面幾何の内容（S）が、独自の公理体系（M）をなしているとみなせることに気づき、例え自明なことでも公理以外は証明を必要とする（M）という数学における論証がもつ特徴を認識する。 2　平面幾何の基礎のうち発展性に富むものは、三角形の合同条件と三平方の定理の2つである（S）。授業の2･3回目では、三角形の合同条件を一般化して（M）多角形の合同条件を求める問題を扱う（A）。考察対象を広げていく経験を通して、体系性の意識（M）を高める。 3　上記の活動を継続して四角形の合同条件を完成させる（A）。また、五角形などについても拡張していくことができることを理解する。 4　4回目～8回目の授業では、三平方の定理（S）の多様な証明のアイデア（M）、文化的価値（C）と応用（R、P）について扱う。まず、本時では、ギリシャ数学、インド数学、和算における三平方の定理の代表的な証明（C）について、そこで用いられている図のみからその証明を再構成する活動を行う（A）。 5　2種類の正方形による平面の敷き詰め（S）を用いれば三平方の定理の無限通りの証明が得られることを知り、実際に自分なりの証明を見つける活動を行う（A）ことにより、異なる数学の内容が思わぬ関連をもつ（M）ことを理解し、体系性の意識を高める。 6　円を対象とした和算の問題を解く（A）ことにより、和算の面白さ（C）に触れる。	7　和算で発見された円にまつわる不思議な現象と、それが最近の数学的発見に繋がっている（M、C）ことを理解し、また、和算の幾何問題が三平方の定理で解ける（S、C）ことを理解する。さらに、その一部の証明に取り組む（A）ことにより、和算の面白さと独自の感性（C）に触れる。 8　円を対象とした和算の問題集に挑戦し（A）、和算の面白さ（C）に触れる。また、折り紙数学（C）の例として、コピー用紙を1回折るだけで現れる現象（R）について理解し、その理由を考える（A）。 9　チェバ・メネラウスの定理（S）の多様な証明を見つける活動に取り組む（A）。また、三角形の重心等（S）の存在への応用（M）や3次元への一般化（M）など、関連内容について理解する。 10　スマートフォンのカメラ機能を用いて正方形、円等を観察し、図形の性質のうち射影で不変なものを見つける活動を行う（A）ことにより、現実の事柄を数学に結び付けて考える（R）ことを経験する。 11　射影で不変な性質（M）を用いて面積の大小を写真から判定する問題や線分・円を撮った写真上で中点・中心の像を求める課題に取り組む（A）。 12　遠近法の一種である透視図法を取り上げ、美術と数学の繋がり（C）を理解し、その応用として写真上で中点や円の中心の像を求める課題に取り組む（A）。 13　図形の像を数式で求める代数的方法を理解する演習（A）を行うことにより、代数と幾何が繋がっている（M）ことを理解する。この応用として、円は楕円に写る（R）ことを確認する。また、これに関連して球も楕円に写る（R）ことを理解する。 14　二次曲線の写る形を代数的に求める演習を行い（A）、放物線が二次曲線に写ることを知る。 15　透視図法を元にして、ユークリッド幾何とは別種の平面幾何である射影幾何学が創られた（C）ことを知る。射影幾何の定理を、実際に作図を行って確認する（A）。透視図法による直方体の描画で現れる不思議な現象が、射影幾何の定理を用いて説明できる（R）ことを理解する。

シラバス	大学院（教職大学院）	授業科目名　教科内容構成（数学）

授業の目標

算数・数学の教科内容をいくつか選び、その内容のもつ本質・意味や内容に係る見方・考え方を理解し、それを元に教科書等での扱い方や構成について考察した上で、授業展開の改良・発展を図る。

教科内容構成の具体（教科内容の概念・技能）

次の６つの要素で構成する。①数学の体系性Ｍ：数学という学問が雑多な概念・事柄の寄せ集めではなく、それらが相互に深く繋がり全体が大きな体系をなしていること ②学校数学との繋がりＳ ③現実世界との繋がりＲ：我々を取りまく世界に様々な数学が存在し、数学で世界のある側面が理解できること ④数学の実用性Ｐ ⑤数学の文化的価値Ｃ：数学の歴史と美的価値 ⑥探究的活動Ａ：授業が、算数・数学の面白さ・奥深さを伝えて興味・関心を引き出し、創造の場となるよう工夫できる能力を育てる。

評価の観点

1. 指導が難しい教科内容の具体例に対し、その内容の本質・意味や見方・考え方を説明できる。
2. 当該内容の教科書等での扱い方や構成における問題点を指摘できる。
3. 当該内容の授業展開方法を改良したり、発展させるための工夫を提案できる。

主　題	教科内容・展開
1. 代数の内容の問題点の把握	数と式の教科内容で、理解が不十分になりがちで指導の難しい教科内容を選ぶ。
2. 問題点の焦点化	理解を難しくしている要素や側面を焦点化・明確化する。この作業は、内容の本質・意味や見方・考え方に関する授業者からの助言を得て行う。
3. 教科書等での扱い方や構成の考察	内容の本質・意味や見方・考え方の理解を元に、教科書等での扱い方や構成について考察する。
4. 考察結果を活かした授業展開	考察を生かした授業の展開を考える。
5. 幾何の内容の問題点の把握	5～8回は、図形と空間の教科内容に対し1～4回と同様のことを行う。
6. 問題点の焦点化	
7. 教科書等での扱い方や構成の考察	
8. 考察結果を活かした授業展開	
9. 解析の内容の問題点の把握	9～11回は、関数と極限に対し1～4回と同様のことを行う。
10. 問題点の焦点化と教科書等での扱い方や構成の考察	
11. 考察結果を活かした授業展開	
12. 確率・統計の内容の問題点の把握	12～15回は、確率と統計に対し1～4回と同様のことを行う。
13. 問題点の焦点化	
14. 教科書等での扱い方や構成の考察	
15. 考察結果を活かした授業展開	

解　説	
各教科の「教科内容構成」の主旨を、「諸学問を基盤とした専門的な知識・技能を教科内容として構成し、学校の授業に役立てる手立てを学ぶ。」と捉えることとする。このとき、次の2つの方向性が考えられる。 ・学問から出発する。 諸学問を基盤とした専門的な知識・技能をいくつか選び、それらを教科内容として構成する。即ち、学問を生かした新しい教科内容の開発や既存の教科内容の改善を行う。 ・教科内容から出発する。 教科内容をいくつか選び、諸学問を基盤とした専門的な知識・技能を用いて改良・発展させる。 本授業では、少ない授業時間の中で、学校の授業に直接役立つ手立てが学べるようにするため、後者の方向性をとる。具体的には、数学の分野ごとに次のサイクルを繰り返して授業を進める。 ①　まず、理解が不十分になりがちで指導の難しい教科内容を選ぶ。 ②　選んだ内容の理解を難しくしている要素や側面を焦点化・明確化する。この作業は、内容の本質・意味や見方・考え方に関する授業者からの助言を得て行う。 ③　内容の本質・意味や見方・考え方の理解を元に、教科書等での扱い方や構成について考察する。 ④　考察を生かした授業の展開を考える。 仮説4の6要素は、教科内容の本質・意味や見方・考え方を明らかにする際の観点として用いる。学習方法（生成、アクティブラーニング等）としては、問題点の把握と焦点化、教科書等の考察、授業展開の作成のすべての段階で、議論を中心としたアクティブラーニングにより展開する。 以下で、授業の流れを記す。	1.　各受講生が、数と式に関する教科内容で、理解が不十分になりがちで指導が難しいと考えるものを提起する。それらの中から優先的に検討すべきものを幾つか選択し、受講生をテーマごとのグループに分ける。 2.　理解を難しくしている要素や側面を焦点化・明確化する。この作業は、内容の本質・意味や見方・考え方に関する授業者からの助言を得て行う。 3.　内容の本質・意味や見方・考え方の理解を元に、教科書等での扱い方や構成について考察する。 4.　考察を生かした授業の展開を考え、余裕があれば模擬授業を行って効果を確認する。 5～8回、9～11回、12～15回はそれぞれ、図形と空間、関数と極限、確率と統計の教科内容に対し1～4回と同様のことを行う。

3 授業実践展開例

仮説7「②授業実践の事例」で扱った「平面幾何」と「フラクタル幾何」の授業実践の様子を紹介する。

(1)「平面幾何」(2節のシラバス第10-11回)

第10回：形はどう写るか－射影の概念

①図形の写真による像の考察

正方形、円、正方形・内接円、正三角形の4種類の図形（大きさは縦横3.5cm程度）を描いたA4用紙を配布する。各自所持しているスマートフォンのカメラ機能を用いて、斜めの位置から観察・撮影することにより、像の性質、像と元の形との関係を考える活動を行う。考察を通して次を確認させる。

正方形：底辺が水平になるよう写すと台形に写り、等脚になるのは左右の真ん中に写るときである。

円：楕円に写り、左右の真ん中に無いと傾いて写る。

（正方形・内接円を使って理由を考えさせる。）

この活動では、水平に写すという意味が伝わりにくいことや、楕円の傾きの認識が難しいことなどのせいで、個別指導が必要で半時間程度を要する。

②写真像の性質のまとめ

上記の考察を一般化したまとめを配布する。

《まとめ》

写真にとったとき変わる性質

1. 長さは、遠くに行くほど短く写る。
2. 円は楕円に写る。（左右の真ん中にないときは傾いて写る。）

例外を除いて、

3. 角度は変わる。
4. たて方向の直線は傾いて写る。
5. 平行な2直線は平行に写らない。

写真にとったとき変わらない性質

1. 直線は直線に写る。
2. 水平な直線は水平に写る。
3. 円の接線は楕円の接線に写る。

まとめのシートには図1-1に示した写真も載せている。

③射影概念の導入

写真によって形をその像に写す操作は、数学的には射影という概念であることを説明する。

第11回：射影で不変な性質の応用

前時のまとめを元に、写真上で面積の大小を判定する問題や円の中心の像を求める課題に取り組む。

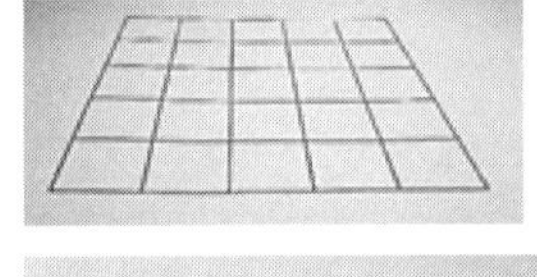
正方形格子

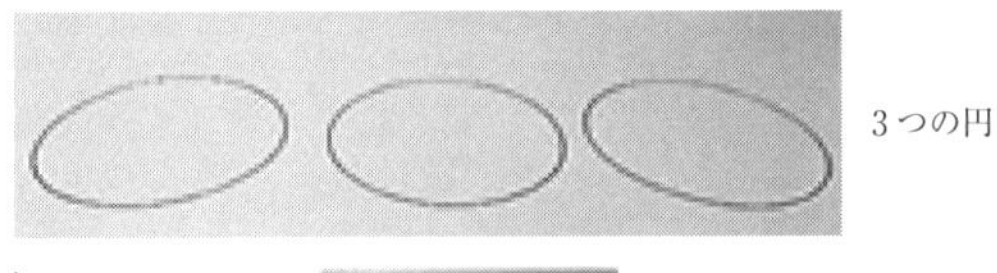
3つの円

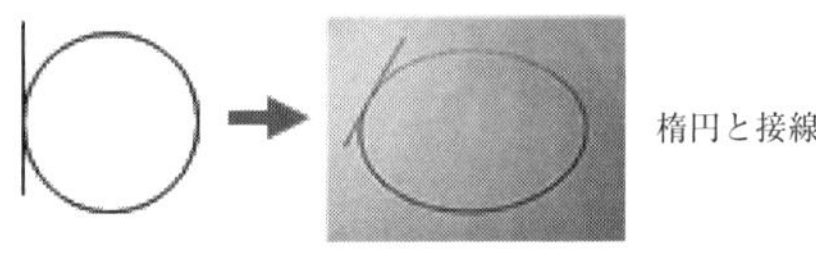
楕円と接線

◇図1-1　写真に写った像

①面積の大小判定

並んだ長方形を撮った写真（図1-2）から、どちらの面積が大きいかを判定させる。直線は直線に写るという性質を用いれば、四角形の対角線の交点を含む右上が大きいことが瞬時に分かる。例年、少し待てば答えに気付く学生が現れることが多いが、必要に応じ対角線に注意させる。

発展として、4つの長方形（図1-3）の面積の大小の問題を出す。学生の多くは、先ほどの方法で隣り合う長方形の面積を比べていくが、左上と右下の大きさの判別がつかず行き詰る。しかし、時間が経つと三角形の合同を用いて解決する学生が現れる。幾何の直観的な理解が必要な問題である。

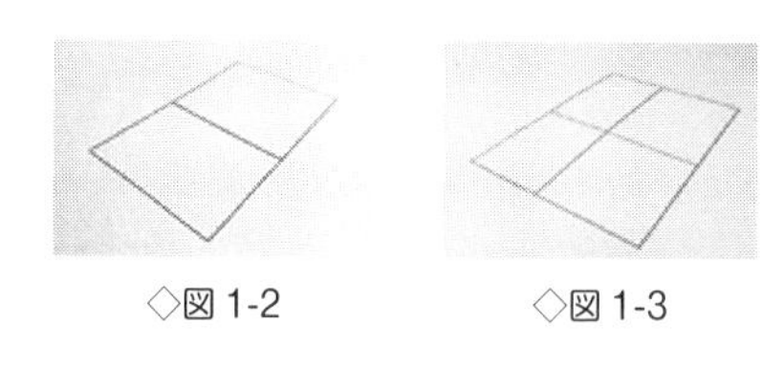

◇図 1-2　　◇図 1-3

②円の中心の像を求める。

同じ円2個（図1-4)、同心円（図1-5）の中心の像を求める課題を出す。射影で変わらない3つの性質を用いれば多様な方法で解くことができるが、平行線の像がいつも平行になると誤解している学生が少なくなく、前時の指導内容の再確認が必要である。時間の余裕があれば同様の問題を追加する。

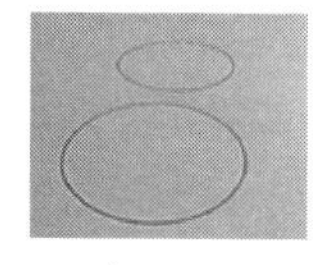

◇図 1-4

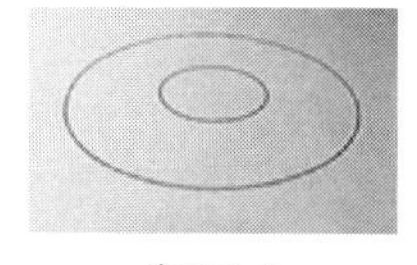

◇図 1-5

(2)「フラクタル幾何」

本年度はこの内容に5時間を充てた。導入部分(2時間）では、海岸線（湖岸線も含む）の長さを測る作業を通して、海岸線を曲線として見たときの特徴を探る活動を行っている。その概要を示す。

＜1時間目＞

海岸線の長さを測るという本時の課題を提示した後、徳島県・香川県（海岸を繋げて考える)、三陸海岸、オーストラリア、韓国、琵琶湖の5種類の地図から一つを選ぶよう指示する。受講生は例年20名から30名程度なので、それぞれの海岸線を5名程度が測ることになる。計測の方法は、図1-6のように海岸線を一定の長さの線分を繋げた折れ線で近似し、用いた線分の個数を数える方法により行う。

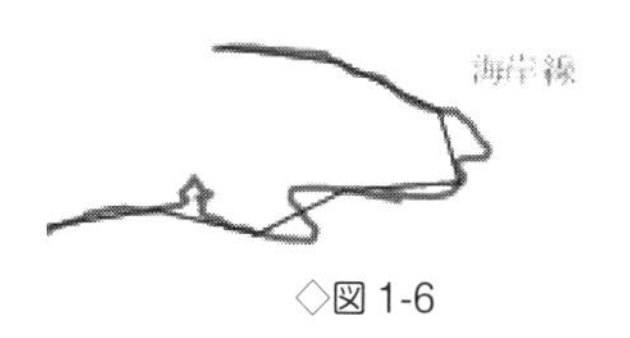

◇図 1-6

用いる線分の長さ（基準長さ）をどんどん小さくしていくと、「基準長さ×個数」は、海岸線の真の長さに近づいていくことを確認させる。基準の長さとしては、4㎝とそれを半分にしていった2㎝、1㎝、5mm を選ぶ。5mm の場合特に時間がかかり、作業終了まで1時間程度が必要である。折れ線が最終地点にきっちり到着することは稀であるため、線分の個数は小数第1位まで目分量で求めさせている。

4種類の基準長さを用いて求めた個数を、黒板に書いた表に記入させる。地図ごとにおよそ5人分のデータが書き込まれるが、外れ値が少なくないため最大と最小を外して平均を取り、個数として確定する。例えば徳島・香川のある年度の個数は、8.5個、19.0個、41.3個、99.0個であった。測り方によって差が生まれ毎年5%程度の変動がある。

＜2時間目＞

①個数のグラフの作成

基準長さを横軸、個数を縦軸に取って折れ線グラフを描かせる（図1-7)。これがどういう関数で表されるかを問うと、反比例と答える学生が少なくないが、グラフの両軸への近づき方から見て、反比例とは考えにくく、正体が不明であることを認識させる。

②データの対数へ変換

このような、現象から取り出したデータがどのような関数に従うか分からない場合の常套手段として、対数の応用が有効であることを伝え、すべてのデータを対数に変換させる。対数の値は、電卓やスマートフォンで求める方が容易であるが、ここでは敢えて対数表を使わせる。対数表は高校数学の教科書にあるが、これを用いたことのある学生は稀である。対数表には、1.00から9.99までの値の対数しか書かれていないため、学生は戸惑うことになる。そこで、数値を「10未満の数×10のべき」の形に表し、公式「log MN = log M + log N」を使うようアドバイスする。敢えて対数表を用いる理由は、この公式のもつ意義を実感させるためである。

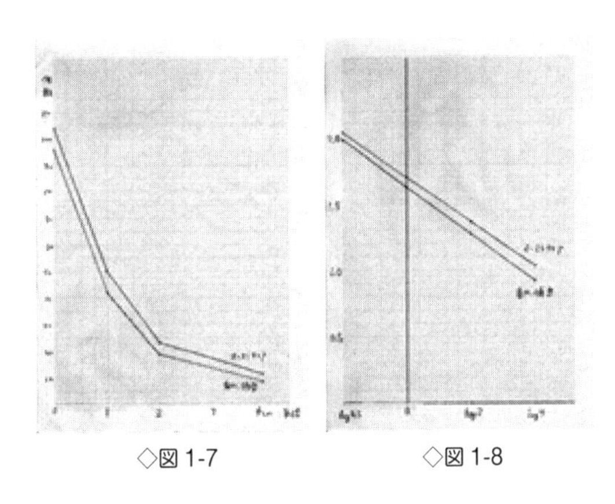

◇図1-7　　◇図1-8

③対数値のグラフの作成

両軸の数値の対数を用いて、改めてグラフを描き直させると、図1-8のようにほぼ直線になるという著しい現象が発見できる。これにより、基準長さと個数の関係は、対数に変換すると一次関数になることが分かり、これを元の変数に戻せば、個数が基準長さの累乗でかけるという「べき乗則」が導かれることを理解させる。また、べき乗測は比例・反比例や二次関数 $y=ax^2$ の一般化であることに気付かせる。さらに、対数による積の計算の容易化は計算機の発達した現代では意味がなく、対数の主な意義は、べき乗や指数関数で表される現象を発見できることであるという対数の科学における役割を説明する。

④海岸線の長さ

べき乗則の下に、海岸線の長さ、すなわち「基準長さ×個数」の極限値を求めさせ、無限大となるという意外な結果が導かれることを理解させる。海岸線は、長さが無限大の曲線と見做すことにより、その特徴がよく表されることを理解させる。

【引用文献】

1）松岡　隆・秋田美代「第4章 数学科の教科内容構成の原理と枠組み」、西園芳信・増井三夫編著『教育実践から捉える教員養成のための教科内容学研究』、風間書房、2009年、pp.93-122.

2）国立教育政策研究所・文部科学省『OECD生徒の学習到達度調査～2015年調査国際結果の要約～』、2016年.

3）科学技術の智プロジェクト『科学技術の智プロジェクト 数理科学専門部会報告書』、2008年.

4）丹羽雅彦・松岡　隆・川﨑謙一郎・伊藤仁一「「教員養成大学・学部の数学専門科目の講義内容についての調査」の結果とその考察」、『数理解析研究所講究録』1711巻、京都大学数理解析研究所、2010年、pp.89-105.

5）丹羽雅彦・松岡　隆・川﨑謙一郎・大竹博巳・伊藤仁一「中学校・高等学校の数学教師の養成における数学専門科目の標準的なモデルの構想」、『数理解析研究所講究録』1711巻、京都大学数理解析研究所、2010年、pp.106-129.

（松岡　隆）

第2章　理科

1　理科の教科内容構成開発の仮説

仮説１　教科の認識論的定義

> 理科は、自然現象を対象として、物質･エネルギー、時間・空間、生命等の要素に関わる量的・質的把握、因果関係、斉一性と多様性、パターン等の観察･実験･理論を構造化の手段に用い、法則性を把握して客観的自然観を獲得し、それを生活に活用するものである。

理科のいわゆる親学問は科学であり、その研究対象は「自然現象」である。自然現象は肉眼でわかるものから見ることのできないものまであるばかりでなく、時間の経過と共に変化した現象も取り扱う。実際に観察・実験できない現象には、シミュレーションによる実験が行わることや現象の解釈として考えられる説が提案されたりする。この自然現象を物質・エネルギー、時間・空間、生命等の観点から量的、質的に捉え、その因果関係、共通する特徴、多様性を示す特徴を、観察・実験から得られたデータを基に理論を構築し法則を発見することで自然現象を客観的に理解・把握することを科学は目標としている。この自然現象にはヒトも当然含まれる。

理科に求められるものは科学の知見を学習内容として扱うだけでなく、科学の探究的プロセスである科学的思考の育成がある。したがって、理科の認識論定義は科学の定義と一致すると考えてよい。学校現場で展開される理科は当然学習者の発達段階を考慮した授業計画が必要であり、必ずしもすべての科学プロセスを網羅することは求められないが、段階的に取り入れながら最終的には科学の本質を理解することができるようにする必要がある。理科は我々ヒトを含む自然現象を対象としているので、日常生活と密接に結びついており日常生活へのよい意味でも悪い意味でも影響を与える。

仮説２　教科内容構成の原理

仮説１の認識論的定義から、下記の原理が導かれる。理科の内容は、自然現象を論理的に把握し、観察・実験を通して得られたデータを基に法則化、構成された概念である。その中には同一性、多様性が存在する。

> ○対象：自然現象
> ○論理：課題の発見と説明（量と質、因果関係、斉一性、同一性、時間・空間など）
> ○経験：自然に触れる観察・実験
> ○論理と経験の総合：法則化、同一性と多様性、仮説設定・検証と観察・実験
> ○目的：自然観の構築と活用

○対象となる自然現象により、物質やエネルギーの概念を取り扱う物理学領域や化学領域、時間・空間の概念を扱う地学領域、生命の概念を扱う生物学領域からなる。各領域で扱う内容は幅広く、いわゆる親学問で発見された知見も膨大である。○論理、○経験、○論理と経験の統合においては、上記の各領域において共通であり、科学者が研究で用いる手段と同じである。これらは学習指導要領の目標で明記されている「科学的ものの見方、考え方」と一致している。○目的として挙げている自然観の構築と活用は、これからの人間社会との繋がりを明確に位置づけるもので、科学の発展と密接に結びついている生活への影響を常に意識する上で外すことのできない原理といえる。

PISA 調査における科学的リテラシーとは、「自然界及び人間の活動によって起こる自然界の変化について理解し、意思決定するために、科学的知識を使用し、課題を明確にし、証拠に基づく

結論を導き出す能力」であるとしている。その特徴として「日常生活における様々な状況で科学を用いることを重要視している」、「科学的プロセスに着目し把握しようしている」が記されている。アメリカの国立教育統計センターによる科学的リテラシーとは「個人としての意思決定、市民的・文化的な問題への参与、経済の生産性向上に必要な、科学的概念・手法に対する知識と理解」である。これら科学的リテラシーと理科の内容構成の原理は一致している。

仮説３　教科内容構成の柱

①理科の内容：自然現象（物質・エネルギー、時間・空間、生命等）
②科学的アプローチ：課題の発見、仮説設定、検証と観察・実験、論理的証明、法則化
③自然観の構築と活用

仮説２の原理に従って、教科内容構成の柱をまとめると上記のようになる。

仮説４　教科内容構成の具体

次の５つの要素を構成要素とする。
①体系性を考慮した内容：科学により得られた知見・概念を体系立ててまとめた内容
②科学的アプローチ：科学的思考による課題解決
③自然観の構築と活用
④科学の人間社会や自然への関わり
⑤学校の理科と科学との繋がり

仮説３の教科内容構成の柱立てに基づいて教科内容を具体的に構成するためには、上記の５要素を構成要素とすることができる。

①体系性を考慮した内容は仮説３の「理科の内容：自然現象（物質・エネルギー、時間・空間、生命等）」と、②は仮説3の「科学的アプローチ：課題の発見、仮説設定、検証と観察・実験、論理的証明、法則化」と、③は仮説３の「自然観の構築と活用」と、④は仮説３の「理科の内容」と「自然観の構築と活用」と、⑤は仮説３の３つすべてと、それぞれ対応する。④は仮説３の「科学的アプローチ」と関係しないのではないが、人間社会や自然へのよい意味でも悪い意味でも影響を中心に取り扱うので２つの柱と対応させた。一方⑤は柱立てすべてに関わりを持つ。

仮説５　教員養成学生及び子どもに育成される能力

（教員養成のみ記載）

次の３つの要素を構成要素とする。
○内容知（自然現象の知識・理解）：個々の自然現象についての知識・理解、各種現象間の関係性
○方法知（見方・考え方）：内容知を貫く見方、因果関係、規則性を抽出する考え方、説明方法、観察・実験、デザイン
○価値・態度：挑戦する態度、生命尊重、科学の倫理観、科学への興味、自然に親しむ

仮説４の５つ要素により、上記の能力が育成されると考える。それぞれについて以下に解説する。
○体系性のある内容を理解・把握し、課題解決のための科学的アプローチを実践できる能力を有し、科学を基盤とした自然観を身につけ、学校教育における理科の内容を把握し学習の意義を理解することができる。単に学習内容の記憶だけでなく、自然現象を科学的に理解することに努めることができる。
○科学的内容の体系を理解し、学校教育の理科との関係を把握することで、理科を学ぶ意義や表面的な学習指導に終わるのではなく、次世代に伝わる意義のある授業実践を展開できる。
○理科の内容を正しく理解できることで、理科の知識や技能が人間社会や自然に及ぼす影響を理解し、その実態を子どもに伝える工夫・努力をすることができる。単に勉強の内容というのではなく、現実の生活に密接に関わっていることを伝えることができる。

このことからわかるように、子どもの確かな科

学的ものの見方・考え方を養い、興味・関心を持って自ら考え、解決しようとする意欲を養うことを目標として新たな授業実践を推進する態度を持続できる教員の育成を目指している。

仮説６．教科と人間(個人・社会）とのかかわり

○理科と個人：
・日常生活や仕事など様々な場面で、論理的思考と科学技術の知識を適切に使う能力を獲得できる。
・自然に対する様々な働きかけに対し正しい判断と行動を行うことができる。
○理科と社会：
・科学技術と産業を推進できる人材の育成が可能となり、社会に活力を与える。
・自然に対する様々な働きかけに対する正しい判断と行動を可能にし、地域と社会、人間生活を発展させる。

仮説３の教科内容構成の柱から導き出される仮説４に基づくと上記のような教科と人間との関わりが考えられる。

個人的価値としては、(a) 日常生活や仕事など様々な場面で、論理的思考と科学技術の知識を適切に使う能力を獲得できる、(b) 自然に対する様々な働きかけに対し正しい判断と行動を行うことができることがあげられる。理科は人間社会に深く関わっており、習得した思考や技術を日常生活や仕事などに反映できる機会が多い。

社会的価値としては、(a) 科学技術と産業を推進できる人材の育成が可能となり、社会に活力を与える、(b) 自然に対する様々な働きかけに対する正しい判断と行動を可能にし、地域と社会、人間生活を発展させることがあげられる。人間社会の進化は理科や科学の恩恵を受けており、場合によっては社会構造にも影響を与える。さらに環境汚染や自然破壊の側面も併せ持っており、メリットとデメリットの両面を次世代の子どもに伝えていかなければならない。

仮説７．教科内容構成の創出による教科専門の授業実践

①概念的・理論的観点

科学そのものの深い理解に基づいた学習計画・教材開発・学習指導を通じて、内容を正確に深く理解することができると共に、科学的思考力や探究方法の習得、科学の本質、科学と人や社会との関わりの理解の達成により、様々な課題について科学的に実践できる力量の育成を目指す。内容及び方針を示す。
○体系性を考慮した内容：教科内容としては、エネルギー、粒子、生命、時間・空間の分野に大別される。学校教科書の知識や実験・検証を中心としたものではなく、その基盤となる科学の知見や概念を重視しながら教科内容を再構成する。
○科学的アプローチ：科学的な考え方の習得を目指す。仮説、観察・実験の方法の模索、観察・実験の実践、得られたデータなどの処理、考察のプロセスの理解と遂行をすることができる。
○技能：実験器具、機械の原理を理解し、正しく使用できる。またデータ分析や処理においてコンピュータ活用や統計的処理を行うことができる。
○自然観の構築と活用：科学的知見を基に自然観を構築するとともに将来の自然のあるべき姿を想定しながら獲得した知見を活用できることに留意する。
○人間・社会との関わり：教科内容は法則や概念の提示のみでなく、その発見に至る歴史的な背景や人間・社会への貢献と弊害にも言及する。
○自然との関わり：人間の生活、生産活動等が自然に及ぼす影響と、自然環境から人間が受ける影響を科学的に理解し、自然環境を保持し、改善する方策を考えることができる。
○学校の理科と科学の繋がり：学校教育で扱われる内容について把握する。

教科内容学に基づき、教員養成系大学学部での授業構想や授業計画を例示する。

①仮説４の５つの構成要素に基づく授業構成・授業計画を行う。

仮説４の①体系性を考慮した内容においては、単なる知識・内容の羅列ではなく、科学の歴史で

は発見の背景を理解できるように配慮する。特に法則などの理解において、法則の発見により科学的概念がいかに変化したかを明確にすることで理科や科学の概念の構造的変遷を理解できる。仮説4の②科学的アプローチでは、理学部などで行われている研究・観察を参考にしながら、そのアプローチの本質を理解する。必要に応じて自然哲学に触れる。もちろん実験実習などの授業と協働することは大切である。③自然観の構築と活用では、断片的な知識ではなく、自然観を構築できるように知識や概念を体系化しながらより大きな自然観の概念を構築できるように配慮する。体系化・関連づけすることにより、物理、化学、生物、地学の各領域が互いに関連していることを実感できる。④科学の人間社会や自然への関わりについては、学校の理科の教科書においても扱われており、人類の歴史からも明らかである。特に今日の生活は科学的な恩恵の上に成り立っており、その恩恵が得られないと途端に生活の機能が麻痺する事態となることから、人間生活や自然とのつよい関連性が容易に理解される。したがって機会あるごとに様々な形で生活や自然との関わりを取り上げることになる。この場合その発見・発明のプロセスや背景も言及する必要がある。⑤学校の理科と科学との繋がりについては、教員養成系大学における教科専門授業では不可欠で、学校教育での教科内容の範囲や発達段階に応じた概念の広がりをいわゆる親学問の科学の知見と常に照らし合わせる必要がある。これは学校における授業指導の際にも深く関わる。教科書にないものは考える必要がないという否定的な学習指導ではなく、よいことに気がついたという言葉かけで児童・生徒の学習意欲をかき立て、将来もっと勉強しようと思えるようなアドバイスを与えられる姿勢が教員には必要である。

②教員養成系大学における教科専門の在り方

いわゆる親学問である科学を専門教科とする理学部の専門科目と仮説3の柱立てとの関係について考える。この専門教科では、科学の大系を学び、研究の最先端にまでも至るようにカリキュラムが構築されており、研究のプロセスである科学的アプローチ、実験・観察の技能、データの処理、発表能力は当然育成される。また「自然観の構築と活用」とも強く関連するため、仮説3の柱立てを大部分満たしている。次に仮説4の教科内容構成の具体の5要素との関係を考える。具体の5要素のうち、①、②については十分満足いくものであるが、③、④についてはやや物足りなく、⑤においては不十分であるとえる。教員養成系大学における教科専門の授業においても、この傾向はしばしばみられる。その原因として教科専門を担当する大学教員の出身や研究経歴も関係すると考えられる。例えば、理学部出身の大学教員が教員養成系大学の教科専門の授業の際、自身が受けた教育を基に授業を立案・実行する可能性があるといえる。この場合各大学教員の授業作りにおいて試行錯誤が行われる。これは卒業生の質保証にも関わる課題である。したがって、教科内容学から創出される教員養成のための専門科目は、いわゆる親学問の重要な点と教員養成において不可欠な要点を併せ持つものであるため、教員養成系大学における教科専門科目となり得る。

②授業実践の事例

実践事例（学部における教員養成での実践事例案）
テーマ：メンデルの法則：遺伝子とその表現

- エンドウマメの形や色の遺伝から、因子A、a、B、bの設定とそれらの関係を検討することで遺伝のし方を説明しようとする背景を理解する。
- 遺伝子があれば、常にその形質が発現されるという誤概念に気がつく。
- 遺伝の様子から想定した因子（想定した遺伝子）がＤＮＡ上の遺伝子を必ずしも反映していないことを理解する。
- 遺伝学におけるメンデルの法則について実感を

持って理解する。
・遺伝を考える上で必要な統計的処理を理解する。
実際の展開は、以下の通りである。①因子（想定した遺伝子）Ａ、ａ、Ｂ、ｂからメンデルの法則を導き出す。②因子（想定した遺伝子）をＣ、ｃをさらに加え、メンデルの法則を活用し遺伝子の組み合わせによる形質（表現される性質）を表す。③多細胞生物は同じ遺伝子を持った細胞からできているが、全ての細胞が全遺伝子を発現していない事実から遺伝子の存在がその形質発現と一致しないことを考察する。④免疫グロブリンＧのＤＮＡ上の遺伝子の構造を示し、ＤＮＡ上の遺伝子を例示する。⑤メンデル型遺伝様式とそれ以外について紹介する。さらにメンデルが行った実験を調べ、メンデルの実験について科学的に検証する。

生物学分野のうちの「遺伝」における内容構成学から提案する仮説４の内容構成の５つの要素の関係を示す。この「遺伝」はメンデルの遺伝などの遺伝様式を中心とした内容である。

「遺伝」
①体系性を考慮した内容：遺伝様式の１つであるメンデルの法則
②科学的アプローチ：メンデルが行った実験結果からメンデルの法則を見いだす。
③自然観の構築と活用：メンデルの遺伝、非メンデルの遺伝など様々な遺伝様式を把握する。
④科学の人間社会や自然への関わり：血友病や色覚異常に関する遺伝による人間社会の関わり、遺伝子の子孫への伝わりから自然環境への関わりを扱う。
⑤学校の理科と科学との繋がり；遺伝様式においてメンデルの法則に従う例はあまり多くないことを把握する。

③従来の教科専門の問題点

○学問知見の伝達が中心の授業になりやすい。
○整理された知識が中心で、研究の歴史的な変遷がわかりにくい。
○科学的思考力や判断力が実験実習のみになり、それらの育成が不十分となる。
○科学的なアプローチの習得機会が少ない。
○教員による一方向的な解説の授業になりやすい。

2 シラバス（理科）

次ページより、学部の小学校教員養成、および中学校教員養成のための教科専門科目（各２単位）と教職大学院における教科内容構成に係る専門科目（２単位）のシラバスとその解説を順に示す。中学校教員養成のための教科専門科目としては、標準的な「遺伝」を紹介する。

シラバス	学部（小学校）	授業科目名　理科
授業の目標 　理科の内容の基盤となる科学概念や科学的思考を理解すると共に、実験・観察に必要な技能やデータ処理法を習得する。科学の概念が生活や人間社会と関わりを理解して、科学への興味、自然の不思議さに挑戦する態度をもち生命尊重の重要性を認識する。具体的な内容のとおりである。 ①理科の内容を科学の知見を基盤として整理し捉え直すことができる。 ②科学的アプローチができ、実験・観察の方法、データ処理を実践し、科学的検証を行う。 ③理科に関連した科学の内容を、人間との関わりの中で捉え、自然への興味・探究心や生命への尊重などを引き出せる創造型の授業展開を行うための素養を身につける。		
教科内容構成の具体（教科内容の概念、資質・能力） ①体系性を考慮した内容：科学により得られた知見・概念を体系立ててまとめた内容 ②科学的アプローチ：科学的思考による課題の解決 ③自然観の構築と活用 ④科学の人間社会や自然への関わり ⑤学校の理科と科学との繋がり		
評価の観点 1. 科学という学問を理解し、自然の事象を科学的捉え、仮説、実験・観察、データ処理、考察を通して法則化し、客観的自然観を獲得する方法を理解できる。 2. エネルギー、粒子、生命、時間や空間の概念を理解し、自然現象を総合的に捉えられる。 3. 科学の発展と人間や社会への影響について理解し、説明できる。		

主　　題	教科内容・展開
1. 科学の成り立ち（科学的な考え）	自然の事象を科学的なアプローチを通して法則化し、客観的自然観を獲得する方法を理解する。具体的に体験する。
2. 科学の歴史	科学史の幾つかの実例を通じて、科学の発展と人間や社会への影響について理解し、わかりやすくまとめる。
3. エネルギー1（力と運動）	力の作用や物体運動を理解し、日常生活と関連付ける。
4. エネルギー2（磁石と光）	磁石や熱の性質を理解し、日常生活との関わりを調べる。
5. エネルギー3（電気）	電気の性質、働き、利用を理解し、日常生活と関連付ける。
6. 粒子1（空気と水）	空気と水の性質を理解し、日常生活からそれを振り返る。
7. 粒子2（物質の性質）	物質の性質について、日常生活の経験を通して理解する。
8. 粒子3（燃焼、物質と温度）	燃焼の仕組み、金属・水・空気と温度との関係を説明できる。
9. 生命1（動物）	動物の生活、ふえ方、成長、体のつくりと働きを理解する。
10. 生命2（植物）	植物の生活、ふえ方、成長、体のつくりと働きを理解する。
11. 生命3（環境）	生物と環境との関わりを理解し、今日の課題をまとめる。
12. 時間と空間1（土地の変化）	流水の働きや土地の変化を理解し、日常生活と関連付ける。
13. 時間と空間2（天気）	天気の様子や変化について理解し、日常生活と関連付ける。
14. 時間と空間3（宇宙）	地球や太陽、月ついて理解し、宇宙について説明する。
15. データ処理と統計	データの処理法、効果的なグラフの描き方、統計的分析について理解し、実験データを用いて実践する。

解　　説	
仮説4の5つの要素との対応関係は、番号で示している。 1　自然の事象を科学的に捉えることとはどういうことか、またどのように法則化し、概念を形成していくかを具体的な例を用いて理解を深め、科学とは何かについて説明できるようにする。科学的分析や事物の法則化までに必要な事柄を十分理解するように努める（②、③）。 2　科学的な発見や進歩と人間・社会との関わりについて振り返り、科学的な進歩が人間にもたらす功罪両面の影響について理解を深める（④）。各自調べ学習を行い、理解の定着に努める。 3　力とそれに伴う運動、振り子の運動を理解し、重力も含めた力の働きを説明できる。力の概念や運動との関連性をきちんと把握する（①、③）。 4　磁石や熱の性質を理解し、磁石や熱に関する実験についても計画できる。磁石の極性や熱の伝わり方など具体的に説明できるようにする（①、③）。 5　電気の性質、電気の働き、電気の利用を理解し、日常生活との関わりを例示してその利用について調べる。児童が目に見えない電気の存在を理解できるように工夫する（①、③）。 6　空気と水の性質を理解し、日常生活の体験を例にしながら説明できる。空気や水を粒子として捉えられるようにする（①、③）。 7　物質の重さ、溶け方、水溶液の性質について理解する（①、③）。特に、溶け方、水溶液とは何かを深く理解し、科学的にその本質を理解すると共に児童に分かりやすく、間違った概念を与えないように説明できるよう努める（⑤）。 8　燃焼の仕組み、金属・水・空気と温度との関係を理解し、日常生活の体験を例にあげながら説明できる（①、③）。また、具体的な教材を提案出来るよう試みる（⑤）。 9　動物の生活、ふえ方、成長、体のつくりと働きを理解し、ヒトと対比しながらわかりやすく説明できるように努める（①）。生命の大切さにも考慮できる現象や例示を調べる（③）。	10　植物の生活、ふえ方、成長、体のつくりと働きを理解し、身近な植物を例にしながら説明できるように努める（①）。人間を含め動物との関わりをまとめ、その関連性も理解する(④)。 11　生物と環境との関わりを理解し、今日の課題についてまとめ（①、③、④）、教材となる素材をまとめる（⑤）。特に環境問題は多面的に捉える。 12　流水の働き、土地のつくりと変化について理解し、説明できる（①）。特に人間生活・社会との関わりをまとめ（④）、教材の素材を作成する（⑤）。 13　天気の様子や変化について理解し、天気に関する基礎知識を理解し、天気の様子や移り変わりを説明できる（①）。さらに日常生活と関連付けて、人間生活・社会との関わりの例を集める(④)。 14　太陽と地球、月と星、月と太陽などについて理解し、空間的な位置関係や時間的な変化を把握しながら、宇宙の広がりや時間的な変化を想像できる（①、③）。 15　データの処理法、効果的なグラフの描き方、統計的分析法について理解する。具体的な実験データを用いて、グラフ化・統計的処理を通して課題を検証できる（②）。さらにプレゼンテーション力を高める（②、⑤）。

シラバス	学部（中学校・専門）	授業科目名　生物学（中等理科 生物分野）
授業の目標 中学・高校における生物分野の内容をその歴史的変遷や全体構造とあわせて理解し、生物学をもとに自然事象や生命現象を正確に把握する。特に、単純に記憶することによる知識の蓄積ではなく、生物を通してみられる原理やしくみをしっかりと認識する。また、生物は身近にみられるので、なじみ深い点があるが、物質との関係、生命の本質、人間生活や社会との関わりを十分理解する必要がある。様々な誤概念を取り上げながら、生物学が培ってきた知見を基盤として豊かな生物の世界を実感する。		
教科内容構成の具体（教科内容の概念、資質・能力） ①体系性を考慮した内容：科学により得られた知見・概念を体系立ててまとめた内容 ②科学的アプローチ：科学的思考による課題の解決 ③自然観の構築と活用 ④科学の人間社会や自然への関わり ⑤学校の理科と科学との繋がり		
評価の観点 1. 生命や生命現象を理解し、それらについて総合的に捉えられる。 2. 生命現象を科学的捉え、仮説、実験・観察、データ処理、考察を通して法則化し、客観的自然観を獲得する方法を理解できる。 3. 科学の発展と人間や社会への影響について理解し、説明できる。		

主　題	教科内容・展開
1. 学校で扱う生物分野の概念	学校の生物分野で扱う概念や体系を理解する。
2. 生物と無生物	生物と無生物との関係を理解・説明できる。
3. 生物の定義と分類	生物の定義や分類体系を理解し、生物の進化やその共通性と多様性をまとめる。
4. 生命の基本単位としての細胞	生命の単位としての細胞構造を理解し、真核細胞の出現に関する説について検討する。
5. 植物、動物の体のつくり	動物および植物の体のつくりや違いについてまとめる。
6. 生物の成長とふえ方	生物のふえ方や発生について理解する。
7. 遺伝の規則性と遺伝子	メンデルの法則や非メンデル型の遺伝様式を理解し、遺伝子が発現されるプロセスを説明できる。
8. 生物の進化	生物の進化に関する幾つかの説を理解し、進化に関わる要因やメカニズムを理解する。
9. 生物と環境	生物間の関わり、生物と環境の関わりを理解し、シミュレーションを通して生物群の変遷を予想する。
10. 生物と人間との関わり	生物と人間との関わりについて実例をもとに検討する。
11. 観察・実験およびその方法	生物の観察や実験方法、生物実験の特性や最新の実験機器などを理解し、学校での授業に活かせる力を持つ。
12. 生物学の潮流	最新の生物学研究を理解し、研究課題を理解する。
13. 生物学の歴史	生物学の歴史や発展についてまとめる。
14. 生物学の科学的アプローチ1	生物学における科学的アプローチの特異性や課題を理解する。
15. 生物学の科学的アプローチ2	実際にテーマを決め、アプローチをまとめる。

解　　説	
仮説4の5つの要素との対応関係は、番号で示している。 1　生物学の内容の体系を理解し（③)、中学校・高等学校で扱われている生物の内容が、生物学の知見をもとに構成されていること、同時に生物学の知見の一部、わかりやすい部分に限定されていること、発見されて間もないものは含まれないことなどを理解し、学習指導に役立てる（⑤)。 2　生物は無生物と対局的な関係ではなく、無生物である物質の様々な化学変化の重なりの中で生命と考えられる現象が生じることを認識する（①)。 3　生物の定義や生物の分類体系を理解し、生物の多様性について認識する（①、③)。 4　生命の単位である細胞の構造や働きを理解する。構造の特徴から、生物の進化について根拠をあげて説明できる（①)。 5　植物と動物の体のつくりを把握し、多細胞生物では、細胞の分化を通じて細胞間で役割を分担しながら1つの個体として活動していることを理解する（①)。 6　生物のふえ方や成長と分化のしくみを総合的に理解し、生物の発生を多面的に説明できる（①、③)。 7　遺伝様式がメンデルの法則ばかりでなく、むしろメンデルの法則に従わない遺伝が多いことを確認するとともに、原核生物や真核生物の遺伝子のあり方を理解し説明する（①、③)。 8　生物の進化に関する説の主なものに関して説の根拠を正しく理解する。また、形態的な特徴や遺伝子の違いから種間の違いの考察を試みる（①)。 9　生物と環境の関わり、環境が生物に及ぼす影響、生物が環境に及ぼす影響について具体例を用いて検討し、まとめる。相互に関わり合う関係をしっかり把握する（①、④)。 10　生物と人間および社会との関わりについて具体例を用いて検討する。生物は人間や社会生活と密接に関わっており、生物の変化が生活そのものを大きく変えてしまう影響力があることに気づき、プラスにもマイナスにもなることを想像できる力を有する（④)。	11　生物を対象とした実験・観察方法を理解し、実際の実験および観察例をもとに実験・観察方法やその技能、データ処理と統計的分析などを実践的に行う。生物に関する実験・観察の特性や課題を検討する（②)。 12　今日の生物学の研究のトピックを理解し、生物学の潮流をまとめる。今日の生物学で話題になっていること、解明が進んでいる分野を理解する（③、④)。 13　上記の関連で、生物学の歴史や生物学で重大な発見・研究について理解を深め、どこまで解明されているかをまとめる（③、④)。 14　生物学における科学的アプローチを理解し、どのようなことを考慮し、研究・観察を進めて行かなければならないかを説明できる（②)。 15　上記の理解を深めるため、研究テーマを決め、科学的アプローチを実践する。互いに評価し合い、その力量を強化する（②)。

シラバス	教職大学院	授業科目名　教科内容構成（理科）

授業の目標

1. 科学の成り立ちと科学史を理解する。
2. 科学的アプローチと問題解決の方法論を理解する。
3. 理科の基本的視点と方法論を教科内容構成の原理を基に理解する。
4. 理科の教材内容を教科内容の原理を基に理解する。
5. 理科教育内容の原理を踏まえた上で新たな授業方法や教材を開発できる能力を身につける。

教科内容構成の具体（教科内容の概念、資質・能力）

①体系性を考慮した内容：科学により得られた知見・概念を体系立ててまとめた内容
②科学的アプローチ：科学的思考による課題の解決
③自然観の構築と活用
④科学の人間社会や自然への関わり
⑤学校の理科と科学との繋がり

評価の観点

1. 科学という学問を理解し、自然の事象を科学的捉え、仮説、実験・観察、データ処理、考察を通して法則化し、客観的自然観を獲得する方法を理解できる。
2. エネルギー、粒子、生命、時間や空間の概念を理解し、自然現象を総合的に捉えられる。
3. 科学の発展と人間や社会への影響について理解し、説明できる。
4. 教科内容の原理から魅力的で探究創造型の授業を構想できる。

主　　題	教科内容・展開
1. 科学の成り立ち	自然哲学を基盤として、科学的思考や科学的アプローチを理解し、科学の必要性、重要性を認識する。
2. 科学史（物理学）	物理学の発展と人間や社会への影響について理解し、まとめる。
3. 科学史（化学）	化学の発展と人間や社会への影響について理解し、まとめる。
4. 科学史（生物学）	生物学の発展と人間や社会への影響について理解し、まとめる。
5. 科学史（地学）	地学の発展と人間や社会への影響について理解し、まとめる。
6. 科学の成り立ちと科学史に関する討論を通じて理解を深める。	科学史の実例を調べ、互いに発表を行い、討論を通して理解を深める。
7. 科学的アプローチや研究プロセス	科学的アプローチや問題解決の方法論について理解する。
8. 科学的アプローチの実践1	具体的な事例をもとに科学的アプローチを実践し、理解を深める。(1)
9. 科学的アプローチの実践2	具体的な事例をもとに科学的アプローチを実践し、理解を深める。(2)
10. 専門的研究機関で行われている研究方法の具体	大学等の研究機・関で行われている研究方法の具体例をあげながら、データ処理や図･表の効果的なまとめ方､研究論文やレポートのまとめ方・プレゼンテーションについて具体的な方法を理解する。
11. 科学的知見の理解：エネルギー、粒子	エネルギー、粒子に関して理解し、日常生活と関連付ける。
12. 科学的知見の理解：生命、時間・空間	生命、時間・空間に関して理解し、日常生活と関連付ける。
13. 教科内容学の原理	教科内容学の原理を理解･習得し､授業のあるべき姿を模索する。
14. 教科内容の原理に基づく授業構想（1）	教科内容学に基づく探究創造型の授業を構想する。(1)
15. 教科内容の原理に基づく授業構想（2）	教科内容学に基づく探究創造型の授業を構想する。(2)

解　　説

教科内容の原理を踏まえて、科学の成り立ちや理科の内容（エネルギー、粒子、生命、時間・空間に関する内容）を理解すると共に、科学的問題解能力の理解・習得を目的とする。さらに、新たな授業法や教材を開発できる能力を育成する。基本的に演習およびアクティブラーニングの方法で行う。仮説4の5つの要素に強く対応する内容については、番号を付して示している。

1　問題解決における科学的な考え方の習得を目指す。科学の成り立ちや科学の歴史的変遷を通して科学的な考え方について理解を深め、科学的な問題解決とは何かを明確に説明できる(②)。(討論形式で行う。)

2　物理学の発見や進歩と人間・社会との関わりについて振り返り、物理学が人間にもたらす功罪両面の影響について理解を深める（④)。

3　化学の発見や進歩と人間・社会との関わりについて振り返り、化学が人間にもたらす功罪両面の影響について理解を深める（④)。

4　生物学の発見や進歩と人間・社会との関わりについて振り返り、生物学が人間にもたらす功罪両面の影響について理解を深める（④)。

5　地学の発見や進歩と人間・社会との関わりについて振り返り、地学が人間にもたらす功罪両面の影響について理解を深める（④)。

6　科学的な発見や進歩と人間・社会との関わりについて各自調べ学習を行い、討論を通じて理解を深める（③、④)。

7　科学的アプローチや問題解決の方法論について討論を行いながら理解を深める。科学的思考、仮説の設定、観察・実験の設定、実験データの処理、統計的分析などの技能を習得する（②)。

8　上記の内容を理解、習得した上で、具体的な例をもとに科学的アプローチを実践し、技能の実践的な習得に努める（②)。

9　上記の内容で作業を繰り返す（②)。

10　大学等の研究機関で行われている研究方法の具体例を通じて科学的アプローチを理解・習得する。特にデータの処理法、効果的なグラフの描き方、統計的分析法について理解し、実践できる技能を身につける（②)。

11　エネルギー、粒子に関して理解し、日常生活との関わりをまとめ、日常生活との関わりについて理解を深める（①、③、④)。

12　生命、時間・空間に関して理解し、日常生活との関わりをまとめ、日常生活との関わりについて理解を深める（①、③、④)。

13　教科内容の原理を基に、新たな探究創造型の授業とは何かを考え、授業内容を構想する。授業構想では、いわゆる親学である科学の専門家の立場から提案できる教科内容を創出することが不可欠である。現行の学習指導要領から授業づくりを構想しない点に注意する必要がある（①、③、④、⑤)。

14　教科内容の原理を基に授業計画を行う。必要に応じて教材開発も行う。また、これまで行われた授業との比較し、特徴を把握する（⑤)。

15　上記の作業を通して授業計画を行い、相互に意見交換や討論を通じて、よりよい授業を目指す（⑤)。

3　授業実践展開例

メンデルの法則：遺伝子とその表現について授業実践の様子を紹介する。

（1）「遺伝子の規則性と遺伝子」（2節のシラバス第7回に対応）

①　メンデルの法則による遺伝

メンデルの実験データから、遺伝に関する法則を考える。まだ遺伝子が発見されていないため、形質をもたらす要因（A、Bなど）を想定し、個体が1つの要因を持つと仮定し、形質「丸」と「しわ」の遺伝について考える。その考えによると、親が「丸」と「しわ」の形質を持っていることを「丸」は要因Aを、「しわ」は要因aを持つことになり、雑種F_1はすべて「丸」となるので、因子Aのみを持つことになる。続いて雑種F_2を考えると、要因Aのみ持つようになるので、全て「丸」となる。しかし、実際の実験では、「丸」:「しわ」＝3：1であるので、個体が1つの要因を持つことが適切でないと考えられる。次に「丸」の親が2つの要因（AA）を持ち、同様に「しわ」の親が2つの要因（aa）を持つとする。さらに各個体は必ず2つの要因を持つこと、各親から1つずつ要因を受け取ることを仮定すると、メンデルの実験結果が説明できることになる。このように遺伝様式を考えるということは、交配実験の結果をうまく説明できる法則を考えることになるということを、実際に作業通じて理解させる必要がある。さらに実験データが簡単な比となるかどうかについては、統計的な検定が必要であることに気づかせ、統計的分析に対する理解も深める。次に、形の形質「丸」、「しわ」に加え、色の形質「黄色」、「緑色」を考える。色の形質については、別の要因（B）と（b）を考え、色の形質についても形と同様に遺伝し、形と色の2つの形質はそれぞれ干渉することなく遺伝することを確認させる。次に何か別の形質をさらに仮定し、その形質の要因を（C）、（c）と想定し、これら3つの形質の遺伝について、メンデルの法則に従うと仮定すると、雑種F_1とF_2の形質はどのような比となるかを予想させる。このような作業を通してメンデルの法則の理解の定着をはかる。メンデルが要因と表したものが後に発見される遺伝子に相当することにも言及する。

次に、メンデルの遺伝様式に従わない遺伝を取り上げる。具体的にはヒトのABO式血液型の遺伝を扱う。具体的な作業課題を通して遺伝子（A）と（B）は遺伝子（O）に対して優性であるが、（A）と（B）との関係には優劣がなく、共にその形質が現れることに気づかせる。その他、ショウジョウバエで有名な、1つの染色体に連座している遺伝子による遺伝のし方や、1つの対立する遺伝子による遺伝ではなく多くの遺伝子が関係する遺伝について紹介し、遺伝様式＝メンデル型の遺伝と思いがちになることに注意させる。

②　遺伝子発現のプロセス

遺伝子の本体がデオキシリボ核酸（DNA）であることがどのようにして証明されたかを理解するため、肺炎球菌を用いたグリフィス、エイブリーの実験やバクテリオファージを用いたハーシーとチェイスの実験を紹介し、それぞれの実験から明らかにされた事を話し合う。同時に実験手順や対照実験の意味も取り上げ、科学的アプローチについても理解を深める。

遺伝子の本体であるDNAがどのように形質発現に関わるかについて解説する。DNAの塩基配列が遺伝子情報であること、その情報はmRNAの塩基配列に移され（転写）、リボソーム上でタンパク質が作られる（翻訳）ことを確認する。mRNAの形成過程でスプライシングなどのプロセスがあることにも言及する。ここでは、遺伝について物質レベルでの把握にも注意する。

③　遺伝子と形質発現

遺伝の単元でメンデルの法則で取り扱うエンドウマメの形質「丸」や「しわ」、「黄色」や「緑色」について学ぶと、『遺伝子があるとすぐにその形質が現れる』という誤概念を持ちやすい。そこで例を挙げてこのことについて検討する機会を持つ。例えば、卵からの発生過程で核にある全ての遺伝子が同時に発現されるのではなく、プログラムのスケジュールに従って順序よく遺伝情報が発現される。このことは、ユスリカの幼虫の唾腺染色体のパフという現象でよくわかる。遺伝情報がｍＲＮＡに転写されている部分がパフと呼ばれる膨れた構造で観察することができるのである。発生過程の時間経過によりパフの部分が染色体上で変化することから各時点で活発に転写されている部分が可視的に理解できる。パフの現象の説明後、時間的な染色体上での変化を通して考えられることを話し合う。また、遺伝子は存在するが必ずしも発現しない例としてオペロン説やサイレント遺伝子などを紹介し、遺伝子の発現について理解を深める。

次に、核内には、ＤＮＡがそのまま単体で存在しているわけではなく、タンパク質と結びついている。細胞分裂時に現われる染色体は中学校の理科実験でも観察しているのでイメージできるが、普通の状態でのＤＮＡはイメージすることが難しい。ＤＮＡは二重らせん構造のままヒストンタンパク質に巻くようにしながらヌクレオソームいう構造をつくっている。染色体はこの構造が複雑に折りたたまれて形成される。この構造からｍＲＮＡに遺伝情報が転写されるにはどのような構造的な変化が起こらなければならないかを考えさせ、ＤＮＡの構造的な変化をイメージさせる。

ヒトを含む真核生物の全ＤＮＡのうち、遺伝子である部分はどの部分になるか想像させる。原核生物の大腸菌では遺伝子がオーバーラップしているのに対し、真核生物では遺伝子を含む部分と遺伝子を含まない部分があり、遺伝子を含む部分をエクソンとよび、遺伝子を含まない部分をイントロンとよんでいる。エクソンの間にイントロンが存在している。この構造を紹介し、イントロンの存在の意味を想像させる。

④授業を行う上での留意点

○遺伝様式としてメンデルの法則があまりにも有名で、多くの遺伝がメンデルの法則に従うという誤解が生じやすい。他の様式が数多くあることを強調すること。

○遺伝学における分析方法は、メンデルが想定した要因を遺伝子と置き換えて進められている。しかし、遺伝学で想定される遺伝子はあくまで「そのような遺伝子がある」と仮定して遺伝様式を考察するというもので、実際の遺伝子の姿を表わしているものではない。分子生物学によりＤＮＡの塩基配列が決定されることで初めて遺伝子の真の姿が明らかになることに注意すべきである。

○ＤＮＡが遺伝子の本体であることを証明した実験を紹介し、実験の方法や実験結果を十分に理解させ、探究的な活動や科学的アプローチが理解できるように配慮する。

○ＤＮＡからの転写、ｍＲＮＡからの翻訳など複雑なプロセスを通して遺伝情報が形質として現れることの理解と定着化をはかる。

○遺伝子の存在がそのままその形質を発現に直結することではないことを強調する。遺伝情報の発現には、さまざまなコントロールや要因があることに気づかせる。

○真核生物のＤＮＡの上における遺伝子の存在の様子を紹介し、ＤＮＡにおける遺伝子の分布状態を理解できるように留意する。また、通常の核内のＤＮＡの状態、染色体が出現するまでの変化を理解し、ダイナミックなＤＮＡの構造的変化を想像できるようにする。

【参考文献】

1)　西園芳信・増井三夫編著『教育実践から捉える教員養成のための教科内容学研究』風間書房、2009 年、p.256.
2)　竹村信治 「教科内容学の構築」『教科内容学会誌第 1 号』2015 年、pp.3-13.
3)　今岡光範 「教科内容学の体系的構築に関する研究」『広島大学大学院教育学研究科リサーチオフィス研究報告書』2004 年。
4)　文部科学省高等局 『今後の国立の教員養成系大学学部のあり方について（報告)』2001 年。
5)　文部科学省 『小学校学習指導要領解説　理科編』2017 年。
6)　文部科学省 『中学校学習指導要領解説　理科編』2017 年。
7)　文部科学省『高等学校学習指導要領解説　理科編』2018 年。
8)　中央教育審議会 『幼稚園、小学校、中学校、高等学校及び特別支援学校の学習指導要領等の改善及び必要な方策等について（答申)』2016 年。
9)　佐藤勝幸 「教科内容学からみた教職大学院の教科に関するカリキュラム構築に対する一考察」『鳴門教育大学研究紀要第 33 巻』2018 年、pp.132-136.

（佐藤勝幸、胸組虎胤）

第３章　音楽

1　音楽の教科内容構成開発の仮説

仮説１　教科の認識論的定義 [1)]

音楽は、外界の質（音）や内面（内的経験）を認識の対象とし、時間軸上に音を用い、音楽的表現要素（音色・リズム・速度・旋律・強弱・テクスチュア・形式・構成など）を組織化することによって感性的に形象化し、人間感情や自然の質などを表現したものである。

人間の認識様式には、量的次元のものと質的次元のそれが存在する。前者は事物を事物間の関係で捉えることによって抽象化・概念化できる次元であり、数値化・定量化が可能な「理性的認識（知性・理性・概念・論理など）」と捉えることができる。一方後者は、音色・リズム・色彩・香りなどの質の次元であり、これは「感性的認識（感性・直観・イメージ・感情など）」となる [2)]。このような感性でしか捉えられない質的次元に関する言及の一例として、C.ドビュッシーに次のような言説がある。「音楽は水の流れを引き受けることも出来るし、気まぐれな微風が描き出す波紋の戯れを引き受けることも出来る。落日ほど音楽的なものはない」「移り行く空を前にして、ただ黙って何時間も、刻々に移り変わるそのすばらしい美しさに見とれているとき、私は喩えようもない感動にとらわれます」[3)]

自然科学の世界においてはこの２つの認識を切り離して考えるが、音楽においてはこれらの認識は同時に起こるものであり、別々のものと看做すことはできない。音楽は常に人と人との心のつながり、聴き手、演奏者、作り手による心の共鳴を前提として発展してきた。そして、音楽のもつ抽象的性質は、言語を遥かに超えた人間の多種多様な感情表現、美的表現を可能にしてきた [4)]。音楽の認識においては、この感性的認識が極めて重要となり、理性的認識がそれを支えることとなる。すなわち、J.デューイの自然（物質）と精神（人間）とは連続しているという一元論の立場をとる。それは自然と精神が融合・合一する経験であり、そこで扱う内容は質（Quality）である。そのような意味では教科の中で独自の存在意義があり、また、人間形成において寄与するところは、この「質」である [5)]。

仮説２　教科内容構成の原理

「生成」の原理。外界の質（音）や内面（内的経験）の相互作用に反省的思考が伴った時、それぞれが再構成されていく。すなわち、そのどちらもが生成されていくという原理。内的経験を音楽的表現要素によって組織化することによって音楽の「形式的側面」が生成され、同時に要素に伴う質が凝縮され、「内容的側面」が生成される。これらの生成においては、それらが生成された背景としての風土・文化・歴史等の「文化的側面」が反映される。さらにこれらの音楽の生成（表現）においては音や音楽を扱う「技能的側面」が関わる。

仮説１の認識論的定義から上記の「生成の原理」が導かれる。「生成の原理」とは、内部世界と外部世界の相互作用において反省的思考が伴った時、それぞれが再構成され、そのどちらもが生成されていくという原理である [6)]。この原理から内的経験（感情・イメージ・思考・思想など）に基づき音楽的表現要素（音色・リズム・速度・旋律・強弱・テクスチュア・形式・構成など）を試行錯誤し組織化することで、音楽の「形式的側面」が生成される。すなわち、感性を通して形象化されることとなる。楽譜のない音楽は存在するが、楽譜によって音楽の形式的側面を視覚的に捉えることができる。

そこには同時に音楽的表現要素に伴う質が凝縮され、「内容的側面」が生成される。これは曲想・特質などといった音楽にとって最も重要なものとなる。可視化できないものであり、心の中に存在あるいは沸き起こるものである。（図 3-1 参照）

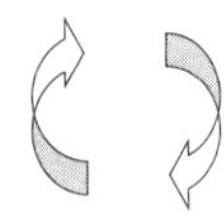

◇図 3-1　生成の原理

そして、上記の生成には、それらが生成された背景としての風土・文化・歴史等の「文化的側面」が意識的、あるいは無意識的に反映される。すなわち、音楽は或る人間の感性や思想などを通して再構成を繰り返しつつ創造されたものであり、そこにはその人間が存在した環境としての風土・文化・歴史等の背景が存在するということである。

さらに、これらの音や音楽を現実世界において楽曲や演奏表現として顕現化するためには、音を組織化することや声や楽器などを操作するための「技能的側面」が必要となる。そして、作曲者の心（感性や思想など）を通して楽曲が生成され、演奏者の心を通して演奏表現が生成されることとなる。

仮説３　教科内容構成の柱

①音楽の「形式的側面」②音楽の「内容的側面」 ③音楽の「文化的側面」④音楽の「技能的側面」

仮説２に従って教科内容構成の柱をまとめると上記となり、教科内容はこの４つの柱で構成される[7]。

仮説４　教科内容構成の具体

①音楽の形式的側面：音楽的表現要素とその組織化（音色・リズム・速度・強弱・旋律・テクスチュア・形式・構成 <反復・変化・対照>・アーティキュレーション・専門用語や記号など） ②音楽の内容的側面：曲想・雰囲気・特質・感情・イメージ等 ③音楽の文化的側面：風土・文化・歴史・時代様式・作曲者自身の言説・思考・思想などの背景。音楽評論・楽器の発達・音楽のジャンル・音楽と他媒体・社会的文脈と音楽・個人および社会における音楽の役割や機能など。 ④音楽の技能的側面：音を組織化する技能（作曲・編曲）・声や楽器を操作する技能・合唱や合奏の技能・指揮の技能・聴音の技能・読譜や記譜の技能・楽曲分析の技能など

①音楽の形式的側面

音楽は、「音色、リズム、速度、旋律、テクスチュア、強弱、形式、構成 <反復・変化・対照>・アーティキュレーション・専門用語や記号などの要素によって形づくられている。これらの要素は、質としての音の表情、音と音との時間的な関係、音楽の縦と横の関係、音量の変化、反復・変化・対照（象）などといった音楽の構成原理や組み立て方などといった大きな括りによって整理されたものである。

音楽に関する専門用語や記号なども形式的側面の要素である。たとえば、Largo・Allegro・Vivace 等は形式的側面に属するものの、速度に関する指示のみならず音楽の質的内容をも含む用語である。*Appassionata*・*Scherzando*・*Stretta* 等の用語は直接的に音楽の内容を意味し、アーティキュレーションや *sf* などは音や音楽の表情・発し方、音楽的な話し方を示唆している。

これらは音楽の内容についての学習、解釈、説明、批評などをする際にも非常に重要な意味をもつ。課題を共有し学習を成立させる際にも必要となり、そのどれもが知覚・感受の対象となる。

②音楽の内容的側面

音楽は曲想・雰囲気・特質・感情・イメージなどを備えている。それらは基本的に個々人の心、感性で捉えられる。人は音楽を聴いたり演奏したりする際、温かい気持ちになったり、瞑想的な気分になったり、楽しくてワクワクしたり、癒されたりする。時間的芸術である音楽の最も重要な側面であり、人はその内容・質を認識し感受する。

③音楽の文化的側面

第1に、楽曲が生み出されたコンテクストがある。風土・文化・歴史・時代様式・作曲者自身の言説・思考・思想などの背景である。

第2に、特定の楽曲に限定されたものではなく、巨視的な音楽と人間・文化とのかかわりである。たとえば、音楽評論・楽器の発達・音楽のジャンル・音楽と他媒体・社会的文脈と音楽・個人及び社会における音楽の役割や機能などである。この側面は多岐にわたる範囲を有している[8)]。

④音楽の技能的側面

音楽の技能的側面としては、楽曲を生み出す際には音を組織化する能力、すなわち作曲や編曲の技能があげられる。また、楽曲を実際の現実社会において顕現化するためには演奏者としての技能が必要となる。たとえば、声や楽器を操作する技能・合唱や合奏の技能・指揮の技能・聴音の技能・読譜や記譜の技能・楽曲分析の技能などである。

仮説5　教員養成学生及び子どもに育成される能力

音楽の教科内容構成の4側面が柱となることで次の能力の育成が期待できる。

○「内容的側面」と「形式的側面」が位置付くことにより学習の対象が明瞭となり「知覚・感受」する能力と「質」への認識能力が高まる。即ち感性的認識能力が育成される。

○その認識内容を顕現化するために「技能的側面」の学習が行なわれる。

○「文化的側面」の学習は人が音楽をどう生成してきたかを風土・文化・歴史・楽曲成立の背景などを視点として理解し、それらを表現や鑑賞に関連させる能力を育む。

○反省的思考を伴った主体(内的経験)と客体(楽曲・演奏表現・批評)の相互作用により、内部世界と外部世界が生成され音楽の認識能力が育成される。

音楽の教科内容構成の4側面が柱となり、「生成の原理」によって学習が展開されることによって、次のような能力が育成される。音楽は時間的芸術であり抽象的な性格をもつが、4側面が位置付くことで、認識の対象が明瞭となり学習の内容が明確になる。そして、「形式的側面」の知覚と「内容的側面」の感受によって、常に生徒一人ひとりの感性が働き、「質」への認識能力が高まる。感性的認識能力が育成されるのである。学習過程において、自己の内面と向き合い（自己認知)、あるときは他者との相異（他者認知）に気付き、イメージや感情を変化させ深めていくこととなる。ここには実技の個人レッスンとは異なる学校音楽教育としての重要な意義がある[9)]。

また、「文化的側面」の学習は人が音楽をどう生成してきたかを風土・文化・歴史・楽曲成立の背景などを視点として理解し、それらを表現や鑑賞に関連させる能力を育む。それは、音楽の価値について理解する能力を高めることに繋がるであろう。そして、「内容的側面」「形式的側面」「文化的側面」の認識内容とともに「技能的側面」の学習が行なわれることによって、感性を置き去りにした技能中心の学習に陥ることは無くなるであろう。

このように、主体（内的経験）と客体（楽曲・演奏表現）を反省的思考を伴いつつ相互作用させることにより、内部世界と外部世界が再構成されていくこととなる。

仮説６　教科と人間（個人・社会）とのかかわり[10]

○音楽科と個人：質の認識、内的生成・外的生成、感性の育成（情操育成の一助）、非日常的体験、情動の開放、自己と他者の認知、他者との協調、自己実現など。
○音楽科と社会：音楽の機能的側面：音楽による環境づくり（店舗・喫茶店・病院等）、ドラマ・劇・映画における音や音楽の機能、コマーシャル・広告・宣伝における音や音楽の機能、音楽療法（リラックス・活気・意欲）、音楽と他媒体：動きと音楽（ダンス・バレエ・オペラ・行進等）、共同体における音楽：儀式・式典と音楽、戦争と音楽、宗教と音楽、民族と音楽など。

①音楽科と個人

音楽を奏でたり聴いたりすることは、人にとって社会的制約から解き放たれた非日常的な体験となる。そこでは感性が刺激され、情動が開放される。表現活動においては自己実現の場ともなり得る。自己に向き合うのみならず、他者を認め、他者に寛容になり、他者と協調して新しい世界を築く礎となる。

②音楽科と社会

音楽の社会的・普遍的価値が認識される。

文化的側面の学習は、共同体における音楽の意味付けに繋がる。たとえば、民族と音楽、儀式・式典と音楽、政治と音楽、戦争と音楽、宗教と音楽など、社会における音楽の意義を学ぶ機会となる。

また、音楽の機能的側面への認識も促進されると考えられる。たとえば、音楽による環境づくり（店舗・喫茶店・病院等）、ドラマ・劇・映画・コマーシャル・広告・宣伝・音楽療法（リラックス・活気・意欲）における音や音楽の役割・機能に気づいたり、音楽と他媒体、音楽と動き（ダンス・バレエ・オペラ・行進等）について考える機会となる。

仮説７　教科内容構成の創出による教科専門の授業実践

①概念的・理論的観点

○認識（学習）の対象（4側面）が明確になり、質を認識し深める授業となる。
○学習者自身の感性が主体となり、試行錯誤しつつ多様な表現を生成する授業となる。
○学習者は自己の感性にもとづいた音楽への具体的なアプローチの方法を学ぶ。学習者の主体性や専門家としての自立が促進され、汎用的能力が育成されると考えられる（アクティヴ・ラーニング）。
○学生の中で教科教育科目・教科専門科目の学習内容が繋がり合う。
○各科目の指導内容の有機的な繋がりが相乗的な学習効果を生み出す。

教科専門教員がオムニバスで担当する際には、各教員が授業実践において共通の用語を使用することの了承を事前に得ておく必要がある。共通の用語とは教科内容構成の柱、音楽の形式的側面、内容的側面、文化的側面、技能的側面、およびその具体である。上記の4側面の扱い方に関しては、状況に応じて柔軟性をもたせる。すなわち、毎回万遍なく4側面を扱う必要はなく、少なくとも担当する総授業時間の中でそれらに触れるようにする。

また、音楽科の教科としての特性に沿うように授業を展開する。すなわち、学習者自身の感性が主体となる授業、内容的側面の感受を意識した指導を行う。この感受にあたる部分は個人の内にあり、個人差がある。したがって、感受を中心に授業を展開することはアクティヴ・ラーニングにつながる。常に感性を働かせて授業に臨み、教員はその支援を行う。

指導内容に関しては「表現」領域に偏らないよう、「鑑賞」領域にも示唆を与えることに留意する。また、受講生のこれまでの経験・知識・技能等の学習状況を把握し、それに即して授業を展開する。

教材楽曲については、可能な限り楽譜を参照しつつ授業を進める。楽譜には形式的側面が視覚化されており、投影すれば共有でき、認識の一助となる。また、特定の地域・時代・ジャンルに偏らないように留意する。例えば、西洋の音楽を取り扱う場合、バロック、古典、ロマン、近現代など異なる時代のものを対象とする。あるいはドイツ語圏の音楽、フランス、イタリア、ロシア、アメリカなど国や地域が重ならないように設定する。

②授業実践の事例

実践事例：ショパン作曲：『英雄ポロネーズ』を教材とした表現（ピアノ）の実技指導 ○形式的側面;ゆっくりとしたテンポ。4分の3拍子。特有のリズムを有する。女性終止など。 ○内容的側面;荘重、威厳、力強さ、緊迫感・・など。これらは音楽の時間的経過とともに変化する。 ○文化的側面；ポーランドの舞曲、宮廷の儀式や凱旋行進から発達した舞曲など。 ○技能的側面；内容的側面に即した学習 例えば、形式的側面をどのように扱えば表現が自己の感受した内容に近づくのか、またその扱いを変化させることによって内容的側面が質的にどのように変化するのかを経験する学習。

実践事例：

ポロネーズの形式的側面の特徴を具体的に知覚し、内容的側面を感受する。また、文化的側面として「宮廷の儀式や凱旋行進から発達した舞曲であること」を理解し、内容的側面との関係性を探る。形式的側面（強弱、テンポの運び方、リズムの取り方、声部のバランスなど）をどのように扱えば表現が自己の感受した内容に近づくのか、またその扱いを変化させることによって内容的側面が質的にどのように変化するのかを経験する（質の認識・内容的側面の深まり）。そして、試行錯誤して生成された様々な表現の中から自分はどう表現するのかを明確にする（自己認知）。その実現のために指や腕、身体をどのように使えばよいのか（④技能的側面）、自己実現に向けて具体的にどのような練習をすればよいか・・等を指導内容とする。この指導内容は、歌唱分野・創作分野、鑑賞活動にも広く応用でき得るものとなる。

③従来の教科専門の問題点

○認識の対象が不明瞭な授業 ○教員による一方向的な授業 ○画一的で偏った内容の授業 ○表現を教員が外から形づくるような授業 ○感性を置き去りにした技能中心の授業 ○質の認識が深まらない授業

従来の教科専門は、理学部や文学部など専門学部の授業と変わらないのではないかとの批判を絶えず受けてきた。音楽で言えば、たとえば表現活動の最終的な演奏の出来栄えにこそ価値があるという考え方がある。これは演奏家になるための指標の1つである。そこでは、しばしば教員による一方向的で画一的な、あるいは偏執的な授業が行われてきた。すなわち、学習者の感性を置き去りにし、表現を教員が外から形づくるような技能中心の授業である[11)]。

音楽の授業では最終的な演奏の質のみならず、その学習過程に重きを置く必要がある。音楽の教科内容構成に基づく生成を原理とする授業実践は、音楽の本質を見失うことなく、学校教育の目的である人間形成に大きく寄与することであろう。

2　シラバス（音楽）

次ページより、学部の小学校教員養成、および中学校教員養成のための教科専門科目（各2単位）と教職大学院における教科内容構成に係る専門科目（2単位）のシラバスとその解説を順に示す。中学校教員養成のための教科専門科目としては、「器楽表現研究（ピアノ）」をとりあげた。

シラバス（音楽）	学部（小学校）	授業科目名　音楽

授業の目標

音楽の専門分野（声楽、器楽、作曲・理論、指揮法、音楽史）の学習を通して、音楽の教科内容の諸側面とその関連性を理解し、楽曲へのアプローチの方法・表現法・指導法の多様性について学ぶ。

1. 音楽に関する知識や技能を、教科内容構成の原理を基に理解・修得する。
2. 曲想と音楽の構造や背景とのかかわりを理解し、知覚・感受・思考判断して表現することや音楽を味わって聴くことができるようになる。
3. 多様なアプローチの方法をもとに、様々な曲のよさや美しさを感じ取って表現・鑑賞できるようになる。

教科内容構成の具体（教科内容の概念・技能）

①音楽の形式的側面：音色・リズム・速度・強弱・旋律・テクスチュア・形式・構成＜反復・変化・対照＞・アーティキュレーション・専門用語や記号など

②音楽の内容的側面：曲想・雰囲気・特質・感情・イメージなど

③音楽の文化的側面：風土・文化・歴史・時代様式・作曲者自身の言説・思考・思想などの背景。音楽評論・楽器の発達・音楽のジャンル・音楽と他媒体・社会的文脈と音楽・個人および社会における音楽の役割や機能など

④音楽の技能的側面：声や楽器を操作する技能・合唱や合奏の技能・創作の技能・読譜や記譜の技能・批評の技能・聴音の技能・編曲や作曲の技能・楽曲分析の技能など

評価の観点

1. 学習曲の内容的側面と形式的側面・文化的側面のかかわりについて専門用語を用いて説明できる。
2. 知覚・感受および思考・判断して多様な表現を生み出したり、音楽を味わって聴くことができる。
3. 上記2を感性を働かせて取捨選択し、生成の原理をもとに自己の表現内容を築いたり、鑑賞することができる。

主　　題	教科内容・展開
1. 音楽科教科内容構成	教科内容構成の具体とその関係性について理解する。
2. 音楽理論：楽典・読譜・記譜・用語など	音楽の形式的側面を曲と関わらせながら学ぶ。
3. 音楽史ⅰ：音楽と風土・文化・歴史	音楽の文化的側面について、教科内容構成の具体をかかわらせながら学ぶ。
4. 音楽史ⅱ：音楽史を視点とした鑑賞	様々な風土・文化・歴史、社会や思想などを視点として曲を調査し、その鑑賞方法について考える。
5. 声楽ⅰ：様々な発声法とその表現	世界の様々な発声法について学び、表現してみる。
6. 声楽ⅱ：曲想と旋律・歌詞・伴奏とのかかわり	曲想と旋律・歌詞・伴奏とのかかわりを視点として曲を分析し、表現法や指導法の多様性について学ぶ。
7. 声楽ⅲ：様々な声楽曲の鑑賞と方法	教科内容構成の具体をかかわらせて、様々な声楽曲の鑑賞の多様な指導法について考える。
8. 器楽ⅰ：ピアノによる表現と学習	教科内容構成の具体をかかわらせながら、試行錯誤して多様な表現を生成することを実践してみる。
9. 器楽ⅱ：器楽アンサンブル・吹奏楽・管弦楽等による表現と学習	様々な形態の器楽曲特有のよさや美しさについて、教科内容構成の具体をかかわらせて理解し、感じ取る。
10. 器楽ⅲ：様々な器楽曲の鑑賞と方法	教科内容構成の具体をかかわらせて、様々な器楽曲の鑑賞の多様な指導法について考える。
11. 作曲ⅰ：曲を生み出すということ	曲を生み出すということを教科内容構成の具体を視点として捉える。
12. 作曲ⅱ：様々な作曲・編曲の技法と実践	様々な作曲・編曲の技法について学び、実践してみる。
13. 指揮ⅰ：指揮の役割と指揮法	指揮の役割について理解し、指揮法について学ぶ。
14. 指揮ⅱ：指揮の学習方法とその実践	教科内容構成の具体を視点とした指揮の学習方法について考え実践してみる。
15. 音楽の専門分野の相互関連	教科内容構成における専門分野の相互関連について考察する。

解　説	
シラバスは次の2点を想定して作成している。すなわち、①教育職員免許法の定める科目に係る教科専門教員全員がオムニバスで担当すること、②1コマの授業は教員が単独で行うことである。したがって、様々な事情で教科専門教員に欠員が出ている機関においては適宜再編成する必要がある。 指導にあたっては、各教員が共通の用語を使用することの了承を事前に得ておく。共通の用語とは教科内容構成の柱、すなわち音楽の①形式的側面、②内容的側面、③文化的側面、④技能的側面、およびその具体である。 上記の4側面の扱い方に関しては、状況に応じて柔軟性をもたせる。すなわち、毎回万遍なく4側面を扱う必要はなく、少なくとも担当する授業時間の中でそれらに触れるようにする。 音楽科の教科としての特性に沿うように授業を展開する。すなわち形式的側面の知覚と内容的側面の感受を常に意識して指導にあたる。この感受にあたる部分は個人の内にあり、個人差がある。したがって、感受を中心に授業を展開することはアクティヴ・ラーニングにつながる。受講生は常に感性を働かせて授業に取り組む。教員はその支援を行う。 指導内容に関しては「表現」領域に偏らないよう、「鑑賞」領域にも示唆を与えることに留意する。また、受講生のこれまでの経験・知識・技能等の学習状況を把握し、それに即して授業を展開する。 教材楽曲については、特定の地域・時代・ジャンルに偏らないように留意する。例えば、西洋の音楽を取り扱う場合、バロック、古典、ロマン、近現代など異なる時代のものを対象とする。あるいはドイツ語圏の音楽、フランス、イタリア、ロシア、アメリカ・・など国や地域が重ならないように設定する。また、可能な限り楽譜を参照しつつ授業を進める。楽譜には形式的側面が視覚化されているからである。 1. 音楽科の認識論的定義と教科内容構成の原理および教科内容構成の柱とその具体について理解し、音楽の教科内容の基本構造を把握する。 2. 音楽に関する理論（楽典・読譜・記譜・専門用語など）について理解する。 3. 音楽を生み出してきた風土・文化・歴史等について理解し、楽曲との具体的な連関について探求する。 4. 時代やジャンルによる形式的側面や内容的側面の特徴を探り、そのよさや美しさを味わう。	5. 世界の様々な発声法について学び、体験し、そのよさや美しさの特徴について理解する。 6. 教材研究として具体的な楽曲を用いて曲想と旋律・歌詞・伴奏とのかかわりを視点として曲を分析し発表し合う。また、表現法や指導法の多様性について学ぶ。 7. 例えば、ある楽曲に関して異なる演奏家の表現の違いを取り扱う。それぞれのよさや美しさ、解釈について、専門用語を用いて討論する。 8. 技術的に簡易な楽曲を用いて、音楽を形作っている要素に着目し、それらの扱い方によって多様な表現が可能となることを経験する。自身の感性と向き合い試行錯誤を重ね表現を生成していく。 9. 様々な楽器に触れ、実際に音を出してみるなどし、その特有の音色や響きを体感する。器楽アンサンブルにおける様々な形態を理解し、器楽曲特有のよさや美しさについて感じ取る。教科内容構成の具体をかかわらせて理解する。 10. 教科内容構成の柱（4側面）を関連させたり、ある柱を重点的に扱ったりすることで鑑賞における指導内容が多様化することを演習を通して理解する。 11. 楽曲が生成されるプロセスを、様々な教材を対象とし、教科内容構成の柱（4側面）を窓口として考察する。 12. 芸術楽曲の作曲法（構成原理・主題労作等）や編曲法について分析・理解し、それらと歌唱教材との共通点を探る。そして、それを応用して実際に簡単な旋律やリズムを作ってみる。 13. 指揮者の役割について考察する。同一楽曲における異なる指揮者による演奏について教科内容構成の柱（4側面）や専門用語を用いてその特徴を捉え、良さや美しさを感じ取る。 14. 演習を通して指揮の基礎的な振り方を理解するとともに、例えばフレージングについて速度と強弱を視点として考察し実践してみる。 15. 教科内容構成の柱（4側面）とその具体を窓口としてこれまでの学習を振り返る。それらが授業で取り扱わなかった楽曲にも適応できることを演習を通して理解する。

<table>
<tr><td>シラバス（音楽）</td><td>学部（中学校・専門）</td><td>授業科目名　器楽表現研究（ピアノ）</td></tr>
<tr><td colspan="3">授業の目標
ピアノの学習を通して音楽の教科内容の諸側面とその関連性を理解し、楽曲へのアプローチの方法・表現法の多様性について学ぶ。
1. 鍵盤音楽に関する知識や技能を、教科内容構成の原理をもとに理解・修得する。
2. 曲想と音楽の構造や背景とのかかわりを理解し、知覚・感受・思考判断して多様な表現を生み出すことができるようになる。
3. 生成の原理をもとに自己の表現内容を築くことができる。</td></tr>
<tr><td colspan="3">教科内容構成の具体（教科内容の概念・技能）
①音楽の形式的側面：音色・リズム・速度・強弱・旋律・テクスチュア・形式・構成 <反復・変化・対照>・アーティキュレーション・専門用語や記号など
②音楽の内容的側面：曲想・雰囲気・特質・感情・イメージなど
③音楽の文化的側面：風土・文化・歴史・時代様式・作曲者自身の言説・思考・思想などの背景。音楽評論・楽器の発達・音楽のジャンル・音楽と他媒体・社会的文脈と音楽・個人および社会における音楽の役割や機能など
④音楽の技能的側面：声や楽器を操作する技能・合唱や合奏の技能・創作の技能・読譜や記譜の技能・批評の技能・聴音の技能・編曲や作曲の技能・楽曲分析の技能など</td></tr>
<tr><td colspan="3">評価の観点
1. 学習曲の内容的側面と形式的側面・文化的側面のかかわりについて専門用語を用いて説明できる。
2. 知覚・感受および思考・判断して多様な表現を生成することができる。
3. 上記2を感性を働かせて取捨選択し、生成の原理をもとに自己の表現内容を築くことができる。</td></tr>
<tr><td>主　題</td><td colspan="2">教科内容・展開</td></tr>
<tr><td>1. 音楽の教科内容構成</td><td colspan="2">学習の内容・構成についての概説および個人発表（事前学習の確認）</td></tr>
<tr><td>2. 表現における知覚と感受</td><td colspan="2">形式的側面の知覚と内容的側面の感受について教材楽曲を通して理解する。（以降15回目の授業まで続く）</td></tr>
<tr><td>3. 音楽を形づくる要素と表現</td><td colspan="2">音色・リズム・速度・旋律・強弱・テクスチュア・形式・構成（反復・変化・対照）・専門用語や記号等について楽曲とともに理解する。</td></tr>
<tr><td>4. ピアノの特性</td><td colspan="2">ピアノの楽器としての特性、学習内容や方法について理解する。</td></tr>
<tr><td>5. テクスチュアの認識と美的表現</td><td colspan="2">楽譜からテクスチュアを認識し、声部の構造・役割や声部間の強弱のバランス等について美的判断をし、表現を再構築する。</td></tr>
<tr><td>6. 音楽の構造原理（反復・変化・対照）と表現</td><td colspan="2">音楽の構造原理（反復・変化・対照）を認識し、それらを視点として表現の多様性について考え、美的判断をし、表現を再構築する。</td></tr>
<tr><td>7. 中間試験および省察</td><td colspan="2">演奏発表・省察し、他者からの批評を参考にしつつ今後の課題を明確にする。</td></tr>
<tr><td>8. 記譜化の限界性と表現</td><td colspan="2">記譜化の限界性について討論し、多様な演奏表現に対しての理解を深める。</td></tr>
<tr><td>9. 風土・文化・歴史等と音楽の関連</td><td colspan="2">文化的側面と形式的側面・内容的側面との関連性について考察・美的判断し、表現を再構築する。</td></tr>
<tr><td>10. 音楽の技能の捉え方</td><td colspan="2">演奏家における技能、指導者における技能、学校音楽教育における技能の捉え方について理解し、技能と表現の関連性について考察する。</td></tr>
<tr><td>11. 身体の状態と呼吸</td><td colspan="2">身体（指・手首・肘・腕・上半身など）や呼吸の使い方について理解し表現を再構築する。</td></tr>
<tr><td>12. 演奏と解釈の多様性 i</td><td colspan="2">楽譜上の音・リズム・速度・記号等の扱いに対して柔軟性をもって考察する。</td></tr>
<tr><td>13. 演奏と解釈の多様性 ii</td><td colspan="2">楽譜上の指示を尊重しつつ、更に多様な表現の可能性を追求・美的判断する。</td></tr>
<tr><td>14. 自己実現へ向けて</td><td colspan="2">自己の思いや意図が表現に反映されているか批判的検討を行う。</td></tr>
<tr><td>15. 演奏発表と批評と省察</td><td colspan="2">演奏発表・省察を行う。他者の演奏のよさや美しさ、特徴などについて専門用語を用いて批評する。</td></tr>
</table>

解　説	
指導にあたっては、音楽科の授業担当教員全員が共通の用語を使用することの了承を事前に得ておく。共通の用語とは教科内容構成の柱、すなわち音楽の①形式的側面、②内容的側面、③文化的側面、④技能的側面、およびその具体である。 上記の4側面の扱い方に関しては、状況に応じて柔軟性をもたせる。すなわち、毎回万遍なく4側面を扱う必要はなく、少なくとも全授業時間の中でそれらを満たすようにする。 教科としての特性に沿うように授業を展開する。すなわち形式的側面の知覚と内容的側面の感受を意識して指導にあたる。この感受にあたる部分は個人の内にあり、個人差がある。したがって、感受を中心に授業を展開することはアクティヴ・ラーニングにつながる。受講生は常に感性を働かせて授業に取り組む。教員はその支援を行う。 指導内容に関しては、受講生のこれまでの経験・知識・技能等の学習状況を把握し、適宜高度化あるいは簡易化する。また、教材楽曲が偏らないようにする。例えば、西洋の音楽を扱う場合はバロック、古典、ロマン、近現代などの時代、あるいはドイツ語圏の音楽、フランス、ロシアなどの国や地域、が偏らないようにする。グループによる授業の場合も同様に設定する。そして、可能な限り楽譜を参照しつつ授業を進める。楽譜には形式的側面が視覚化されているからである。 1. 音楽科の認識論的定義と教科内容構成の原理および教科内容構成の柱とその具体について理解し、音楽の教科内容の基本構造を把握する。 2. 音楽を形づくる要素の知覚と曲想・雰囲気・特質・感情・イメージ等の感受について、表現活動を通して試行錯誤しつつ理解する。（以降15回目の授業まで続く） 3. 音楽を形づくる要素やそれらの関わり、専門用語や記号の扱い方について、教材楽曲を通して表現活動とともに理解を深め、表現を再構築する。 4. ピアノの特性について理解する。楽器としての歴史的な変遷も含め、表現媒体としての長所や短所について理解し、表現を再構築する。 5. テクスチュアを認識し、声部の構造・役割や声部間の強弱のバランス、和声の色合いや響かせ方等について美的判断をし、表現を再構築する。 6. 音楽の構造原理（反復・変化・対照）を視点として楽曲の形式的な特徴を探る。それらを音楽的にどのように扱うかによって多様な表現を生成できることを理解する。 7. これまでの学習の成果を踏まえて演奏発表する。省察および他者（教員を含む）からの批評を参考にして、現時点での課題を浮き彫りにする。	8. 5線紙による記譜化の限界性について考察する。論理的な記譜法ではあるが、反面そこには様々な制約が存在することを理解する。例えば、クレッシェンドはどの程度行うのか、スタッカートはどれくらい短く切るのか、*ff*の質的内容等は記譜化できない。それらをもとに表現を再構築する。 9. 文化的側面と形式的側面・内容的側面との関連性について考察する。楽曲が生まれた背景を知ることにより、表現の内容が変化することを理解し、それらをもとに美的判断し、表現を再構築する。また、音楽が生活や社会に中でどのように扱われてきたのかについて考察する。 10. 音楽の技能修得の捉え方は、演奏家・指導者・学校教育における児童・生徒では異なることを認識する。それらをもとに今後の学習について、また学校における指導の在り方について考察する。 11. 身体の状態と呼吸 手指の構造について理解を深める。ピアノの構造についても認識し、無理のない奏法について考察する。また、手首・肘・腕・上半身などの状態や使用方法が、表現内容に影響することを理解する。表現における息の使い方や呼吸の重要性について表現活動を通して理解する。これらを踏まえて、美的判断をもとに表現を再構築する。 12. 演奏と解釈の多様性について、異なる演奏家による同一楽曲の音源を聴いて考察する。また、その音源の特徴、良さや美しさについて専門用語を用いて説明できるようになる。これらを踏まえて、美的判断をもとに自身の表現を再構築する。 13. 作曲者による楽譜上の指示を厳守しつつも、演奏者によって全く異なる表現が可能となる。楽譜には示しきれない音楽的内容が存在することを理解し、音・リズム・速度・記号等の扱いに対して柔軟性をもって接することで多様な表現が可能となることを理解する。感性を働かせ、心に問いかけ、解釈し表現する。 14. これまでの学習を振り返り、音楽へのアプローチに関して何を学び、何ができるようになったかを確認する。 15. 他者の演奏について専門用語を用いて批評し、同時に自己認知を深める。自己の思いや意図をどこまで表現に反映できたか、また今後の課題はどのようなものなのか等をメタ認知する。

シラバス（音楽）	教職大学院	授業科目名　教科内容構成（音楽）

授業の目標

音楽の専門分野（音楽理論・ソルフェージュ・音楽史・音楽学・声楽・器楽・作曲・指揮法）の学習を通して、音楽の教科内容の諸側面とその関連性を理解し、楽曲へのアプローチの方法や指導法の多様性について学ぶ。

教科内容構成の具体（教科内容の概念・技能）

①音楽の形式的側面：音色・リズム・速度・強弱・旋律・テクスチュア・形式・構成＜反復・変化・対照＞・アーティキュレーション・専門用語や記号など

②音楽の内容的側面：曲想・雰囲気・特質・感情・イメージなど

③音楽の文化的側面：風土・文化・歴史・時代様式・作曲者自身の言説・思考・思想などの背景。音楽評論・楽器の発達・音楽のジャンル・音楽と他媒体・社会的文脈と音楽・個人および社会における音楽の役割や機能など

④音楽の技能的側面：声や楽器を操作する技能・合唱や合奏の技能・創作の技能・読譜や記譜の技能・批評の技能・聴音の技能・編曲や作曲の技能・楽曲分析の技能など

評価の観点

1. 学習曲の内容的側面と形式的側面・文化的側面のかかわりについて専門用語を用いて説明できる。
2. 知覚・感受および思考・判断して多様な表現を生み出したり、音楽を味わって聴くことができる。
3. 生成の原理をもとに音楽の教科内容の諸側面をかかわらせて多様な指導内容と指導法を生み出すことができる。

主　題	教科内容・展開
1. 音楽科教科内容構成	教科内容構成の具体とその関係性について理解する。
2. 音楽理論：楽典・用語や記号	楽典・音楽の専門用語や記号などについて、様々な曲の楽譜をもとに理解する。
3. ソルフェージュ：読譜・記譜・聴音・視唱奏	音楽を聴きとって楽譜等に記すこと、音楽を楽譜から読み取ること、読み取って歌ったり演奏したりすることの意味・重要性について理解する。
4. 音楽史：音楽の歴史的変遷	音楽の特徴や様式について歴史的変遷や社会的背景等を視点として分析して発表する。
5. 音楽学：学術的研究	代表的な学術的研究（評論を含む）に触れ、理解するとともに教材研究と結びつける。
6. 声楽ⅰ：声楽曲へのアプローチの方法	曲想と歌詞・旋律の関係性、歌詞と伴奏部分の関係性などについて分析・理解し多様な表現や指導法を生み出す。
7. 声楽ⅱ：演奏法や指導法	4側面のかかわらせ方による多様な表現や指導内容を理解し、歌唱教材に適用する。
8. 器楽（ピアノ）：ピアノ曲へのアプローチの方法	4側面をかかわらせながら試行錯誤を経て多様な演奏表現を生み出す経験をする。
9. 器楽（ピアノ以外）：器楽曲へのアプローチの方法	様々な様式・ジャンルの曲を4側面をかかわらせながら理解し、例えば、ある側面に焦点化した表現、重点化した指導内容等について考察する。
10. 器楽：様々な器楽曲の演奏法や指導法の多様性	4側面のかかわらせ方による多様な表現や指導内容を理解し、それらが学校教育における器楽教材に適用できること確認する。
11. 作曲：様々なジャンルおよび作曲家における作曲法・編曲法	異なる時代様式やジャンルの曲をもとに、例えば形式的側面について詳細に分析し、内容的側面との関係性について考察する。あるいは構成原理（反復・変化・対照）に焦点化して分析する。そして、作曲家の作曲法を認識し、それらを応用して音形を生み出したり、短い曲を作る。
12. 作曲：指導法の多様性	学校教育における音楽づくり・創作の指導法について4側面を観点として考察し、発表する。
13. 指揮法：合唱曲・オペレッタ・吹奏楽曲・交響曲などへのアプローチの方法	異なる時代様式の曲や様々なジャンルの曲をもとに、例えば、形式的側面について詳細に分析し、内容的側面・文化的側面との関係性について考察する。指揮の役割や意義を理解する。
14. 指揮法：指揮法や指導法の多様性	4側面を扱うことによって表現の内容が変化したり深まったりすることを理解し、試行錯誤を経て多様な表現を生み出す経験をする。
15. 音楽科教科内容構成における「専門分野の相互関連」	4側面のかかわらせ方によって多様な表現や指導内容が創出されることを理解し、学校教育における表現や鑑賞の指導内容に適用できること確認する。

解　　説	
シラバスは次の2点を想定して作成している。 ①教育職員免許法の定める科目に係る教科専門教員全員がオムニバスで担当すること、②1コマの授業は教員が単独で行うことである。様々な事情で教科専門教員に欠員が出ている機関においては適宜再編成する必要がある。 指導にあたっては、各教員が共通の用語を使用することの了承を事前に得ておく。共通の用語とは教科内容構成の柱、すなわち音楽の①形式的側面、②内容的側面、③技能的側面、④文化的側面、およびその具体である。 上記の4側面の扱い方に関しては、状況に応じて柔軟性をもたせる。毎回万遍なく4側面を扱う必要はなく、少なくとも担当する授業時間の中でそれらに触れるようにする。 音楽科の教科としての特性に沿うように授業を展開する。すなわち形式的側面の知覚と内容的側面の感受を常に意識して指導にあたる。この感受にあたる部分は個人の内にあり個人差がある。したがって、感受を中心に授業を展開することはアクティヴ・ラーニングにつながる。受講生は常に感性を働かせて授業に取り組む。教員はその支援を行う。受講生のこれまでの経験・知識・技能等の学習状況を把握し、それに即して指導を行う。教材楽曲については、特定の地域・時代・ジャンルに偏らないように留意する。また、可能な限り楽譜を参照しつつ授業を進める。楽譜には形式的側面が視覚化されているからである。 1. 音楽科の認識論的定義と教科内容構成の原理および教科内容構成の柱とその具体について理解し、音楽の教科内容の基本構造を把握する。 2. 音楽に関する理論（楽典・読譜・記譜・専門用語など）について理解する。 3. 楽譜を読み取って歌ったり表現したりすること、音楽を聴きとって楽譜等に記すこと、音の読み違いを聴いて指摘できること等の意味・重要性について理解する。 4. 音楽の特徴や様式を歴史的変遷や社会的背景を視点として分析し発表し合う。具体的な楽曲を音源や楽譜等から聴取・分析し様々な音楽の形式的側面の特徴に気付き、内容的側面に関わらせて説明できるようになる。例えば、我が国の伝統的な音楽と西洋の音楽の歴史的変遷について調査し、その違いについて明らかにすることによって両者の音楽の本質的な差異について理解する。 5. 我が国の伝統音楽をはじめとし、諸外国および諸民族の音楽に関する代表的な学術的研究（評論を含む）に触れ、理解する。学習した内容を教材研究に結びつけ、発表し合う。	6. 声を用いた楽曲への多様なアプローチの方法を探る。具体的な楽曲を用いて曲想と旋律・歌詞・伴奏とのかかわり等を視点として楽曲を分析し発表し合う。分析は4側面とその具体を視点とする。 7. 前時の学習を踏まえて、それらを表現法や指導法へ応用することを考察し、発表し合う。 8. 器楽曲（ピアノ）への多様なアプローチの方法を探る。具体的な楽曲を用いて4側面とその具体を窓口とし演習を通して表現の多様性について体験的に学習する。それらが表現法や指導法へ応用できることを理解する。 9. 器楽（ピアノ以外）：様々な楽器に触れ、実際に音を出して見るなどし、その特有の音色や響きを体感する。教科内容構成の具体をかかわらせて具体的な楽曲を学習し、器楽曲特有のよさや美しさについて感じ取り、それらを専門用語を用いて説明できるようになる。 10. 前時の学習を踏まえて、それらを表現法や指導法へ応用した指導案をグループごとに作成し、発表・意見交換をする。 11. 芸術楽曲の作曲法（構成原理・主題労作等）について分析・理解する。例えば、反復・変化・対照という構成原理が学校教育で扱う歌唱・器楽教材にも用いられているかどうかも分析する。 12. 前時や声楽・器楽での学習を応用し旋律等を作って発表する。その際、4側面との関わりや工夫した点を提示する。学校教育における音楽づくり・創作の指導法について4側面を観点として考察し、発表する。 13. 合唱曲・オペレッタ・吹奏楽曲・交響曲などの様々な楽曲へのアプローチの方法を4側面を窓口として考察する。 14. 同一楽曲における異なる指揮者による演奏について4側面や専門用語を用いてその特徴を捉え、良さや美しさについて発表し合う。 15. 音楽科教科内容構成における諸分野相互の関連について授業を振り返りつつ考察する。それらが、学校教育における表現法や指導法に応用できることを確認する。

3　授業実践展開例

授業科目名；「器楽表現研究（ピアノ）」実技指導（グループレッスン）の例

実技の指導は対象である学習者に即して行っている。したがって、指導内容のレベルに関しては、対象学生のこれまでの経験・知識・技能等の学習状況を把握し、適宜高度化あるいは易化している。ここでは、学習者のそのような差異にかかわらず、教科内容構成の4側面の内容を関わらせて授業を展開することを重要視した。授業の展開については以下のことを心掛けた。

・グループレッスンにおいては常に楽譜を参照しつつ授業を展開した。聴講者も主体的に活動させた。
・経験の少ない学習者も参加できる授業内容とした。
・教員からの一方向的な指導を避け、表現を教員が外から形づくるような指導は行わなかった。
・受講者から質問されてもすぐ答えず、まずは本人に考えさせ、その後一緒に考えるようにした。
・教員からの様々な「問いかけ」を中心に授業を進めた。聴講者へも問いかけを適宜行った。この問いかけによって、受講者は自己の感性とともに音楽と主体的に関わり、思考・判断し、表現していくこととなった。（アクティブ・ラーニング）
・音楽へのアプローチの方法を4側面の指導を通して学ばせることを意識した。

上記を前提とし、ここでは教材としてF.ショパン作曲の『英雄ポロネーズ』を取り上げ、授業の展開例を示す。指導内容は、「風土・文化・歴史等と音楽の関連」と「音楽の構造原理（反復・変化・対照）と表現」である。

（1）風土・文化・歴史等と音楽の関連

文化的側面の学習に重点を置いた。文化的側面は往々にして速度やリズムといった形式的側面と関連している。そのことを前もって学生に伝え、このポロネーズについての文化的側面の内容を説明することを課題としておいた。授業では具体的な内容を受講者に発表させ、不足部分あるいは発展事項等については教員が補足説明する流れを取った。その内容についてはおよそ以下のようなものである。

a)『ポロネーズ』とは何か
・ポーランドの舞曲
・宮廷の儀式や戦士の凱旋行進から発達した舞曲

ショパンのポロネーズには『英雄』の他、『軍隊』というタイトルの作品がある。どちらもショパン自身が記したタイトルではないが、そのような背景に由来するものであることを学んだ。受講者はこのようなポロネーズの有する性格と教材曲の曲想・特質・雰囲気など（内容的側面）を関連付けて理解・感受し、表現を再構築していった。

b）ポロネーズの形式的側面の特徴と表現
・速度：ゆったり（どっしり）とした速さ
・拍子：4分の3拍子
・リズム：特有のリズムがある（譜1）
・その他：女性終止の形をとる（譜2）

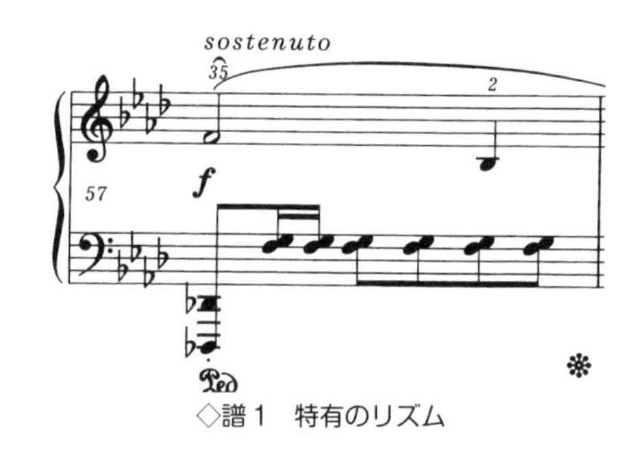

◇譜1　特有のリズム

◇譜2 女性終止

速度に関しては指揮や手拍子とともにその特徴を声を用いて表現させた。声を用いた表現は実技指導において大きな役割をもつ。受講者には美しい声、正確な音程などを求めているのではなく、音楽的な表情を声で示してほしい旨を伝えた。器楽表現には技能が必要となる。声による表現はそれを解消し、音楽的な方向性を明瞭にすることに繋がる。速度のみを対象とするのでなく、その音楽的な内容を声によって表現（声色・強弱・拍節感などを含む）することで、受講者は内容的側面と関連させて表現を再構築していった。

特有のリズムに関しては、楽譜上の該当箇所を具体的に示させ、その表情・音楽的な扱いについて音楽を形づくる他の要素と関連させて感じ取り、やはり声によって表現することで確認させた。女性終止の部分については楽譜上に示させた。教員からはポロネーズが3拍目にお辞儀をして締めくくられる舞曲であることに関連していることを説明した。

発展学習として『軍隊ポロネーズ』に関しても同様の確認を促した。また、関連学習として、同じくポーランドの舞曲でショパンが50曲以上も作曲した『マズルカ』について言及した。

c）ショパンの生きた時代におけるポーランドの歴史的・社会的背景

「何故ショパン（1810年生）は祖国を離れることとなったか」について問うた。そして、ショパンは祖国を愛し、ポロネーズやマズルカを作曲していることを確認させた。

その背景については以下のような説明をした。

・第1次ポーランド分割～第3次ポーランド分割
1772年、ロシア・プロイセン・オーストリアによって国家が分割された。1793年（第2次分割）、第3次分割の1795年には残った領土もすべて奪われ、国家は滅亡する。

・ナポレオンが失脚すると、1815年のウィーン会議によって、ポーランドはロシア皇帝を元首とするポーランド立憲王国（会議王国）となった。多くのポーランド人が国外、特にフランスに亡命した。

国家としてのポーランドが消滅してしまうこととショパンがポロネーズやマズルカを生涯にわたって作曲し続けたことに対して、意見交換を行った。

そして、楽曲が生まれた背景等に触れることにより感じ方に変化が起こることを経験させ、それらをもとに美的判断し、表現を再構築させていった。

（2）音楽の構造原理（反復・変化・対照）と表現

音楽を形づくる要素の知覚と曲想・雰囲気・特質・感情・イメージ等の感受は授業を通して継続的に行った。表現活動を通して試行錯誤しつつ展開させていった。また、授業中のみならず自己学習として行われるように促した。次に示すのは、音楽の構造原理（反復・変化・対照）を知覚・感受し、それらを視点として表現の多様性について考え、美的判断をし、表現を再構築する授業の具体である。

a）構造原理（反復・変化・対照）の知覚・感受

冒頭16小節目まで（序奏部）のフレーズ構造とその特徴について説明させた。的を得た回答が得られなかったのでヒントを与えた。そして、フレーズ構造は4小節単位が2回、続いて2小節単位が2回、その後主題を導く部分としての4小節があることを確認させ、その特徴、すなわち反復されていることを認識させた。反復されているが変化が生じていることに気づかせ、具体的に説明させた。受講者は、第1拍目の和音の音高や、響き（和声）の変化（譜3）、フレーズの小節単位の変化に気づいていった。

◇譜３　冒頭部分（1・5・9・11・13小節１拍目）

そして、同じような音形が反復され、音の高さ・和声の色合い・強弱・フレーズ構成の小節単位の変化などによって、どのような感じがするか、作曲者にどのような意図があるかを問いかけた。受講者に戸惑いが見られたので次のようにした。すらわち、ごく相反する簡単な形容詞（明るいか暗いか、重いか軽いか、音楽的緊張が増すか減少するか等）を用いることによって、どのような感じがするかを自身の心に向き合わせた。そして、これらの形容詞ペアを３種類ほど用いて確認するだけで、イメージが明瞭となり、瞬時に表現内容が大きく変化することに気づかせた。これらは練習によって生み出されたものでないことは明らかであり、イメージすることが如何に重要であるかについて体感させた。

b）学習内容の応用

他の反復部分（たとえば譜4・5）を指摘させ、知覚・感受とともに表現内容を明瞭にしていった。

形式的側面（強弱、テンポの運び方、リズムの取り方、声部のバランス、音色・・）をどのように扱えば表現が自己の感受した内容に近づくのか、またその扱いを変化させることによって内容的側面（楽曲が有する雰囲気や特性）が質的にどのように変化するのかを経験させた（質の認識。内容的側面の深まり）。そして、試行錯誤して生成された様々な表現の中から自分はどう表現するのかを明確にさせた（自己認識）。さらに多様な表現に気づかせるために教員が様々に異なる表現を実際に弾いて聴かせた。そして、何がどのよう

◇譜４　テーマの「反復・変化」

◇譜５　音域・アーティキュレーションの変化

に変化することによって音楽の質的な変化が起こるかについて言葉で説明させた。

この内容は歌唱分野・創作分野にとどまらず、鑑賞活動にも広く応用できることの確認を行なった。

【注及び引用文献】

1) 「仮説1　教科の認識論的定義」については、次の先行研究を基にした。西園芳信、「視点1　芸術の認識論的定義」（西園芳信・増井三夫編著『教育実践から捉える教員養成のための教科内容学研究』、風間書房、2009年）pp.157 − 159.
2) 西園芳信、「理性的認識と感性的認識」『音楽教育実践学事典』、日本学校音楽教育実践学会編、音楽之友社、2017年、p.16.
3) C.ドビュッシー、（F.ルジュール編／杉本安太郎　訳）、『音楽のために－ドビュッシー評論集』、白水社、1977年、p.171、pp.301-302.
4) 中島卓郎、「第2章1中学校音楽科の各領域及び配慮事項」中等科音楽教育研究会編『最新中等科音楽教育法』音楽之友社、2011年 p.16.
5) 西園芳信、『質の経験としてのデューイ芸術的経験論と教育』、風間書房、2015年、pp.177-193.
6) 西園芳信、「生成の原理」『音楽教育実践学事典』、日本学校音楽教育実践学会編、音楽之友社、2017年、pp.18-19.
7) 「仮説3　教科内容構成の柱」の4側面については、次の研究に既に提案されている。西園芳信、「Ⅱ　教育実践から捉える教科内容構成の原理」（西園芳信・増井三夫編著『教育実践から捉える教員養成のための教科内容学研究』風間書房、2009年）pp.157 − 171.
8) 筆者は、「音楽の文化的側面」を2層構造として捉えている。このことにより、楽曲中心の学習ではなく、これまでよりも俯瞰的で広がりのある学習が可能となる。詳細な内容については拙稿を参照されたい。中島卓郎、「ドイツの音楽科における『生活や社会の中の音や音楽』に関する調査研究—教科書の分析を通して—」、『学校音楽教育実践論集第4号』、日本学校音楽教育実践学会、2020年、pp.82-83.
9) 中島卓郎、前掲書4）p.16.
10) 「仮説6教科と人間（個人・社会）とのかかわり」についても次を参照されたい。中島卓郎、前掲書8）pp.82-83.
11) 頃安利秀、「Ⅰこれまでの教員養成の教科内容（教科専門）構成の実態」（西園芳信・増井三夫編著『教育実践から捉える教員養成のための教科内容学研究』、風間書房、2009年）pp.153 − 157.
譜例(1-5)「CHOPIN PORONEZY Op.26-61」、JAN EKIER、WYDANIE NARODOWE・NATIONAL EDITION、1995、より引用掲載

※なお、「仮説4教科内容構成の具体、③音楽の文化的側面」および「仮説6教科と人間（個人・社会）とのかかわり」は、日本学術振興会科学研究費補助金、基盤研究（C）、(17K04762)「ドイツの音楽科における汎用的能力の育成に関する研究」の研究成果の一部を含んでいる。

（中島卓郎）

第4章　美術

1　美術の教科内容構成開発の仮説

仮説1　教科の認識論的定義

美術〈絵画・彫刻・映像等〉は外界（形）や内面（内的経験）を対象として、空間・平面の媒体上に色・物質等の媒介物を用い、美術表現の内的要素である造形要素（色、調子、量等）を構成することによって感性的に形象化し、人間感情や自然の質を表現したものである。

デザイン・工芸等の領域においては、上記の定義が人間生活上の目的・機能に沿ったものとなる。

認識論的定義とは、その教科が背景にもつ学問分野成立の基本原理であり、その研究を支えている本質的内容・学術的根拠のことである。

筆者は、それはまず学問の第一義的価値に依拠することがその前提となると考えている。学問の第一義的価値とは、学問することそのものがもつアプリオリな価値であるが、それは各学問が持つ専門性を基に独自の世界の見方・捉え方を知ることであり、それにより人間と世界の関係性をつかむことである。そして最終的にはそれにより生きていることの意味に触れ、獲得することが学問の第一義的目的であり、それが教科の背景にある価値だと考える。

美術には純粋意義からなる絵画・彫刻と、用途、機能を目的としたデザイン・工芸があり、統一的には捉えられないが、この定義は美術科における根源な部分、すなわち本来的な人間活動から導出するものと考え、第一義的価値を基にした。

美術を成立させる基本構造とは「視覚体験、あるいは内的経験をもとに、絵具、粘土、コンピューターツールなどの素材を用いて色、形、空間等の諸要素を組み合わせ、再現的あるいは抽象的な感性的空間を表現する芸術領域」となると考える。それを教科として上記の学問・芸術の意義に従い、世界を把握するための論理を求めると、上記の成立構造から、美術の構成要素として「対象」「要素」「構造化」「形式」「内容」の5要素が抽出できる。

その5要素から「美術（絵画・彫刻・映像等）は外界（形）や内面（内的経験）を対象として、空間・平面の媒体上に色・物質等の媒介物を用い、美術表現の内的要素である造形要素（色、調子、量等）を構成（構造化）することによって感性的に形象化（形式）し、人間感情や自然の質（内容）を表現したものである。」という構造の認識論的定義を策定した。

作成当初この認識論的定義の抽出方法は、美術や音楽の芸術科目の他、体育や言語教育にも当てはまると考えていた。これらの教科は媒体や要素はそれぞれ独自なものだが、芸術や身体表現として成立する構造、つまりある媒体上に独自の要素を構造化して独自に形作り、そこに世界と人間に対する解釈が宿るという構造は同じである。

しかしこの研究を進めていく中で、この認識論的定義の成立要素と構造、つまり「対象」「要素」「構造化」「形式」「内容」を要素として定義を策定することは、ほぼすべての教科で成立するのではないかと考えるようになった。つまり教科内容を考える手立てとして最初の認識が体系的に求められるということである。[1)]

美術の認識論的定義は「造形」を基本的要素として策定している。そもそも美術の造形主義論とは近代以降の理念だが、教科としての美術が、その目的を生徒・児童の精神的な発育と人間性の獲得に置くとすれば、美術の独自性によって自分と世界の関わりを体験することが目的となり、美術科の基本を美術の純粋要素である造形理念を土台に置くことは間違っていないであろう。

その上で、現代の美術の理念や形式との関係も考察しておく必要がある。現代美術においては、伝統的形式だけでなくインスタレーションやアースワークといった新しい形式が生まれ、また音楽や文学等の他分野や他形式とのハイブリッド化も進んでいる。

そのような現代美術の特徴は、ダダイズム以来の概念主義を理念的根拠としている。概念を根拠にすることは必ずしも造形することを必要としないが、現在の図工・美術という教科においては、形作ることから逸脱した理念まで持つ必要はないであろう。「造形遊び」がアースワークやインスタレーションという現代美術の形式や内容と関係することも事実だが、あくまで造形することを踏まえた活動であると共通認識されていると考える。

またデザイン、工芸という人間生活上の目的を持ち、そのための機能を備える分野についても、美術科においてはそれを直接的な授業目的とするのではなく、その条件の下での造形活動としてとらえることが肝要であろう。

最後に、美術科教科内容の先行研究についてみてみると、2009年の『教育実践から捉える教員養成のための教科内容学研究』で体系化が図られている。続く平成22-23年「教科専門と教科教育を架橋する教育研究領域に関する調査研究」の報告では、美術科教科内容の認識論的定義は次の4点になっている。

①教育の論理－相互啓発的コミュニケーション
②表現の論理－創作プロセスとジャンル論・領域論
③美術の論理－美学、美術史、美術批評、制作学
④子どもの論理－発達段階および問題解決学習[2)]

この定義は教科教育の目的、内容、方法論等の視点を体系化したものになっていると思われる。今回、上述したような教科専門からの認識論的定義の認識と導出法に従い、全面的に更訂した。

仮説２　教科内容構成の原理

① 成立の根拠としての要素の構造化－美術独自の表現要素である造形要素（線、色、構成、量など）を、平面あるいは空間上に組織化（構造化）することよって「形式（スタイル）」が生まれる。
② 成立の根拠としての質－表現されたものには何らかの「外界と内面」の真実－「内容」が付与される。
③ 成立の根拠としての手立て－ 表現には素材の解釈やその用法・技術（「技能」）が求められる。
④ 成立の根拠としての背景－表現には作者の育った環境や歴史、教育等の「文化」が意識・無意識のうちに反映される。

「教科内容構成の原理」とは「専門的諸科学に依拠して教科の実質的内容を自律的に構成するための原理」である。[3)]

前述の認識論的定義をもとに、美術の「実質的内容」を「自律的に」成立させる原理を求めると、その根拠は①要素の構造化によって作られる形②形に付与される内実③形を生み出すための手立て④それらの活動を支え規定している制作者（児童・生徒）の成育歴や教育、環境の4点があげられる。

①美術の媒体は平面、空間であるが、その媒体上にそれぞれの表現素材（油絵具や粘土など）を使用し形作ることにより視覚的構造物－造形物が現れる。それを内容として捉えると、美術独自の表現要素である「造形要素」を構造化することにより、作品の「形式」が成立する。
②その造形物には制作者の意図や無意識等の関与により、ある世界像や内面像が付与される。それは作者が生み出した内実であるが、客観的な真実ではないばかりか、本人も自覚的でない場合もある。ここではそれを「質」と表した。質とは一般的には「内容や価値。物がそれとして存在する在り方」（広辞苑による）の意だが、

芸術特有の経験として、自然科学や人文科学で追及される真理、真実とは別の、表現を通して世界の在り様に触れる体験を意味しており、それが作品の「内容」となる。

③形作るためには手立てが必要である。それは技術だけでなく、素材の解釈や選択、道具の用法等が含まれる。その制作者個人だけから生まれる制作の手立てのことを「技能」とする。

④児童・生徒の制作活動にはその児童・生徒が生育の中で獲得したものが前提になっている。直接的には、実際の授業での教員の指導であるが、それ以前に環境や教育全般、美術の歴史等が背景にあり、それを「文化」とする。

仮説３．教科内容構成の柱

①美術の形式的側面
②美術の内容的側面
③美術の技能的側面
④美術の文化的側面

仮説２の原理に従って、教科内容構成の柱をまとめると上記の４側面が抽出される。

①造形物は作者が形作った独自の構造をもって作品として成立している。それを「形式」とする。

②造形物は作者の世界観あるいは内面像の現れとして価値を持つ。それは「内容」である。

③技術や素材の解釈、用法全般を総合して「技能」とする。訓練や伝達によって伝えられる技術ではなく、制作者独自の制作方法を「技能」としている。

④生育環境、歴史、教育等、制作者あるいは制作物の背景にあるものを「文化」とする。

美術として認識される芸術的経験は、その内容として「形式」「内容」「技能」「文化」の４つの側面から成立する。

これらの４側面が美術の内容を外側から規定しているものであり、これにより美術のすべての様相がメタ認知的、内省的に認識される。

教員養成系大学の専門教員は自らの専門について、その内容や価値を客観的に捉え、自身の学問について自己言及できることが必要である。そのことにより自身の研究を客観的に見、授業として再構成することができ、それをもって教科内容構成授業を成立させることが出来る。またそれらがあって初めて受講生がその価値を自分のものとして、いわば生きるために必要な価値として捉える修得の仕方が期待できる。

学問研究を普遍的・体系的・客観的視点に立って学生が受け止められる価値として再構築することが、専門教員が教科内容を教授することの基本的態度であると考える。美術の場合、以上の４側面がその基本的枠組みとして導出され、そこから教科内容が構成される。[4)]

仮説４　教科内容構成の具体

①美術の形式的側面－表現要素と表現スタイル
　造形要素－線、面、色、空間、量、構成、調子等
　表現スタイル－写実と抽象、立体的と平面的、空間と物質
②美術の内容的側面－世界像、内面像
　リアリティ－写実的表現
　イメージ－空想的表現
　感情－表現主義的、無意識的表現
　造形－自律的表現、抽象的表現
　機能－用途、伝達〈デザイン・工芸〉
③美術の技能的側面－技術、方法、制作素材の解釈やその用法、物質・空間等との関わり
④美術の文化的側面－歴史（美術史）、批評、地域、環境、教育等

①美術の形式的側面については、まず美術を自律的に構成する専門性の概念を認識しておく必要があり、その独自の要素である造形要素を挙げておかなければならない。美術という形式でのみ世界の把握が可能になる要素とは造形要素で

ある。どの美術表現も点、線、面、色、空間、量、構成、調子等の造形要素の集合体である。その上で表現の形式を構成するのは、制作者個々がその造形要素を用い独自に組み立てた表現になるが、それらは写実と抽象、立体的と平面的、空間と物質などの要素のもとでそれぞれ独自の美術的形式をとる。

②美術の内容的側面とは、そこに外界や内界の真実がどのように宿っているかである。例えば写実表現による外界的リアリティ、空想的表現によるイメージのリアリティ、感情や内面また無意識の世界が現れる表現主義的表現、また造形要素による形式がそのまま作品内容になる抽象表現（自律的表現）などがある。そしてデザインや工芸の領域においてはその内容に用途や伝達の要素が含まれる機能的表現があげられる。

③美術の技能的側面には、描画やモデリングなどの技術だけではなく、方法論、素材の解釈や用法、物質や空間等との関わり等も含まれる。技能とは制作方法に関わる全般的な能力のことで、最終的には制作者独自の制作方法である。

④美術の文化的側面とは、制作にまつわる意識、無意識的な影響を言う。学校教育の場合、直接的には教員の指導になるが、その内容において、美術史や地域、環境の影響、また鑑賞や批評が加わったりするであろう。またそれ以前に制作者の生育史から有形、無形の影響を受けている。それらすべてを「文化」とする。

この教科内容の具体については、日本教育大学協会美術教育部門における先例がある。美術教育部門は平成21年に「教科内容学検討委員会」を立ち上げ（その後平成24年からは「特別課題検討委員会」と名称を変更）、その研究成果を平成27年4月に『うみだす教科の内容学　図工・美術の授業でおきること』で発表している。

第4章「創造の具現化」で「『あらわすこと』の具体的なアプローチ」として次の7つを挙げているが、これが「教科内容構成の具体」の基本認識になる部分である。

1. 外界と直接関わりながら得た思いや気づきを「あらわす」
2. 外界との関わりの中で得た思いや気づきをもとに「あらわす」
3. 想像した世界を「あらわす」
4. 感情・衝動・欲求を「あらわす」
5. 目的を「あらわす」
6. 造形要素の学習のために「あらわすこと」
7. 「あらわすこと」の方法を学ぶ[5)]

この7項目は筆者の「教科内容構成の具体」に当てはめれば次のようになり、ほぼ同様の網羅の仕方をしていると考えられる。

1. ⇒ 写生（リアリティ、世界と自分との関係）
2. ⇒ 記憶の表現（内省的表現）
3. ⇒ 自分の願望、理想、夢、考え方等の表現
4. ⇒ 表現主義的表現、無意識の表現、造形遊び、アクションペインティング等
5. ⇒ 機能的表現、デザイン・工芸
6. ⇒ 美術表現を成立させている要素—造形要素の学習活動
7. ⇒ 様々な技法、版表現等

仮説５．教員養成学生及び子どもに育成される能力（教員養成のみ記載）

○教科内容を４側面から総合的に見ることで、美術の芸術としての成り立ち、つまり内容と形式、それに作用する制作的アプローチや指導の影響関係が構造的に把握できる。
○教科内容を網羅的に、内省的・メタ認知的価値をもって把握することができる。
○美術固有の価値観（美術固有の視点による世界と自分の把握）に基づいた授業が展開できる。
○実際の制作と教科内容構成との関係性を確認することにより、感性的認識（喜び）と客観的認識（意味）が相互に関わった能力（感覚的把握＋概念的

把握）が獲得できる。

教科内容開発の価値は、その教科固有の価値観（その教科が存在する理由）に基づき、その教科固有の探求方法（独自要素の組織化）により、その教科固有の内容・意味（世界と自己の把握）を、その教科固有の形式（表現）により生成することが構造的に確認できるようになることである。

授業題材を設定する際、それがどのような教科独自の価値を有しているかを明確に持たなければならない。4側面からの教科内容の把握は、その前提となる部分においてそれを外側から規定している。教育実習等で学生が独自の教材を設定する際、表面的な作品やアイデアなどに固執するケースがあるが、それは教科内容の基本的枠組みが欠落していることによる。いかに手順や手法を厳密に策定しても、何のために行うかが明確でなければ、美術で行うべき授業の骨格をなさない。

また後述するが、美術という教科が教えるべき題材について、学習指導要領による指針がなく、多くの部分で教師の経験や価値観に負うことが多い事から、より構造的な把握と内省的な解釈が必要とされる。独善的な授業に陥らないためにも、このメタ的構造を把握しておく必要がある。

感覚的、造形的に楽しいと感じ取れる制作、すばらしいと思える作品がなぜそうなのかも、この4側面から照射してみることで、理論的根拠を得ることができる。

指導者が作品の良さを感覚的に感受する能力、つまり造形感覚を有し、作品の内容を他の理由なしで感覚的に理解する能力を有することは当然必要であり、知識の上での作品理解しかできない者は美術の教師は出来ない。しかし、ただ面白いと思えるだけでは美術教師としての資質とは言えず、それが何故、どのように面白いかを美術独自の見方、つまり4側面により論理的に検証する能力を持つことが必要である。そのことにより、客観的認識（意味）と感性的認識（喜び）が相互に関わった認識が獲得できる。

仮説６．教科と人間（個人・社会）とのかかわり

○個人との関わり
- 感情の育成や情動の開放
- 創造による自己実現の喜び
- 自己と他者の理解

→ 生きる力や意味を生成

○社会との関わり
- 人間の文化的財産として継承され、社会の普遍的価値を形成する
- デザイン分野においては、上記すべてのことが、実生活での機能と生活の潤い（生活環境）につながり、生活上の有用性をもつ

○個人との関わり

芸術は本来、人間が生まれながらにしてあるべき姿を求めるため表現として生まれたもので、それは直接的に自分が自分であること（自己実現）や、自分が世界の中にいること（世界や他者の理解）に結びつく原初的な活動である。その前提を基に教科内容を定義し、さらに4側面から捉えられるよう整理したわけであるが、そのような自律した活動が最も根底の部分で人間の生きる力や意味を支えるものであり、美術の「人間形成としての教科の教育的価値」はまずそこに求められなくてはならない。

○社会との関わり

個人の芸術的活動はそれに共感する鑑賞者とのつながりをもたらし、人間社会において新たな世界観・人間観として一定の価値観を共有することが出来る。それは地域、時代で様々な価値観を生み、文化として継承され、社会の普遍的価値を形成する。

デザイン、工芸分野は機能的有用性を目的にし、その結果需要や付加価値を生み出し、経済活動を実現する事ができる領域であるが、小、中学校の美術において、直ちに商品や社会の発展につ

ながるデザイン性を求めるのは義務教育としてふさわしいものではなく、デザインとは条件設定であり、その中での造形活動自体が主体にならなければならない。ただし、デザイン的産物は様々なコミュニティの構成員としてのつながりやアイデンティティを形成することが出来、国民全体の社会的財産となる。

仮説７　教科内容構成の創出による教科専門の授業実践

①観念的・理論的な観点

- どの美術教科内容も４側面から網羅的に捉えられるので、指導するべき対象が明瞭になる。
- 授業のどの部分においても、その時の内容のポイントを掴むことができるので、一方的な授業にならず、臨機応変な授業が可能になる。例えばまず演習をし、その内容について学生が省察し発表するようなアクティブ・ラーニングが有効な授業方法となる。

このことから以下のことが可能になる。

- 学習者自身の感性を主体とし、試行錯誤しつつ多様な内容を生成する授業形態が可能となる。
- ４側面相互の関係性を基に、制作を省察できる。
- 美術独自の価値観に基づいた制作が行われるようになる。
- 学生が教科専門科目と教科教育科目の学習内容を繋がりを持ったものとして捉えられる。
- 学習していない事柄についても、その把握の仕方が分かる（学習の汎用性を持つ）。

教師が授業内容を教授する際、教科内容の４つの側面からそれを照射した上で適切な教授をすることが必要だが、それだけでなく学生の演習制作に対しても４側面を踏まえることによって、学生に必要な知識・能力を客観的に指摘し開発させることが可能になる。つまり柔軟性のある授業が可能であり、学生の主体的な活動を踏まえたアクティブ・ラーニング授業をより実質的に機能させることができる。学生の制作が固定されたものでなく、多様な内容を包括することが可能になる。

指導者は演習授業において学生が制作した作品について、自ら省察し発表させ、それに対して教科内容構成上充足している点と、不足している点を見極め指導できるが、より大切なのはそのような手順を踏むことによって、受講生自身が自作に対してそれがどういう内容であるか客観的に認知をする能力を養うことである。

このような教科内容構成の確立により、大学での授業の形式と内容がそのまま現場での授業に直結し、また、大学で行っていない教科内容についても理解できる汎用性を持つことができるようになる。

②授業実践の事例

〔授業実践の観点〕

○アクティブ・ラーニングを用いた授業形態・手順（以下の①～⑦）。

①教材と教科内容の講義　②素材、道具を用意し、条件設定をする　③各自の制作　④省察　⑤発表　⑥批評会 ⑦総括 美術専門内容の把握とその教科内容への転換

〔授業実践例〕

○授業題材－「線の理解」の為の授業（人物クロッキー）

①人物クロッキーを②線描画材料（鉛筆、ボールペン、筆等）により③制作し、それに④内省⑤発表と⑥指導を加え、美術の成立要素を⑦1.内容　2.形式　3.技能　4.文化から照射し教科内容を把握する。

この授業で把握すべき「線」の教科内容の４側面は次のとおりである。

- 「線」の形式的側面－線によって生まれる美術的成立内容－「量」「バランス」「動勢」「構成」「リズム」「空間」等
- 「線」の内容的側面－線が持つ性格や感情－「清潔さ」「痛々しさ」「優雅さ」「楽しさ」「大胆さ」等、表現される形象により生みだされるリアリティや内面感情、形体的性格等

・「線」の技法的側面－線の種類－スピード感、強弱のニュアンス、線の長さ、直線・曲線等技能面からの作品内容の生成
・「線」の文化的側面－絵画表現形式の種類とその歴史的推移。線、調子、色などによる表現の違い。エゴン・シーレ、小磯良平、ジャコメッティ、マティス、クレー等の画家による線表現の典型例

「①観念的・理論的な観点」で述べたように、アクティブ・ラーニング授業の形態をもって実践している「人物クロッキーによる『線』の理解」の授業を例に提示した。

教科内容学の系統的な研究から筆者が辿り着いたのは、授業内容を教科内容構成の４側面から網羅的・系統的に把握しそれを教授することである。

美術（制作）の内容を構成する骨組みは、美術専門要素（造形要素）の構造化であるが、美術科の内容構成授業もそれを段階的に教授する必要があると筆者は考えている。

第一は専門性の成立のための要素研究である。一般にどの学問も専門内容を自律的に構成するための要素があり、その要素を用いた専門性の把握、つまり一般的認識から専門性の概念としての認識に変換するための授業が必要である。美術ではその特有の表現要素である造形要素そのものの研究ということになる。

第二は専門要素の構造化による内容探求である。絵画においては専門要素の構造化による作品の成立原理の研究として①描画の対象、素材、手法に関わる研究・制作　②絵画の形式、内容等成立に関わる研究・制作　③発想をもとに創造的志向を育む制作が考えられる。

人物クロッキー自体は目新しい題材ではないが、狙いは単に線による描写の訓練ではなく、造形要素としての「線」について、上記枠内の４側面を教授することによって、線の持つ造形としての内容の習得と、それによる表現の形式と内容の学習をすることである。このことにより教科内容構成授業が展開できる。

③従来の教科専門の問題点

○教員による独善的な授業
○専門的な技術養成授業
○知識中心授業
○美術的目的のあいまいな授業

美術は模範的、客観的な到達目標を持ちえない教科であり、そのため授業内容の多くが教員の主体的な判断に任される教科である。その中にあっては前述のように多くの部分で教師の経験や価値観に負うことが多い事から、教員による独善的な授業、専門的な技術養成授業、知識中心授業になる危険性を含んでいると言える。

教師が自分が学んだ専門分野だけでなく、その教科全体のどの内容にも価値観を持って指導すべきことは確かだが、美術はそれがかなり困難な教科であろう。できるだけ多くの領域で感覚的な理解（共感）を持っていることが前提だが、それを教科内容の４側面から的確に把握することにより客観的に理解し、授業題材として組み立てることが可能になると考える。

４側面からの把握とは内容のメタ認知機能のことであり、「自分が良いと思うから良いのだ」という独善的な価値観から離れ、冷静に対象を見る目を作るために必要な視点である。

また美術専門大学の専門内容をそのまま教科に組み込もうとした場合には、技術養成授業、また逆に知識中心授業になる危険がある。教員養成系大学での授業の目的はもちろん教員養成であるが、その根源的な目的とは専門的視点を通しての生きる意味の発見である。その学問が持つ生きる上での価値に学生を導くことが、教科専門教員の授業であると考える。そのために、大学での教科内容授業では、専門内容を受講生（引いては児童・生徒）が自分の価値として捉え得るだけの内容に組みなおすことが要求されることになるが、

それが4側面からの把握によって専門内容を意味づけることにより可能になると考える。

2 シラバス（美術）

小学校は教科専門科目「図画工作科内容構成研究」の2単位、中学校は教科専門科目「絵画表現の理解とその教科内容研究」の2単位、教職大学院は専門科目「美術科内容構成の研究と新しい教材開発」の2単位のシラバスと解説を示す。

以上3種のシラバスの基本設定は以下の通りである。

（1）アクティブ・ラーニング授業構成

受講生が自発的造形活動を通して教科内容を獲得するよう、アクティブ・ラーニングを用いた授業形態で構成（以下の①～⑦）している。

①美術の基本知識の講義　⇒　方向付け
②条件設定（素材、道具等の用意のもとに課題の設定）⇒　動機付け
③各自の実験的制作　⇒　試行錯誤
④省察　⇒　内化
⑤発表　⇒　外化
⑥講評会　⇒　批評
⑦教科内容構成原理による教授批評と内容の把握　⇒　統制[6)]

（2）アクティブ・ラーニングの手順に沿った美術の授業構成の具体（教科内容の獲得プロセス）

①美術概念の基本的理解の為の「教科内容の仮説1～4」に基づく教科内容の原理の教授。
②授業者が制作課題を設定し、それを実現できる素材・道具等を大枠で規定する。
③上記の課題から受講生が制作内容と材料・道具、（教職大学院では授業構成も）について検討し、作品を制作。
④作品内容とその中にどのような教科内容を含んでいるかについて省察。
⑤省察内容を発表。
⑥学生の発表に対して「教科内容の仮説」に基づいて批評。
⑦題材と作品に内包するべき教科内容の把握・習得。

（3）各校種、教職大学院のシラバスの概要

〈小学校図画工作科〉

図画工作科の各領域—図画・工作・造形遊びの教科内容をそれぞれ網羅し、その全体像を概念的に示した。授業者が固定的な授業内容を教授するのではなく、授業者の設定した課題に対する制作の中から、受講生自らが教科内容を獲得するようシラバスを設定。

〈中学校・美術科〉

絵画領域の教科内容（「教科内容の具体」）すべてを網羅し全体像を示した。各教科内容を実技制作演習を通して習得する形で作成。

〈教職大学院〉

「教科内容構成の仮説」を教授したのち、各領域の演習制作により教科内容の獲得する授業。また教科内容を実際の授業の組み立て（アクティブ・ラーニング）の中に入れ込むための要素（「解説」の（1）～（4））を基に構成しており、その教授後に授業案を作成し、実際に研究授業を行いその成果を発表する。

※解説の①～④は教科内容の具体の①形式的側面②内容的側面③技能的側面④文化的側面を指す。
※どれも図工・美術の全領域・内容をほぼ網羅した概念的なシラバス。実際にはいくつかの授業に分けて実施する内容を圧縮して入れているので、演習にかかる時間等は考慮されていない。

<table>
<tr><td>シラバス</td><td>学部（小学校　図画工作科）</td><td>授業科目名「図画工作科内容構成研究」</td></tr>
<tr><td colspan="3">授業の目標
1. 図工科の基本的視点や教科内容を教科内容構成の原理を基に理解する。
2. 題材の素材と道具を検討し、実験的な制作をした上で教材開発に結び付ける。
3. 開発した教材を検討・改善する。</td></tr>
<tr><td colspan="3">教科内容構成の具体（教科内容の概念・技能）
①美術の形式的側面－表現（造形）要素－線、面、色、空間、量、動勢、調子等
表現スタイル－写実と抽象、立体的と平面的、空間と物質
②美術の内容的側面－リアリティ－写実的表現　イメージ－空想的表現　感情－表現主義的、無意識的表現
造形－自律的表現、抽象的表現　機能－用途、伝達〈デザイン・工芸〉
③美術の技能的側面－技術、方法、制作素材の解釈やその用法、物質・空間等との関わり
④美術の文化的側面－歴史（美術史）、批評、地域、環境、教育等</td></tr>
<tr><td colspan="3">評価の観点
1. 図工科の授業内容が造形等の専門美術や具体的な内容構成との関連をもって理解できたか。
2. 演習制作作品が美術専門内容を伴ったものとして成立しているか。
3. 開発教材が美術教科内容を伴なったものになっているか。</td></tr>
<tr><td>主題</td><td colspan="2">教科内容・展開</td></tr>
<tr><td>【教科概念の基本理解の講義】
1. 図画工作科の基本的視点（1）造形
2. 図画工作科の基本的視点（2）造形の構造化

【演習を通した図画工作制作の理解(1)図画分野】
（3. から 6. まで全 4 時間）
3. 図画制作の課題設定（教科内容の設定）
4. 自分の構想した題材内容による演習制作
5. 授業者の指導、省察、制作の検討、展開
6. 題材制作制作の発表および批評

【演習を通した図画工作制作の理解（2）工作・立体分野】
（7. から 10. まで全 4 時間）
7. 工作制作の課題設定（教科内容の設定）
8. 自分の構想した題材内容による演習制作
9. 授業者の指導、省察、制作の検討、展開
10. 題材制作作品の発表および批評

【演習を通した造形遊びの制作の理解】
（11. から 14. まで全 4 時間）
11. 制作の課題設定（教科内容の設定）
12. 自分の構想した題材内容による演習制作
13. 授業者の指導、省察、制作の検討、展開
14. 題材制作作品の発表および批評

【まとめ】
15. 講評</td><td colspan="2">1. 美術概念の基本的理解の為の講義（1）として「造形」要素について参考作品を基に講義
2. 講義（2）として「造形」要素を構造化してできる作品の性質と内容について講義
3. 授業者が大枠の課題と素材等を提示。各自が与えられた素材と道具、題材例等から、図画制作の題材（教科内容）を構想する
4. 構想した自作の題材をもとに作品制作する（実験的制作）→具体的な題材例と教科内容は「解説」に記述
5. 作品に対する批評を受け、題材や制作内容について省察検討し再制作する
6. 自主題材及び作品について発表
教科内容構成原理の教授
7. 授業者が大枠の課題と素材等を提示。各自が与えられた素材と道具、題材例等から、工作・立体制作の題材（教科内容）を構想する
8. 4 に同じ→具体的な題材例と教科内容は「④」に記述
9. 5 に同じ
10. 6 に同じ
11. 授業者が大枠の課題と素材等を提示。各自が与えられた場や素材、題材例等から、造形遊びの題材（教科内容）を構想する
12. 4 に同じ→具体的な題材例と教科内容は「解説」に記述
13. 5 に同じ
14. 6 に同じ
15. まとめ
受講者の題材、制作、作品について講評、教科内容構成の教授</td></tr>
</table>

解　　説	
【教科概念の基本的理解】 1. 図画工作科の基本的視点として「造形」を定め、子どもの作品および美術作品について造形内容（線、面、色、空間、量、動勢等）をもとに教授する。（仮説1、2） 2. 第1時を受けて子どもの作品および美術作品の成立を造形要素の構造化と解釈し、その形式、内容、方法、背景文化について教授する（仮説3、4） 【演習を通した図画工作制作の理解（1）図画分野】 3. 授業者が図画制作のための素材と道具、その組み合わせによる題材例を示し、それを基に大枠の課題を与える。各自が小学校図画制作を想定した題材を構想する。 ○素材例―各種絵具、鉛筆、墨、各種紙類、布類、ペン類、パラフィン紙、クレヨン、日用品（ビニール、アルミ箔、紐等）等 ○道具例－筆、ハサミ、接着剤、カッターナイフ等 4. 自分の構想した題材内容による演習制作をする。実際に制作する中で、素材の選択③や題材設定の変更①②④等、試行錯誤し、教科内容と作品成立の基盤＝教科内容の原理（形式、内容、技能、文化各側面）を考える ○制作例「わたしは絵具マジシャン」－ストロー、歯ブラシ、ビー玉、厚紙、水彩絵の具等を使い、その偶然性を利用して形象を生み出し、その画面から触発され、彩色・構成する抽象的図画作品を制作 →制作例に含まれる教科内容 偶然を生かした抽象絵画（①形式・②内容） 線、面、色、構成等造形要素の表現性（①形式②内容） 一般的素材を表現に結びつける美術的解釈（③技能） 5. 授業者のアドバイス（「教科内容構成の柱」から題材や作品内容の点検）を基に、省察・検討し、制作の修正や発展的制作をする 6. 学生による制作発表を授業者が絵画の内容構成の視点（形式、内容、方法、文化の4側面）から批評し、美術科の内容構成の成立について教授する 【演習を通した図画工作の理解（2）工作・立体分野】 7. 授業者は立体・工作制作のための素材と道具を組み合わせによる題材例を示し、それを基に大枠の課題を与える。各自が小学校工作制作を想定した題材を構想する。 ○素材例―各種粘土、板、枝、石、くぎ、紙類、針金、日用品（ペットボトル、ストロー、紙コップ等）等 ○道具例－はさみ、接着剤、金づち、ペンチ等	8. 自分の構想した題材による演習制作をする。実際に制作する中で、素材の選択③や題材設定の変更①②④等試行錯誤し、その教科内容と作品成立の基盤＝教科内容の原理（形式、内容、技能、文化各側面）を考える ○制作例「クリスタルファンタジー」－ペットボトルを切り、貼り、組み立てることで立体構造物を制作。それを寄せ合い光による演出で都市的空間を演出 →制作例に含まれる教科内容 素材の構成による立体構造物や空間表現（①形式） 空想的空間・造形空間（②内容） 素材の組み立ての工夫や方法・光の表現効果（③技能） 9. 5に同じ 10. 6に同じ 【演習を通した子供の制作の理解（3）造形遊び分野】 11. 授業者が造形遊び制作のための素材と場、環境等、その組み合わせによる題材例を示し、それを基に大枠の課題を与える。各自が小学校造形遊び制作を想定した題材を構想する。 ○素材例―自然物（葉、枝等）日用品（セロハンテープ、ひも、針金等） ○場－室内、廊下、校庭、遊具等 ○自然・環境－土、砂、雪、水、光、風等 12. 自分の構想した題材内容による演習制作をする。実際に制作する中で、素材の選択③や題材設定の変更①②④等、試行錯誤し、その教科内容と作品成立の基盤＝教科内容の原理（形式、内容、技能、文化各側面）を考える ○制作例－「いつもの場所が変身」－校庭の遊具を色紙、新聞紙、ビニールテープ等で飾り、新しい場・空間を作る →制作例に含まれる教科内容 物質と場による空間の構成（①形式） 新しく組織化された空間（②内容） 素材の発見・選択・組み合わせ（③技能） 13. 5、9に同じ 14. 6、10に同じ 【まとめ】 15. 作成した3種の題材とその教科内容の作品制作を基に、子どもの造形制作の教科内容構成についてその原理からまとめる。

授業シラバス	学部（中学校・専門）	授業科目名　「絵画表現の理解とその教科内容研究」

授業の目標

1. 絵画表現素材の特質と表現の可能性を把握し、その題材としての教科内容を理解する。
2. 各絵画表現対象の種類や内容を把握し、その題材としての教科内容を理解する。
3. 各種表現素材を用い各種絵画表現対象に対してそれぞれの美術教科内容を内包した絵画作品を制作する。

教科内容構成の具体（教科内容の概念・技能）

①美術の形式的側面－表現（造形）要素－線、面、色、空間、量、動勢、調子等
　　　　　　　　　　表現スタイル－写実と抽象、立体的と平面的、空間と物質
②美術の内容的側面－リアリティ－写実的表現　イメージ－空想的表現　　感情－表現主義的、無意識的表現
　　　　　　　　　　造形－自律的表現、抽象的表現　　機能－用途、伝達〈デザイン・工芸〉
③美術の技能的側面－技術、方法、制作素材の解釈やその用法、物質・空間等との関わり
④美術の文化的側面－歴史（美術史）、批評、地域、環境、教育等

評価の観点

1. 絵画表現のための素材と対象の理解をもとに、それを教科内容として再構成できたか。
2. 演習制作作品が絵画専門内容をもつものとなっているか。
3. 演習制作を通して作品の持つ内容を教科内容として把握できたか。

主題	教科内容・展開
【教科概念の基本理解の講義】	
1. 美術科の基本的視点（1）造形	1. 美術概念の基本的理解の為の講義（1）として「造形」要素について参考作品を基に講義
2. 美術科の基本的視点（2）造形の構造化	2. 講義（2）として「造形」要素を構造化してできる作品の性質と内容について講義
【演習を通した絵画の教科内容の理解】	
3. 鉛筆を用いた人体制作	3. 線による表現内容をクロッキーを通して習得する。 代表例提示、演習、発表、講評
4. 鉛筆を用いた静物デッサン	4. 調子による表現内容を静物デッサンを通して習得する。題材設定等、演習、発表、講評
5. 透明水彩絵具による校内風景制作　－1	5. 水彩絵具を用い風景題材の制作を通して、その表現内容を習得する－1　題材設定等、演習制作
6. 透明水彩絵具による校内風景制作 －2	6. 水彩絵具を用い風景題材の制作－2　省察、発表、講評
7. 油彩絵具による人物制作 －1	7. 油彩絵具の用い人体素材の制作を通して、その表現内容を習得する－1　題材設定等、演習制作
8. 油彩絵具による人物制作 －2	8. 油彩絵具の用い人体素材の制作－2　省察、発表、講評
9. アクリル絵具による静物制作 －1	9. アクリル絵具を用い静物素材の制作を通しその表現内容を習得する－1　題材設定等、演習制作
10. アクリル絵具による静物制作 －2	10. アクリル絵具を用い静物素材の制作－2　省察、発表、講評
11. ミクストメディア素材による構想画制作 －1	11. 多種素材を用い構想的な絵画作品を制作し、表現内容を習得する－1　題材設定等、演習制作
12. ミクストメディア素材による構想画制作 －2	12. 多種素材を用い構想的な絵画作品を制作－2　省察、発表、講評
13. コラージュ材による抽象制作 －1	13. コラージュ素材を用い抽象作品制作をし、その表現内容を習得する－1　題材設定等、演習制作
14. コラージュ材による抽象制作 －2	14. コラージュ素材を用い抽象作品制作－2　省察、発表、講評
15【まとめ】	15. 全体を通して絵画の科教科内容の修得

解　　説	
【教科概念の基本的理解】 1. 美術科基本的視点として「造形」を定め、中学生の作品および美術作品について造形内容（線、面、色、空間、量、動勢等）をもとに教授する。（仮説1、2） 2. 第1時を受けて中学生の作品および美術作品の成立を造形要素の構造化と解釈し、その形式、内容、方法、背景文化について教授する（仮説3、4） 【演習を通した絵画の教科内容の理解】 3. 仮説8. の②授業実践の事例で説明済み（P.93参照） 4. 鉛筆を用いた調子による静物デッサン。 ・課題モティーフ（果物、野菜、菓子箱、色紙、石膏模型など）により構成（構図）①研究。 ・調子による静物題材の写実表現③から量、空間、質感などの造形内容①を掴み、そこに生まれるリアリティ②などを感覚的に獲得する。　—作品例④－スーラ、ドーミエ、美大生デッサン等。 5. 校内を対象にした風景の透明水彩演習－1 ・透明水彩絵具の組成・用法③、表現効果①②、歴史④等の講義　例④－浅井忠、セザンヌ、クレー等。 ・「風景」の絵画的表現性（空間表現、心理的表現等）についての講義①②③。－構図例④－岸田劉生、ホッベマ、ワイエス、ド・スタール等 ・写実表現の独自性、リアリティ等②を、場所の選択・構図①、描法③透明水彩の用法③等により生み出す制作。 6. 校内を対象にした風景の透明水彩演習－2 制作した作品の省察、発表。指導者による批評。作品が透明水彩による風景制作の教科内容（上記4点）を満たしているか省察し発表。指導者による批評。 7. 油彩絵具による人物制作演習－1 ・油彩絵具の組成、種類、用法③、表現効果①②等の講義　－歴史、例④－ファン・アイク、ティチアーノ、レンブラント、ゴッホ、ルオー等。 ・「人物」表現の内容 - 造形内容・スタイル①と描写・感情②等の講義－例④－シーレ、モディリアーニ、フランシス・ベーコン、ルシアン・フロイト等④ ・写実表現内容のリアリティ、感情表現②等と、人物のポーズ（動勢、プロポーション、量等）に含まれる造形内容①を油彩の描法③により生み出す制作。 8. 油彩絵具による人物制作演習－2 制作した作品の省察、発表。指導者による批評。 9. アクリル絵具による静物制作 －1 ・アクリル絵具の組成、用法③、表現効果等の講義①②　例④－モーリス・ルイス、デュビュッフェ等	・「静物」の絵画的表現性－造形性と表現内容①②を、構図例①④－岸田劉生、セザンヌ、モランディ等を交えて説明。 ・写実表現の独自性、リアリティ等の内容②を、静物表現形式（構図、配色、空間等）①を通して、アクリル絵具とメディウム（モデリングペースト等）の用法（マティエール）③等により生み出す制作。 10. アクリル絵具による静物制作 －2 制作した作品の省察、発表。指導者による批評。 11. ミクストメディア素材による構想画制作 －1 ・ペン、アクリルメディウム、コラージュ、フォトモンタージュ等の用法・技法③④と、そこから生まれるディペイズマン等の形式①と、空想的、表現主義的、無意識的表現等の内容②の説明。 ・「構想画」の絵画的表現性－空間・時間表現①②を、例④－シャガール、ダリ、エルンスト等を交えて説明。 ・イメージによる空想的表現、感情表現、無意識的表現等①②をミクストメディアの用法③を駆使して表現する制作。 12. ミクストメディア素材による構想画制作 －2 制作した作品の省察、発表、指導者による批評。 13. コラージュ材による抽象制作 －1 ・抽象絵画の成立について、近代絵画の歴史による写実から抽象への変遷①④、コラージュからアッサンブラージュ等への変遷の歴史①④、音楽や文学との要素や形式の比較①、ミロなどの抽象絵画から要素の抽出①②、日常品から抽象的造形要素の発見①②などにより説明 14. コラージュ材による抽象制作 －2 ・各種コラージュ材（トーナルカラー、毛糸、セロファン、包装紙、段ボール等）により、抽象コラージュ作品を制作。 ・画面上で素材を切り貼りする試行錯誤を通してして造形による自律的表現して獲得する制作。 制作した作品の省察、発表。指導者による批評。 15. 【まとめ】 各種素材、各種題材、各種表現方法（形式と内容、手法、作品例）について、その教科内容①②③④を整理する。

<table>
<tr><td>授業シラバス</td><td>大学院（教職大学院）</td><td>授業科目名　「美術科内容構成の研究と新しい教材開発」</td></tr>
<tr><td colspan="3">授業の目標
1　図画工作科・美術科の基本的視点と方法論を教科内容構成の原理を基に理解する。
2　教科書・学習指導要領における教科内容の扱いを理解し、批判的に検討する。
3　図画工作科・美術科の造形内容や素材、用法の理解のもと、題材の設定と参考作品の制作ができる。
4　教材を開発・作成するとともに、開発した教材を検討・改善する。</td></tr>
<tr><td colspan="3">教科内容構成の具体（教科内容の概念・技能）
①美術の形式的側面－表現（造形）要素－線、面、色、空間、量、動勢、調子等
表現スタイル－写実と抽象、立体的と平面的、空間と物質
②美術の内容的側面－リアリティ－写実的表現　イメージ－空想的表現　感情－表現主義的、無意識的表現
造形－自律的表現、抽象的表現　機能－用途、伝達〈デザイン・工芸〉
③美術の技能的側面－技術、方法、制作素材の解釈やその用法、物質・空間等との関わり
④美術の文化的側面－歴史（美術史）、批評、地域、環境、教育等</td></tr>
<tr><td colspan="3">評価の観点
1. 造形感覚と教科内容の認識を基に、各作品制作ができたか。
2. 教科内容構成の原理の理解を基に、それを授業として展開できたか。
3. 教科内容構成の原理を基に題材の開発と参考作品ができたか。</td></tr>
<tr><td colspan="2">【美術科教科内容について】
1. 美術科、図画工作科の教科内容の検討
2. 教科内容構成の原理から見る美術科・図画工作科教科内容の具体
3. 美術科内容構成の原理から学習指導要領を検討
【授業の展開について】
4. 美術科内容構成の原理等から授業の展開を考える
【教材開発研究】
5. 教材開発研究（1）造形能力を養い発揮する教材の研究①－絵画・図画・平面的制作
6. 教材開発研究（2）造形能力を養い発揮する教材の研究②－彫刻・工作・立体的制作
7. 教材開発研究（3）造形能力を養い発揮する教材の研究③－造形遊び分野
8. 教材開発研究（4）素材・技法・題材に関わる教材の研究①－絵画・図画・平面的制作
9. 教材開発研究（5）素材・技法・題材に関わる教材の研究②－彫刻・工作・立体的制作
10. 教材開発研究（6）素材・技法・題材に関わる教材の研究③－造形遊び分野
11. 教材開発研究（7）発想をもとに創造的志向を育む教材研究　アクティブラーニング授業案設定
【研究授業】
12. 研究授業案の設定
13. 勤務校、附属校等での演習授業。
14. 授業成果交流会・批評
【まとめ】
15. 授業で扱う美術の要素についての研究成果</td><td>1. 美術科、図画工作科の教科内容の認識論と原理について講義（仮説 1、2）
2. 教科内容構成の原理から美術科・図画工作科の具体的な教科内容について講義（仮説 3、4）
3. 教科内容構成の原理から美術科・図画工作科の学習指導要領・教科書の教科内容について講義
4. 美術科教科内容をアクティブラーニングの方法によって教授する授業の展開について講義
5. 絵画・図画の造形内容からの題材の設定と授業の組み立てを検討、演習制作
6. 彫刻・立体の造形内容からの題材の設定と授業の組み立てを検討、演習制作
7. 造形遊びの造形内容からの題材の設定と授業の組み立てを検討、演習制作
8. 平面素材の開発や道具使用の工夫により新しい題材を開発し、演習制作
9. 立体素材の開発や道具使用の工夫により新しい題材を開発し、演習制作
10. 造形遊び素材の開発や道具使用の工夫により新しい題材を開発し、演習制作
11. 上記題材案をアクティブラーニングの授業形式、手順に沿った形で授業案の設定をする
12. 上記授業案を実際の授業として展開するための準備
13. 作成した授業案を勤務校、附属校等で演習授業
14. 教職大学院生間での発表会　指導教員による批評
15. 美術授業の成立に関わる要素について、教科内容とアクティブラーニングの見地からまとめる</td></tr>
</table>

解　説

【1回目～3回目】
教科内容構成の仮説に従った講義
1. 美術科、図画工作科の認識論的定義（仮説1.）と教科内容構成の原理（仮説2.）について講義し、美術の教科内容の基本的構造について教授する
2. 教科内容構成の原理から美術科・図画工作科の教科内容の具体的構成（教科内容の柱－仮説3.）（教科内容の具体－仮説4.）について講義
3. 上記の教科内容構成の仮説（1.2.3.4.）から美術科・図画工作科の学習指導要領・教科書がどのような内容構成になっているのかを検討

【4回目】
教科内容を授業で実践する具体的な方法論の講義
4. 以下の4項目の構成により授業を組み立てる
（1）基本要素の理解（造形要素とその構造化－美術の成立・教科概念の基本的視点）
（2）素材・技法・題材に関わる要素（内容、形式、技能、文化－教科内容構成の具体①～④－の関連）
（3）発想をもとに創造的志向を育む要素（アクティブラーニング）
（4）美術の成立に関わる要素（美術の本質と教科内容の把握）

【5回目～11回目】
上記の（1）（2）について、平面・立体・造形遊びの各分野で、「造形能力を養い発揮する」「素材・技法・題材に関わる」題材設定と演習制作をする
5. （課題）色や線、面、構成などの平面分野の造形要素が表現内容の自律的表現力を担う題材の設定①②④をし、そのための素材、道具等の選択③や描写や構成等の表現①②を確立させるための制作手順③を考え題材案を作成する。
自作の題材案に沿った参考作品を制作する。
題材と演習制作、その教科内容の関連等について指導者が【仮説1.2.3.4.】に基づいて指導する。
6. （課題）形や量、立体的組み立てや構成などの立体分野の造形要素が表現内容の自律的表現力を担う題材の設定①②④をし、そのための素材、道具等の選択③やモデリングや立体構成等の表現①②を確立させるための制作手順③を考え題材案を作成する。（以下の内容は5. に同じ）
7. （課題）葉、土、雪等の自然素材や校庭、階段、室内等の場・空間素材などを造形遊びの造形要素とみなし、それらが自律的表現力を担う題材を設定①②④し、そのための素材、道具等の選択やインスタレーションやアースワーク等の表現①②を確立させるための制作手順③を考え題材案を作成する。（以下の内容は5. に同じ）
8. 既存の平面制作題材の研究を基に、新しい素材の開発や既素材の表現可能性を研究する。
多様な素材や道具類を用意し、それらを実際に扱い試作することから題材としての成立を検証する（①-④）。
指導者はその表現形式や内容について、美術・図画作品としての成立の可否等を批評する。
9. 既存の立体制作題材の研究を基に、新しい素材の開発や既素材の表現可能性を追求する。（以下の内容は8. に同じ）
10. 既存の造形遊び題材の研究を基に、新しい素材、場や環境の開発や既素材の表現可能性を追求する。（以下の内容は8. に同じ）

【11回目】授業案の作成
11. 発想や創造的志向を育む為に、5回から11回に追求した題材を、アクティブラーニングの授業として展開する授業案を作成する。
指導者が教科内容の4側面からその内容を批評する。

【12回目－14回目】
作成した授業案を研究授業で発表。
12. 研究授業のために、11. で作成した授業案をもとに材料の用意、場の設定等実際の授業のための準備をする
13. 勤務校、附属等で研究授業をする。
14. 授業成果交流会
学修成果を受講者及び担当教員間で共有するため、教職大学院生間で授業成果交流会を開催する。
受講者はプレゼンテーション用の資料を作成し、授業担当教員とともに作成した教材とその工夫について紹介する。また具体物としての生徒の制作物等をもとに他の受講者や教員と質疑応答をする

【15回目】まとめ
15. 美術授業の成立に関わる要素について、自らが作成した題材、参考作品、研究授業の成果等から省察し、発表する。指導者はその内容について教科内容とアクティブラーニングの見地から批評する。

3 授業実践展開例

中学校シラバスの13回目、14回目［コラージュ材による抽象制作］の授業実践について報告する。

〈授業題目〉

抽象絵画の理解とコラージュによる演習制作

［教科内容：美術専門要素である造形要素の表現性の理解と、その構造化による抽象絵画の成立に関わる研究］

〈授業の概要〉

造形要素の自律的表現力の理解と、抽象絵画の成立に関わる内容について教科内容構成の4側面から把握し、その後コラージュによる生成的・発見的抽象作品制作演習を行う。またその検討を通して、造形要素の知識かつ感覚的理解を得るとともに、抽象絵画についての教科内容を習得する。

〈授業の展開〉

1. 造形要素理解

まず線、面、色、空間等の造形要素がどのように絵画を成立させているかを、参考作品をもとに講義。その上で、特に抽象絵画の成立内容を造形要素の自律性とその構造化の観点から検討する。

2. 抽象絵画理解

(1)　制作概念の基本知識の講義

表現の内容について教科内容の4側面からアプローチできるよう以下の10の視点から問題点を受講生に問う。

①写実から平面化・単純化への変遷を見る（美術史・表現スタイル・造形）

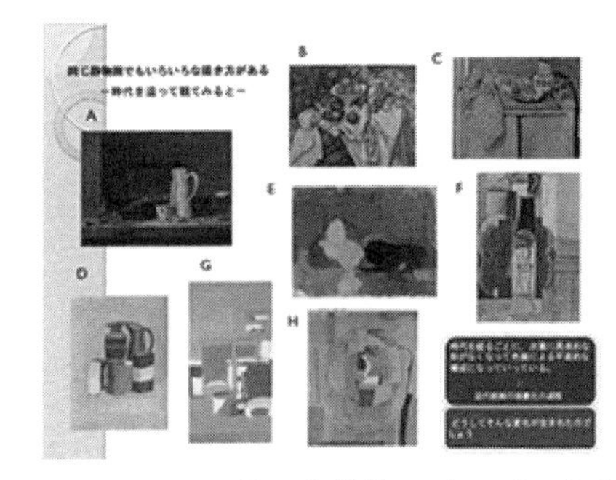

②モンドリアンの描いた数枚のリンゴの木を比較してみる（表現スタイル）

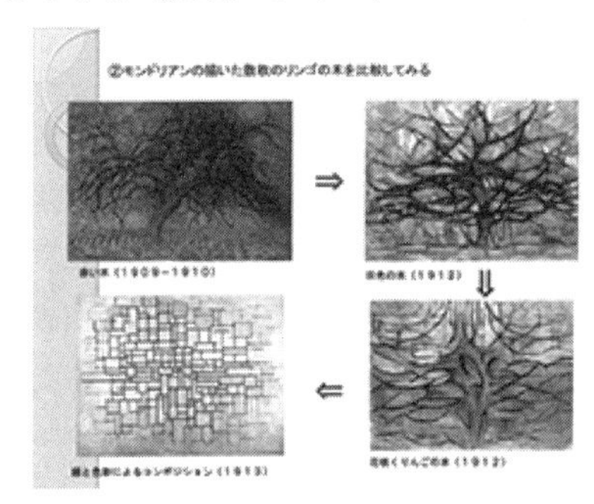

③コラージュの発生からアッサンブラージュ、ボックスアート、オブジェ等形式の変遷をたどる（表現スタイル・美術史）

④音楽の成立原理や成立要素と比較する（形式）

⑤文学や音楽など他の芸術形式と比較し、類似点や相違点を探す（形式・内容）

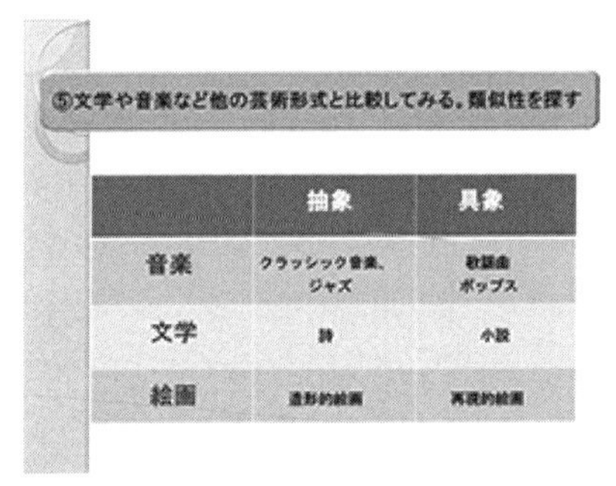

⑥日常品（陶器、服の柄等）や日常の中の造形（壁や道路の汚れ等）を考えてみる（造形・機能）

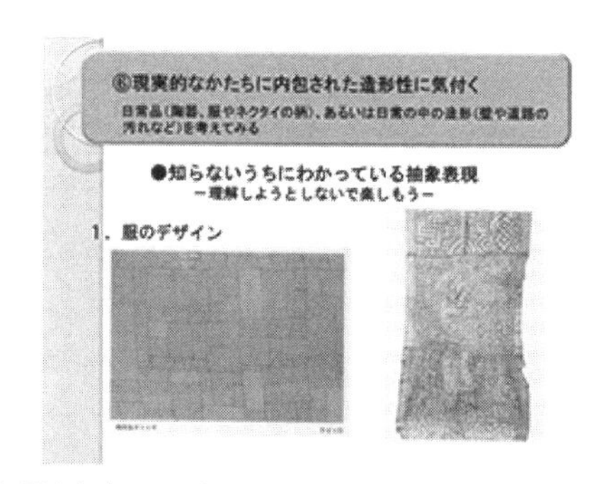

⑦「抽象」という言葉を調べてみる（抽象概念、形式、内容）

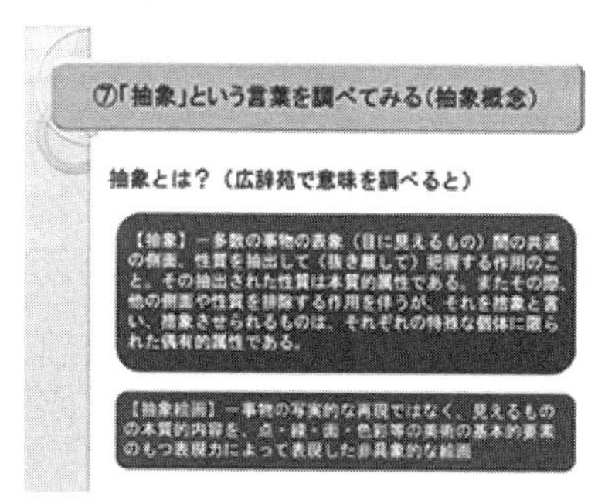

⑧デザインの平面構成と比較してみる（造形・内容）

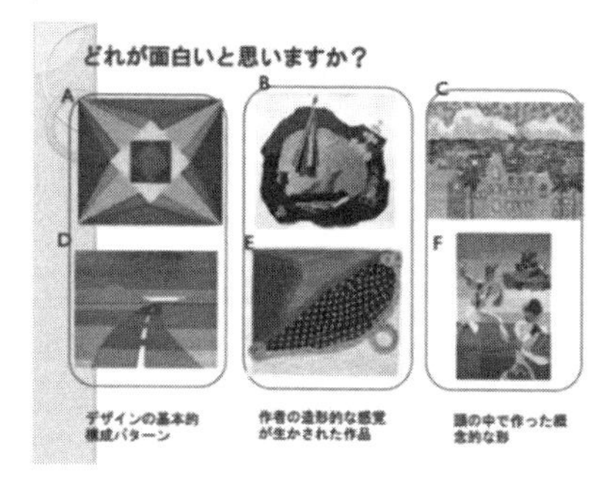

⑨ミロやクレーの作品にある要素を書き出す（美術史・造形・表現スタイル）

⑩現代抽象絵画を見る（美術史・形式・内容）

これらの問いに対して検討することで、抽象作品を多面的に認識し、また感覚的理解を得る。

3．生成的コラージュ作品制作演習

(1) 素材・材料の用意

各自にコラージュ材を用意させる。その時日常的な有用性の観念から解放して考えさせ、造形的に面白い素材をなるべく多く持参させる。例：トーナルカラー、アルミ箔、セロファン紙、雑誌、包装紙、洗濯ネット、エアーパッキン、布、針金等。

(2) 課題：条件設定

完成イメージを固定せずケント紙上で素材を切り、並べ、構成し、崩し、また並べることを繰り返す。

(3) 各自の制作

自分の感性を働かせ、作りながら色、形、素材感等の素材の造形的多様性を感受する。また完成させず作品形態を発展的に変化させ、作品成立に至る過程を体験することにより、作品の内容をできるだけ深め、また造形的可能性を広げる。

何回か作り変えたのち、ボンドなどで固着させる。

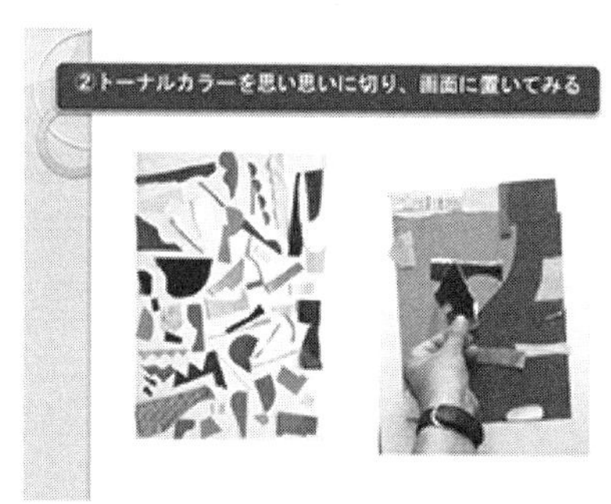

(4) 内省・発表

全員の作品を黒板に展示し、各自制作について発表する。

(5) 批評

何を学んだか－制作を通しての抽象絵画の絵画的特質や内容の把握と、それを通して造形要素の理解とその表現性の獲得。

3．授業に内包される教科内容の4側面

以上の授業を通して抽象絵画の成立要素を以下の1. 内容　2. 形式　3. 技能　4. 文化から照射し把握することによって、絵画としての本質的

内容の把握をし、同時にその題材による教科内容への転換も学習する。

①形式的側面

・写実から抽象に至るスタイルの変遷の理解
・コラージュ等近代形式の理解
・絵画の造形要素の表現力の理解とその感受
・平面上の色と形の構成

②内容的側面

・抽象の普遍的世界像追求についての理解
・造形要素による純粋な視覚表現
・形式と内容の関係性
・素材に対する触覚的感応

③技能的側面

・素材に対する感覚的扱い
・日常品の美術素材への転化とその平面的扱いについての理解

④文化的側面

・理念と形式および手法の関係性についての理解
・写実から抽象が発生する近代美術史の変遷
・純粋化志向の下の単純化・還元化・平面化
・日常性の導入・美術の物質化・伝統形式の崩壊

【注

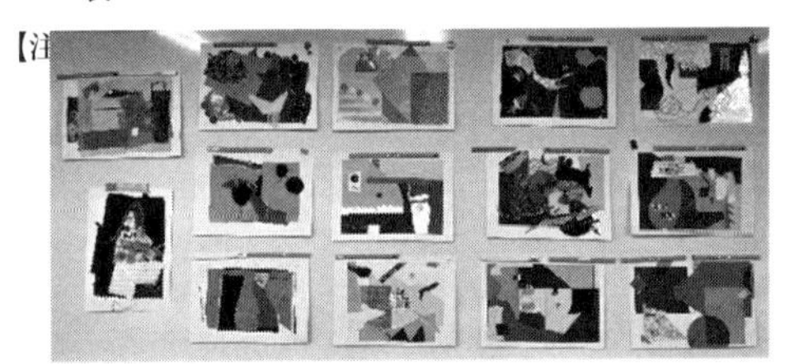

コラージュによる抽象作品制作例

1)　2017年から2018年の日本教科内容学会のプロジェクト研究において、各教科を貫く体系性の構築のための認識論的定義が、この5要素の組み立てで成立するのではないかとして研究を進め、第5回日本教科内容学会（2018.6. 30 − 7.1）では、各教科が仮説として同構造の認識論的定義を発表した。

2)　三大学研究協議会、平成22-23年度文部科学省先導的大学改革推進委託事業『教科専門と教科教育を架橋する教育研究領域に関する調査研究』報告書、2001-2002、上越教育大学、p.209.

3)　下里俊行「社会科の内容構成の原理」第1回日本教科内容学会プロジェクト研究会資料 2016.12.3。

4)　金子一夫は『教育内容としての美術の方法』の中で美術的行為を①内容（指示表出）的側面、②形式（自己表出）的側面、③形式過程的側面の3つの側面としている。　③は筆者の4側面のうちの「技能的側面」と考えられる。教科内容としてはそれらを総合的に司る要素として生育環境や教師の指導等（④文化的側面）が加えられるべきであると考える。
金子一夫『美術科教育の方法論と歴史』中央公論美術出版、2003年 p.51.

5)　日本教育大学協会全国美術部門特別課題検討委員会編著『うみだす教科の内容学　図工・美術の授業でおきること』第4章「創造の具現化」「『あらわすこと』の具体的なアプローチ」p.38.

6)　この教授プロセスは、エンゲストローム『変革を生む研修デザイン』（松井佳代・三輪建二監訳）鳳書房、2010年 p .42.「(2)学習の6つのプロセス」を元に作成した。

（新井知生）

第5章　国語

1 国語の教科内容構成開発の仮説

仮説1　教科の認識論的定義

国語科は、人間の外的・内的世界における「行為及び認識の生成と共有」の仕組み（システム）である第一言語（日本語）を対象に、主体及び主体間の活動を統合する「記号化」の方法によって「言語の4相」を生成し、それらを相互関連的・統合的に働かせて「言葉の力」を伸ばすものである。

国語科の対象は「第一言語（母語）としての日本語」である。「第一言語」の機能・特質は普遍的であるが個別言語「日本語」に特有の特質と歴史をもち、両者が一体となって「国語科の内容」を形成する。

普遍的言語たる第一言語は、主体に2つの機能－①「目的的行為の遂行」、②「差異と意味」による「認識」の形成、を担う。「認識の形成」は、主体にとっての「世界」を生み、「行為」の場を形成する。

（第一）言語は、「行為」と「認識」の機能及びそれを生み出す「仕組み・システム」である。このシステムは、「2主体間の協働」によって築かれる。これは下記の「対話環」モデルで表すことができる。

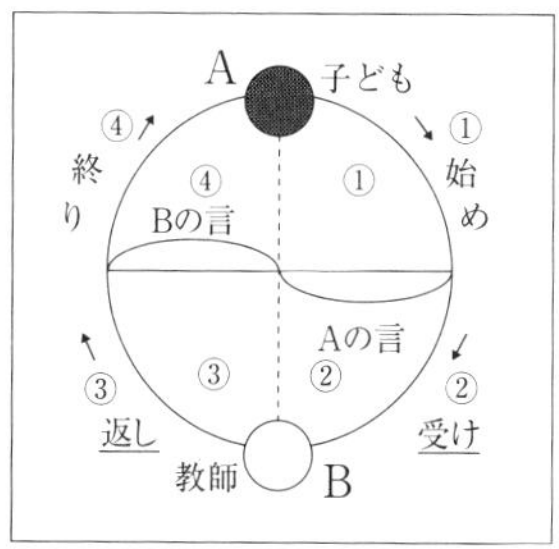

表現と理解の弧（山口 1943）
表現学習の対話環（言語生成環）

2主体の一方を学習主体（子ども）とすると、もう一方の主体は、乳幼児・学齢期児の年長者、より高度な「言語システムの体系」を保持する相手（保護者・年長者・教師）である。学び手の成長につれて、「言語行為・言語認識」形成の「相手」は、具体的な人間のみでなく、不特定の相手「公衆」や「書物の作者」などへと範囲を広げ抽象化されていく。教師はこの「抽象化」を援助し、学習者が自立的な言語行為者・言語技能を身につけるよう導くのである。

学齢期は、学習者の「言語活動の相手」の抽象化に向けて、「教師」が計画的な援助を始める。

仮説2　教科内容構成の原理

教科内容は「言語の4相」をもとに構成する。「言語の4相」とは、H言語活動、A言語行為、G言語規則、W言語作品、である。

H言語活動は、「聞く・話す・読む・書く」4活動であり、これらが「行為の遂行」としての意味をもつのが、A言語行為である。

G言語規則は「概念とその機能の体系」であり、W言語作品（談話・文章）は、H・Aの結果がGを含みつつ具体的な「形」をとって、客観的な事物「音声談話・文字文章」として社会的時空間のなかに存在するものである。

H言語活動、A言語行為、G言語規則、W言語作品、の4相は、下記のように整理できる。

	Ⅰ　主体の行うコト	Ⅱ　主体間に生じるモノ
1 （具体）	H：言語活動（輪の動き・動力） きく・はなす（音声言語活動）／よむ・かく（文字言語活動）	W：言語作品（輪による具体形成物）（意味の固まり・言語テクスト・言語織物） 語・文／音声言語作品（談話）／文字言語作品（文章）
2 （概念）	A：言語行為（輪の働き・向き） 約束・命名・指示・問答・説明・説得・解釈・助言・弁明・風刺 etc	G:言語規則（概念規則の体系） 音韻・語義・文法／文章構成法・文章スタイル（様式）・修辞法 etc.

K. ビューラー 1935『言語理論』にある図に、例示と説明を加筆した。

横の列１（上段）は、視覚・聴覚で捉える「具体相のことば」であり、横列２（下段）は、「ことば」が内包する「意味」「機能」などの抽象相である。列２（下段）の把握こそ、言語の獲得である。上下の区別を曖昧にして列１（Ｈ・Ｗ）を相互変換（言語作品⇔聞く・話す・読む・書く）しても、言葉の力は伸びない。教師の役割は、活動を促しながら学習者の「言語活動⇔言語作品」を観察し、Ａ言語行為の実質を捉え、Ｇ言語規則が子ども内部に形成されつつあるかを正確に捉えることである。

「対話環モデル」は、「円環」の形（円）が「言語行為Ａ」成立を象徴し、円弧線（音声文字）や弧線の角度・動きは「言語活動Ｈ」を意味する。円の内部に「行為」や「認識対象」の意味、「行為に伴う感性・情緒の働き」（一括して「意味」と呼ぶ）が含まれる。輪が閉じることは第一に「学習者」主体の側に要請される。このとき「意味」が生まれ、意味を担う「言語規則Ｇ」が輪の中に結晶するからである。「言語規則Ｇ」は、「意味Ａ」を支える「概念の体系」であり、４相全体が１つのシステムである。このシステム性が自覚されないと「言語規則Ｇ」を「活動Ｈ・行為Ａ」の材料のように扱い、予め学習主体に与えてしまう。本来「言語規則学習」は、すでに主体内に結晶している概念の取り出しと整理の学習なのである。

（参照：村井万里子「国語・日本語教育史から得られる「言語教育の基礎理論」日本教科教育学会誌第 39 巻第３号、2016 年 12 月」

仮説３　教科内容構成の柱

①言語活動Ｈ（４種の活動）
②言語作品Ｗ（談話・文章）
③言語行為Ａ（遂行的意味）
④言語規則Ｇ（概念機能体系）

仮説２の原理により、教科内容構成の柱は上記のようになる。これらＨＡＧＷは、並列関係にはなく、相互に関係するシステム構造をなしている。Ｈ～Ｗのいずれか１つを拠点に他の３者と関係させ、全体像を直観させねばならない。「直観」は、学習者のなかで「輪が閉じる」ことで生じる。この瞬間を図示したものが、下記図である。

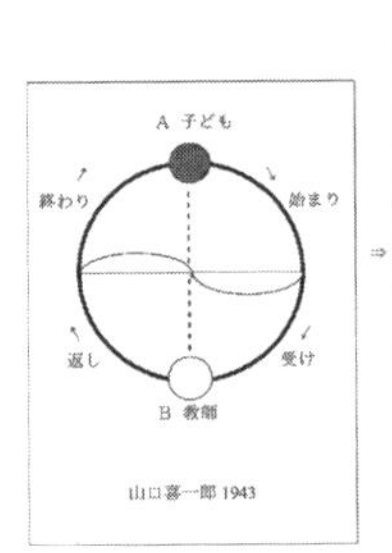

山口喜一郎 1943

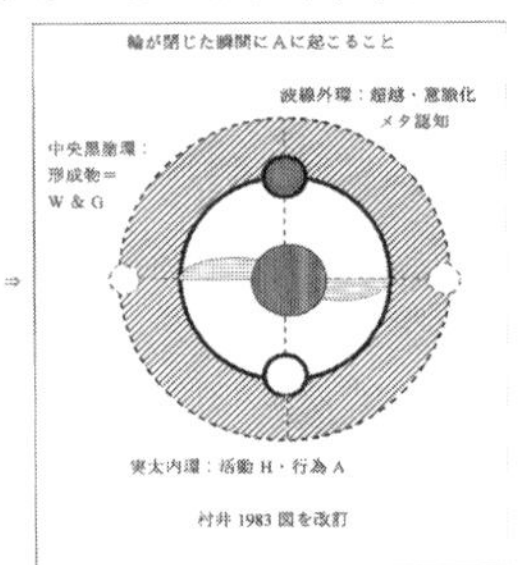

村井 1983 図を改訂

右図「三重の輪」は、環が閉じた主体に起こる。言語行為Ａの達成、新対象の認識、「視点」形成、言語規則Ｇの生成・強化・複雑化を象徴する図である。

仮説４　教科内容構成の具体

①言語活動Ｈ×③言語行為Ａ：言語活動Ｈに、明確かつ真正な目的・目標を担わせ、言語行為Ａとして展開する。 ②言語作品Ｗ×③言語規則Ｇ：優れた文化的言語作品Ｗを分析するために、言語規則Ｇを活用する。

「仮説３」の「①②③④：言語４相」の扱いやすい組み合わせは、①言語活動Ｈ×③言語行為Ａと、②言語作品Ｗ×④言語規則Ｇ　である。

前者①×③の学習では、成果物として②言語作品Ｗが産出される。後者②×④学習の成果物は、③言語行為Ａ、即ち「意味」が明確になることである。

前者①×③の学習が成功すれば「生成物②Ｗ」は学習者にとって「残しておきたい愛着の対象」となる。後者②×④において、「言語規則④Ｇ」を扱わず「翻訳・現代語訳」のみで済ませる学習は、「言葉の学習」と呼ぶに値しない。②×④学習によって、古典・現代を問わず、文学作品等の

「言語文化財を学ぶ意義」が明確になる。

仮説５　教員養成学生に培われるる能力

仮説４の①×③、②×④の組み合わせ全体を総合して、以下の力が育成される。

○言語による「見方・考え方」（概念及び文脈的意味の形成法）の獲得
○言語コミュニケーション力（伝え合う力）の獲得
○「集団的思考」の理念と技法
○個人の思考力判断力の向上深化
○文化財「言語作品」を理解する技量
○「言語の価値・社会的役割」への見識

上記は「言語を学ぶ意味・意義」である。

上記６点に加え、授業づくりの技能として下記３つがある。
○「働きかけ」（＝教育営為）の発想
○組み立て（計画）
○展開及び方法選択の基礎的な考え方

学習行為の相手主体を務める指導者には、「対話環」成立を見極める評価力が要請され、学びの形式化を防がねばならない。「仮説１」から「仮説５」の原理は、教材を活かす活動に結びつく。時代ごとの「学習指導要領」の新しさにとらわれず、「教科内容の本質把握」に基づいて４相の絡み合いをまず読み取らねばならない。

仮説６　教科と人間（個人・社会）とのかかわり

「対話環」で切り取られた「関係」は「対象」に変化し、関係を含む「対象」は言語形式と共に「記憶」されて「２主体の共有物」となって、「社会」の基盤となる。

○国語科と個人
言語のシステム（対話環）によって、個人は世界から「対象」を切りとり共有・保存することが可能となる。教師・先導者の役割をもつ人間（主体）は学習者との「共同行為」（対話環）を必須とする。
「対象」は、事・物のみでなく、人と人、人と物事、物事と物事、等の関係も含まれる。

○国語科と社会
人間主体間の「関係」が社会を構成する単位となり、この単位をもとに「社会制度」が作られ、社会秩序が維持される（社会学）。国語科が担う「言語」の働きは、「社会制度」の仕組み作りにも貢献するが、より根本的な「対話環」の本質に立ち、「制度」以前に社会のなかで生きる「人」に焦点を当て、人と人との関係や、事件・風土・時代と人との関係が生み出す「情意を含む行為・認識」のまるごとを、全体的・具体的・精緻に取り扱い、より根本的な社会維持の機能を果たす（①文学の学び）。
「言語作品の全体性・具体性」から言語の諸単位を切り分け、概念・規則・仕組みの生成を取り出すこと、逆に概念・規則・仕組みから認識・論理・情意的意味を担う「言語作品」組み立てる仕組みとその社会的意義を取り扱う（②言語の学び）
「言語行為」には３つの意味「表出」「叙述」「訴え」があり、「言語の機関典型（オルガノンモデル）」に図示することができる。

「対話環」内部はイメージ情意の容器でもある。「理性と感情は基本的に同一物（by マルクス・ガブリエル）」であり、「文学」はそれを統一して捉える。「言語規則Ｇ」は「知識」の扱いのみでなく、実際に作品Ｗで「規則の取り出し」「組み立て」を行う。

仮説７　教科内容構成の創出による教科専門の授業実践

○概念的・理論的な観点

内容構成に対し次の３つの方針をとる。
方針 1. 授業内容を仮説１～４の「言語４相・４拠点」で構成する。
方針 2. 「真正の言語活動＝真のアクティブ・ラーニング」を、生活言語「作文観察」から始める。
方針 3. 「言語文化への発展」を重視する。

方針 1. 「言語規則Ｇ」は、常に意識して新たな「言語規則Ｇ」理解の質・量を担保する。教師は学習で得られる言語規則Gの水準を想定し、学習者の課題を立ち上げ、「言語規則G」を生きた文脈（言語行為A－言語作品W）の中で直観的に覚らせる。

「言語規則G」の困難には、○具体・抽象両方向の変化、○古語－現代語、談話語－文章語の変化・意味理解・使い分けの意義習得、の2種類がある。「辞書の使い方」「現代語訳・言い換え」には注意を要する。「辞書の使い方」では、作品Wの文脈に注意し、不明語の意味予想を必須要件にする。推測できない段階で安易に辞書を見てはならない。意味の直観的推測のためには音読や視写が有効である。

古文（古典）では、「現代語訳」が古典学習に不可欠だと思われているが、かえって「意味」の把握を妨害していることがある。ひとまず現代語に、という考え方をやめ、できるだけ古語そのもので考え、発音し、文脈で古語を捉えることが必要である。これは外国語学習にも共通する。

日本語「言語規則G」の構文論的特徴は、述部・付属語（助詞・助動詞、副詞の呼応など）の機能にある。付属語が自立語を助け、「言語作品W」の統一性をもたらす力は、短詩型文学（短歌・俳句等）の伝統を生み出した。一方、思想性や論理性を担うために、古代・中世に中国から漢語による思想・概念を取り入れて抽象的な哲学思想を儒学や仏教思想から学び、近世には日本語・日本思想の原型を求めて国学が生まれた。近世末から明治・大正・昭和にかけて西欧近代の文化・思想を吸収するため漢語を用いて多くの新語が作られた。この漢語の抽象性の基盤があったので、日本は何とか近代化の要求に応える言語の変化をなし得た。現代も、必要な新語を産出する力は、より重要度を増している。かかる新語を辞書のみで学ぶことには限界がある。

方針2.「真正の言語活動（対話環）＝真のアクティブ・ラーニング－生活言語「作文観察」から

「国語科の教科内容」は「生活言語」を基盤とし、中でも「子どもの作文」は重要である。「子ども作文」の文化的思想的意義を高めたのは、昭和初期1920年代から戦後1970年代までの「生活綴方」実践である。元来「生活を書く」伝統は、短歌・俳句等の短詩型文学に脈々とあり、これが散文に拡張されたのが正岡子規「写生文」から芦田恵之助「随意選題の綴り方」を経て「生活綴り方」に展開した。しかし現代の教育界では「論理的作文」の要求に押されて弱体化している。現状の「論理的作文」は、‘大人から論理的に見える型’の作文が多い。論理的思考は、主体的に［目的－手段・方法－成果］や［問題－原因─解決］の筋をつかんで起動する。論理の筋を主体的につかむ場は、学習者の生活にこそある。

学習者の書いた「生活文」に真に自由が保障されていれば、自然・人文・社会科学的な疑問・課題が現れる。それを価値づけ発展を促す「返し」が教師の仕事である。「学習者の表現（作文）」→「指導者の理解 - 学習者への返し」→「学習者の自己理解」で成り立つ「対話環」は「表現の対話環」として性格付けられ、「対話環」生成の基本構造をなす。「国語科の教科内容」の中核は「表現の対話環」生成、特に教師の「理解 - 表現」力の形成にある。

方針3.「言語文化への発展」を重視する

身近な観察や体験に価値を見いだす「表現の対話環」に習熟し、子どもは自ら「平凡な生活世界」から「普遍的価値の抽象世界」へ飛躍する(9-10歳の変化)。成長の遅速・偏りはあるが、指導者は子どもの発達段階を把握し、それに応じていかねばならない。

子どもが「未来」を生きるため、現在までの人間文化の英知を集約的効率的に学び、将来を展望する。「展望」と共に、歴史上の過去を「現在」

から捉え考える。「国語科」は「日本の伝統的言語文化」のみでなく、広く現代社会思想の動向にも目を向ける。「社会科」はもちろん「自然科学」も含めた各分野の「基盤的思考（哲学／論理）」の共有が重要になる。各教科の専門的な知識・技能の共有は困難であるが、「基盤部分（哲学）」の共有は可能であり必要である。

過去の文化財は、遺跡・建築・作品・地域文化としてあるが、その本質と価値を理解し受け継ぐ上で言語（日本語）の役割は大きい。文化財が保存してきた思想や感性、乗り越えてきた歴史を、同時代の人々に、また未来を担う子どもと共有（シェア）すること、子どもが文化的価値を吸収する力を育てるのが、言葉の教育の課題である。文化と思想は「言語」を乗り物として時間・空間を旅しており、人間は言語によってその旅を共有できる。

授業実践の事例

下記3つの授業を提案する。

◇国語科の基礎「子どもを育てる作文解釈」（小）
◇古典の世界「竹取物語」と「枕草子」（中高）
◇読書生活の基盤・体系・実習　（教職院）

従来の国語科の「教科専門科目」では、古典・近代文学、古典語・現代語学等の専門内容が独立に講じられ、それをどう統合し応用するかはほとんど学生任せだった。「教科内容構成」では、これら異なる領域を関連・統合的に見ること、「共通の基盤まで掘り下げて捉える」ことをめざす。以下はその実例（試案）である。

＜各科目内容の概要＞

◇「国語科の基礎－子どもを育てる作文解釈」（小）
○国語科における「作文指導」の位置（発達と対話環）
○1年生の絵日記－文字・音韻の関門
○2年生の作文－「続く文」構文とリズムの特徴
○3年生の作文－「エンドレス」の行き詰まり
○4年生の変化－主題の発見・展開の始まり
○5・6年生作文－目的に合わせる苦心

◇「古典の世界「竹取物語」と「枕草子」」（中高）
○伝奇物語とノンフィクション随筆－比較の観点
○冒頭-末尾の文章観察－「竹取物語」き・けり
○冒頭-末尾の文章観察－「枕草子」は・も・に・を
○時代的・文化的背景と作者の筆力・個性
○享受史1－研究・解説・一葉・絵本
○享受史2－寸劇・アニメ・就職試験

◇「国語科の教科内容構成」（教職院）
○「対話環」原理と4つの言語活動
○国語科の基盤「書くこと・作文」学習
○国語科の到達点「話し合う技能」学習
○読みの種類（虚構-教養）・読書技術の体系
○「初級・点検・主題」読書
○核心としての「分析読書（精読）」
○単元学習・練習学習と「対話環」原理

2　シラバス（国語）

小学校は教科専門科目「国語科内容構成」の2単位、中学校は教科専門科目「国語科の教科内容研究」の2単位、教職大学院は専門科目「国語科教科内容研究（古典）」の2単位の、シラバスと解説を示す。

シラバス	学部（小学校）	授業科目名　国語科内容構成

授業の目標

国語科内容の基盤にある「言語獲得の仕組み」（対話環）と「言語の4相」の機構の関係を理解し、これを応用して、子どもの「生活文」を用いて、言語を育てるための「理解・受容－反応・表現力」を演習する。

1.「子どもの生活文」の内容を的確に理解し、「発達の具体相」を言語面から捉えることができる。
2.「子どもの生活文」を通して、「言語発達の特徴と筋道」を原理として捉えることができる。
3. 子どもの言語力をより高めるための「教師の働きかけ」を構想することができる。

教科内容構成の具体（教科内容の概念・技能）

次の5つの要素で構成する。①「言語獲得の原理と仕組み（システム）」の理解：言語の獲得は「言語4相」を自動的に析出する「対話環」の形成によって達成される。②教科書の難易度よりも子どもの生活文によって発達の真相がわかる。③発達の把握に必要な「言語的特徴」を具体的に捉えて知識化する。④「言語発達の実相」に応じた内容の理解･子どもへの「反応と返し」を考える。⑤作文指導の授業が､「言語で表現すること」の面白さ・奥深さに迫り興味・関心を引き出し、創造の場となるように工夫できる能力を育てる。

評価の観点

1. 入門期の子どもの言語的困難を、その原因の推測を含めて、想像力豊かに推察し説明できる。
2. 9歳の変化前までの発達的特徴をふまえ、作文の内容を的確に把握し説明することができる。
3. 9歳の変化の本質的意味を理解し細かく精確に読み分けることができる。
4. 子どもの成長を助ける指導者の役割を理解し「読解の緻密さ」を進め効果的反応を考案できる。

主　題	教科内容・展開
1　国語科における作文指導の位置 2　言語育成の「対話環」原理、 「言語4相」の位置	小学校国語科教科書を開いて「作文」の単元を観察する。「小学校学習指導要領」を開いて、4つの言語活動と言語技能・知識の項目の組み立てを理解する。これと対照させて「対話環」原理を説明し「言語4相」の位置を考えさせる。
3　1年生入門期　「えにっき」指導 4　1年生入門期－読解解釈演習	1年生入門期（4月）に書かれた「えにっき」を用いて、内容と書き方の特徴を観察する。入門期の「文字の困難」（促音、撥音、拗音、長音、助詞は・を・へ、など）を発見させる。
5　2年生作文－その発達的特徴 6　2年生作文－読解解釈演習	2年生夏の作文を観察し、記述内容と言語的特徴を理解する。 2年生夏作文の解釈を互いに協議し、内容の真価に迫る。2年生教科書の例文や自分の小学2年生時の作文と比較する。
7　3年生作文－その発達的特徴 8　3年生作文－停滞	3年生の2つの作文（一見対照的）を比較読みし、違いと共通点を見いだす。担任教師の評を参照しながら2作文の作者の個性の違いを把握すると共に、「3年生作文」の共通点を捉える。
9　4年生作文－停滞と変化1 10　4年生作文－停滞と変化2	4年生作文の「変化」の発見者、芦田恵之助の理論を知る。芦田の考えを参考に、4年生の複数の作文を精査し、停滞と変化の実態を具体的に把握する。「4年生の変化」が「作文の基礎を据える」の意味を明らかにする。
11　5･6年生の作文－その特徴 12　中学校3年間の作文学習1 13　中学校3年間の作文学習2 14　「対話環」の仕組みと言語学習 15　「対話環」の仕組みの応用	5･6年生（高学年）作文が「目的に応じた書き分け」（内容・構成・文種）に取り組むものであることを理解する。これは、中学校3年間の作文学習の要であり、学習は「対話環原理」の反復で、これが普遍的原理であることを、大村はまの著書『やさしい文章教室』『やさしい国語教室』等を用いて学ぶ。

解　　説	
仮説4に示した5つの陶冶材のうち、「①日常生活・社会生活に用いられている言語材」として子どもの日常生活に材を取る「生活文」を用いる。小学校入門期、低学年期（1～2年生）、中学年前期（3年生・変化前）、中学年後期（4年生・変化途上期）、高学年（構成期5年、成熟期6年）の発達段階をふまえ、授業では特に入門から中学年後期までに焦点を当てる。生活文Wを通して、作者（子ども）の「H活動・A行為の意味・G言語概念」を捉え言語発達の実相を捉える演習である。 学習方法（生成、アクティブラーニング等）は、各回の授業で「自ら考え発見する体験の時間」を設け、受講者同士のピア協議を積極的に取り入れる。1から15の内容は、受講者の反応に応じて順序を入れ替え柔軟に組み立てることが必要である。次はその編成例である。 1～2. 1年生4月の絵日記を教材とし、まずできるだけ自力で内容把握に努める。文字の獲得途上の状況を具体的に捉え、この時期の子どもにとって何が困難かを発見的に把握する。同時に、絵を含めた作品全体から、子どもの表現意図・意欲・生活の充実を着実に捉える。これによって、指導者として作者（子ども）にどう「反応」を返すかの指針を得られるようにする。（黒藪豊子『1年生の作文教育』、亀村五郎『日記指導』等） 3. 前回の「えにっき」解釈演習をふまえ、教師に必要な「対話環」原理の理論を学ぶ。「対話環」モデルを用いることで、目指すべき「環の形成」の意義を捉え、次に環の形成を促すために指導者に必要な理解力（感性・解釈・評価）を知り、教師にとって難しいことは何か、を具体的かつ理論的に理解する。 4～5. 2年生の生活文を用いて、1年生「えにっき」から2年生に向けての変化を捉える。芦田恵之助の発見「低学年から中学年前半の子どもは頭に浮かぶ言葉はすべて書く値打ちがあると思っている」というテーゼを確認し、2年生の発達的特質を捉える。生活の充実と心の成長を映す「生活文」は優れた訓育-陶冶材だが、指導者がそれを読み取り、「対話環」を形成するには「深い解釈」が必須であると認識する。 （『教科内容学に基づく小学校教科専門科目テキスト　国語』鳴門教育大学教科内容学研究会・徳島印刷） 6～7. 3年生の「学習生活文」を用いて、芦田テーゼ	の究極の姿を確認する。また作文を通して子どもの認知的個性が捉えやすくなることを把握する。 （花岡正枝『3年生の作文教育』） 8. 入門期から3年生の発達極限までの「動き」について復習する。この間指導者（教師）のなすべき仕事は何か、改めて「言語4相」の観点から整理する。「対話環」形成のためには、作文解釈力のほかに、子ども本来の表現を充実させる手立て、具体的には優れた刺激力をもつ「範文」が重要であること、教科書の例文は「子どもの表現意欲」を引き出す機能は弱いことを認識する。 9－10. 授業の前半で、3・4年生で訪れる作文学習の行き詰まり・壁（節目）とは何か、時間をかけて協議し、受講者の「仮説」を立てる。 授業の後半では、芦田がこの変化をどのように定義しているかを知らせ、自分たちの仮説と対比して吟味する。（芦田恵之助『綴方教室』） 11－12. 小学校6年間の作文力発達の急所である「9歳の変化」を捉えるため「評価実験」①を行う。同一の「題」が付された4編の作文を読み比べ、「変化の内実」を仮説的に捉える。 評価結果について、グループや全体で協議する。 13－14.「9歳の変化」を捉える「評価実験」②を行う。これは実験①よりも難度の高い評価実験である。この2つの評価実験を通じて、「9歳の変化」の本質を把握する。具体的には、①「書こうとする内容に主題が生じること」「主題の質が具体的なものから精神性を帯びた抽象的なものに変化すること」「主題の質に応じて、素材の取捨選択、精叙略叙（詳しく・簡単に）の書き分け、構成の工夫（起筆と結びの呼応、山場・問題の展開など）、表現のレトリカルな工夫などが、必然性を帯びて出現することを納得する。②「良文」の定義を改めて考え直す。 15. 作文の発達原理は、中学・高校・大学・青壮年期と、生涯にわたり領域を変えながら繰り返し反復されることを知る。同時に「書く」は「読む・聞く・話す－話し合い」と密接に関わることを理解する。（「対話環」原理）

<table>
<tr><td>シラバス</td><td>学部（中学校・専門）</td><td>授業科目名　国語科教科内容研究（古典）</td></tr>
<tr><td colspan="3">授業の目標
中学・高校における古典学習の意義・価値を認識するため、古典文学の典型作品の内容と文学としての価値、教育的意義の見いだし方を学ぶ。例として、子どもに親しみのある「竹取物語」、事実を扱う「随筆」の典型「枕草子」を対比的に読み、その魅力を主体的・発見的に学ぶ演習を行う。</td></tr>
<tr><td colspan="3">次の５つの要素で構成する。
①言語学習原理の体系性：国語科が育てる言語の力は、個々の要素的言語の寄せ集めではなく、「言語４相ＨＷＡＧ」が体系をなす、「対話環原理」が、システムとして機能している。②学習指導要領・教科書と「対話環」原理の関係　③学習者の言語発達への視座：発達を捉えるには「書くこと・作文」が拠点となる。④到達目標－社会の担い手たる資格技能「話し合う技能」⑤国語科の中核「読むこと・読書」……各技能の体系化と自己向上の意欲を育て、言語学習が創造的現場となるよう工夫できる能力を育てる。</td></tr>
<tr><td colspan="3">評価の観点
1. 古典の原文を読み、口語（現代語）訳を介さずに内容を捉える方法とその意義を理解する。
2. 古典語の基本的語彙、基礎的文法事項（Ｇ）を、原文（Ｗ）を通して理解し身につける。
3. 古典の世界の魅力を、主体的に探究する意欲をもつ。
4. 古典文学研究の世界について、その内容の一端を知り、意義を理解し関心をもつ。
5. 古典の世界の魅力を、様々に表現を工夫して仲間や中高生に伝えようとする意欲をもつ。</td></tr>
<tr><td>主　題</td><td colspan="2">教科内容・展開</td></tr>
<tr><td>1. 古典文学を学ぶ価値－様々な享受（「就活」本やアニメから）一葉日記文の暗唱、言語獲得の原理「対話環」
2. 竹取物語－古典と絵本の違い
3. 竹取物語－中学生へアプローチ（例）
4. 竹取物語－読解演習 - 求婚譚
5. 竹取物語－読解演習 - 伝奇性・作者
6. 竹取物語－高校生へアプローチ

7.「枕草子」の印象－教科書・学習記憶・帯・序言 / 後書き / 注・絵巻
8.「枕草子」－冒頭と結びへの着目
9.「枕草子」－絶頂期と絶唱期
10.「枕草子」事実の把握 - 定子への賛美
11.「枕草子」事実と文章の魅力 - 廷臣達
12.「枕草子」事実と文章の魅力 - 女房

13. 演習発表①－文法・語彙・有職故実
14. 演習発表②－文学と政治（総括）
15. 演習発表③－私たちの古典享受・「対話環」原理の確認（第１回の資料を再批評する）</td><td colspan="2">古典文学を学ぶ意義・価値について、それぞれ率直な意見を出し合う。記憶、読書、学習体験から「古典へのイメージ」を交流する。『就活本』2011、アニメ『かぐや姫』、絵本、絵巻等。
「竹取物語」冒頭を読む。内容と「文末表現」（けり→たり）等の変化を観察し「語り手」が場面に入り込む過程を捉える。
大学生による中２向け「古典の魅力パフォーマンス」特に「竹取の翁逮捕事件」の“原文の活かし方”を批評し魅力を考える。
竹取物語の研究書を読んで、高校生に向けて「古典を考えることの魅力」を引き出すアプローチを考える。その際、ＡＧＨＷ４要素のバランスよい構造化を意識させる。
「枕草子」中高の学習体験から作品の印象や好悪を語り合う。
文庫本の表紙・後書き（池田亀鑑）や『就活本』2011を熟読し熱心なファンによるイメージをつかむ。諸本系統類型から雑纂型が重視される理由を知り、内容分類や事実（時日）調査に基づく鑑賞を体験する。冒頭「春はあけぼの」を古今集・漢詩の背景から探究する。一条帝後宮の全体像を歴史的に捉え「定子への賛美、廷臣・女房とのやりとり」の意味をつかむ。239・240・241段を読み味わい暗唱する。
古典を読む必須知識として、①「文法・語彙」について任意に原文を特定し詳しく分析考察する。②時代の社会・政治制度・習俗の推移など有職故実の具体を調べ様々な考察を行う。
古典語が「対話環」原理によって獲得されることを確認し、古典学習の現代的意義を、改めて考え協議する。</td></tr>
</table>

解　　説

仮説4に示した5つの陶冶材のうち、2歴史的文学言語文化財、3文学研究・日本語研究の成果、を拠点として、言語4相ＨＡＧＷの全体構造を有効に用いる授業内容を構成する。学習方法は、古典作品Ｗを主たる対象とし、観点を設けた読みを通して内容Ａを捉え、内容に合わせて古典語Ｇを発見的に獲得させる。学習の成果を、大小様々な言語活動Ｈを組み合わせて表出させる。各回授業で自ら考え発見する時間を設ける。

作品は、入門期に多用される「竹取物語」と難度の高い随筆「枕草子」の2つを対照させて扱う。

1　古典学習は、言語学習の仕組み(ＡＧＨＷの体系と構造)を自覚的に学ぶ最適の機会である。このことを受講者が実感するため、子どもに身近な「かぐや姫」の典拠である「竹取物語」と、「作者の自慢話」だと誤解されがちな「枕草子」を取り上げて、古典文学の「正当な難しさと面白さ」を体得することを目標とする。
2　絵本「かぐや姫」と「竹取物語」とを比べて自由に所感を述べたのち、「竹取物語」の冒頭の6文、さらに会話を含む次の4文（中学教科書所収）を音読と視写によって観察し、意味が大体捉えられることを知る。次に10個の文の文末表現を取り出し、分類・類推によって品詞を推測し、助動詞・動詞・係り結びがどのように意味を担うのか発見的に理解する。上記作業には、辞書や文法書はなるべく使わない。
3　「竹取物語」を用いて大学生が中学生に向けて披露した寸劇「竹取の翁逮捕事件」(後掲文献)の記録を読解・鑑賞・批評する。
4　「竹取物語」の大きな構造を捉え、まず5人の貴公子の求婚譚を読み解く。基本文献として『ビギナーズ・クラシックス日本の古典　竹取物語』角川ソフィア文庫を使用する。
5　同上書をテキストとして、作者や雛形としての説話、類話との関連など様々な文脈を取り出して整理する。
6　上記4・5の内容をもとに、①3で見た「中学生へのアプローチ」を参考にして高校生向けの「大学生パフォーマンス」を考案する。②は「研究レポート」として考察結果をまとめる。①②いずれも受講者相互に発表しあう。
7　虚構作品「竹取物語」に対して、随筆文学の傑作「枕草子」を取り上げ、文学のジャンル意識をもって作品の読み解きと価値批評をめざす。先人の枕草子への思いを知るため、樋口一葉の日記の一節を音読・暗唱・視写し、次に『就活本』2011から（今旬であると思う作家…へ原稿依頼の手紙を書く課題）酒井順子氏の答案を鑑賞する（関係資料「紫式部日記」も用意）。次に諸本の系統に関する研究の意義を理解する。
8　「枕草子」冒頭の「春はあけぼの」に対し、結びはどの段か、探索しながら読む。個人が単独で調査するのは困難なので、注釈付の本を用いてグループで手分けして意見を交換しながら「最後の段」を探す
9　冒頭は「随筆的章段」に対し末尾は「日記的章段」で「宮仕え最終期」の段がふさわしい、と根拠づけ、有力候補として239・240・241段を発見させる。
10　「日記的章段」を仮説的に年代順に並べ、事件年表を作成しながら興味をもった段を解釈・批評する。
11　筆者清少納言の宮仕え初期から、中の関白家の絶頂期から凋落期へと「できごと」を捉え、一貫する定子中宮への賛美を読み味わう。
12　①定子サロンのもり立て役として活躍する筆者の働きを、時期を追って読み解く。②「定子との美しい魂の触れあい」（池田亀鑑）の実相を知る。③冒頭段や、著名な章段、末尾候補段などを取り上げて、視写・聴写・暗写・暗唱などを行い、受講者相互に披露し合う。
13　「まとめ演習発表」として、文法・語彙・有職故実のうち特に注目すべきものを取り上げて整理する。文法では、助詞・助動詞、動詞・形容詞の活用、副詞の呼応などを、例文の文脈まるごと理解して共有する。奈良-平安期の有職故実について、映像と共に理解する。
14　平安時代の社会制度・政治機構・文化を保持する機能をもつ言語文化財として、古典の役割を考える。
15　古典語・古典文学の意義・価値について再考し、子どもたち（小・中・高校生）に何をどのようにわからせ伝え、考えてほしいか、受講者それぞれが具体的に考える。併せて．自らの古典学習の方法を振り返り、現代語・現代文や外国語学習との共通点相違点について関心をもち、参考文献を参照しながら考察を広げる。それらに共通する原理として「対話環」原理は果たして役立つかなどを併せ考察する。

文献：『教育実践の省察力をもつ教員の養成』鳴門教育大学特色GPプロジェクト編著・協同出版2010

<table>
<tr><td>シラバス</td><td>大学院（教職大学院）</td><td>授業科目名　教科内容構成研究（国語）</td></tr>
<tr><td colspan="3">授業の目標
国語（第一言語）の体系・本質と、人間にとって国語（言語）のもつ意味を理解し、国語（第一言語）を学ぶ意義を捉え直すことを目標とする。国語科の教科内容構成の柱として以下の３つを取り上げる。
①言語学習の原理「対話環」と基盤領域「書くこと・作文」学習
②国語科の到達目標「話し合う力」、その技能体系の育成
③国語科の中核「読む力」、その技能体系の形成</td></tr>
<tr><td colspan="3">次の５つの要素で構成する。①言語学習原理の体系性：国語科が育てる言語の力は、個々の要素的言語の寄せ集めではなく「言語４相ＨＷＡＧ」が体系をなし、対話環原理がシステムとして機能している。②学習指導要領・教科書と「対話環」原理の関係　③学習者の言語発達への視座：発達を捉えには「書くこと・作文」が拠点となる。④到達目標－社会の担い手としての技能「話し合う技能」　⑤国語科の中核「読むこと・読書」……各技能の体系化と自己向上の意欲を育て、言語学習が創造的現場となるよう工夫できる能力を育てる。</td></tr>
<tr><td colspan="3">評価の観点
1. 本質的･原理的理解が困難な「国語科教育」の原理について､「言語獲得のシステム･対話環原理」の理論とイメージ（図式）を把握し、「言語４相」を統合的に考えることができる。
2. 母語学習の基本原理を具体的な実践指導の構想に応用したり、実践の現状について的確に批評したりできる観点・視野をもつことができる。</td></tr>
<tr><td>主　題</td><td colspan="2">教科内容・展開</td></tr>
<tr><td>1. 国語科の教科内容構成 - 対話環の原理とシステム
2. 考える力の発達と言語との関係
3. 国語科の教科内容「言語４相：ＨＡＧＡ」と「対話環」原理
4. ４言語活動（聞く･話す･読む･書く）「基礎基本」段階－書く（作文）の基礎基本性
5. 社会的言語技能の到達点－話し合う力①
6. 同上②
7. 同上③「話し合う技能」まとめ
8. 国語科学習の中核「読むこと」－虚構作品（文学）の読み①
9. 同上②
10. 実用・教養書読みの技術体系―①初級読書
11. 同上―②主題読書
12. 同上―③点検読書
13. 同上－④分析読書（精読）1
14. 同上－④分析読書（精読）2
15.「読みの技能体系」まとめ</td><td colspan="2">・国語科の構造化と教科内容構成の柱を明らかにする。
･考える力の発達は「言語」から把握できる。「入門期」及び「9歳の変化期」作文例から、教員に必須の文章解釈力を明示的に把握する。
・言語４相が主体間の「対話環」から産出される原理を確認する。第２回に示した２つの時期の「作文」を用いて､学習者を育てるための「対話環」原理を踏まえた教師の活動は何か考える。これによって「作文指導」の基本性を捉え、子ども側の基礎「聞く」をつかむ。
・指導要領は順序が変化するが、言語４相関係や言語行為の難易度には普遍性がある。大村はま『やさしい国語教室』を用いて、言語学習の体系関連性と段階性への理解を深め、「対話環」原理と「単元」が重なること､教師側の単元評価規準が「語彙力の保証」であること､「話し合う技能」学習の急所のとらえ方、などを総合的に捉える。
･「読むこと」は内外から国語科の中核であると見られる一方、「読むことの技術体系」は曖昧で、指導要領・教科書から「読みの技術体系」を抽出するのは困難である。文学作品（虚構作品）の読みの技能は､「文学教育」分野において厚く追求されており、主な技能について文献を用いて整理・演習する。
･10から15は、アドラー＆ドーレン『本を読む本』を手がかりに、実際の読書活動を交え、あるいは受講者各自の読書体験を教材として交流･参照しながら、考察を進める。併せて、大村はま「読書生活指導」の考え方と方法論を活用し、各自「読書生活の記録」を作成しながら演習を進める。アメリカで開発された「読書クラブ」や､「ガイド読み」「効果的（名人）読み｣､スペイン「読書のアニマシオン」等の読書活動、高校授業に導入中の「ジグソー法」等の活動を紹介し試行する。
「読みの技能体系」研究成果として、「ブックリスト」「索引」「注記」等を作成し有用性の観点から相互に批評する。</td></tr>
</table>

解　説

仮説4の5つの陶冶村を前提に、仮説2教科内容の構成原理を用いて授業内容を構成している。限られた時間で実践的指導力につながる効果を可能な限り高めることを重視し、国語科の原理の把握と「深い理解」を可能にするテキストを手がかりに、受講生の問題意識を呼び起こしながら国語科の原理的内容をできるだけ具体的に考察する。

最初の2回は、国語科の教科内容構成原理の解説である。

第3～7回は、国語科の柱となっている4つの言語活動を総合的体系的に捉える。テキストとして、大村はま『やさしい国語教室』（中学生向け）を用い、これを「教師側の視点」から読み解くことで、4言語活動の学習指導の急所（指導事項の発見と教材の働き）を捉える。

第8～9回は、国語科が実践実績を重ねてきた「文学の読み」を扱う。

第10～15回は、「実用･教養書の読み」の技術体系を扱う。この領域は、一般に文学読みと対比的に捉えられる傾向があり、高校段階の「論理国語」「文学国語」の設定にもそれが窺われる。文学作品は「教養書」でもあり、実用・教養書の技術体系の中に位置づけることは可能である。この技術体系のテキストとしてアドラー&ヴァンドーレン『本を読む本』を用いて受講者の精読への理解を促す。

学習方法（アクティブラーニング等）では、各回に、可能な限り自ら考え発見し発表交流を行う時間を設ける。

1. 国語科の構造は、学習指導要領に見られるように、言語知識と言語活動が並列的に捉えられがちである。これを防ぎ、いかなる国語学習でも「言語4相」が総合的に機能する「対話環」原理の把握を促す。
2. 「1」の目的のため「対話環」形成の基本をなす作文指導を例示し演習を行う。
3. テキスト『やさしい国語教室』を用いて受講生の精読を促し、指導者としての観点で研究課題を発見してもらう。
4. 学習の順序では「聞く - 話す」が先行すること、教材発掘の手がかりを捉えてもらう。
5. 大村実践を手がかりとして「話し合う」技能の基礎段階をつかみ、演習する。
6. 「話し合う」技能の中核段階をつかみ、教材の特性を把握する。「話し合う技能」の種類と体系を整理し、大村はまの実践記録（全集）を参照して、話し合い指導のイメージを具体化し応用イメージをもつ。各自で「話し合い」教材を考察する。
7. 国語科学習の代表としてイメージされる「読む力」の育成について、受講者の問題意識を出し合う。
8. 前時の問題を整理し、実践課題・学習上の課題を明らかにする。テキスト『本を読む本』の精読を促す。
9. 『本を読む本』全体の体系を大まかにとらえる。次に「初級読書」の特質・意義・学習指導上の困難点を具体的に明らかにする。受講者個々の学習体験と指導経験をもとに話し合う。
10. 「初級読書」の内容イメージを拡充し、「主題読書」と密接な関係があることを確認させる。結論として、「初級読書」に全読書法のひな型が含まれていることを理解する。
11. 「読みの技能体系」の中で最高段階に位置づけられる「主題読書」には「点検読書」が不可欠の技法であることを理解する。実際に本を用いて「点検読書」の演習を行う。
12. 「主題読書」の中核が「分析読書」（精読）であることを理解し、「分析読書」が「問い」によって展開することを演習する。

　読みながら具体的に「問い」を生み出し、問いに仮説的に答えること、答えの出ない問いをそのまま「保持する」重要性などを演習する。

　大村はま「読書生活の記録」の方法論を参照し、読みの力を伸ばす「読書記録・ノート」実践を始める。

13. 「分析読書」の仕上げとして、「文章理解を促す複数の問題作成」「読みを促す戦略の構想」「山場や急所を捉えた読者としての応答」などを、具体的に書く。

　成果物としては「本の帯」「前書き」「後書き」「解説」等を作成する。

14. 「読みの技能体系」を総括し、その意義・価値について考える。

　テキスト『やさしい国語教室』『本を読む本』に「索引」「注」「参考文献表」などをグループで協同作成する。作成したものを批評し合う。

　「共同思考」「共同読書」の技法を調べ、いずれかを選んで集団で試行する

15. 国語科の全体構造について総合的に整理し、その中で自分が最も課題としたい領域について、問題提起するレポートを作成する。

　他の受講者や講師の考えを聞き、自己の課題を省察する。

3　授業実践展開例

学部（小学校）、 教職大学院 「教科内容構成」 共通内容	第1回　作文表現によって子どもの発達をとらえる－「えにっき」 ○国語科教科書1年生（作文）に、「はじめ－なか－おわり」という簡単な構成に合わせて作文を書かせる単元がある。ここに2つの問題がある。①「はじめ－なか－おわり」は、大人の目からは簡単な構成に見え、「これなら1年生にも書けるだろう」と思わせる。はたして、それは真実だろうか。…「発達に応じた指導」の必要性 ②国語科教科書には、読む・書く・話す・聞く・話し合う、等の言語活動が設定されている。大人の視点では、言語活動はそれぞれ異なる「言語技能･言語技術」があり､主なものを「練習」させて身につけさせねばならない、と考える。はたして「言語技術」は､大人から与えられる「練習」で身につくものだろうか。…「理解」学習と「表現」学習の区別 ○掲げた例は、1年生入門期の子どもの作品である。あなたはこれを「読める」か。あなたが教師なら、これをどう取り扱うか。…「学習指導の単位」

3　授業実践展開例の具体（部分）

仮説7「②授業実践の事例」で扱った「国語科の基礎『子どもを育てる作文解釈』（小学校）」の授業実践を紹介する。

（1）「子どもを育てる作文解釈」（2節のシラバス：学部（小学校）第3～6回）

第3-4回：1年生入門期「えにっき」

言語学習の基本は、子ども自身が「対話環」を形成することであるという「理論」を踏まえ、1年生入門期の「えにっき」を取り上げて、これを教師として読み、有効な「返し」を行うための解釈演習を行う。

「えにっき」実例は、黒藪豊子『1年生の作文教育』（1973百合出版）、を用いる。解釈課題は、下記3点である。（「対象叙述、表出、訴え」は、ビューラー「オルガノン・モデル」の3つの意味）

A何が書かれているか（対象叙述）

a．絵から読み取れること

b．文字からわかること

B作者の気持ちや訴え（表出・訴え）

a．できごとへの思いと作者にとっての意味

b．書いている瞬間の子どもの状況とその意味

C入門期の言語発達の特徴はどういうものか

a．促音・撥音・拗音・長音・助詞の記述困難、

b．「頭に浮かぶことはすべて書く」

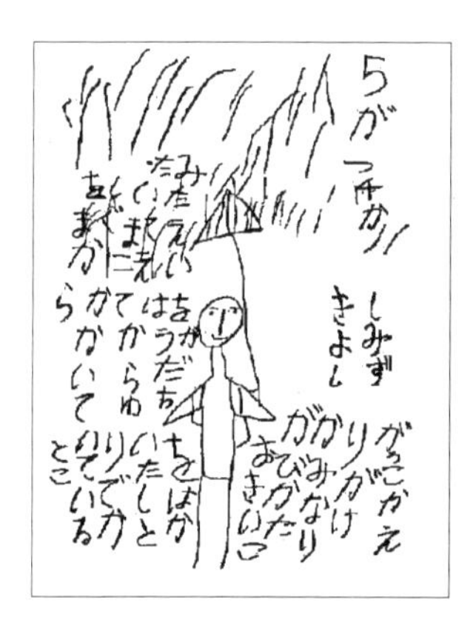

黒藪豊子『1年生の作文教育』1973、p.64所収

A　何が書かれているか（対象叙述）

同じ作者の「しがつ　なのか（4月7日）」の「すべり台」の絵の「えにっき」（p.51）には、名前と日付のほかには文字が書かれていないことを知らせてから、上記を見せる。5月14日同日の女児の「えにっき」もある（p.66）。女児のものは比較的読みやすいが、この男児の「えにっき」はほとんどの学生が読めない。担任の黒藪豊子氏は「おとなしい喜代司君の日記は、クイズのよう

だった。どこから、どこへ続くのか、さぐりあてるのに、だいぶ時間がかかった。」p.62　と述べている。黒藪先生は、この「えにっき」を難なく読み解いたことがわかる（同書に“答え”は書かれてはいない）。

＜「解釈」演習の実際＞

「注意深く観察すれば、必ず読める」と励まして、受講者を鼓舞し、まず「A何が書かれているか（対象叙述）」を考えさせる。まず個人で数分間考え、次に数人で10分ほど協議する。現職小学校教員の中には読める人もあるが、教員志望の学部生は、完全な正解にたどり着くことはほとんどない。ただし、まれに左上の横書き（右から左へ）積み上げ部分を直観で「まぐまたいしをみた」と読み解く者もいる。この「作品」を読み解くには、以下のことを踏まえねばならない。

○先に絵（傘をさした人物と雨の線）が書かれ、次に右側の日付→氏名→本文（がっこ　かえりがけ　かみなりが　びかた…）と進んだことを、書いた子どもの身になってリアルに捉えなければならない。先に書かれた絵をよけながら文字が進んでいったこと、縦書き・横書きの規則性はなく、ただ「言語の線条性」が読解の手がかりである。

○入門期文字記述上の特徴として「促音（っ）・長音・撥音（ん）・拗音（ゃ・ゅ・ょ」「助詞を・は・へ」の音と文字の対応の不規則、方言の発音通りの記述、などの困難がある。知識として重要。

B　作者の気持ちや訴え（表出・訴え）

○下段の、人物をはさんで書かれた縦書き部分は、絵の説明であり、緊張感をもって一気に記述されている。担任が「おとなしい」と評する作者は、この日「一人で帰った」という大冒険をし、その満足感を絵と文字によって精一杯訴えている。句点（。）はなく、3つの短文が、畳みかけるような息づかい・緊張で繰り出されている。

○下段を書き終えてほっとした作者は、その左上の空間に続けて文字を書きたくなり、その時の記憶の「続き」を綴った。「かい（っ）てから　ゆうだちが（ここで字が絵にぶつかった）おわてから　いえにかえて　まぐまたいしをみた」……ここは長い一文になっており、山場を書き終えたあとの余裕と弛緩、「筆の伸び」が現れている（絵に書いた後のことが記述され、“低学年の特徴”が出ている）。

以上のように、「書いている子ども」をリアルに想像しながら内容を可能な限り緻密に読み取り、○日記に書かれたこと・体験が「作者にとってどういう価値をもつか」を考え、それをもとに教師としての「返しのことば」や「反応のしかた」を考える。これが、「解釈」の仕上げである。

＜「言語の知識G」を用いて整理＞

C入門期の言語発達の特徴はどういうものか

この「えにっき」解釈演習によってわかるように、入門期の子どもは「言語の規則」を習得する途上にある。一般に「おとな」は子どものこの状態に対して少しでも早く「正しく書かせよう」と焦る。しかし「対話環」原理を踏まえる教師の仕事は、まず、「子どもが精一杯書いたもの」を「受容的に正しく読む」ことである。それが「価値のある返し」を「作者のわかる言葉で」返すことを可能にする。入門期の場合、「間違いを指摘して赤ペンで正しく直して返すこと」は「価値ある返し」には、ならない。言語規則Gの練習・習得は「理解学習」でなされるべきである。入門期の言語規則上の誤りは、「子どもの表現の一部」である。

前掲の「入門期の言語上の困難」は、時代を超えて不変であり、促音、撥音、拗音、助詞、句点・読点、線条性、等の専門用語はこれら知識と一体である。

この作文の特徴として、絵に描かれていないことを描いた１文に、「入門期あとの低学年作文の発達的特徴」が現れていることが注目される。

低中学年児童は「頭に浮かぶこと（ことば）は、すべて書く値打ちがあると思っている」（芦田恵之助）ので、かれらに「余分なこと」はあり得ない。この状態は「9歳の変化・節目」まで一貫して続き、この間は、おとなの見方で、記述内容を必要・不必要に分けて指摘しても、子どもの納得につながらない。

第5-6回：２年生の作文

２年生の子どもの文章の発達特性は、地方の作文研究会で独自に入手した作文例を用いて「読解・解釈演習」を行う。（作品実例省略）前回と同様、まず受講者に「２年生の例文」を示し、先の「１年生入門期　えにっき」と比較して、どこがどのように変化しているかを観察する。次に、

Ａ何が書かれているか（対象叙述）

Ｂ作者の気持ちや訴え（表出・訴え）

を読み取って解釈し、以下のことに気づかせる。

２年生の文章表現の特徴は、「頭に浮かぶこと（たとえば記憶から引き出せること）を、すべて書こうとして奮闘する」ことである。頭脳の働きが進んで記憶力が伸び、思い出せることが長大化するが、それをすべて書き尽くす身体的体力はまだない。そのため、些末な事柄をもれなくつぶさに書き始めて途中で疲れてしまい、書きたいことの最後までたどり着かずにやめてしまうことが多い（ちなみに、３年生になると体力がついて、本人の思う最後まで書けるようになる）。

また、作者が最も楽しかった山場を十分に書き込むことができず、周辺の事柄を思い出すままだらだらと書くことも珍しくない。

「言語規則Ｇ」上の特徴としては、「一文が長くなる」現象が顕著である。一文が長くなるのは、「～て、～から、～ので」等の接続助詞を多用して「重文や複文を組み立てる」からである（１年生「えにっき」の最後の文に、この現象が現れていた）。順接の接続詞「そして、それから」の多用も目立つ。記憶に従って息せき切って“書きなぐる”からである。

「Ａ何が書かれているか（対象叙述）」「Ｂ作者の気持ちや訴え（表出・訴え）」に関しては、体験の充実があれば、それがそのまま文章の価値になっているような内容が多い。教師の読み取り・解釈は、「体験の価値」をつかむことが重要になる。

以上、入門期から低学年時の「対話環」形成のための解釈作業は、作文そのものを読むことと共に、「書いている子ども」をリアルに思い浮かべることが必要である。

低学年の「教科書の作文単元」は、一般に「はじめ - なか - おわり」の“簡単な構成”を示して書かせるが、これは「書き方」の知識を「理解する」学習であり、子どもの「真正な表現」ではない。

「真正な表現」に関する専門的知見を「作文の観察」から可能な限り「自ら発見して、納得する」ことが、「国語科の教科内容」として重要である。

【文献】

参照:「対話環」理論関係
・村井万里子『国語・日本語教育基礎論研究』（全296頁）渓水社、2006年。
・村井万里子「「もの」・「こと」論は「対話環」をどう説明するか－廣松渉『もの・こと・ことば』を拠点として－」鳴門教育大学研究紀要、第31巻、2016年３月。
・村井万里子「国語・日本語教育史から得られる「言語教育の基礎理論」日本教科教育学会誌、第39巻第３号、2016年12月。
・村井万里子「形象－対話環」の考え方がなぜ必要か－３つの関連領域・諸学との交差」鳴門教育大学研究紀要、第32巻、2017年３月。
・村井万里子「形象－対話環」理論の探究－三木清『構想力の論理』を拠点として－」鳴門教育大学研究紀要、34巻、2019年３月。

【注】

1）「第3章2節 国語科　4　コア授業科目の展開
　4.1 平成20年度後期附属中学校授業「大学生による『古典の魅力』パフォーマンス」の実際」、
　鳴門教育大学特色 GPプロジェクト編著『教育実践の省察力をもつ教員の養成－授業実践力に結びつけることができる教員養成コア・カリキュラム』協同出版、2010年、pp.42-53.
2）鳴門教育大学教科内容学研究会編著『教科内容学に基づく小学校教科専門科目テキスト　国語』、2016年。
3）M.J. アドラー　C.V. ドーレン著　外山滋比古・槇未知子訳『本を読む本』文庫初版1997年。講談社学術文庫。
4）武田友宏『ビギナーズ・クラシックス　日本の古典　竹取物語』角川ソフィア文庫、2002年。
5）『あの企業の入社試験に、あのひとが答えたなら』青志社、2011年。
6）マルクス・ガブリエル著、廣瀬覚訳『新実存主義』岩波新書、2020年。
7）芦田恵之助著、青山廣志編『綴方教室』1935年。復刻1973年。
8）黒藪豊子『一年生の作文教育』百合出版1973年。
9）山口喜一郎『話すことの教育』習文社1952年。(「対話環」原理・モデルの出典)
10）大村はま『やさしい国語教室』共文社1978年。
11）川喜田二郎『環境と人間と文明と』古今書院1999年。
12）サリバン著　遠山啓序槇恭子訳『ヘレン・ケラーはどう教育されたか』明治図書1973年。

（村井万里子）

第6章　英語

1　英語の教科内容構成開発の仮説

仮説１　教科の認識論的定義

英語は、言語（目標言語と母語）と文化（目標言語文化と自国文化）を対象とし、社会的文脈の中で言語運用能力の育成を図り、言語が用いられている社会、文化や人間の存在価値や意義を認識・理解するための教科である。

英語の対象は、言語（目標言語である英語と母語）と、文化（目標言語文化と自国文化）である。形式的、体系的、社会的な枠組みを有する言語は、文化と用法・構造において深い関係性を有しているため、言語学習においては言語文化特有の文化的価値体系を認識・理解することが求められる。

英語は意図的・計画的・組織的な言語学習と言語活動を通じて、学習者が実用的な言語運用能力の習得を図る技能教科であり、それを可能とするための言語や文化に関する知識や情報の習熟を図る内容教科としての特性を併せ持った教科である。すなわち、知識や情報の習熟を目的とする教科ではなく、国際語としての英語運用能力の育成を主目的とする教科である。

このように英語は、学習者が英語運用能力を習得する過程を通じて、国際社会における自己の価値形成や自己実現能力を高める教科である。そのために、言語的、文化的、社会的、人間的側面の相互作用によって、学習者のより良い国際理解とグローバル社会の主体的な構成員として求められる多文化マネジメント能力や言語運用能力などの資質や能力の基礎を養成するとともに、文化や人間の存在価値や意義を認識・理解するための基盤を形成する教科である。

仮説２　教科内容構成の原理

英語は、語彙や文法体系等の内的構成要素の知識理解と、社会や文化等の包含的関連情報の認識・理解に基づく社会的・文化的文脈の中で、目標言語による言語運用能力（言語技能）の習得を目的とした教科内容により構成される。

① 内的構成要素の知識理解
② 言語運用能力の習得
③ 社会的・文化的背景等に関する認識・理解

仮説１の認識論的定義から、英語は言語材料である言語の内的構成要素の知識理解に基づき、具体的な文脈の中での言語活動を通じて、言語スキルを統合させた言語運用能力を育成する。これにより、目標言語と母語が使用される社会や文化に関する相対的な認識・理解を深める教科である。

① 内的構成要素の知識理解（言語材料）
② 言語運用能力の習得（言語活動）
③ 社会・文化的背景等に関する認識・理解（異文化社会・自文化社会）

仮説３　教科内容構成の柱

①英語の知識的・形式的側面
②英語の体系的側面
③英語の技能的側面
④英語の社会的・文化的側面

言語学習は、基本的には、意味とそれを構成する言語形式の関係についての知識・理解であり（知識的・形式的側面）、個々の言語形式が相互に関係し、その関係性の総体が一つの意味体系を構築していること（体系的側面）を認識・理解することである。

そのために、形式的、体系的、社会的・文化的価値を有する言語を学習者自身が実用的なレベルで活用することができる個人的言語運用能力として獲得する（技能的側面）ために必要な要因として、仮説2で設定した内的構成要素を、英語の形式的側面と体系的側面に二分化し、言語運用能力、社会的・文化的側面と合わせ、以下に示すとおり、英語の教科内容構成の柱として位置づける。

①　英語の知識的・形式的側面

言語材料（音声、文字、符号、語・連語及び慣用表現、文・文構造及び文法事項）に関する知識や情報を理解・獲得すること。

②　英語の体系的側面

意味と形式を結びつける談話を中心とした言語学習活動。すなわち、意味と形式の関係を決定づける認知的システムを構築するために、英語の意味単位を談話という単位でとらえ、社会的・文化的文脈の中で談話が果たす機能や英語が運用されるメカニズムを理解する。また、談話の中で用いられる言語形式と場面（人間関係、時間、空間等）との関係性を理解する。

③　英語の技能的側面

学習者が、英語を個人的英語運用能力として獲得するためには、英語の形式的・体系的知識等を具体的な状況下での言語運用（聞くこと、話すこと：やりとり、話すこと：発表、読むこと、書くことの五領域のマイクロスキルズ）に関わる訓練（練習）を積み重ねることが必要である。

④　英語の社会的・文化的側面

目標言語が使われている文化・社会と自文化・社会、及び、目標言語と母語とを相対的に把握し、社会・文化や言語の相対的関係性について認識・理解する。これにより、文化や社会的習慣が言語の実際的な使用にどのような影響を与えているのか、また、言語を客観的に捉え自覚的・意識的に運用することができるメタ言語能力の育成や社会言語学的、心理言語学的知識や経験の獲得を図ることができる。

これにより、グローバル社会へ参画するために求められる多文化マネジメント能力と言語運用能力の基礎を形成するとともに、文化や人間の存在価値や意義を理解・認識するための基盤を形成することが可能になる。

仮説４　教科内容構成の具体

①　英語の知識的・形式的側面（言語学習）

言語材料（音声、文字、符号、語・連語及び慣用表現、文・文構造及び文法事項）：英語の特徴やきまりに関する事項

②　英語の体系的側面（意味理解）

言語使用場面や文脈に応じた情報やコンテンツの受容（理解）・創造・発信に関する事項：①で学習した項目を意識化させ、実際の文脈の中で活用・発展させることができるもの

③　英語の技能的側面（言語運用能力）

言語運用に関わるマイクロスキルズを統合し、実際の言語使用場面や社会的な文脈とリンクした言語活動を展開すること

④　英語の社会的・文化的側面（異文化理解・メタ言語学習）

異文化や自文化体験・理解、多文化理解、多文化マネジメントに関わる学習活動。さらに、文学作品の理解等を構成要素とする。

英語の内容構成は、下記の4つの側面に集約することができる。

①　英語の知識的・形式的側面（言語学習）

英語の知識的・形式的側面は、言語そのものに関する知識・理解を形成するために必要な言語材料の習得に関わるものである。

言語材料は、(1) 音声（現代の標準的な発音、連結音、語・文ストレス、イントネーション、ポーズ）、(2) 文字（アルファベット活字体の大文字・小文字）、(3) 符号（終止符、疑問符、コンマ、感嘆符、引用符）、(4) 語（受容語彙・発表語彙：小学校で600語から700語、中学校で1600から1800語、高等学校で1800から2500語程度）、(5) 連語及び慣用表現、(6) 文、(7) 文法及び文構造等で、目標言語の言語的構成要素で

ある。

② 英語の体系的側面（意味理解・言語理解）

英語そのものの言語的、文化的内容などの内容面にフォーカスを当て、言語使用場面に応じた情報やコンテンツの受容（理解）・創造・発信に関する事項を取り扱う。①で学習した言語材料を意識化させ、言語使用場面や、言語使用目的、言語機能、言語形式等を認識・理解し、実際的な場面で運用することができる学習を展開する。

また、意味中心の言語理解や言語産出において、特定の語彙や文法等の言語形式への気づきを誘発することができる認知プロセス（メタ言語能力）を活性化することができる題材やアプローチを用いる。

③ 英語の技能的側面（言語運用能力）

言語運用を行うためのスキル（技能）を習得するために、「聞くこと」、「話すこと（やりとり）」、「話すこと（発表）」、「読むこと」、「書くこと」の五領域に関わるマイクロスキルズと、それらを統合した実際の言語使用場面とリンクした言語活動を展開する。

英語を用いた言語活動の具体的な実践事例は以下のとおりである。

(1) 場面と一体となった言語材料（意味と文脈）を中心とした言語活動

(2) 時間、空間、質・量、頻度、位置などの意味範疇や思考の枠組みを示す「概念」や、依頼、提案、約束、描写などの話者の発話の意図・目的を示す「機能」を重視したコミュニケーション活動

(3) 解決すべき課題（タスク）をフォーカス・配列した言語活動

(4) 学習者が興味を持つトピックスや英語科以外の教科・科目のテーマと関連付けられた言語活動

(5) コミュニカティブな指導法と構造中心の指導法を相互補完的に位置づけ、タスク中心の指導法や概念と文法を統合したものや、テーマやトピックスを統合したり、社会言語学的な内容を含む言語活動等

④ 英語の社会的・文化的側面（異文化理解・メタ言語学習）

異文化・自文化体験・理解、多文化理解、多文化マネジメント活動、文学作品の理解等を通じて、自文化や母語と異なる文化や言語を比較対照し、相対的に学習する。これにより、文化や言語における相違点や類似点が明らかになり、文化や言語の特性に気づきやすくなる等、自文化や母語に対する自覚的な理解が深まる。特に、母語や自文化との相対的な関係において異文化や目標言語である英語を学習することができるため、学習者のメタ言語能力を活性化させることが期待できる。このように、英語学習を通じてメタ認知能力や、言語を意識化させ、客観的に捉え、自覚的に運用することができる能力であるメタ言語能力の育成を図る。

仮説５　教員養成学生及び子どもに育成される能力（教員養成のみ記載）

① 言語運用能力の育成
英語による高度コミュニケーション能力の育成
② メタ言語能力の育成
英語及び母語という二つの異なる言語体系を対照的・相対的に理解・分析することができるメタ言語能力の育成
③ 多文化マネジメント能力の育成
多文化共生社会の中で人々をマネジメントすることができる異文化間コミュニケーション能力をはじめとした多文化マネジメント能力の育成

① 高度コミュニケーション能力の育成

所定の言語材料を用い特定の言語活動を中心に据えた指導を行うために必要な英語の統語論や形態論を理解し、運用することができる能力、すなわち、文型・文法事項に関する知識や豊富な語彙力とそれらを駆使する力を第一義的に涵養するだけではなく、「言語活動を通じて好ましい結果を

出す」という目的を達成するために言語材料を有機的・統合的に用いることができる能力を育成することができる。これにより、実践的・社会的な文脈の中で意思疎通を行い結果を出すことができる高度コミュニケーション能力を身につけることができる。

②　メタ言語能力の育成

第二言語習得における認知的アプローチの観点から、(1) 目標言語である英語と母語という二つの異なる言語体系を対照的・相対的に捉えたり観察したりすることができるメタ言語意識と、(2) 対象言語を客体として分析・理解するメタ言語知識と、(3) それを運用することができる力であるメタ言語能力を育成する。すなわち、目標言語である英語を母語や自文化との関係において把握・理解することができるメタ言語能力を育成することにより、言語を客観的に捉え、意識化し、自覚的に運用することができるようにする。

③　多文化マネジメント能力の育成

メタ言語能力の開発は多文化マネジメント能力の育成と密接に関連している。言語とコミュニケーションに対する意識のみならず、メタ認知的な方略も開発され、グローバル社会の構成員として、様々な課題に対し、自発的・主体的に対応する意識や能力を高めることができる。また、その対処方法も一定レベルにおいてマネジメントしたりコントロールしたりすることができるようになる。

このような多言語と多文化の経験を通じて、既に形成されている社会言語能力をはじめとする言語運用能力を有意に高めることができる。

これにより、言語と文化の相対性に対する認識が促進されることが期待できる。特に、日本人の言語観、言語感覚、外国語としての日本語教育等についても、相対的・客観的な理解を促進することができる。

仮説６　教科と人間（個人・社会）とのかかわり

①　英語と個人との関わり
(1) グローバル社会への参画の手段
(2) 多文化マネジメント能力の育成
②　英語と社会との関わり
持続可能な多文化共存・共生社会を構築

①　教科英語と個人との関わり

(1) コミュニケーション能力の育成を図り、グローバル社会へ参画するための手段としての英語運用能力習得の基盤を形成する。これにより、グローバル社会の一構成員として所属するコミュニティーへ主体的に参画することが可能となる。

(2) 多文化に対する理解と寛容の態度を育成することが可能となる。これにより、自己の多文化理解を拡充・再構築し、多文化環境の下でそれらを活用する多文化マネジメント能力を育成することができる。

②　教科英語と社会との関わり

グローバル社会の中で、人的流動性を高めることにより、持続可能な多文化共存・共生社会を構築することができる。また、創発的学習環境を構築し、新たな価値創造や文化創造を誘発することが可能となる。

仮説７　教科内容構成の創出による教科専門の授業実践

①概念的・理論的な観点

○教科英語の内容構成は、(1) 英語の知識的・形式的側面（言語学習）、(2) 英語の体系的側面（意味理解）、(3) 英語の技能的側面（言語運用能力）、(4) 英語の社会的・文化的側面（異文化理解・メタ言語能力）に関わる事項を、有機的に組み合わせたユニットとして螺旋状に配列したものである。

具体的には、(1) 言語学習として、言語そのものを対象とした言語材料に関わる学習に関する事項と、(2) 言語の意味理解学習として、言語材料等が実際の文脈の中でどのような意味を形成し運用されているのかを理解することに関わる事項と、(3) 実践的な言語運用能力の育成に関わる事項と、(4) 目標言語である英語と、英語が用いられている社会・文化と、母語や自文化との相対的理解を主としたメタ言語能力に関わる事項である。
○英語は、文化と不離一体の関係にある言語そのものを対象とするため、内容教科と技能教科の両方の要素を併せ持つ教科である。従って英語は、実用目的のコミュニケーション能力の育成という技能教科としての特性を最優先させながらも、言語や文化に関する知識・理解にフォーカスした文化教養目的も可能とする柔軟な枠組みの中で展開する教科として位置づける。
○言語材料である英語の発音、単語・熟語の意味と語法、文法構造とその用法や、言語が使用される社会や文化との関連性を、単に知識として理解するだけではなく、その知識を実際の言語使用や言語運用によって体験的に言語習慣化するとともに、体系的な知識として構築するために、そのプロセスをスパイラルに積み重ねることにより、言語スキル及び言語知識として習得させる。
○教科英語の主目的は言語運用能力の育成である。しかし同時に、言語のみならず文化や社会に関する相対的な知識・理解は、目標言語である英語の発想や思考法に関する認識や理解を促進するものであり、英語の文化的・教育的側面という価値が生じる。

(1) 英語が扱う対象や要素及び内容構成を明示するとともに、育成すべき資質・能力を明確化することにより、教科専門科目の内容と構成を再構築する。

ア．対象：A. 言語（目標言語、母語)、B. 文化（目標言語文化と自国文化)、C. 人びと（目標言語使用者と母語使用者）

イ．要素：A. 言語材料、B. 言語スキル、C. 言語活動、D. 多文化及び多様な人びと、E. 多様なテーマ、トピックス

ウ．構造化：A. 言語材料の習得、B. 言語運用能力の習熟、C. 多文化マネジメント能力の育成、D. メタ言語能力の育成

(2) 教科専門科目群の再構築

ア．関連科目として位置づけられていた言語学、英語学、音声学、音韻論、形態論、統語論、文法論、意味論、第二言語習得理論、英語史、英文学、米文学、テスト・評価論、教材研究・開発論、カリキュラム開発論等を統合させることができる新科目を設定。

イ．メタ言語能力の育成

「教えるための英語力」を身につけるために、目標言語である英語のみならず、母語である日本語について、日本人の言語観、言語感覚、外国語としての日本語教育等に関わる科目内容を設定する。

ウ．多文化マネジメント能力

開発途上国の人々をはじめ、多様な英語使用者の生活や歴史、ものの考え方や文化についてグローバルな視野と教養を育成し、多文化共生社会の中で異なる人々をマネジメントすることができる能力の育成や経験を積むための多文化環境でのフィールドワークやインターンシップ科目を設定する。

エ．実習科目の多様化

幅広い学習者層に対応した実践演習科目やフィールドワーク科目を設定する。

オ．英語教育のジェネラリストを育成するためのカリキュラム開発

中学校英語教員免許、高等学校英語教員免許の教職課程を更に発展させ、早期英語教育や成人英語教育を含む幅広い年齢層の学習者を対象にした英語教育を実践することができる資質・能力、及び、実践力を有する教員を育成する。そのためには、発達・学習心理学や認知心理学等の関連科目内容を設定する。

②授業実践の事例

単元のテーマとして「数字」を取り上げ、小中高12年間の一貫英語教育カリキュラムの開発と授業実践事例を示す。そのために、螺旋型に「学習過程を繰り返し経る」ことを、授業実践事例において具現

化する。

　また、教科構成内容として提案した（1）言語材料に関わる事項、（2）言語使用・言語活動に関わる事項、（3）言語スキルに関わる事項、（4）社会・文化に関わる事項を授業構成要素として位置づける。

題材：「数字」

（1）言語材料

ア．低学年：1から10までの数（基数）

イ．中学年：1から60までの数（基数）

ウ．高学年：100までの数（基数と序数）

エ．中学校：数字の位と単位

オ．高等学校：四則演算と比率（分数、小数等）

（2）言語使用・活動

ア．低学年：カードを使って1から10までの数字を聞いて数字を認識することができる。1から10までの数字を言うことができる。

イ．中学年：1から60までの数字を用いて、時間を表現したり、聞いたりすることができる。

ウ．高学年：100までの数字（基数、序数）を扱い、順番を表現したり、買い物で金銭のやりとりをしたりすることができる。

エ．中学校：千、万、億という大きな単位（位）の数字を扱うことができる。

オ．高等学校：基本的な四則演算や、比率、分数、小数点等を用いた表現を理解したり、使ったりすることができる。

（3）言語スキル

ア．低学年：聞くこと、話すこと（やり取り）

イ．中学年：聞くこと、話すこと（やり取り）、話すこと（発表）

ウ．高学年：聞くこと、話すこと（やり取り）、話すこと（発表）、読むこと、書くこと

エ．中学校：聞くこと、話すこと（やり取り）、話すこと（発表）、読むこと、書くこと

オ．高等学校：聞くこと、話すこと（やり取り）、話すこと（発表）、読むこと、書くこと

（4）社会・文化

ア．低学年：文化による多様な指等を使ったジェスチャー（非言語コミュニケーション）による数字の表し方等

イ．中学年：文化による多様な数字の表記方等

ウ．高学年：文化により異なるおつりの計算の仕方等

エ．中学校：文化により異なる物の数え方や単位等

オ．高等学校：文化により異なる数の概念やラッキーナンバーやアンラッキーナンバー等について

③従来の教科専門の問題点

　従来の教科専門は、外国語学部や英文学科等で開講されている専門科目群（関連諸科学科目例：英語音声学、英語意味論、英語統語論、英語語用論、言語学概論、応用言語学、英米文学論、第二言語習得理論、心理言語学、社会言語学、文化人類学等）がアラカルト的、網羅的に配列されたもので、学校英語教育という視点で言語諸科学を束ねたり、有機的な関連性を創出したり再構築したりする教科専門科目が位置づけられていないことが課題である。

　この問題を解決するためには、教科専門の総合的科目として、言語（英語）と教育に関連する諸科学の交差領域を研究する学問領域の確立と、学問の体系化が可能となる言語教育総合科目（教育言語学等）の設置が望まれる。そこでは、英語教育に関わる諸問題を解決するために、関連諸科学の知見や情報等を相互に体系化し、外国語教育理論の再構築と、理論と実践の融合を図ることが可能となる。

2　シラバス（英語）

　次ページより学部の小学校教員養成、および中学校教員養成のための教科専門科目（各2単位）と教職大学院における教科内容構成に係る専門科目（2単位）のシラバスとその解説を示す。

<table>
<tr><td>シラバス</td><td>学部（小学校）</td><td colspan="2">授業科目名　小学校外国語活動・小学校外国語（英語）科</td></tr>
<tr><td colspan="4">授業の目標
(1) ①外国語活動（3年、4年生）と、②外国語科（英語:5年生、6年生）で取り扱われる言語材料、言語スキル、言語活動と、外国語の背景にある文化的要因を理解し活用することができる。また、それらの内容を③中学校外国語科（英語）で取り扱う言語材料等と有機的に関連づけることができる。
(2) 中学校外国語科（英語）の教科内容と系統的に関連づけながら、児童生徒の発達段階や学習段階に最適化された学習内容（教材・題材・評価材等）と学習活動をカリキュラム上に体系的・統合的に配置・配列することができる。</td></tr>
<tr><td colspan="4">教科内容構成の具体（教科内容の概念・技能）
①　英語の知識的・形式的側面（言語学習）に関する事項
②　英語の体系的側面（意味理解）に関する事項
③　英語の技能的側面（言語運用能力）に関する事項
④　英語の社会的・文化的側面（異文化理解・メタ言語学習）に関する事項</td></tr>
<tr><td colspan="4">評価の観点
1. 英語（語彙・表現、文法等）に関する知識・理解ができている。（言語理解）
2. 英語に関する知識・理解を総合的に活用し、英語運用能力を身につけている。（言語スキル）
3. 英語と母語の音韻体系、文法、文構造、話し言葉と書き言葉の違いや英語史等を理解し、言語学に関する知識や情報を英語教育に応用することができる。（メタ言語能力・言語分析力）
4. 言語と文化・社会の関係性を認識し、世界の国や地域の地理、歴史、文学、芸術、生活習慣等に関する基礎的な知識・理解ができている。（文化・社会理解）
5. 既存の教授法に習熟し、自ら新しい教授法やICTをはじめとする新教授技術を活用したり、評価したりすることができる。（教授法理解）</td></tr>
<tr><td colspan="2">主　題</td><td colspan="2">教科内容・展開</td></tr>
<tr><td colspan="2">1. 母語習得と第二言語習得
2. 音と文字1（母音、子音、調音）
3. 音と文字2（アクセント、リズム、イントネーション）
4. 音と文字3（アルファベット）
5. 語・連語及び慣用表現1
6. 語・連語及び慣用表現2
7. 文・文構造と文法事項1
8. 文・文構造と文法事項2
9. 文・文構造と文法事項3
10. 文・文構造と文法事項4
11. 言語運用能力と言語機能1
12. 言語運用能力と言語機能2
13. 言語運用能力と言語機能3
14. 言語と文化1
15. 言語と文化2</td><td colspan="2">1. (1) 母語形成と第二言語習得理論、(2) 言語形成と言語習得過程、(3) 児童の発達段階と言語習得のプロセス
2. (1) 母音と子音、(2) 調音点と調音方法 (3) 音節
3. (1) アクセント、(2) ストレス･リズム、ピッチ･イントネーション
4. (1) 綴り字と発音、(2) アルファベットと符号
5. (1) 語彙・語形成、語形変化、(2) 品詞、品詞の変化
6. (1) 連語・慣用表現、(2) 教室英語マネジメント表現
7. (1) 文の構成と要素、(2) 句と節
8. (1) 文の種類、(2) 文型
9. (1) 動詞と助動詞、(2) 準動詞（不定詞・分詞・動名詞）
10. (1) 時制（基本時制）、(2) 進行形、(3) 態
11. (1) 言語・非言語コミュニケーション
12. (1) リスニングプロセス、(2) スピーキングプロセス
13. (1) リーディングプロセス、(2) ライティングプロセス
14. (1) 英文学作品（絵本児童文学）、(2) 言語・文化の多様性
15. (1)異文化交流と異文化理解、(2)多文化共生とアイデンティティ、(3) メタ言語能力</td></tr>
</table>

<table>
<tr><th colspan="2">解　　説</th></tr>
<tr><td>
教科内容を構成する要素を中心に授業内容を配列
(1) 言語的構成内容（言語材料：音声、符号、語・連語及び慣用表現、文・文構造及び文法事項）
① 音声（発音、リズム･ストレス、イントネーション･ピッチ等）
② 文字（アルファベットの大文字･小文字）、符号（終止符・疑問符・コンマ・引用符・感嘆符）
③ 語彙（単語）・表現
④ 定型表現（慣用的表現等）
⑤ 文・文章・談話（単文やまとまりのある文）
⑥ 基本的な文法項目（言語形式、語法・文法等）
(2) 技能的構成内容（言語スキル・言語活動・言語の働き）
① 言語活動としての5つの領域（マイクロスキルズ）「聞くこと」､「話すこと（やり取り）」､「話すこと（発表）」､「読むこと」､「書くこと」のうち､「聞くこと」､「話すこと（やり取り）」､「話すこと（発表）」の3領域を外国語活動で重点的に扱い、小学校外国語科（英語）では「読むこと」､「書くこと」の2領域の基礎部分を追加した5つの領域を取り扱う。
② 5つの領域を統合し、相互補完的に目標言語を用いて実際の場面（社会的な文脈の中）での言語使用や意味交渉（コミュニケーション）を行う。
(3) 文化的・社会的構成内容
① 英語の学習を通じて、「ことば」やその背景にある文化・社会・価値観等に対する知識・理解と能動的な態度（能動性）を育成するための内容を取り扱う。(異文化・多文化理解)
② 英語という言語を通じ、母語である日本語や日本文化、及び、日本社会をメタ認知し、同時に、母語である日本語を通じ英語という外国語や異文化、外国の社会への認識を深める。(メタ言語能力)
1. 母語習得・母語形成の基本的なメカニズムとプロセスを理解する。また、第二言語習得理論の概観を通じて、学校英語教育の場面で使用されている教授法が依拠する行動主義的理論や認知心理学的理論を理解する。また、児童の発達段階特性と言語習得に関わる学習者の外国語適性等についての理解を深める。
2. 英語の基本的な音声体系や調音点の相違を日英の対比において理解する。
3. 英語に代表される Stress-timed rhythm と日本語に代表される Syllable-timed rhythm の相違を理解し音声的に再現する。また、文強勢やリズムやイントネーションの付け方や機能を理解する。
</td><td>
4. アルファベットの綴り字と音・読みの関係性をフォニックスやサイトワードにより理解する。
5. 単語・語彙を語形、機能、意味などによって分類された8つの品詞（名詞、代名詞、形容詞、動詞、副詞、前置詞、接続詞、間投詞）と、内容語（名詞、動詞、形容詞、副詞）、機能語（その他の品詞）の識別及び語形変化等について理解を深める。
6. イディオムとして慣用的に用いられている語句や表現の固定的な意味や用例を文脈と関連付け理解する。また、クラスルームマネジメントで慣用的に用いる教室英語についても、教室内で展開される具体的な活動や生起しうる状況とリンクさせながら学習する。
7. 句と節の概念と機能、文の基本的な構成要素と構造を理解する。また、その形と意味とともに、文が場面や文脈に応じて果たす役割等も併せて理解する。
8. 文を内容上及び構造上の枠組みに従い分類し、それぞれの機能を理解する。
9. 本動詞（自動詞､他動詞）と助動詞､準動詞（不定詞･分詞・動名詞）の機能と用法を理解する。
10. 時間的な関係を現す動詞の語形変化を中心に、英語の基本時制（現在・過去・未来）と進行形を理解する。
11. コミュニケーション能力 (Communicative Competence) の枠組み及び定義を理解する。また、認知的にリスニングのプロセス（音声の認識・分析・理解・情報整理）を理解し、英語学習者が持つ課題認識を深める。
12. 概念化、言語化、調音化等のスピーキングのプロセスを理解し、コミュニケーション活動とつなげる。
13. リーディングとライティングに関わる文字言語処理のプロセスを理解し、学習者が抱える課題を認識。
14. 英語で書かれた日本の童話等の文学作品に関する基礎的な知識・理解を育成する。また、外国の文学作品を通じた異文化理解教育について考察する。
15. 自国の文化をはじめ、外国語の背景にある「精神文化」､「行動文化」､「物質文化」という内部構造を有する「日常生活文化」を中心とした異文化・多文化に関する理解とその活用について考察する。
</td></tr>
</table>

<table>
<tr><td>シラバス</td><td>学部（中学校・専門）</td><td>授業科目名　中学校外国語（英語）科</td></tr>
<tr><td colspan="3">授業の目標
(1) 中学校外国語科（英語）で取り扱う言語材料、言語スキル、言語活動と、外国語の背景にある文化的要因を理解し活用することができる。
(2) 中学校外国語科（英語）で取り扱う言語材料等を、小学校外国語活動（3年、4年生）と、小学校外国語科（英語：5年生、6年生）で取り扱う言語材料等と有機的に関連づけ、生徒の発達段階や学習段階に最適化された学習内容（教材・題材・評価材等）と学習活動をカリキュラム上に体系的・統合的に配置・配列することができる。</td></tr>
<tr><td colspan="3">教科内容構成の具体（教科内容の概念・技能）
①　英語の知識的・形式的側面（言語学習）に関する事項
②　英語の体系的側面（意味理解）に関する事項
③　英語の技能的側面（言語運用能力）に関する事項
④　英語の社会的・文化的側面（異文化理解・メタ言語学習）に関する事項</td></tr>
<tr><td colspan="3">評価の観点
1. 英語（語彙・表現、文法等）に関する知識・理解ができている。（言語理解）
2. 英語に関する知識・理解を総合的に活用し、英語運用能力を身につけている。（言語スキル）
3. 英語と母語の音韻体系、文法、文構造、話し言葉と書き言葉の違いや英語史等を理解し、言語学に関する知識や情報を英語教育に応用することができる。（メタ言語能力・言語分析力）
4. 言語と文化の関係性を認識し、世界の国や地域の地理、歴史、文学、芸術、生活習慣等に関する基礎的な知識・理解ができている。（文化・社会理解）
5. 既存の教授法に習熟し、自ら新しい教授法やICTをはじめとする新教授技術を活用したり、評価したりすることができる。（教授法理解）</td></tr>
</table>

主　題	教科内容・展開
1. TESOLと第二言語習得理論	1. 第二言語習得理論、外国語教授法、外国語適性、英語学習環境等
2. 英語の音声体系と文字体系1	2. 発音器官、調音点、母音、子音、有声音、無声音等
3. 英語の音声体系と文字体系2	3. アクセント、リズム、イントネーション、文強勢等
4. 英語の音声体系と文字体系3	4. 発音とつづり字、フォニックス、サイトワード等
5. 語・連語・慣用表現と品詞	5. 語彙、慣用句・慣用表現等
6. 文・文構造と文法事項1	6. 文構造と句読点及び符号の用法等
7. 文・文構造と文法事項2	7. 句・節と文の種類等
8. 文・文構造と文法事項3	8. 時制、時制の一致と話法、法と態
9. 文・文構造と文法事項4	9. 比較表現（原級、比較級、最上級等）
10. 文・文構造と文法事項5	10. 倒置・省略・強調・特殊構文、文の転換等
11. 言語運用能力と言語機能1	11. 言語運用能力、リスニングのメカニズム等
12. 言語運用能力と言語機能2	12. スピーキングのメカニズム等
13. 言語運用能力と言語機能3	13. リーディングのメカニズム等
14. 言語運用能力と言語機能4	14. ライティングのメカニズム等
15. 言語と文化	15. メタ言語能力、異文化・多文化コミュニケーションと世界の英語教育、複言語主義（Plurilingualism）とイマージョンプログラム、文学作品と言語学習及び異文化理解教育について等

<table>
<tr><th colspan="2">解　　説</th></tr>
<tr><td>教科内容を構成する要素を中心に授業内容を配列
(1) 言語的構成内容（言語材料及び文法事項と、言語の体系的側面に関する事項）
(2) 技能的構成内容（四技能と五領域・言語活動・言語運用）
(3) 文化的・社会的構成内容
① 異文化・多文化理解、② メタ言語能力
本科目では、
(1) 言語的構成内容（言語材料と意味理解）、技能的構成内容（言語活動と言語機能）、文化的・社会的構成内容の3つの構成内容を軸に、中学校外国語（英語）科の教授・学習に求められるコンテンツを体系的に学習する。そのためには、TESOL（Teaching English to Speakers of Other Languages：非英語話者に対する英語教授）の基本的な理論や方法論と関連させながら学習する。
また、動機付けや学習意欲等の外国語学習者適性等の学習者要因に関わる学習心理学の基礎についても体系的に学習する。
(2) 小学校外国語活動や小学校外国語（英語）科の教科内容と有機的にリンクさせることができる教科内容を重点的に配列し学習する。
(3) 言語的構成内容については、小学校外国語活動及び小学校外国語（英語）科で取り扱うこととされている基礎語彙600語から700語に付け加え、5つの言語活動領域において必要とされる1600語から1800語程度の基本語彙を取り扱う。また、基本語彙を用いた定型的な表現や基本文構造（文法事項）をベースに、より発展的な状況や場面で適切な語彙の選択や表現方法を用いてコミュニケーション活動（意味交渉）を行うことができる能力を育成する。
(4)「教えるための英語力」を育成するために、英語学分野（言語学、音声･音韻論、形態論、統語論、意味論、語用論等）と英語教育学分野（英語教育史、英語教育目的論、英語教育教材論、英語教育方法論、英語学習者論、英語学習評価論等）の関連諸科学を横断的に学習する。
(5) 多文化・異文化教育については、タスクベースまたはプロジェクトベースによる課題解決学習を展開する。</td>
<td>1. 母語習得・母語形成に関わる基本的なメカニズムとプロセスを理解する。
2. 音声学（調音・音響・聴覚）や音韻論の基本的な理論や概念についての理解を深める。
3. 音声と音素に見られる音声学的視点と音韻論的視点の相違を理解する。
4. 発音とつづり字の関係や、句読法、大文字・小文字等の表記法を理解する。
5. 語彙論や意味論・語用論の理解を深める。
6. 語形論、形態論、品詞論の基本的な概念を理解する。
7. 学校文法として取り扱う基本五文型の文構造や文の種類を分析的、構造的に理解する。
8. 時制と時制の一致、話法、法と態を分析的、構造的に理解する。
9. 比較表現（原級、比較級、最上級等）を分析的・構造的に理解する。
10. 倒置・省略・強調・特殊構文や文の転換等を内部構造として分析的に理解する。
11. コミュニケーション能力を論理的に定義し、意味交渉のメカニズムを解明する。
12. スピーキングのメカニズムを心理言語学的、社会言語学的な枠組みで捉え直し、対人関係に基づく伝達能力としての談話能力の理解を図る。
13. リーディングのメカニズムを認知学習理論やスキーマ理論を用いて理解する。
14. ライティングのプロセスやメカニズムを理解し、パラグラフの構造やテキスト・談話の結束性や一貫性に関わる書き言葉の関係性を理解する。
15. 異文化間コミュニケーションにおいて、コミュニケーションそのものが文化の規制を受けることを認識し、生じる心理的・社会的違和感やカルチャーショック等の発生のメカニズムを理解する。また、異文化間コミュニケーションにおける言語構造の相違のみならず、言語使用や価値感や習慣等の違いから相互受容が困難となるメカニズムを解明する。また、カナダやEU諸国で実践されている複言語主義（Plurilingualism）とイマージョンプログラムの実態や課題についての認識を深める。</td></tr>
</table>

シラバス	大学院（教職大学院）	授業科目名　言語学の諸相と教科内容構成

授業の目標

(1) 学際的な学問領域を有する言語学の諸相を概観し、言語そのものに対する理解を深めることを目標とする。そのためには、言語の構造的特質や歴史的変遷、地理的分布や、他の文化・社会との関わりについての知識・理解を深める。

(2) 人間と人間の思考や社会の仕組みと言語との関係性を、母語と母語文化との比較対象により探求的に学習し、言語の相対性（language relativity）や普遍性（language universality）について理解を深める。

教科内容構成の具体（教科内容の概念・技能）

① 英語の知識的・形式的側面（言語学習）に関する事項
② 英語の体系的側面（意味理解）に関する事項
③ 英語の技能的側面（言語運用能力）に関する事項
④ 英語の社会的・文化的側面（異文化理解・メタ言語学習）に関する事項

評価の観点

1. 言語学の諸相に関する知識・理解を深め、目標言語である英語と母語である日本語を対比的に捉えることができる。
2. 言語と文化の関係性や、言語と世界観や価値観との関係性や、人間の言語と論理、思考との関係性を言語学等の諸相を通じて理解し、説明することができる。

主　題	教科内容・展開
1. 言語と言語学	1. 言語学の教育的意義を取り扱う
2. 応用言語学・教育言語学	2. 言語学を教育分野に応用するための方法を考察する
3. 対照言語学・比較言語学・構造言語学	3. 経験主義に基づく構造主義言語学を取り扱う。また、2つの言語構造を比較分析する対照言語学の教育分野への応用について取り扱う
4. 生成変形文法理論	4. 生成文法や生成変形文法理論に基づき人間の言語能力や言語習得に関するメカニズムを取り扱う
5. 意味論・語用論	5. 意味論・語用論を体系的に取り扱う
6. 単語と語形成・語彙論	6. 語彙や語形成に関わる理論を取り扱う
7. 句と文・文法論・文法の種類	7. 各種文法構造に関わる理論を取り扱う
8. 形態論と統語論	8. 形態論と統語論を取り扱う
9. 談話分析	9. 結束性や一貫性、スキーマ、発話の意図等をベースに談話分析を取り扱う
10. 母語の習得と第二言語の学習	10. 第二言語習得理論を取り扱う
11. 言語と機械・人工知能	11. 機械言語や人工知能を取り扱う
12. 言語と脳	12. 言語習得装置（LAD）としての言語中枢のメカニズムを取り扱う
13. 言語の歴史と変化	13. 史的言語学をはじめとした言語の歴史と変化や、ピジンやクレオールについて取り扱う
14. 言語の多様性・社会・文化	14. 複言語（複合）主義やバイリンガル教育等を取り扱う
15. 言語と思考	15. 言語と思考について言語相対論と言語普遍論等を取り扱う

解　　説	
1. 「言語とは何か」イコール「人間とは何か」という問いであると言われるように、言語は人間生活の全場面において必要不可欠なものである。またその言語はそれぞれ音声、文法や意味等の構造を有している。この言語の構造的特性や、歴史、地理的分布、文化等との関連を扱う言語学の諸相を理解する。 2. 応用言語学は、言語理論と実践との橋渡しを行う学問領域として位置づけができる。また、応用言語学は、言語の教授・学習の分野を包括し、言語に関するあらゆる課題についてその本質を明らかにする学問分野であり、第二言語教育の理論と実践の両面を取り扱っている。一方、言語と教育に関連する諸科学の交差領域を研究する学問として教育言語学という応用言語学領域を定義し、言語学概論、英文法、談話分析、社会言語学、心理言語学、言語運用スキルの指導法、言語教育方法論、言語テスト評価論等の系統的・選択的な学習を行う。 3. 対照言語学は英語と日本語のように言語史的に同族関係のない二つ以上の言語を対比し研究する学問分野である。日本での英語教育のために日英両言語の比較研究をすることは実用的な目的を有する研究であり、その基本的な方法論を比較言語学と併せて学習する。また、Chomsky の批判を受けた構造言語学の概観を通じて、日本の英語学習（学校）文法の課題やあり方を追究する。特に、構造言語学が取り扱う構造という概念は、文構造や文型のみにとどまらず、音声構造、音声連結構造、意味構造、パラグラフ構造等という広い概念を包括したものであり、日本の学習（学校）文法に影響を与えたものであることを理解する。 4. 普遍文法と文の基本的構造を生成する句構造規則（深層構造）と、そこから無数の具体的構造（表層構造）を生成するための変形規則を提唱した Chomsky の生成変形文法理論を学習し、生得的普遍文法と母語習得及び外国語習得理論とを関連づけて理解する。 5. 統語論（Syntax）と意味論（Semantics）を統合させ、言語使用者である話し手・聞き手が構築する文脈との関係を取り扱う語用論（Pragmatics）に対する理解を深める。意味論は単語や慣用句の意味や、文表現の意味も含めた研究領域で、その中心課題は語や文の意味であることを理解する。語や文が特定の場面や文脈内で発せられたものを「発話」と呼び、	その意味と発話の意図と文字通りの意味との関連性について学習する。 6. 基本語彙や語彙選定、語形成に関わる基礎的な理論を学習する。また、基幹語、派生語、合成語や品詞に関わる語形論（形態論）に関する基本的な概念を理解する。 7. 英語の音声、文法等の知識を基盤として、文法論や意味論などの知識も、機能的観点や文化・社会的観点から理解する。それにより語形論･形態論､品詞論､文型論、時制・相・法・態・話法などの言語知識を整理する。 8. 最小意味単位である形態素による語の構成や複合語の意味解釈について理解する。また、文の構成を研究する統語論では、語と語の組み合わせにより文を生成するための規則を理解したり、語と語のつながりにより意味解釈の違いが生じることを学習する。 9. 談話を対象として、その一貫性や結束性がいかにして形成されるのか、また、談話内の文と文がどのようにつながっているのかを分析するプロセスを通じて、談話の文法規則を理解する。 10. 母語習得のプロセスを通じて、第二言語習得理論を理解する。また、英語教育への応用について考察する。 11. 音声合成、音声認識、言語理解システム、機械翻訳や人工知能等についての理解を深め、自然言語と機械言語の対比を通じて人の言語能力について考察する。 12. 臨界期や失語症等に関わる脳科学的知見を参照しながら、LAD や言語中枢について理解を深める。 13. 言語の系統樹や言語変化（音変化、統語上の変化、語彙変化等）についての諸相を理解する。 14. バイリンガル教育や複言語主義について理解を深める。特に、バイリンガリズムについては、母語との相互干渉や、学習者の認知能力との関係性や、イマージョンの社会的・心理的効果等について認識を深める。 15. 思考の働きを促進する媒体としての言語の働きから、言語と思考の関係を理解する。特に、人間が経験する様々な経験の記述に必要な語彙や言語形式により形成される概念体系は、言語によって異なっていることや、外界の認識の仕方に影響を及ぼしていることについて認識を深める。

3 授業実践展開例

英語科の内容構成の原理と内容構成の柱の関係を図 6-1 に示す。(1) 内的（言語的）構成内容を、①形式的側面と、②体系的側面に関する 2 項目に分割する。これにより、英語科の内容構成項目は、①形式的側面、②体系的側面、③技能的側面、④社会的・文化的側面に関する 4 つの項目として分類・整理する（図 6-1）。

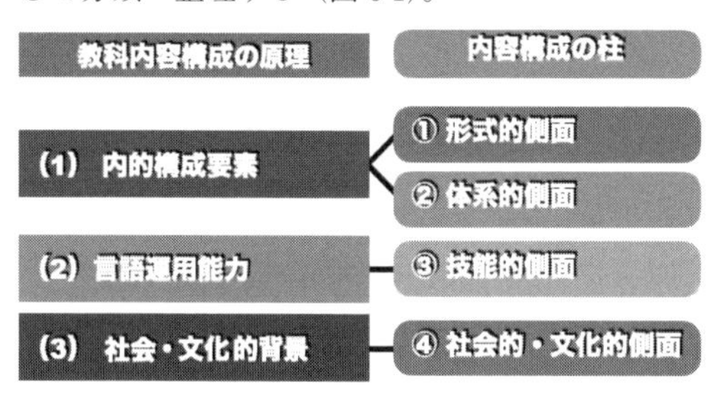

◇図 6-1　英語科の内容構成の原理と内容構成の柱

本授業実践展開例においては、4 つの内容構成の柱を統合的に組み込んだ小中高一貫英語教育カリキュラム構成に関する授業展開例を示す。

展開 1：言語材料に関わるフレームワークの構築と発表及び数詞に関する理解学習（30 分）

① 言語的構成内容・体系的側面

数字及び日常生活数字を対象とした小中高一貫英語教育カリキュラム構成を行うための準拠体系を構築する。

小学校算数科、理科、中学校数学科、理科、高等学校数学科（数学Ⅰ及び数学 A）で扱われている数字と時間や電話番号等の日常生活数字を、関連教科の学習指導要領解説編や検定教科書等を活用し、学習段階、発達段階に応じて分類・分析し、一覧表にまとめ発表する。（表 6-1 の B.「学習内容」と C.「学習項目」）

◇表 6-1　言語材料のサンプルリスト：学習内容と学習項目

A. 学年	B. 学習内容	C. 学習項目
低学年	指で数える数字	10 までの数字（数詞、基数詞）
中学年	時計、カレンダー	60 までの数字、時刻の表現
高学年	誕生日、日付、単位、金額	序数、百、千（数詞、序数詞）、日付、金額の表現、番地、電話番号の読み方
中学校 1 年	数と量	単数形と複数形の概念、可算名詞、不可算名詞、数量形容詞
中学校 2 年	単位、桁、大きな数字	不可算名詞（物質名詞、抽象名詞、固有名詞）、不定の数量を表す形容詞、絶対複数
中学校 3 年	四則演算	数詞、倍数詞、部分を表す数詞
高等学校	分数、小数、比率、数式の表現方法	加減乗除、累乗、計量（長さ、面積、容積、重さ、温度、湿度等）の表現方法

◇表 6-2　言語材料のサンプルリスト：言語材料

A. 学年	D. 言語材料（語彙）	E. 言語材料（表現・文）
低学年	one, two, three, four, five, six, seven, eight, nine, ten	Let's count.
中学年	eleven, twelve, thirteen, twenty, thirty, forty, fifty, sixty	What time is it now? It's ten thirty.
高学年	first, second, third, fourth, fifth, sixth, seventh, eighth, ninth, tenth, eleventh, twelfth.	When is your birthday? My birthday is December 2nd/the second of December.
中学校 1 年	many, much, some, any	How many…? How much…? There is/are….
中学校 2 年	both, all, some, any, no, either, each, every, few, little, several, …clothes, jeans, pants, shorts, trousers compasses, nippers, scissors, scales, mathematics, physics, economics, politics, bowls, cards, measles, arms, hundred, thousand, million, billion, trillion	both 可算名詞複数形 You can do it both ways. Neither 可算名詞単数形 I want to support neither team.

中学校3年	plus, make(s), minus, equal(s), half, quarter, twice, three times, double, treble, twofold, threefold	Two plus five equals seven. Two and five are/is/make (s) seven. Seven minus two equals five. Two from/out of seven leaves/is five. Two multiplied by three equals six. Three times two is six. Three twos are six. Six divided by two equals three. Two into six goes three times. Seven divided by three is two with remainder one.
高等学校	squared, cubed, square, cube, dozen, score, gross, a half, one-third, a quarter, three-quarters, millimeter, centimeter, kilometer, inch (es), foot, feet, yard(s), mile(s), square meters, liter(s), pound, ounce, gram, thirty-six degrees Celsius/centigrade, ninety degrees Fahrenheit, No. 1 = number one, Vol. 2 = volume two, p. 10 = page ten, Elizabeth II = Elizabeth the Second, World War II = World War Two, the Second World War	Two cubed is eight. The cube of two is eight. Two to the power of three is eight. The third power of two is eight. The square root of four is two. The cube root of eight is two. Water boils at a hundred degrees Celsius. Water freezes at 32 degrees Fahrenheit or zero degrees Celsius.

② 言語的構成内容・形式的側面（言語材料）

①で取りまとめた分類表に、言語材料（数字：基数、序数、小数、分数、数式、日常生活数字：時間、電話番号、日付、年号、温度等の読み方や表記法）を記入し、小中高の学習段階及び学習内容に対応させながら言語材料をリスト化し、クラスで共有・発表する（表6-2のD.「言語材料（語彙）」とE.「言語材料（表現・文）」）。

特に、数詞等の発音やスペリング等について音声学的側面や表記法的側面からの発展的な学習を展開する。また、名詞と数、数詞、数量形容詞等の各品詞の語彙や表現に関する語法、用法やコロケーション（連語関係）等についての理解学習を系統的・重点的に実施する。

展開2：言語材料のフレームワークに基づき，学習段階に応じた言語活動をデザインし提案する。(40分)

③ 技能的側面

表6-1, 2でリスト化した言語材料の中から必要最小限（ミニマル・エッセンシャルズ）の言語材料を精選し、③技能的側面（聞くこと、話すこと：やりとり、話すこと：発表、読むこと、書くこと）における具体的な言語活動をデザインし提案する。

特に、マイクロスキルズを育成するために、学習段階に応じた適切な「受容語彙」と「発表語彙」を明示し、語彙、表現のレベルと、言語活動内容とがスパイラル構造を成し、「繰り返し」と「練り上げ」を行うことにより、言語運用能力の定着と発展的な展開を可能とすることができるよう配慮する。

また、言語活動のデザインにおいては、個別学習、班学習、一斉学習等、図6-2に示す4つの学習指導形態のフェーズを柔軟に組み合わせ最適化する。

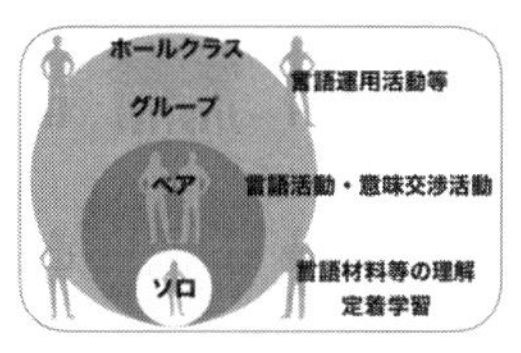

◇図6-2　学習指導形態

(1) ソロ・ラーニング
(2) ペアー・ワーク
(3) グループ・ワーク
(4) ホールクラス・ワーク

その際、言語活動が機械的な言語操作練習や言語材料を習得するための単なる暗記学習（rote memorization）に陥らないよう留意させる。すなわち、児童生徒が習得した言語材料を用いて、自分自身の意図を自発的に表現したり、他者との意味交渉を通じて必要な情報を獲得したり、具体的な行動を誘発したりする等の結果を導き出すことができる実践的・実際的な状況の中に埋め込まれた言語活動をデザインすることができるよう指導する。

そのためには、マイクロスキルズを統合させた言語活動を展開するための、プロジェクトベースの言語活動やタスクベースの言語活動の併用も併せて提案する。

展開3：言語材料等に関する社会的・文化的側面に関する深化・発展学習（20分）

④ 数字及び数字表現等に関する社会的・文化的側面（異文化・自文化理解、言語使用と社会的・文化的価値や習慣との関係性の認識・理解）

日本語と英語による数量や数量表現に関する文化的側面についての知識・理解を深めるためのリサーチワークを実施し、その結果を共有する。以下に、リサーチワークのテーマ例を示す。

(1) 数量や単位の概念と表記方法に関する地理的、歴史的、文化人類学的理解と解釈（例：10進法、12進法：dozen、gross等、20進法：score等、度量衡：メートル法、ヤード・ポンド法等）

(2) 単数形、複数形、可算名詞、不可算名詞、数え方等に関する地理的、歴史的、文化人類学的理解と解釈

(3) 数量に関わるノンバーバルコミュニケーションの地理的、歴史的、文化人類学的理解と解釈

(4) 数量に関わる民俗学的理解と解釈（例：吉凶に関わる数字：ラッキーナンバー、釣り銭の渡し方、等）

【参考文献】

安藤昭一（編）『英語教育現代キーワード事典』、増進堂、1991。

Council of Foreign Language Teachers: National Standards in Foreign Language Education Project. (2006). *Standards for Foreign Language Learning in the 21st Century,* Lawrence, Kansas: Allen Press.

Richards, J. & Schmidt, R. (2010). *Longman Dictionary of Language Teaching and Applied Linguistics (4th Edition),* Essex, England: Pearson.

Yule, G. (2017). *The Study of Language (6th Edition),* New York, NY: Cambridge University Press.

（松宮新吾）

第7章　社会

1　社会の教科内容構成開発の仮説

仮説１　教科の認識論的定義

社会科は、「社会」という表象や現象を対象とし、その存在と価値を理解し、実践することである。

社会科は、「社会」という表象や現象を対象とする。その対象は、固定的な知識内容や意識の外部の何らかの実体や本質ではなく「社会」という言葉に関わる意識のなかの表象であり、また知覚を通して経験的に観察可能な現象である。しかもそれら表象・現象には、過去と現在における経験的な「存在」の次元だけでなく、将来において存在することが望ましいという「価値」の次元も含まれる。したがって社会科には、現状の存在の認識だけでなく、あるべき価値を理解して、その実現のために実践をおこなうことも含まれる。

社会科の対象を「社会」という言葉に関わる表象や現象として、つまり人間の意識のなかの表象や、人間の知覚を通して経験的に観察可能な現象として捉えるというこの認識論的定義は、教科内容を構成するうえで限定的でありながら同時に展開力も持ちうるものである。社会科の対象である社会的現実は、人間の意識から独立した事物のようなものではなく、人間の意識や知覚といった精神活動を不可欠の媒介として生成され、構成され、存立している[1]。

社会科にとって重要なのは、これら「社会」に関わる表象・現象を、或る場所に現に在る、過去に在った、という経験的な「存在」の次元だけでなく、在るべきもの、在ることが望ましいものとしての「価値」の次元をも重視して、それを理解し、その実現のために実践することである。なぜなら、「社会」に関わる表象・現象には、現実に存在するものだけなく、まだ現実的な存在にはなっていないが、その実現が期待される価値も含まれているからである。したがって、社会科の内容には、現状の認識だけでなく、人間たちが共有すべき価値の理解とその実現のための実践、社会参画も含まれることになる。こうして社会科は、「社会」という表象や現象を対象とし、その存在と価値を理解し、実践することである、という認識論的定義が得られる。その際、「存在」の次元は、「空間」上の特定の場所と「時間」軸上の特定の瞬間や期間に持続して現れている側面を指しており、「存在」の理解とは、現象の存在の必然的な内容や理由を把握・了解することである。それに対して「価値」の次元とは、当為・規範・理念・理想など、あるべき姿、望ましい姿が想定されている側面である。この「価値」の次元は、「存在」の次元と異なり、自由な選択の対象から構成されており、その「価値」の理解とは、現実世界に現れていないが人間たちの意識のなかに共有されている表象を、肯定的なもの、あるいは否定的なものとして判断しつつ、選択可能な共同主観的な対象として把握・了解することである。このような社会的な諸価値が、個々人の現実生活の領域において自由で主体的に判断し、選択し、実践する対象を構成・存立させている。

仮説２　教科内容構成の原理

存在：空間　（地理学、地誌学など）
　　　：時間　（歴史学、考古学、民俗学など）
価値：人格　（心理学、哲学、倫理学など）
　　　：共同性（法律学、経済学、政治学、社会学
　　　　宗教学など）
　　　：公共善（法律学、経済学、政治学、社会学、
　　　　宗教学、哲学、倫理学など）

社会科の認識論定義において存在の次元と価値

の次元に区別された「社会」に関わる表象・現象は、さらにそれぞれの下位の枠組へと分節化され、その内容は、それに対応する専門諸科学によって学術的に根拠づけられることになる。

経験的に在るという存在の次元は、分析と総合によって因果連関や法則性の解明と個別的特色の記述を通じて認識される領域であり、その認識枠組は、空間と時間である。社会科での空間は、自然界の三次元空間を共有しつつも、もっぱら地球表面上の平面と高さに含まれる領域を扱い、その内容は主として地理学、地誌学などに根拠をもっている。社会科での時間は、現象の変化・順序を記述するための一次元の連続変数としては自然界と共通しているが、もっぱら人類の発生以降の不可逆的時間（その枠内での循環型時間）を扱い、その内容は主として歴史学、考古学、民俗学、人類学などに根拠をもっている。

人々の意識に共有されている規範や理想などの価値の次元は、人々の行為の目的や課題を設定する領域でもあり、その認識枠組は、人格、共同性、公共善へと分節化される。「人格」は、社会的価値を担う基礎単位であるが、それは人間個体の個別の身体を土台として備えている。「人格」は、感情・認識・行為からなる社会的活動の主体としての価値をもち、その内容は、主として心理学、哲学、倫理学などによって解明されている。「共同性」は、個々人の身体の集合の存在を前提としているが、そのなかで個々人が共存・相互依存しつつ積極的かつ能動的に協調し、協働して秩序を形成している状態のことであり、その内容は主として法律学、経済学、政治学、社会学、宗教学などによって解明されている。「公共善」は、個々の人格がもつ多様な価値観を前提にしているが、そのなかで私的な価値観とは区別されるところの普遍的で一般的な価値として共有され、共有されうる価値の総体のことであり、その内容は、やはり主として法律学、経済学、政治学、社会学、宗教学などによって解明されているとともに、新たに共有されるべき価値の内容については広義の哲学や応用倫理学などが扱っている。

これら存在と価値という二つの次元が統合される場としての実践、具体的な課題の設定と解決の場面において、個々の人格だけでなく、共同体としての人間集団のよりよく生きる力が育つことになる。

仮説３．教科内容構成の柱

①存在の枠組としての空間
②存在の枠組としての時間
③価値の枠組としての人格
④価値の枠組としての共同性
⑤価値の枠組としての公共善
⑥存在と価値の次元を統合する技法

仮説２の原理に従って、教科内容構成の柱をまとめると上記のようになる。

仮説４　教科内容構成の具体

①存在する空間における自然地理学的空間構成と人文地理学的・地誌学的地域構成
②存在する時間における不可逆的時間区分と循環型時間区分
③価値としての人格における身体的・精神的・審美的・理論的・実践的な諸価値
④価値としての共同性における協調と協働の諸形態
⑤価値としての公共善における法規範、経済的・政治的・社会倫理的・宗教的・文化的な諸価値、全人類的価値（人権・平和・民主主義・持続可能な環境）
⑥存在と価値を統合する実践のための技法としての調査法、表現法、コミュニケーション、解釈。

仮説３のそれぞれ６つの柱のなかに含まれる具体的構成要素は上記の通りである。

存在の次元での①「空間」における具体的構成要素は、自然地理学的空間構成と人文地理学的・地誌学的地域構成である。自然地理学的空間構成は、地形・気候・海洋・陸水・土壌・生物などの自然的環境の特徴を基準とし、人文地理学的・地誌学的地域構成は、人間の政治・経済・社会・文化などの人文的事象の特徴を基準として構成される。

存在の次元での②「時間」における具体的構成要素は、不可逆的時間区分と循環型時間区分である。不可逆的時間区分は、編年・暦法・時代区分など人類の発生以降の事象の不可逆的な質的・量的変化の特徴を基準とし、循環型時間区分は、日・週・月・年・干支など反復する類似の現象の特徴を基準として構成される。これら空間と時間という2つの要素によって、ある現象の存在上の位置（どこで、いつ）が特定されることになる。

価値としての③「人格」の具体的構成要素は、人格がもつ身体的価値、精神的価値、審美的価値、理論的価値、実践的価値などである。身体的価値は、人格と密接に結びついている健康状態など身体の多様な状態に関連しており、精神的価値は身体的な価値に還元できない人格の意識がもつ感情・思考・意志などに関わる多様な状態に関連しており、審美的価値は何らかの対象についての人格の多様な感覚的判断に関連して構成されるものである。理論的価値は、人格の認識行為における認識対象と認識内容が一致した状態としての「相対的真理」を基準として構成される。その内容は、ある現象を統一的に説明できる法則性、ある命題を事実的根拠によって証明できる実証性などの基準によって信憑性を得ることで、個々の人格の実践への取り組みの正当性を裏付けることになる。理論的価値は、それを検証する実践（観察・調査・実験など）によって肯定的あるいは否定的に評価され、実践にあたって取捨選択されることになる。実践的価値は、ある理論がある人格の行為を通じて現実的効果をもたらすことができるという有用性を基準として構成される。この価値は、行為がなされる場・文脈・機会の多様性に応じて、その効果も異なるという意味で基本的に相対的で可変的な性格をもっている。最後に、これらの価値は、人格に内在して、自由に自発的に構成されるべきものであり、外部から強制されるものではない。

価値としての④「共同性」の具体的構成要素は、協調と協働の諸形態である。協調の諸形態は、家族、地域自治体、経済団体、政治団体、社会団体、文化団体などの人間集団において異なる諸人格が互いに協力し共存している状態であり、自然発生的なものと、利益や機能など目的に即して組織されるものとに区別される。協働の諸形態は、特定の目標を共有する複数の人格や複数の人間集団が協力して活動する過程のあり方であり、家庭生活、地域自治活動、経済活動、政治活動、社会活動、文化活動などがある。これらの諸形態は、既存の現象のうちに見出されたり、新たに創出されたりする価値である。

価値としての⑤「公共善」の具体的構成要素は、法規範、経済的価値、政治的価値、社会倫理的価値、宗教的価値、文化的価値、全人類的価値としての人権、平和、民主主義、持続可能な環境などである。法規範とは、憲法をはじめとする国内法や国際法が定めるところの個人や団体の行為や判断の規準であり、この規範に合致していない場合は強制的な制裁の対象となる。経済的価値には、物やサービスなどが市場経済のなかで商品の価格として表される交換価値や、消費・使用する場面での欲求充足等の効用を基準とする使用価値などがある。政治的価値は、主権者による国家統治のあり方、政治権力の獲得や行使のあり方をめぐる価値であり、日本では国民主権と民主主義が望ましい価値とされ、権威主義や全体主義が否定的価値とされる。その他に自由主義、保守主義、社会主義などの選択可能な価値がある。社会倫理的価値は、法的拘束力をもたない慣習や内規によって集団的に共有された倫理的・道義的価値であり、この価値に可能な限り合致する行為や判断をおこなうことが集団的に期待されている。宗教的価値は、様々な信仰共同体によって崇拝される超越的な存在者や聖性などがもつ価値である。その価値は当該の信仰共同体と外部の人々との相互関係によって寛容の対象から排除の対象まで様々に扱われている。文化的価値は、狭い意味での文化芸術活動、広い意味での日常生活を超えた高尚な理想を実現しようとする活動自体、またその結果として生成した事物において体現されているものである。文化的価値は、法・経済・政治・社会倫理・宗教などの諸価値に含まれない独自の価値をもつか、あるいはそれらの諸価値を包摂している。全人類的価値は、特定の集団だけではなく、文字通り全人類に共有されるべき包括的価値であり、具体的には、人間が生まれながらに持っている普遍的権利としての自由権、参政権、生存権など基本的人権、戦争と暴力のない状態としての平和、人々が主権者として自らを統治する政治形態としての民主主義、将来の世代の生存と発展を保障しうる持続可能な環境など不断に現実化すべき諸価値である。たとえ局地的に一部の集団のなかで法・経済・政治・社会倫理・宗教・文化の価値が実現されているとしても、全人類的価値が損なわれるならば、それらの局地的な一部の諸価値も本質的に損なわれ、結果として否定的なものに転化する。例えば、一国の政治的・経済的価値を追求した結果、戦争が発生し、平和という包括的価値が損なわれる場合である。このように価値の次元は、どの価値を優先的に選択するのかという実践的な判断がなされる場でもある。

存在と価値を統合するための⑥「技法」は、価値の実現をめざして特定の時空間で行為するために必要なものである。その具体的構成要素は、調査法、表現法、コミュニケーション、解釈などである。とくに理論的価値を追求して特定の対象について特定の目的にもとづいて事実的資料を収集・分析・総合する調査法と、多数の相手に向かって伝えたい内容を目的に即してプレゼンテーションする表現法は、調査や表現のための機器の操作を含む技術の習得を必要とする。さらに実践的価値を実現するためには、一人または複数の多様な他者との合意形成をめざす対話的コミュニケーションが必要である。つまり自己の主張を相手の文脈に即して表現し、相手の言説を相手の文脈に即して理解し、自分の主張の文脈に置換して判断する過程を繰り返しおこなうことが求められる。最後に、解釈とは、調査結果や対話での他者の言説だけでなく、現象全般を、人間の精神が生み出した「意味」の現れとして捉え返すことである。この解釈によって様々な存在と価値の「意味」が明らかにされ、単なる情報の認知とは異なる深い意味での認識や理解がなされる。調査結果の意味、他者の言説の意味、表現すべき意味といった、社会科の「技法」における様々な意味は、究極的には解釈の結果として得られるものである。

仮説５．教員養成学生及び子どもに育成される能力

（教員養成のみ記載）

1）存在する周囲の世界のなかでの自分の位置を知る能力（空間的自己認識と時間的自己認識ができる能力）
2）価値の次元で目的や課題を設定して自己形成する能力（自由な人格形成、共同性の獲得、公共善の追求）
3）存在と価値が統合されるかたちで、自分が置かれた日常的生活世界の地理的・歴史的文脈を踏まえて、他者と共有できる価値を積極的に見出し、それを実現することができる能力。他者との対話による合意を形成しながら、目的意識をもって、自分のよりよい生を営み、他者とともによりよい社会の形成者になることができる能力

仮説４における具体的要素により、上記の能力が育成されると考える。

○存在する周囲の世界を、そのなかでの自分の存在の位置との関わりで知ることができる能力、つまり、地理的空間上の自己の位置と、歴史的時間上の自己の位置を理解できる能力である。この能力を活用することで、自分の立ち位置から地理的空間上の事象を理解し、自己を取り巻く居心地のよい空間を構想し形成できる能力が育まれ、自己の人生の視点から歴史的過去の事象を理解し、望ましい将来設計を構想し実践できる能力が育まれる。

○価値の次元で目的や課題を設定して自己形成する能力である。つまり、自由に自己の人格を形成し、自覚的に共同性を獲得し、公共善を追求できる能力である。この能力を活用することで、一人の人格として自己の価値を理解し、共同性のなかで他者と自己との関係を理解し、公共善の実現に向けて自己の生のあり方と、他者との関係の取り結び方を構想できる能力が育まれる。

○存在と価値が統合されるかたちで、自分が置かれた日常的生活世界の地理的・歴史的文脈を踏まえて、他者と共有できる価値を積極的に見出し、それを実現することができる能力である。この能力を活用することで、他者との対話による合意を形成しながら、目的意識をもって、自分のよりよい生を営み、他者とともに、よりよい社会の形成者になることができる能力が育まれる。

仮説６．教科と人間（個人・社会）とのかかわり

社会科は、よりよい社会の形成者の育成を目的としている。その根拠：人類社会を持続的に質的に向上させる必要性
(1) 存在する社会の認識を追求できる主体の形成
(2) よりよい社会をつくる実践を担える主体の形成
(3) 現に存在する社会のあり方を批判的に評価し、よりよい社会をつくるための新しい価値を創造できる主体の形成

社会科は、よりよい社会の形成者の育成を目的としている。つまり、社会を認識の対象とするとともに、その対象である社会を改善する人間、社会をよりよいものに移行させていく実践を担う人間を育てることを目的としている。その根拠は、人類社会を持続的に質的に向上させる必要性に求めることができる。この目的を、仮説５の諸能力に対応させるならば、次の３つに分節化される。

○　存在する社会の認識を追求できる主体の形成

○　よりよい社会をつくる実践を担える主体の形成

○　現に存在する社会のあり方を批判的に価値判断し、よりよい社会をつくるための新しい価値を創造できる主体の形成

仮説７　教科内容構成の創出による教科専門の授業実践

①概念的・理論的な観点

内容構成の方針

授業内容を仮説４の２つの次元、５つの範疇、１つの技法をもちいて構成する。

次の課題を重視する。

・主体の生活世界を相対化・対象化し、変容させることができる知識の獲得（既存の知識の批判的把握）
・主体と有機的に融合した、生きる力に資することができる知識の獲得（新しい主体の創造）
・専門諸科学が提供する中立的知識を主体の個別具体的な「文脈に埋め戻すための枠組み」の提供

２つの次元、５つの範疇、１つの技法の扱い方

・設定された主題を２つの次元、５つの範疇により分節化・概念化・参照化

いつ（時間⇒とき）、どこで（空間⇒場所）、誰が（人格⇒主体）、何を（価値⇒対象の意味）：構造的に認識する領域

なぜ（因果関連＝説明原理）、どのように（様態評価＝記述言語）：思考・判断する領域

・設定された主題に関する自己表現を支援する技法

②授業実践の事例

①主体的な主題設定（社会科の教材にしたい社会事象）

学習者による特殊・具体的事例の自己の経験にもとづく一見自明な表象の提供（生活世界の提示）
⇒クラスによる共有
②教師による教科内容構成の原理に立脚した具体的事例の分析・整理
分節化（空間・時間・価値への分析）
概念化（適切な学術概念へと統合）
参照化（発展的な課題について学術分野の示唆）
具体的事例についての空間的分析・総合と時系列的分析・総合
具体的事例についての人格的価値判断、共同的・公共的価値判断
③対話的討論のなかでの学習者による私的経験の言語化（表現）
レファレンスによる情報検索（調査）
提起された問題についての「思考」の促進
⇒（創造・発見）
⇒価値「判断」
⇒意見形成・意見交換（表現）
教師や学習者同士の質疑応答のなかで各自の限定された経験が、異化・相対化・客観化されていくプロセス
具体的事例についての因果連関の解明
④教科内容構成による思考と経験の再組織化・変容
④－1 教師による教科専門的な視点からの協働（対話）のあり方：
教師の役割のパターン
・支援者（私的経験や意見の形成に際して概念化・言語化の支援）
・対論者（授業空間に不在の他者の視点・価値・意見の代弁）
・解説者（問題や事象の因果連関について専門的知識の提供）
④－2 対話的討論のなかで学習者による思考と経験の再組織化・変容
その結果としての「問題」の再定式化⇒「問題」解決の方向性と主体的な関わりについての各自の思考・判断・表現の促進
具体的事例についての問題解決の方向性の模索、暫定的な解決策の考案

①概念的・理論的な観点

内容構成の方針は、仮説４の６つの柱と、それに基づく具体的構成要素をもちいて授業を構成する。その際の基本方針として、次の課題を重視する。

第１に、学習主体の多様な文脈による意味が充満した日常的現実である「生活世界」[2]を相対化・対象化し、それを変容させることができる力のある知識、主体と有機的に融合した、よりよく生きる力に資する知識が獲得されることである。このことは、専門諸科学による「どこでもないところからの眺め」[3]の成果、つまり、特定の主体も文脈をもたない「客観的知識」を、学習主体の個別具体的な日常的現実（生活世界）に実装することで、自分の身に付いた知識にすることであり、既存の日常知（自分なりに知っていること）を批判的に見直すことを意味している。つまり、主体との結びつきをもたない客観的・中立的な知識を、個別具体的な文脈のなかで実存的に生きる学習主体（子どもたち）の道具・手段として、主体的に活用でき、実践的に応用でき、有意義なものさせることができる有機的な知識へと内面化させるという課題である。

第２に、その結果として、日常的現実（生活世界）を変容させる力をもつパワフルな知識は、主体と有機的に融合して創造的に生きる力の源泉になる。このことは、新しい主体を創出すること、つまり、一方で、既存の自己のあり方を批判的に把握し、他方で、新しい自己のあり方を創造することを意味している。

第３に、このような有機的な知識の内面化による日常的現実を変容させる主体の形成過程において、教科内容構成の創出の役割は、専門諸科学が提供する客観的・中立的知識を、学習者の個別具体的な文脈に埋め込むための体系性をもった「枠組み」を提供することにある。つまり、専門諸科学の内容を無媒介に機械的に押しつけるのではな

く、学習主体の個別の文脈と、専門諸科学の内容とを相互に融合可能なものへと整序することにある。つまり、これまで地理、歴史、公民の3分野に即して縦割りに学習されてきた素材の意味内容を、学習主体が位置する文脈を考慮して、存在（①空間、②時間）、価値（③人格、④共同性、⑤公共善）、⑥技法という教科内容構成の柱に基づいて再配置し組織化することにある。その際、従来の地理的要素と歴史的要素と公民的要素の領域横断的な連関性や相互作用の側面に焦点を当て、「社会」に関わる表象・現象が、存在と価値の次元で多面的な構造をもっている点を明確に理解すること、それと同時に、この多面的な構造に向かって学習者が主体的に参与・参画することで、その構造を変えることができることを自覚することを重視する。

②授業実践の事例

教科内容構成にもとづく教員養成のための授業実践は、原則として次の4つのステージで編成される。

第1ステージでは、学生が主体的に（まったく自発的か、または複数の選択肢から選ぶかたちで）、社会科の教材にしたい表象・現象について問題設定をおこなう。つまり、特殊・具体的事例について自己の経験にもとづく一見自明な表象を提示し、自己の「生活世界」のなかでの個人的な見方を提示し、それを教室で共有することから始める。以下では、一人の履修生が「アルバイト先での有給休暇取得の問題（労働問題）」を提案した授業実践を具体的事例として取りあげて説明する。

第2ステージでは、教師が主導して、教科内容構成の原理・柱・具体に立脚するかたちで、提案された問題の分析・総合がなされる。それは、分節化（空間・時間・価値に即した分析）であり、概念化（適切な学術概念への統合）であり、参照化（発展的な課題について学術分野の示唆）である。例えば、アルバイト問題は、「空間」的分析・総合によって、時給など労働条件の地域間格差、日本と海外での事情、国際的労働力移動などの理解へと展開される。また、「時間」的変化の分析・総合によって、労働形態の歴史として、奴隷労働、農奴労働、自由契約による資本制的賃金労働の相違の理解へと展開され、現代の雇用形態の変化として終身雇用・年功序列の解体、非正規労働・派遣労働の増大、労働市場の流動化などの理解へと展開される。「人格」および「共同性」にかかわる価値判断として、アルバイトの有給休暇取得事例の紹介、職業選択の自由、健康問題、雇用契約内容や労働環境の点検などの問題が浮き彫りにされる。「公共善」にかかわる価値判断として、非常勤雇用の6ヶ月更新の是非、最低賃金のあり方、正社員（賞与・年金制度）との違い、ブラックバイト問題、労働組合の必要性などの理解へと展開される。

第3ステージでは、教師と学生とのあいだの対話的討論のなかで、個々の学生による私的経験の言語化（表現）と、レファレンス類による情報検索（調査）がおこなわれる。そこでは、授業で提起された問題についてひとりひとりの思考が促進され、認識の獲得や発見（気づき）から、価値判断がなされ、意見形成をへて、表現を通じて意見交換がなされる。それは、教師や学生同士の質疑応答や対話のなかで各自の限定された経験が、異化（日常的な事象が異質なものに変容）・相対化・客観化されていくプロセスである。例えば、因果連関の解明によって、労働組合の不在の問題、団結権・労働基本法の学習の必要性、あっせん調停、労働基準監督署の役割、労働者の権利の自覚などの価値が認識されるようになる。

第4ステージでは、教科内容構成によって学生たちの思考と経験の再組織化と変容が求められる。そこでは、教師による教科専門的な視点からの協働（対話）が大きな役割を果たす。それは、第1に、学生の「支援者」としての役割である。つまり、学生の私的経験の表明や意見形成に際して概念化・言語化の手助けをすることである。第2に、学生に対する「対論者」としての役割である。つまり、教師は、授業の場にいない「他者」の視点・価値・意見を代弁する必要がある。それは、教科内容構成の観点から学生相互の対話的討論のなかで欠落している論点について積極的に介入する役割である。第3に、「解説者」としての役割、つまり、問題や事象の因果連関や様相について専門的知識を提供する役割である。こうした3種類の役割を教師が果たすことで、対話的討論のなかで学生による思考と経験の再組織化・変容を呼び起こすことが重要である。その結果としての第1ステージで提起された「問題」が再定式化され、「問題」解決の方向性と主体的な関わりについての各自の思考・判断・表現が促進されることになる。例えば、バイト学生の有給休暇問題の解決の方向性として、学生たちが団結し、労働組合を結成し雇用主と交渉したり、労働基準監督署と相談するなど「賢明な労働者」になることが自覚され、賃金労働の意味、自由契約における雇用者との対等な関係性、労働法制・行政の役割などを理解すると同時に、ボランティアなどの非賃金労働や、サービス残業などのアンペイドワークについて切実さをもって価値判断できる知識を習得できるようになる。

③従来の教科専門の問題点

従来の教科専門の基本的な特徴は、第1に、主体の文脈から遊離したという意味で「客観化された知識」観に立脚していることである。つまり、次世代の主体を形成するための教科の特質と学習する主体の文脈を考慮しないという意味で、主体形成の課題との結びつきをもたない情報を扱っているという点である。ところが、主体である学習者の実際の現実の生活世界は、多様な文脈による様々な意味が充満している情況のなかにあり、学術的世界には直結しない日常的な生活意識のなかにある。それに対して、従来の教科専門が提供してきた学術的専門知識（地理学、歴史学、人文・社会科学）は、現実世界を中立化し、現実を認識する具体的主体を敢えて消去することによって存立している「どこでもないところからの、誰のものでもない眺め」である。学術的専門知識にとっては、このような「眺め」を探究することは必須不可欠な姿勢である。そこで、従来の教科専門は、この「どこでもないところからの」没主体的な俯瞰という学術的観点を、具体的な学習主体の生活世界の「有限で部分的な視点」に上書きすることを重視し、普遍的・中立的・一般的な社会認識を身につけさせることを重視してきた。要するに、教科専門は、専門諸科学を模倣し、それと同じように「どこでもないところからの眺め」を学生が内面化すること、「客観的な観点」を習得することを目的としてきた。その結果、学習者は、自分自身の生活世界での知識と、学校の教科内容の知識という二重の知的生活を送ることになるのである。

このような従来の教科専門の「知識」観は、その第2の特徴として、脱主体化された教育観や、教科内容の物象化・データ化を生み出す土壌になっている。つまり、社会生活の文脈から分離・抽出・断片化・要素化された知識を「それ自体」として、自己の生活世界とは関係なしにインプットやアウトプットできるようなデータと捉えて蓄積し、自己の生活過程とは無関係に所与の情報を所与のルールで処理することが「学ぶ」ことだと見なす傾向が生じている。

従来の教科専門の第3の特徴は、「社会科」の一体性を保証する科目がなく、地理学、歴史学、心理学、哲学、倫理学、宗教学、法学、経済学、社会学、政治学などの専門学部・学科と同じ編成で実施されており、その結果、それら科目を内容面で統合・融合する体系的な視点と方法を欠いている点である。さらに地理学も、自然地理学、人文地理学、地誌学へと区分され、歴史学も日本史、外国史へと分けられており、地理的内容、歴史的内容を総合的に捉える視点・方法すら教科専門の授業科目のなかで十分に提供されていない。また、公民科目に関しては、心理学、哲学、倫理学、宗教学、法学、経済学、社会学、政治学などの授業科目を過不足なくバランスよく開講している教員養成課程はきわめて稀である。また、グローバル時代において重要な教科内容である国際法、国際経済、国際政治や地球環境を専門的に扱う授業科目もきわめて限られている。さらに、社会科教員が事実上、地域社会に関する調査研究の中心的人材であるにもかかわらず、地域の歴史や文化を研究するために重要である考古学、民俗学、文化人類学などの科目を確保することはほとんど考慮されていない。その結果、社会科の多種多様な内容をバランスよく総合し、統合・融合されたかたちで教えることができる学校教員が教員養成課程で育成されていないという根本的な問題状況が生じている。

最後に、従来のあり方への反省として提唱されてきたアクティブ・ラーニングに随伴する問題点も指摘しておきたい。学生が主体的に学ぶことは全く問題ないが、その「学ぶ」内容が、逆に学術的な根拠のない情報群になる恐れが生じているのである。専門諸科学の裏付けをもたないまま、学生の日常的生活のなかで蓄積されてきた臆見が相乗的に再生されるだけの取り組みに授業が退化する危険性が生じ、その結果、客観性や体系性だけなく、自己反省、自己変容の契機が損なわれるおそれが生じることになる。

2　シラバス（社会）

次ページより、学部の小学校教員養成、および中学校教員養成のための教科専門科目（各2単位）と教職大学院における教科内容構成に係る専門科目（2単位）のシラバスとその解説を順に示す。中学校教員養成のための教科専門科目としては、「世界史研究入門」を選んだ。

シラバス	学部（小学校）	授業科目名　社会

授業の目標

小学校社会科の授業を行うために必要な社会的な見方・考え方と基礎的事項を身につけ、社会現象を自分の価値観と公共善の観点から思考し、判断し、表現することができる力を育成するための基礎的知識を習得する。

教科内容構成の具体（教科内容の概念・技能）

①存在する空間における自然地理学的空間構成と人文地理学的・地誌学的地域構成、②存在する時間における不可逆的時間区分と循環型時間区分、③価値としての人格における身体的・精神的・美的・理論的・実践的な諸価値。④価値としての共同性における協調と協働の諸形態、⑤価値としての公共善における法規範、経済的・政治的・社会倫理的・宗教的・文化的な諸価値、全人類的価値（人権・平和・民主主義・持続可能な環境）、⑥存在と価値を統合するための技法としての調査法、表現法、コミュニケーション、解釈。

評価の観点

1. 空間的に分布する現象を、地理学などに依拠して、調査し、その結果を分析・総合して発表できる。
2. 時間的に推移する現象を、歴史学などに依拠して、調査し、その結果を分析・総合して発表できる。
3. 価値をともなう現象を、人文・社会科学に依拠して、調査し、その結果を分析・総合して発表できる。
4. 地球社会の将来像を展望して、自らの行動計画を立てることができる。

主　題	教科内容・展開
1. 地理的な見方・考え方	1. 地理学・地誌学の基本的概念と方法を理解する。
2. 地理の対象	2. 空間的現象のうち地理学・地誌学の研究対象を理解する。
3. 身近な地域	3. 身近な地域の地理的・地誌的な調査法を理解し、身近な地域を実際に調査し、その結果を分析・総合して表現する。
4. 世界の多様な地域	4. 世界地誌の調査法を理解し、文献と電子情報網を通して実際に調査し、その結果を分析・総合して表現する。
5. 人間と自然環境	5. 自然地理学の調査法を理解し、野外体験や地図・電子地図情報を実際に調査し、その結果を分析・総合して表現する。
6. 歴史的な見方・考え方	6. 歴史学の基本的事項と史料調査法を理解し、その内容を表現する。
7. 過去の文献	7. 史料読解の方法を理解し、過去の文献（古文書等、歴史的仮名遣い文書）を用いて実際に読解し、その結果を分析・総合して表現する。
8. 過去の絵図・写真	8. 視覚史料の調査法と読解法を理解し、古地図・古写真を用いて実際に読解し、その結果を分析・総合して表現する。
9. 地理と歴史の関係	9. 地理的事象の変化と歴史事象の地域性の相互関係を理解し、具体的資料を用いて調査・読解し、その結果を分析・総合して表現する。
10. 身近な地域の過去	10. 地域史の史料を読解し、各自でフィールドワークの課題を設定する。
11. 社会の見方・考え方	11. 現代の社会現象について経済学・法律学・社会学などの基礎的事項と方法を理解し、理解した内容を具体的事象に応用する。
12. 社会のなかの経済	12. 経済学の基本的事項と調査法を理解し、経済資料を分析する。
13. 社会のなかの法律	13. 法律学の基本的事項と分析方法を理解し、法律資料を分析する。
14. 社会での私の生き方	14. 生き方の基準となる多様な倫理的価値を理解し、調査する。
15. 地球社会の将来と私	15. 地球社会の将来像と個々人の行動指針のあり方を考察し、小集団で意見交換・討論し、個人や集団の行動計画を立てる。

解　説	
仮説4に従い、存在の①空間、②時間と価値の③人格、④共同性、⑤公共善を中心に授業内容を構成し、学習方法は⑥技法（調査・解釈など）により行う。各回の授業で、各自またはグループで体験・考察・討議・発表する時間を設定した。最初に①空間に関する認識、次に②時間的変遷に関する認識、最後に価値に関わる認識を扱い、各主題に固有の技法を習得する。 1. 空間を扱う地理学・地誌学の基本的概念（地域、スケール、中心／周辺、距離、立地など）（①）、地図と地名の役割（①）、技法として観察、フィールドワーク、地図作成、GIS、計量分析、モデリング等（⑥）を理解する。 2. 地理学の各分野を共同性（④）および公共善（⑤）による地理学的空間構成（①）を理解する。社会地理（社会問題、階層、ジェンダー等）、経済地理（地域格差、地域循環、地域統合等）、政治地理（領土、紛争）、文化地理（景観、民俗、宗教、食文化）、都市地理、農山漁村地理、歴史地理など（人口問題、産業、国土開発・地域振興、交通、観光、福祉・医療、環境・資源、災害等）を理解する。 3. 身近な地域（①）をフィールドワークによる観察・調査の結果と、地図や航空・衛星写真・GISなどの資料を用い地図作成の実習をおこなう（⑥）。 4. 世界各地の地誌（①）の調査法について、任意の地域を選び、文献資料・統計資料・衛星写真などの情報を用いて実習する（⑥）。 5. 身近な地域（①）を扱う、自然地理学の各分野（地形学、気候学、水文学など）の原理と方法を理解する。自然地理調査法について地図と航空・衛星写真・GIS等の資料を用いて実習する（⑥）。 6. 時間的変遷を扱う歴史学の基本的概念（時代区分、政治史、法制史、経済史、社会史、文化史、科学史、思想史など）（②）、歴史観（進歩、階級闘争、近代化）、と分析概念（国民国家、帝国、世界システム）（④）を理解する。	7. 史料集・文書館での史料（②）の調査法を理解し、古文書などの一次史料の読解法を辞書類を用いて実習する。史料の成立時期、場所、作成主体・読み手、背景などを考慮して歴史的文脈のなかで解釈する方法を習得する（⑥）。 8. 視覚史料（②）の調査法（史料集、アーカイブ、フィールドワーク撮影術）を理解し、読解法を古地図・古写真等で実習する。史料の成立時期、場所、作成主体・提示対象者、背景、付属文書などを考慮して歴史的文脈のなかで視覚史料がもつ象徴・記号を解釈する方法を習得する（⑥）。 9. 人文・自然地理事象の変化（②）と、歴史事象の地域性（①）、両者の相互連関を、災害史の資料を用いて理解する。自然環境の変化（①②）が災害として人文事象に影響をもたらすと同時に、特定の地域空間に限定され、被害の大小が共同性に相関している（③④⑤）ことを理解する。 10. 任意の地域史の史料（国内・海外）（②）を読解し、フィールドワークの課題を設定する（⑥）。 11. 経済の理論と対象（ミクロ、マクロ、厚生、公共、国際、産業、労働、金融、環境、エネルギーなど）、法の分類（公法、民事法、刑事法、国際法）と研究分野（比較法、法社会学など）、社会学の研究対象（④）と調査法（社会調査・データ分析）（⑥）を理解する。 12. 身近な地域（①）の経済現象として地域社会の活性化の取り組み（④）に関する調査項目と質問対象者を選定し、質問調査用紙を作成する（⑥）。 13. 身近な地域の法的現象として、新聞の地方欄を用いて最近の人権侵害の事件について、価値（③④⑤）の観点から、調査・分析し発表する（⑥）。 14. 哲学・倫理学の基本的な概念（③）を理解する。具体的な人物を取りあげて、その人の生き方の背後にある価値観（③④⑤）を分析し、発表し、討論し、合意可能な論点を明らかにする（⑥）。 15. 国連や外務省のサイトで持続可能な開発目標SDGsの内容（⑤）を調べる。それを踏まえて、具体的に今できることについて意見交換をふまえて、各自および小集団で行動計画を策定する（⑥）。

<table>
<tr><td>シラバス</td><td>学部（中学校・専門）</td><td>授業科目名　世界史研究入門</td></tr>
<tr><td colspan="3">授業の目標
世界史の研究における各時代と各地域に固有の諸問題や全人類に共通する諸課題に対する視野を広げ、現代のグローバル社会の中で主体的に生きるために必要な歴史的な見方、考え方を養う。そのうえで、具体的で身近な資料や題材を多角的に活用することによって歴史を学ぶ面白さを体得し、過去の出来事を尊重しながら現在を意味あるものとして生きる態度を身につける。</td></tr>
<tr><td colspan="3">教科内容構成の具体（教科内容の概念・技能）
①存在する空間における自然地理学的空間構成と人文地理学的・地誌学的地域構成、②存在する時間における不可逆的時間区分と循環型時間区分、③価値としての人格における身体的・精神的・美的・理論的・実践的な諸価値。④価値としての共同性における協調と協働の諸形態、⑤価値としての公共善における法規範、経済的・政治的・社会倫理的・宗教的・文化的な諸価値、全人類的価値（人権・平和・民主主義・持続可能な環境）、⑥存在と価値を統合するための技法としての調査法、表現法、コミュニケーション、解釈。</td></tr>
<tr><td colspan="3">評価の観点
1. 過去の出来事と歴史叙述とを区別して説明することができる。
2. 史料と歴史叙述の生成過程を説明することができる。
3. 歴史学の多様な地域構成、時代区分、共同体、思想・イデオロギーを説明できる。
4. 現代的課題に直結する主題を、世界史のなかの出来事に関連づけて説明できる。</td></tr>
</table>

主　　題	教科内容・展開
1. 過去の出来事と歴史	1. 過去それ自体と過去についての歴史叙述の違いを理解する。
2. 歴史＝テクスト	2. 歴史の構成要素、歴史にとってテクストの役割を理解する。
3. 過去の意味づけと表現	3. 過去の出来事を言語で表現する意味を理解する。
4. 歴史の制作・読解	4. 歴史叙述の制作過程を理解し、その読解法を習得する。
5. 史学史：政治から社会へ	5. 戦後の政治史から経済史・社会史への移行を理解する。
6. 史学史：社会から文化へ	6. 戦後の社会史から文化史への移行を理解する。
7. 史料論：言語論的転回と文化史	7. 過去の出来事と言語史料の生成過程を理解する。
8. 歴史研究における視覚史料	8. 絵画・写真・建築物等の制作過程を理解し、視覚史料の読解の可能性と限界を理解する。
9. 歴史研究における動画史料	9. 映像・記録映画の制作過程を理解し、動画史料の読解の可能性と限界を理解する。
10. 歴史学の分析概念：地域構成	10. 歴史学の地域構成の原理と様々な地域構成を理解する。
11. 歴史学の分析概念：時代区分	11. 歴史学の時代区分の原理と様々な時代区分を理解する。
12. 歴史学の分析概念：国民、民族、宗派など	12. 歴史学の集団区分の原理と様々な共同体（国民・民族・宗派など）を理解する。
13. 歴史学の分析概念：思想・イデオロギー	13. 歴史的に形成された人間の精神の様々な類型（思想・イデオロギー）を理解する。
14. 世界史における「世界性」の意味	14. 特定の歴史的「世界」の時間・空間的特徴を理解する。
15. 世界史研究の課題	15. 現代的課題に直結する主題を選んで、その主題を世界史のなかの様々な出来事に関連づけて理解する。

解　　説	
仮説4に従い存在次元の①空間、②時間と、価値次元の③人格、④共同性、⑤公共善を中心に授業内容を構成し、学習方法は⑥技法（調査・解釈など）により行う。各回の授業で、各自またはグループで体験・考察・討議・発表する時間を設けている。歴史研究の基本原理を理解した上で、体験的な要素を重視し、討論型の授業を構成した。 1. 過去それ自体は事実的出来事（②）であるが、その過去の出来事についての歴史叙述は特定の主観を介して構成されている（③④）ことを説明し、具体的事例について体験する。 2. 過去（②）を表現する歴史の構成要素は何かを考え、歴史にとって言語で表現されたテクスト（④）が不可欠であることを理解する。 3. 最近の過去の出来事（②）を各自が自分の言葉（③）で表現する体験をし、現代史の事例に即して客観的な出来事が言語表現によって特定の意味づけがなされることを理解する。 4. 史料を吟味し、史料を編集し、論文構成を構築し、問題設定と結論を整合させる過程を疑似体験（③）するなかで論文を批判的に読解する技法（⑥）を習得する。 5. 暴力や権力による闘争を重視する政治史から日常の生産や社会関係を重視する経済史・社会史への歴史研究の重点移行の背後にある戦後社会の価値観の変容（②④）を理解する。 6. 人々の客観的な日常生活を重視する社会史から共有された価値を重視する文化史への歴史研究の移行の背後にある高度成長以降の価値観の変容（②④）を理解する。 7. 史料がどのような過程をへて生成するのかを理解し、具体的史料の生成過程を体験（③）し、史料が作られる際の価値判断と意味付与の役割（②④）について理解する。 8. 絵画・写真・建造物等を素材にして、それらがどのような制作過程をへて今日に残存しているのか（②④）を制作者の立場を追体験（③）しながら考える。視覚史料は言語による説明を必ず必要とすることを理解する。	9. ①映像・記録映画がどのように制作されたのかを制作者の立場を追体験（③）しながら考える。動画は視覚史料と同じ性格をもつとともに動画上のナレーションが動画に特定の意味を付与していること（②④）を理解する。 10. 空間（①）を特定の基準（自然的特徴や主権国家など）で区分する地域構成の原理（④）について実際に様々な地域構成を調べ、自然地理的区分と歴史的地域構成を比較し（①⑥）、歴史的地域構成の意味を理解する。 11. 時間の流れ（②）を特定の基準（政治権力や生産関係など）で区分する時代区分の原理（④）について実際に様々な時代区分を調べ、自然科学的時間や人生の時間の流れと比較し（②⑥）、時代区分の意味を理解する。 12. 生物としての人類（①②）を特定の基準（政治権力、言語、思想・宗教、出自、生産関係など）で分類する集団構成（国民、民族、宗派、身分、階級など）の原理（④）について実際に様々な共同体を調べ（④⑥）、人類一般や個々人とは異なる集団の意味を理解する。 13. 人間の多様な価値を特定の価値（自由、平等、個人、全体社会、民族、人種、性、伝統、改革など）を基軸に序列化する様々な思想・イデオロギーを調べ（③④⑥）、各自の自己意識と比較し、思想・イデオロギーが過去にもたらした結果について討議する（②⑥）。 14. 歴史における特定の「世界」（「古代東アジア世界」、「中世ヨーロッパ世界」など）が時間・空間的、価値的にどのような基準で構築されているかを調べ（①②④⑥）、発表する。 15. 各自またはグループで、現代的課題に直結する主題（戦争、人口、環境、災害など）を選んで（①②④⑤）、その主題を世界史のなかの様々な出来事に関連づけて考察し、その結果を発表し、過去から何を学び取ることができるのかを討論する（②③④⑤⑥）。

<table>
<tr><td>シラバス</td><td>大学院（教職大学院）</td><td>授業科目名　教科内容構成（社会）</td></tr>
<tr><td colspan="3">授業の目標
小学校社会科および中学校社会科として教える内容を体系化して理解できること、個別具体的事象に即して、個々の教科専門科目（地理学、歴史学、公民分野にかかわる人文・社会科学）を総合的に活用して自主的に調査・分析できること、現代的課題や論争的問題に関して、価値の次元で公正に判断できること、以上の結果にもとづいて教材を開発できることを目標とする。</td></tr>
<tr><td colspan="3">教科内容構成の具体（教科内容の概念・技能）
①存在する空間における自然地理学的空間構成と人文地理学的・地誌学的地域構成、②存在する時間における不可逆的時間区分と循環型時間区分、③価値としての人格における身体的・精神的・美的・理論的・実践的な諸価値。④価値としての共同性における協調と協働の諸形態、⑤価値としての公共善における法規範、経済的・政治的・社会倫理的・宗教的・文化的な諸価値、全人類的価値（人権・平和・民主主義・持続可能な環境）、⑥存在と価値を統合するための技法としての調査法、表現法、コミュニケーション、解釈。</td></tr>
<tr><td colspan="3">評価の観点
1. 小学校社会科および中学校社会科として教える内容を体系化して説明できる。
2. 個別具体的事象に即して地理学、歴史学、人文・社会科学の知見を総合的に活用して調査・分析した結果を提示することができる。
3. 現代的課題や論争的問題に関して価値の次元で公正に判断した結果を提示できる。
4. 以上の結果にもとづいて開発した教材を適切に提示し、他者とその評価について討論できる。</td></tr>
<tr><td>主　　題</td><td colspan="2">教科内容・展開</td></tr>
<tr><td>1. 社会科の内容構成の課題と方法</td><td colspan="2">1. 小中高の社会科の内容構成の課題について理解する。</td></tr>
<tr><td>2. 社会科の教科内容とその外部領域との関係</td><td colspan="2">2. 社会科の教科内容の変遷と他教科との関係を理解する。</td></tr>
<tr><td>3. 社会科の教科内容を規定する社会的要因</td><td colspan="2">3. 社会科の教科内容と、国際規範・国内法・国民・政府との相関関係を理解し、具体的な主題に即して討論する。</td></tr>
<tr><td>4. 社会科の教科内容の構成原理</td><td colspan="2">4. 社会科の教科内容の構成原理である存在と価値の相関関係について理解し、具体的な主題に即して討論する。</td></tr>
<tr><td>5. 社会科の価値としての人格</td><td colspan="2">5. 人格概念について理解し、具体例について討論する。</td></tr>
<tr><td>6. 社会科の価値として共同性</td><td colspan="2">6. 共同性概念について理解し、具体例について討論する。</td></tr>
<tr><td>7. 社会科の価値としての公共善</td><td colspan="2">7. 公共善概念について理解し、具体例について討論する。</td></tr>
<tr><td>8. 社会科の認識論</td><td colspan="2">8. 本質主義的認識論の問題とその克服について討論する。</td></tr>
<tr><td>9. 認識主体と認識対象の相互依存</td><td colspan="2">9. 構築主義的認識論の利点と難点について理解する。</td></tr>
<tr><td>10. 社会科の空間認識と諸科学</td><td colspan="2">10. 空間認識と地理学・地誌学の関係について具体例に即して理解し、教材を開発する方法について討論する。</td></tr>
<tr><td>11. 社会科の時間認識と諸科学</td><td colspan="2">11. 時間認識と考古学・歴史学との関係について具体例に即して理解し、教材開発の方法について討論する。</td></tr>
<tr><td>12. 社会科の価値認識と諸科学</td><td colspan="2">12. 価値認識と人文・社会科学の関係について具体例に即して理解し、教材開発の方法について討論する。</td></tr>
<tr><td>13. 社会科の理念としての平和</td><td colspan="2">13. 平和に関する事象の多面性について理解し、教材開発の方法について討論する。</td></tr>
<tr><td>14. 社会科の理念として民主主義</td><td colspan="2">14. 民主主義に関する事象の多面性ついて理解し、教材開発の方法について討論する。</td></tr>
<tr><td>15. 社会科の内容と社会実践の関係</td><td colspan="2">15. 自己の具体的な社会実践の計画について発表し、社会参加型の教材のあり方について討論する。</td></tr>
</table>

解　　説	
仮説4に従い存在の①空間、②時間と価値の③人格、④共同性、⑤公共善を中心に授業内容を構成し、学習方法は⑥技法（調査･解釈）により行う。各回の授業で、各自または集団で体験・考察・討議・発表する時間を設けている。最初に社会科の構成原理を概観した上で各構成原理を具体的に教科内容へとつなげる論理を実践的に学ぶ授業構成になっている。 1. 小・中・高の社会科・地歴公民科の内容構成の体系性を視野に入れて、学び続ける教師のあり方（③）について討論する（⑥）。 2. 社会科の教科内容の成立過程（②④）を理解する。目的としての人間形成を共有している社会科と他教科（言語・自然・芸術）との相互関係（④）を理解する。 3. 社会科の教科内容をめぐる国際法(国際人権規約等)、主権者国民、国内法（憲法・教育基本法等)、政府・文部科学省との相関関係、学問と教育の自由の意味（③④⑤）について理解する。 4. 存在を秩序づける形式としての社会科の教科内容の構成原理である存在（空間と時間)、価値（人格、共同性、公共善）の相関関係（①②③④⑤）を理解する。 5. 人格概念（③）について理解し､サルの個体と比較し、具体的な主題について個人はどうあるべきかを討論する（⑥）。 6. 共同性概念（④）について理解し､動物の群と比較し、具体的な主題について人間集団はどうあるべきかを討論する（⑥）。 7. ②公共善概念（人権、自由、平等、豊かさなど）（⑤）について理解し、私人や利益集団の利害と比較し、具体的な主題について何が公共善なのかを討論する（⑥）。 8. 時空を超越したモノや普遍的なコトが実在するという認識のあり方について批判的に理解し、出来事についての認識の生成過程を体験したうえで（③④)、本質主義的認識論の克服方法について討論する（⑥）。	9. 認識対象と認識主体との相互作用（③）について､「私たちは自由な社会に生きているのか、不自由な社会に生きているのか」など具体的な価値判断の問題を討論する（⑥）。 10. 空間認識と身体構造との相関関係、空間認識と地理学・地誌学の関係、基礎的概念、地理学の歴史、地理学・地誌学の方法論（①③）を理解し、フィールドワークを行う（⑥）。 11. 人類史的時間と個人の有限な時間との関係、時間認識と考古学・歴史学の関係、時代区分と認識主体との相関、過去の意味が将来像との関係で現在において規定されるという相関関係（②③）を理解する。近代歴史学の形成、史料解釈への伝統の影響を理解し、具体的史料を読解し発表し討論する（②④⑥）。 12. ②価値の共同主観的妥当性、価値が実践の対象になること（③④⑤）について理解する。価値認識と人文・社会科学の関係について理解し、具体的な主題について、どのような価値に関連しているのかを討論する（⑥）。 13. 価値を社会認識と社会実践が共有する枠組としてとらえ、とくに「平和」という価値の多面的（地理的・歴史的・法的・政治的・経済的・社会的・宗教的・哲学的・倫理的）意味、異なる文化圏での様々な「平和」概念、直接的暴力と間接的・構造的暴力（④⑤）を理解し、戦争の歴史的変遷と現代の戦争・テロリズムの特徴（②）を理解する。 14. 人権と民主主義に関する事象の多面性（地理的・歴史的・法的・政治的・経済的・社会的・宗教的・哲学的・倫理的側面）（④⑤）を理解し、人権と近代デモクラシーの成立（②④）を理解し､討論（⑥）のなかで民主主義のあり方を評価・判断する視点を獲得する。 15. 学生がボランティア、プロジェクト企画など自分の具体的な社会参画の計画を発表し、社会参加型の学び方の望ましい方法（⑤）ついて討論する（⑥）。

3　授業実践展開例

仮説7「②授業実践の事例」で扱った「アルバイト先での有給休暇取得の問題（有給休暇を取りたいと雇用主に申し出たが却下された事例）」の授業実践の様子を紹介する。以下に示すものは自由選択科目「教科内容構成（社会）」（全15回）の1時限分の授業展開例であるが、複数時限による展開も可能である。

この授業では、最初の時間に社会科の内容構成原理（①時間、②空間、③人格、④共同性、⑤公共善）と、その具体的な内容を探求する技法として自発的な問題設定と対話的・熟議的な討論の重要性を教師が説明しておいたうえで、毎回、一人の学生が自分の日常的な意識にもとづく社会科の教材にしたい問題を提起するように設定している。

第1ステージで重要なのは学生が主体的に切実な問題設定をおこなうことである。学生から提起された問題には、ここで紹介するアルバイト先での有給休暇取得の問題」のほかに、動画配信サイトをめぐる問題、アイドル・グループの問題、スポーツ系部活の過剰問題、少年の非行に対する法的処罰、教師の不祥事、生活保護受給者の問題など、学生の日常生活のなかで体験したり、マスメディアを通じて関心をもったりした多種多様な問題が提起されることになるが、あらゆる社会的事象は社会科の内容構成原理（時間、空間、人格、共同性、公共善）よって分節化することが可能であるので、問題設定に関して予め制限を加える必要はないが、教師が複数の選択肢を提案して学生が選ぶ形式もありうる。

第2ステージでの教師主導による対話的討論やインターネットによる調査を通じて社会事象の分析・総合がなされるが、アルバイト問題の①「空間」的分析では、自分が働く場所を市町村といったローカルなスケール、日本というナショナルなスケール、アジア・アフリカ・欧米といったグローバルなスケールのなかに位置づけて相対化することがなされ、時給で見た労働者の階層性のなかで学生アルバイトの賃金水準が、発展途上国によりも上位にあるものの、OECDのなかでは下位に位置し日本国内でも底辺に位置していることが明らかになる。次の②「時間」軸による分析では、古代、中世、近代、現代の時代区分に応じた労働形態の歴史について理解が深められる。その場合、古代の奴隷、中世の身分制のなかの職業、現代の賃金労働の特質が学生自身のアルバイト体験と結びつくかたちで明らかにされ、職業選択の自由や自由意志の契約の価値の重要性が再認識されることになる。さらに現代の雇用形態の短期的変化として終身雇用制から非正規労働（非常勤・派遣・フリーランス）の増大などの背景にある要因として、グローバル経済における国際競争の激化のなかで利潤率が低下するに伴い労働コストが削減され搾取が強化される必然性が明らかにされる。同時に日本国内の少子化による労働市場の縮小が労働コスト押し上げの要因となり、政策的に外国人労働者の受け入れ促進が図られている状況を理解する。

こうした時間と空間の枠組によるアルバイトの分析を踏まえ、③「人格」にかかわる価値の次元での討論テーマとして各人の行動選択の問題、「何をなすべきか？」が教師により提起される。実施した授業では学生のなかに自分がアルバイトのとき有給休暇を取得した事例を紹介する発言があったが、そうした事例を探求・調査することも可能である。ここでの焦点は、働くことの意味を自分の身体を含めた人格の自由や権利の観点から考察することである。そこからは職業選択の自由、健康に生きる権利を理解したうえで自分の雇用契約内容や労働環境について主体的に点検する課題が派生してくる。価値としての人格を扱う場合に重要なのは、会社など経済的社会で働く場面では手段として位置づけられている労働者個人が、狭義の法的な権利主体であるとともに、人格としての尊厳を守られるべきであると同時に自己主張すべき倫理的な実践主体であるという理解を深めることである。このような個人の人格としての価値の理解が、その次の④「共同性」と⑤「公共善」にかかわる価値の理解の前提になる。こうした人格が集団を形成して相互関係をもつときに共同性という価値が浮上するが、経済的価値を生み出すための組織として会社や協同組合などとともに被雇用者の経済的価値や権利を守る組織として労働組合が歴史的に形成されて現代において制度化されていることを理解する。こうした共同性の価値がさらに公共善として法制化された結果として、例えば、有給休暇について、国際労働機関（ILO）の条約において確立し、日本の労働基準法第39条で6ヶ月間継続勤務して全労働日の8割以上出勤した労働者に対して有給休暇を与えなければならないと定められていることを理解したうえで、現場では、アルバイトなど非常勤雇用が6ヶ月間を満たない期間で雇用契約が更新されている現状のあり方、サービス残業やブラックバイトなど働く側の正当な権利が侵害されている状況を確認し、労働法制や労働者の団結の必要性への理解へと展開される。

第3ステージでは、教師や学生同士の質疑応答や対話のなかで授業テーマに関する各自の体験が交換される。それは個人的で特殊な各自の日常知（例えば「アルバイトは有給休暇はもらえない」といった誤情報など）が、異化され客観化されていくプロセスである。問題の原因をさぐるなかで職場に労働組合がなかったり、アルバイトが組織対象外として放置されている事情が明らかになり、働く側が自分の権利について学習する必要性が自覚されるようになり、問題解決の技法として都道府県労働局での労働相談、紛争調整委員会へのあっせん申請などの制度を活用する重要性の理解が深まることになり、「アルバイト先での有給休暇取得の問題」という、初めは個人的な問題として捉えられた問題が再定義され、よりよい社会をつくるうえで重要な社会的な問題であるという意識が生まれることになる。

第4ステージでは、問題解決の方向性が模索されるが、教師の役割は、教科専門的な知識を提供しつつも、あくまで主体的な解決を支援する役割に徹する必要がある。その際、重要なのは、問題解決の妨げとなる要因についても教師がいわば授業現場の「不在の他者」、つまり雇い主やアルバイト同僚としての役割を担うことで批判的な意味で支援することである。つまり労働基準法による権利主張に対して、雇用者側の視点・利害に立った反論（「そんな法律は聞いたことがない、アルバイトは適用外など」、アルバイト仲間の否定的意見（「面倒な問題を起こすなよ」など）を提起することで、問題解決には正当な主張をするだけなく、自己の論拠を示し、相手の論拠を問いただしたり、仲間を説得するといった社会的スキルや合理的・対話的コミュニケーション能力が必要だという認識を深めていく。さらに教師は、提起された解決の方向性が人文・社会科学の観点から妥当なものであることを解説することで主体的解決をエンパワーメントする役割も担う。その結果、学生たちは自分が置かれた個別具体的な状況に応じてアルバイト同士で結束して会社と交渉したり、労働局や基準監督署など行政機関や労働団体に相談したりするといった主体的解決案を構想するにいたる。その結果、労働者が団結すること、雇用者と対等に交渉することなど、社会科のパワフルな知識を活用できる賢明な労働者がよりよい社会の形成にとって重要であるという意識が得られることになる。

この種の授業での学生の評価の基準は、存在と価値の次元での知識理解だけでなく、調査や対話的コミュニケーションなどの技法の面でどれだけ問題解決に資する具体的提案をすることができたのかという目的合理性の観点からなされる。具体的な提案をすることができる能力はそのまま具体的な教材を開発する能力として展開することができるからである。

【注及び引用文献】

1) この考え方は、「唯一妥当で正しい見方」というものを否定し、多種多様な「社会」の捉え方を認めるためのものであり、今日の社会学において影響力ある学説のひとつである。例えば、ピーター・L・バーガーほか（山口節郎訳）『現実の社会的構成―知識社会学論考』新曜社、2003年。下里俊行「第1章 社会科の教科内容の体系的構成に向けて」、松田愼也監修『社会科教科内容構成学の探求―教科専門からの発信』、風間書房、2018年、pp.9-10. も参照されたい。「社会」に関わる表象・現象を実在的に担う人間の行為の本質的な部分は人間の精神活動であるが、人間の精神活動が人間の生物学的な身体活動を前提にしていることを忘れてはならず、人間の意識の外部にある身体を含めた実在一般が、精神活動の成果としての人文・社会諸科学だけでなく諸科学全般の相対的真理の信憑性とその内容の改善（いわゆる科学史）に根拠を与えている点も否定することができない。ヒューバート・ドレイファス、チャールズ・テイラー（村田純一監訳）『実在論を立て直す』法政大学出版局、2016年、参照。
2) アルフレッド・シュッツ、トーマス・ルックマン（那須壽監訳）『生活世界の構造』筑摩書房、2015年。
3) トマス・ネーゲル（中村昇ほか訳）『どこでもないところからの眺め』春秋社、2009年、参照。

（下里俊行）

第８章　技術・情報

1　技術・情報の教科内容構成開発の仮説

仮説１　教科の認識論的定義

技術・情報科は、生活や社会における表象や現象を対象として、持続可能社会を構築する要素としてのものづくりや情報を、空間的、時間的、経済的、工程的、論理的な側面から評価を伴って科学的に理解し、生活における問題発見・解決や知的創造に関連する知識と技能の統合を指向する。

技術・情報の基礎となる学問体系は、広い範囲に及んでいる。なぜなら、何らかの知見を基にして目的を持って応用することを学習内容に含むためである。近年、日本学術会議では、従来の認識論的な視点のみでは限界があるとし、新たな学問体系の提案を行っている。すなわち、認識科学と設計科学の二つの視点から学問体系を検討する必要があるとの提言である。この枠組みから説明すると、技術・情報は、対象を理解する視点からの認識科学ではなくて、対象を改善する視点からの設計科学に分類される。実際、技術・情報における基礎的な知見は、工学、農学、水産学、情報学等の応用的側面の学問体系に即しているが、その基礎としては数理科学、自然科学、社会科学、人文学、応用科学に至るほぼ全ての学問体系に基づいた学習内容を含んでいる。

人間が将来にわたり快適な生活を送るためには、社会における物やものをより良いものに改善していく努力が必要である。そのための持続可能社会の構築は人類にとって重要な課題であり、社会的な広がりとしての空間軸、未来志向の時間軸、費用対効果としての経済軸、改善の手立てとしての工程軸、これまでの知見を目的に合わせて組み立てる論理軸等の視点が必要となる。現在得ている知見を改善の視点から目的に合わせて取捨選択し、不足であれば新たな知見を獲得し、生活や社会における問題発見・解決や知的創造を行うことが重要となる。技術・情報はこれらの知識と技能の統合を指向する教科とみなすことができる。

仮説２　教科内容構成の原理

次の二つの柱から考察する持続可能社会の構築
- ○　手で触れる「物」を介在させた持続的社会の構築のためのものづくり
- ○　考え方の総称としての「もの」を介在させた持続的社会の構築のための情報

仮説１の認識論的定義から、上記の原理が導かれる。人類の発展の視点から見ると、狩猟生活から農耕生活に移り集団生活が常識になると、個人のみの立場からの道具を改良する視点のみでは社会構造上対応できなくなり、互いに快適な生活を送るための集団内でのコミュニケーションも重要視されるようになった。道具の改良から機械化が進展し産業革命を経て現在の産業構造に至っている。また、口頭での会話から文字を使った手紙や電気エネルギーを使った電話等が発達し、現在ではコンピュータの発達によってインターネットの世界となり瞬時に外国とのコミュニケーションが昼夜を問わず可能となっている。さらには、道具を使った工夫・創造に、ディジタル情報を利用した工夫・創造が加わることになり、社会生活を営む上での「物」と「もの」に関わる工夫・創造の能力は持続可能な社会を構築するうえで必須の能力となっている。そのため、手で触れる「物」を介在させた持続的社会の構築のためのものづくりと、考え方の総称としての「もの」を介在させた持続的社会の構築のための情報の二つの視点から考察することができる。

仮説３　教科内容構成の柱

①　ものづくり
　生活における問題の発見と解決による材料・生物・エネルギーの効果的な利用、ものづくりによる問題発見と問題解決の方策決定、ものづくりによる生活ならびに社会の質の向上への支援、産業社会への主体的な参画と持続可能社会の構築
②　情報
　生活における問題の発見と解決による情報の効果的な利用、情報による問題発見と問題解決の方策決定、情報処理による生活ならびに社会の質の向上への支援、情報社会への主体的な参画と持続可能社会の構築

人間が生活や社会を改善する意図で対象としての生活や社会に接する場合は、まず対象について見極め、問題を発見し、改善し、生活ならびに社会への支援を行い、これによって社会への主体的な参画を行い、引いては持続可能社会の構築に寄与することになる。そのため、仮説２において検討したものづくりと情報の視点から教科内容構成の柱を検討すると、利用の側面、問題発見・解決の側面、生活支援の側面、持続可能社会の構築の側面から内容枠を構成できる。そのため、ものづくりと情報の各々に対してこれらを組み込んだ柱として構成した。

仮説４　教科内容構成の具体

①　持続可能社会の構築するための技術・情報の見方・考え方
②　問題発見・解決に必要な技能
③　問題発見・解決の構想
④　問題発見・解決の設計
⑤　問題発見・解決のための製作・制作・育成
⑥　問題発見・解決の評価
⑦　材料と加工に関わる技術的内容
⑧　生物育成に関わる技術的内容
⑨　エネルギー変換に関わる技術的内容
⑩　情報に関わる内容
⑪　技術・情報による問題発見・解決ならびに評価
⑫　産業社会・情報社会への主体的な参画と持続可能社会の構築

持続可能社会におけるものづくりと情報の中に、問題解決の流れの中で利用の側面、問題発見・解決の側面、生活支援の側面、持続可能社会の構築の側面を組み込み、最後に社会への参画と持続可能社会の構築を置いた。問題解決ではそれに必要な技能、解決のための構想、実際の活動、活動後の評価が必要となり、これらを組み込んだ。産業構造の中で対象となる材料、加工、育成、エネルギー、情報を列挙し、その内容について考察できるようにした。最後に、問題解決のための問題発見と解決の手順ならびに解決結果の評価について考察できるようにし、持続可能社会の構築につなげることができるようにした。

仮説５　教員養成学生及び子どもに育成される能力

○　生活における問題を発見する能力
○　生活における問題を解決する能力
○　生活における問題を評価する能力
○　持続可能社会を構築する能力
○　これらを指導する能力

教員養成においては学生自身が問題を発見し解決する能力を有しておかなければならず、生活をよりよくするために、どのように問題を発見し、どのように解決し、その結果をどのように評価するかが重要となる。また、これらの能力が持続可能社会の構築につながることを意識させる必要がある。教員養成においては、これらができる能力が必要であり、かつこれらを指導できる能力が必要である。ただ、知識習得が得意な学生や子供にとっては問題解決能力を育成することは難しく、普段からよりよい社会の構築を意識しておく必要がある。授業内容と授業目標が乖離しないように、数多くの具体的な事例の紹介が必要となる。

仮説６　教科と人間（個人・社会）とのかかわり

○　教科と個人
問題発見や問題解決に関わる理解
生活における工夫と創造の能力の向上
技術・情報の視点からのイノベーション能力の向上
○　教科と社会
持続可能社会の構築
今後の産業社会と情報社会の進展の理解
技術・情報の視点からのガバナンス能力の向上

技術・情報の学習においては、問題発見・解決や持続可能社会の構築に加え、技術・情報の視点からのイノベーションとガバナンスも重要となる。

イノベーションは文字通り革新であり、新たな知見を創出することである。生活や社会における問題を見出し、問題の中から解決できる課題を抽出し、その課題を解決することで問題解決の一歩となる。その課題が解決すると新たな問題が起こり、さらにその中の課題を抽出する作業が続く。このスパイラルな考え方が新たな技術・情報に関わるイノベーションとなる。

また、ガバナンスは一般に統治に訳されるが、関係者間での情報交流によりその相互作用や意思決定が行われ、新たな社会規範や制度を形成・強化・再構成することを意味する。特に技術・情報におけるガバナンスは、社会の構成員が社会における問題を見出し、提言し、社会構造を改善できるようにすることであり、技術・情報の視点からの提言能力を強調していることにもなる。社会の一員である以上、技術・情報の視点からの社会の改善につながるガバナンス能力も必要であり、引いては持続可能社会の構築にもつながる。

仮説７　教科内容構成の創出による教科専門の授業実践

①概念的・理論的な観点
○技術・情報の事例的な学習内容構成から概念的・理論的な学習内容構成への移行
○次世代の社会を構築する基本的な考え方の確立
○社会における問題の発見と問題の解決のための技術・情報利用による道筋の確立
○知識習得型の教科で得られた知識の生活や社会への適用に関わる教科の関連性の明確化
②授業実践の事例
○技術・情報の本質を捉えた問題発見・解決
・社会の変化に応じた技術・情報利用環境の変化
・技術・情報の考え方（技術リテラシー、情報リテラシー、問題解決能力）
・技術・情報イノベーション（技術・情報利用環境における改善、技術革新の本質、情報環境の改善）
○技術・情報展開のための基礎知識利用
・技術利用素材の基本的特性（材料の強度、材料の変化、材料の加工、エネルギーの利用、生物育成の特性、情報の特性）
・情報利用素材の基本的特性（アルゴリズム、プログラム構造、データベース、情報社会）
○問題の本質を捉えた構想・設計
・ものづくりにおける構想･設計(問題解決の視点、問題解決の方法)
○工夫し創造する過程を重視する製作・評価
・構想・設計を踏まえたものづくり実践
・ものづくりにおける問題解決の評価
○問題解決の質を評価できる授業実践
・技術・情報ガバナンス（技術革新の本質、情報環境の改善、技術の評価、環境改善への提言）
③従来の教科専門の問題点
○異なる対象に対して製作・制作・育成を行いながら技術の見方・考え方を習得する学習内容構成の傾向が強い。
○体系的な考え方に基付いて生活の質を改善するための工夫・創造能力の育成となるよう統一的な視点からの構成が必要である。

技術・情報を概念的・理論的な観点から捉えると、次のように解釈できる。技術・情報教育は知識と技能が集約されて新たな考え方の創出を物やものに対して行う。このとき対象を見極め、内容を議論し、作業を通して改善し、作業結果が目的の状態になっているか評価し、更なる改善を行う。このとき作業を伴いながら改善を行い、結果として新たな知見を得る。そのため、事例的な学習内容構成から概念的・理論的な学習内容構成への移行を繰り返しながら学習目標に到達することになる。ただ、単なる作業では教育目標を達成できず、社会に巣立った後に役立つ概念形成も重要となる。この大きな目標が、次世代の社会を構築する基本的な考え方の確立に役立つ。持続可能社会の構築のための大きな目標の下で、具体的な問題解決を行う際には次の手順を伴う。

問題の発見→問題点の調査→問題の分析→解決可能部分の選別→解決策の立案→解決策の設計→解決の作業（制作・製作）→結果の評価→さらなる改善のための問題点の再発見のループ

ただ、これを単なる方法論として捉えると、技術教育の目標達成の観点からは矛盾を生じる。技術・情報教育にはこのようなシステム的な考察力を養うことも含まれており、自分自身が方法を確立することも教育内容となる。この考え方が、認識科学ではなく、設計科学視点から見た本質的な内容となる。

さらには、社会における問題の発見や改善も重要となり、他の知識習得型の教科で得られた知見を利用して、生活や社会の改善への技術的な考え方を適用することが重要となる。

技術・情報の授業実践については、担当者により様々な授業展開や教材利用が考えられる。ただ、製作・制作・育成中心の授業展開では技術・情報教育の目的を明確に理解することができず、必ず製作・制作・育成から引き出される概念形成を伴わなければならない。特に、技術・情報の本質を捉えた問題解決、技術・情報展開のための基礎知識利用、問題の本質を捉えた構想・設計、工夫し創造する過程を重視する製作・評価、問題解決の質を評価できる授業実践を伴うべきである。

授業の具体例としては種々考えられるが、技術・情報の本質を捉えた問題解決では技術・情報利用環境の社会的な変化を意識する必要があり、技術・情報の考え方としての技術リテラシー、情報リテラシー、問題解決能力も習得する必要がある。技術・情報イノベーションについては、技術・情報利用環境における改善、技術革新の本質、情報環境の改善等が含まれ、社会経験が少ない学生に対しては、インターネット検索を伴った考察が必要となる。技術・情報展開のための基礎知識利用については、他教科で得た知見を用いながら、材料の強度、材料の変化、材料の加工、エネルギーの利用、生物育成の特性、情報の特性等の素材の基本的特性を十分に理解しておく必要があり。特に、技術におけるものづくりでは、目的に合致し、かつ安全・安心な製品を製作する必要があり、材料の特性把握は重要となっている。木材・金属・プラスチック等を用いた物を対象とするものづくり系のみならず、ものである考え方を対象とする情報利用素材の基本的特性も重要である。この場合は、基本アルゴリズムの考察や応用アルゴリズムの発展も意図される。特に、プログラム作成においては数理科学の知見を用いることも多々あり、応用アルゴリズムでは物理学の知見を用いることも多々ある。最近のAI技術やビッグデータ処理では、社会現象の把握や人間の価値判断についての脳科学の知見も必要となる。さらには、問題の本質を捉えた構想・設計はものづくりにおいて重要な事項であり、過去の技術・情報教育は作業に重きを置く傾向にあったが最近では考え方を主軸に置くようになり、構想設計ならびに最終的な評価も重要となっている。

ただ、理論的な講義だけでは教員養成として十分な指導ができず、実習を伴っての教員養成が必要となる。技術・情報での学校教育実践では、児童・生徒が興味を持つ教材を用いることが重要であり、その教材は単なる興味・関心で終わらずに、将来社会の中で生活する際に役立つ教材とする必要がある。すなわち、方法論習得の教材ではなく、持続可能社会を構築するための一要素となる教材とする必要がある。社会的な問題に発展できる教材を利用することにより、技術革新の本質、情報環境の改善、技術の評価、環境改善への提言を含めた技術・情報ガバナンスの能力を育成できる。

教材を技術・情報教育の中でどのように使うかについては、学齢に応じて学習者の習得知識と身体的な技能を考慮する必要がある。

例えば、材料を用いたものづくりでは、使用する道具について特に注意する必要がある。年々子どもの握力が弱くなっている傾向があり、物を対象としたものづくりでは握力の弱い児童・生徒は道具を十分に使えないこともあり、本来の学習内容を習得する以前に学習が進まない状況にも陥ることになる。教員養成においては発達段階に応じた成長過程も考慮して教材を選択する必要がある。

また、小学校でのプログラミング的思考の教育では、職業人としてのプログラミングは不要であるが情報処理の論理的な流れは必須となる。処理の流れは一般的に順次・反復・分岐で構成されるが、小学校段階では順次・反復までは直ぐに理解できる。分岐の概念自体は生活の中の活動に類似させると理解するが、実際にコンピュータでの処理を行う際には処理したい内容が事前に決まっていることもあり、小学校低学年や中学年では分岐処理の必要性が理解できにくいようである。ただ、小学校高学年になると比較的複雑な処理の流れを構築することができるようになり、中学校での本格的なプログラミングの基礎を形作ることが可能となる。さらに高等学校になると、Web サーバー環境等を利用した高度なプログラミングになり、小学校から中学校へ、中学校から高等学校への教育体系の流れを意識させながらどのような教材を利用するかを十分に検討する必要がある。

技術・情報教育の最終目標は持続可能社会の構築のための構想・設計・製作・制作・育成・評価を通しての技術イノベーション能力と技術ガバナンス能力の育成であるが、学習者が習得している知識のレベルに応じて社会的な問題の大きさを授業展開の中で調整できる授業力も必要となる。

従来の技術・情報教育は、戦後の職業教育の流れを受けている関係上異なる対象に対して製作・制作・育成を行いながら技術の見方・考え方を習得する学習内容構成であったが、最近では体系的な考え方に基付いて生活の質を改善するための工夫・創造能力の育成となっており、具体例は事例に過ぎず、事例を用いながら統一的な技術・情報教育の本質を理解する授業展開が望まれる。

2　シラバス（技術・情報）

小学校は教科専門科目「技術・情報」の２単位、中学校は教科専門科目「技術・情報」の２単位、教職大学院は専門科目「教科内容構成（技術・情報）」の２単位のシラバスと解説を示す。

<table>
<tr><td>シラバス</td><td>学部（小学校）</td><td>授業科目名　技術・情報</td></tr>
<tr><td colspan="3">授業の目標
1. 小学校におけるプログラミング的思考の概念や考え方を理解する。また、実際にプログラミングを体験し、生活の中でのプログラミング的思考の重要性を理解する。</td></tr>
<tr><td colspan="3">教科内容構成の具体（教科内容の概念・技能）
① 持続可能社会の構築するための技術・情報の見方・考え方
② 問題発見・解決に必要な技能　③ 問題発見・解決の構想
④ 問題発見・解決の設計　⑤ 問題発見・解決のための製作・制作・育成
⑥ 問題発見・解決の評価　⑦ 材料と加工に関わる技術的内容
⑧ 生物育成に関わる技術的内容　⑨ エネルギー変換に関わる技術的内容
⑩ 情報に関わる内容　⑪ 技術・情報による問題発見・解決ならびに評価
⑫ 産業社会・情報社会への主体的な参画と持続可能社会の構築</td></tr>
<tr><td colspan="3">評価の観点
1. 問題発見・解決に必要な技能について説明できる。
2. 問題発見・解決の考え方について説明できる。
3. 小学校におけるプログラミング的思考について説明できる。
4. ものづくりならびに情報の技術的な考え方について説明できる。</td></tr>
</table>

主　題	教科内容・展開
1　情報リテラシーとコンピュータリテラシー	1　情報リテラシーとコンピュータリテラシーの違いを整理し、情報の評価とコンピュータ利用について考察する。
2　インターネット利用	2　インターネット利用における Web 検索、メール利用、ファイル転送の機能を理解し、各々の方法を習得する。
3　問題解決のための視点	3　問題解決のための問題の本質の把握と定性的な問題と定量的な問題の切り分けを理解する。
4　プログラミング的思考	4　プログラミング的思考とアルゴリズム手順の関係を理解し、論理の順序の構築について体験する。
5　各教科における問題解決	5　学習指導要領を基にして、各教科における問題解決の特徴を把握する。
6　問題解決の手法	6　問題解決のためのスケジュール設計について習得する。
7　コンピュータによる問題解決	7　問題解決のためのコンピュータ利用について習得する。
8　インターネット利用による情報収集	8　Web 検索による情報収集と収集結果整理について習得する。
9　生活における問題の発見	9　生活における様々な問題の発見を行い、問題の本質の抽出と改善の方向性について検討する。
10　問題解決の方法の検討	10　生活における問題の解決手順について考察する。
11　問題解決のためのデータ収集	11　問題解決のための Web による情報収集について習得する。
12　問題解決の実践	12　コンピュータを利用した問題解決について試行する。
13　問題解決の評価	13　問題解決結果の評価を行い、改善方法について検討する。
14　問題解決による生活の改善	14　問題解決による生活の改善について発表し、互いに評価する。
15　今後の情報社会における問題解決	15　情報社会の光と影について理解するとともに将来にわたる問題解決能力育成について考察する。

解　　説	
1　情報の定義とデータの定義を踏まえて両者の違いを理解するとともに、コンピュータの定義とコンピュータの利用分野を理解し、情報リテラシーとコンピュータリテラシーの違いを整理する。また、生活の中で利用する情報の評価とコンピュータの生活での利用について考察する。 2　生活の中でのインターネット利用の有用性と問題点を調べるとともに、Web 検索、メール利用、ファイル転送の機能を理解し、種々の基本的な操作方法を習得する。 3　社会における問題を幾つか取り上げ、問題解決のための問題の本質の把握と定性的な問題と定量的な問題の切り分けを理解する。また、人間の思考のみの問題解決とコンピュータ利用による問題解決の違いについても理解する。 4　プログラミング的思考とアルゴリズム手順の関係を理解し、順次・分岐・反復の手順が組み合わされて思考が行われることを理解する。また、具体的な論理の構築についても実習を伴って体験する。 5　学習指導要領に記載されている事例を基にして、各教科における問題解決の特徴を把握する。また、学習指導要領以外の問題解決の事例についても考察する。 6　問題解決を行う際のスケジュールの概念について理解し、具体的な事例を挙げて作業の流れを設計する。 7　問題解決のためのソフトウェア事例をインターネット上で調査し、各々の特徴について理解する。 8　インターネット上の情報を検索する際のキーワードの設定や、AND 検索・OR 検索・NOT 検索等の検索機能について理解し、サーチエンジンによる結果の違い、検索キーワードによる結果の違い、AND・OR・NOT 検索による結果の違いを把握し、収集した情報の整理手順について習得する。 9　普段の生活の中での様々な問題を調べ、その解決のための手順を理解する。また、発見した問題を種々の視点から要素別に分析し、改善可能な問題と改善不可能な問題に切り分け、改善可能な問題についての解決手順を整理する。	10　生活における問題の解決手順についてさらに考察し、定性的な問題や定量的な問題の切り分け、空間的・時間的・物的・人的・経済的等の観点からの解決について考察する。 11　問題解決のための手順を Web 情報から調査する方法を習得し、収集した方法が手作業で行う方法かソフトウェア利用による方法かを整理する。 12　利用する問題解決手順がコンピュータツールを利用する場合の問題解決手順を理解し、実際に処理を試行する。 13　行った問題解決の結果について評価し、更なる改善方法について検討する。 14　各自が行った問題解決による生活の改善について発表し、互いに評価する。 15　ビッグデータや IoT での情報の肥大化、個人情報の保護、AI 利用での生活の質の向上等の情報社会の光と影について理解するとともに、将来にわたる問題解決能力育成について考察する。

シラバス	学部（中学校・専門）	授業科目名　技術・情報

授業の目標

中学校における技術･情報教育の概念や考え方を理解する。また､実際にものづくりやプログラミングを体験し､生活の中での問題解決の重要性を理解する。

教科内容構成の具体（教科内容の概念・技能）

① 持続可能社会の構築するための技術・情報の見方・考え方
② 問題発見・解決に必要な技能
③ 問題発見・解決の構想
④ 問題発見・解決の設計
⑤ 問題発見・解決のための製作・制作・育成
⑥ 問題発見・解決の評価
⑦ 材料と加工に関わる技術的内容
⑧ 生物育成に関わる技術的内容
⑨ エネルギー変換に関わる技術的内容
⑩ 情報に関わる内容
⑪ 技術・情報による問題発見・解決ならびに評価
⑫ 産業社会・情報社会への主体的な参画と持続可能社会の構築

評価の観点

1. 問題発見・解決に必要な技能について説明できる。
2. 問題発見・解決の考え方について説明できる。
3. ものづくりならびに情報の技術的な考え方について説明できる。
4. 問題解決のための構想→設計→製作・制作・育成→評価・改善の流れについて説明できる。

主　　題	教科内容・展開
1　技術・情報教育の見方・考え方	1　技術リテラシーと情報リテラシーについて理解し、技術・情報教育の見方・考え方を習得する。
2　技術の歴史	2　石器時代の道具から現在の自動機械に至る技術の歴史を概観し、創造・工夫の具現化の手順を理解する。
3　情報機器の歴史	3　紀元前の計算具から現在のコンピュータに至る情報機器変遷を概観し、創造・工夫の具現化の手順を理解する。
4　問題解決のための構想→設計→製作・制作・育成→評価・改善の流れ	4　技術教育における構想→設計→製作・制作・育成→評価・改善の PDCA サイクルを理解する。
5　材料と加工に関わる技術的内容	5　目的に応じた材料の特性と加工技術を理解し、生活における改善について検討する。
6　生物育成に関わる技術的内容	6　目的に応じた生物の育成技術を理解し、生活における改善について検討する。
7　エネルギー変換に関わる技術的内容	7　目的に応じたエネルギー変換技術を理解し、生活における改善について検討する。
8　情報に関わる技術的内容	8　目的に応じた情報技術を理解し、生活における改善について検討する。
9　技術・情報教育における問題解決	9　生活における問題の発見と解決について、技術・情報の考え方がどのように活かせるかについて考察する。
10　ネットワークコンテンツプログラミングの基礎	10　双方向性のあるコンテンツのプログラミングの基本的考え方について修得する。
11　ネットワークコンテンツプログラミングによる問題解決	11　双方向性のあるコンテンツのプログラミングの具体例を制作する。
12　計測・制御プログラミングの基礎	12　計測・制御のプログラミングの基本的考え方について修得する。
13　計測・制御プログラミングによる問題解決	13　計測・制御のプログラミングの具体例をエネルギー変換機器と関連させて制作する。
14　制作プログラムの相互評価	14　発表を伴った成果の相互評価を行う。
15　今後の社会における技術・情報の考え方を活かした問題解決	15　技術学習を通した問題解決についてまとめるとともに、将来へ向けた技術・情報の考え方の展開について考察する。

解　　説	
1　生活や社会における問題を発見し、改善するために必要となる技術リテラシーと情報リテラシーについて理解し、技術イノベーションの素養の育成ならびに技術ガバナンスとしての社会への提言能力の育成のための技術・情報教育の見方・考え方を習得する。 2　未来の技術社会がどのように進展するかを見極めるために、石器時代の道具から現在の自動機械に至る技術の歴史を概観し、創造・工夫の具現化の手順を技術関連博物館等の事例を紹介することにより理解を深める。 3　未来の情報社会がどのように進展するかを見極めるために、ローマ時代の計算具から現在のコンピュータに至る情報機器変遷を概観し、創造・工夫の具現化の手順を情報関連博物館等の事例を紹介することにより理解を深める。 4　技術教育における学習過程としての構想→設計→製作・制作・育成→評価・改善のPDCAサイクルを理解し、基礎的な要素の学習を踏まえて、それらを移送して問題を改善する手順が体系化されたものであるとの技術教育の本質を習得する。 5　目的に応じた材料の特性と加工技術を理解し、木材、金属、プラスチック等を材料として扱い、各々の強度・加工性等の特徴を理解して加工を行い、生活における改善について検討する。 6　目的に応じた生物の育成技術を理解し、種々の動物と植物を例として育成について理解し、生活における改善について検討する。 7　目的に応じたエネルギー変換技術を理解し、電気エネルギーや機械エネルギーを主体として、その発展としての光エネルギーや運動エネルギーの利用を理解し、生活における改善について検討する。 8　目的に応じた情報技術を理解し、インターネットを介した情報収集、情報倫理の扱い、知的財産権の扱いについて理解し、生活における改善について検討する。 9　生活における問題の発見と解決について技術の概念がどのように活かせるかについて考察する。このとき、複合的な技術を伴った生活における問題の解決についても扱う。	10　中学校技術のプログラミング学習の一つである双方向性のあるコンテンツのプログラミングの基本的考え方について修得する。このとき、自身の利用しているコンピュータとWebサーバーとのコンテンツのやり取りの制御やWebサーバーによる他のWebサーバーの情報の処理と自身の利用しているコンピュータの役割についても理解する。 11　双方向性のあるコンテンツのプログラミングの具体例を制作する。このとき、実際にJavaScriptを使ったプログラム事例を紹介して、実習を行う。 12　中学校技術のプログラミング学習の一つである計測・制御のプログラミングの基本的考え方について修得する。このとき、PICマイコン等を搭載したコンピュータへのプログラミングを書き込んでのセンサーからの情報の処理とアクチュエータの駆動の流れを理解し、また、動作コンピュータと自身のコンピュータとの情報のやり取りについても理解する。 13　計測・制御のプログラミングの具体例をエネルギー変換機器と関連させて制作する。このとき、実際にPIC-GPE環境による計測・制御プログラムを作成し、PICマイコンを動作させて計測・制御のプログラミングの実習を行う。 14　各自制作した事例を発表し、参加者の相互評価を行う。 15　技術学習を通した問題解決についてまとめるとともに、産業構造の変化に対応するための将来へ向けた技術・情報の考え方の展開について考察する。

<table>
<tr><td>シラバス</td><td>大学院（教職大学院）</td><td>授業科目名　教科内容構成（技術・情報）</td></tr>
<tr><td colspan="3">授業の目標
小学校、中学校、高等学校におけるものづくりやプログラミングの概念や考え方を理解する。また、実際にものづくりやプログラミングを体験し、生活の中での問題解決の重要性を理解する。</td></tr>
<tr><td colspan="3">教科内容構成の具体（教科内容の概念・技能）
① 持続可能社会の構築するための技術・情報の見方・考え方
② 問題発見・解決に必要な技能　③ 問題発見・解決の構想
④ 問題発見・解決の設計　⑤ 問題発見・解決のための製作・制作・育成
⑥ 問題発見・解決の評価　⑦ 材料と加工に関わる技術的内容
⑧ 生物育成に関わる技術的内容　⑨ エネルギー変換に関わる技術的内容
⑩ 情報に関わる内容　⑪ 技術・情報による問題発見・解決ならびに評価
⑫ 産業社会・情報社会への主体的な参画と持続可能社会の構築</td></tr>
<tr><td colspan="3">評価の観点
1. 問題発見・解決に必要な技能について説明できる。
2. 問題発見・解決の考え方について説明できる。
3. 問題解決のための構想→設計→製作・制作・育成→評価・改善の流れについて説明できる。
4. ものづくりや情報を用いての問題解決の構想・設計・製作・制作・評価ができる。</td></tr>
</table>

主　題	教科内容・展開
1　技術・情報教育の概念	1　技術リテラシーと情報リテラシーについて理解し、技術・情報教育の見方・考え方を習得する。
2　ものづくりの基礎	2　ものづくりにおける材料・エネルギー・情報の捉え方について考察する。
3　問題解決を目的としたものづくりとスケジューリング	3　生活における問題の発見と改善目的を具体化したものづくりのスケジューリングについて考察する。
4　産業生活におけるものづくり	4　産業生活におけるものづくりに関わる事例を調査し、産業生活における利点と欠点について整理する。
5　社会生活におけるものづくり	5　社会生活におけるものづくりに関わる事例を調査し、社会生活における利点と欠点について整理する。
6　家庭生活におけるものづくり	6　家庭生活におけるものづくりに関わる事例を調査し、家庭生活における利点と欠点について整理する。
7　ものづくりにおける数理的基礎	7　ものづくりにおける数理的基礎について理解するとともに各種ソフトウェアツールの利用について習得する。
8　ものづくりにおける道具・機械の利用	8　ものづくりに必要な道具・機械について理解するとともに、それらの基本的な利用方法について習得する。
9　ものづくりにおけるコンピュータの利用	9　Web検索を通してものづくりについて調査し、コンピュータの役割について理解する。
10　コンピュータにおけるアルゴリズム	10　コンピュータ利用の流れとしてのアルゴリズム、プログラム言語での具現化としてのプログラムについて理解する。
11　コンピュータにおけるプログラミング	11　プログラミング言語を利用したプログラム作成・実行を行い、デバッグの概念と処理結果の評価についても習得する。
12　各種ソフトウェアツールを利用した問題解決の構想と設計	12　問題解決の構想と設計のための一つの手法としてのCADを利用し構想内容が設計作業を通して具現化する実習を行う。
13　各種ソフトウェアツールを利用した問題解決の制作	13　各種ソフトウェアツールを利用した問題解決の実習を行い、設定問題が解決できるかどうか考察する。
14　制作ソフトウェアの発表	14　制作ソフトウェアの発表を行い、ディスカッションを通して制作物の問題点を考察する。
15　制作ソフトウェアの評価と改善	15　提示された問題点を基に制作ソフトウェアを評価し、その改善について考察する。また、社会における問題解決への技術・情報教育の有用性についても議論する。

解　　説	
1）生活や社会における問題を発見し、改善するために必要となる技術リテラシーと情報リテラシーについて理解し、技術イノベーションの素養の育成ならびに技術ガバナンスとしての社会への提言能力の育成のための技術・情報教育の見方・考え方を習得する。 2）物的な物と思考的なものの複合としての技術・情報におけるものづくりについて理解し、材料・エネルギー・情報の捉え方について考察する。 3）生活における問題の発見と改善目的を具体化したものづくりを行う際に必要となる材料の準備、人員の配置、作業の流れ、作業に時間・日数、作業の評価等のスケジューリングについて考察する。 4）工場生産ラインにおいて行われているものづくりや製品設計・評価において行われているものづくり等の産業生活におけるものづくりに関わる事例を調査し、産業生活におけるものづくりの有用性と問題点について整理する。 5）生活を営む際に接する買い物や移動等での社会生活におけるものづくりに関わる事例を調査し、社会生活における利点と欠点について整理する。 6）自宅の環境の改善等で必要となる家庭生活におけるものづくりに関わる事例を調査し、家庭生活における利点と欠点について整理する。 7）ものづくりにおける基礎的な知識としての数理的基礎について理解するとともにコンピュータ上での各種ソフトウェアツールの利用について習得する。 8）ものづくりに必要な木材加工、金属加工、電気工作、機械工作等で使用する道具・機械について理解するとともに、それらの基本的な利用方法について習得する。 9）Web 検索を通してものづくりについて調査し、3D プリンタやレーザーカッター等のコンピュータ利用のものづくりの役割について理解する。 10）人間の作業手順としての処理の流れ、コンピュータ利用の流れとしてのアルゴリズム、プログラム言語での具現化としてのプログラムについて、各々の役割と機能について理解する。	11）コンピュータにおけるプログラミング言語を利用してプログラム作成とプログラム実行を行い、デバッグの概念と処理結果の評価について習得する。特に、人間による評価とコンピュータによる評価をどのように組み合わせて総合判断するかについても習得する。 12）問題解決の構想と設計のための一つの手法としての CAD を利用し、CAD での構想・設計が具体的な製作・制作作業を経て、最終的な評価・改善ができるための構想→設計→製作・制作・育成→評価・改善が具現化する実習を行う。 13）Web 上から収集した各種ソフトウェアツールを利用し、自分で設定した問題を解決するための実習を行い、設定問題が解決できるかどうか考察する。 14）制作ソフトウェアの発表を行い、ディスカッションを通して制作物の問題点を考察する。このとき、改善できる問題と改善できない問題を切り分け、改善できる問題について再度改善方法について検討する。 15）提示された問題点を基に制作ソフトウェアを評価し、さらなる改善について考察する。また、社会における問題の発見ならびに解決についえ、技術・情報教育の有用性について、グループディスカッションにより議論する。

3 授業実践展開例

　ここでは、授業実践展開例として「社会の変化に応じた技術・情報利用環境の変化」を紹介する。特に、紀元前からの計算機器の変遷を理解するとともに情報環境の未来の変化を想像できる内容としている。

○歴史的に見る生活における情報利用の変化

　紀元前から現在までの生活環境の変化による情報の扱いの変化について考察する。

・狩猟生活から農耕生活

　洞窟壁画に残された生活で扱う数値の桁数

　農耕生活における集落の形成と年貢の必要性

　扱う数の桁数の増加

・現在社会での数値や情報の必要性

　計算の必要性

　計算の簡略化

　計算の高速性の要求とコンピュータの発達

　データの蓄積と情報としての利用

○過去から現在までの情報機器の変遷

　現在の我々の生活では情報機器はなくてはならない存在となっているが、これらは紀元前からの種々の工夫・改良によって形作られたものである。そのため、十数か国にわたる実際に訪問した情報機器変遷に関わる博物館調査資料を使い、過去から現在までどのように情報環境が変化してきたかを概説する。

・世界の文明の発祥と情報機器博物館所在地の関連

　六大文明（メソポタミア文明・エジプト文明・インダス文明・黄河文明・メソアメリカ文明・アンデス文明）

・文字・数字の記録と計算

　エジプトのヒエログリフ文字（B.C.）

　マヤ文字（300年～900年）

　インカ文明のキープとユパナ（1438年～1533年）

　沖縄藁算（1190年～1879年）

・計算具の発達

　サラミスの線そろばん（B.C.）（ギリシア碑文博物館）

　ローマ時代の計算の道具（B.C.）（国立カピトリーニ美術館）

　ダリウスの壺（B.C.）（ナポリ国立考古学博物館）

・そろばんの発達

　ローマ時代のそろばん（B.C.）（国立ローマ博物館マッシモ館）

　中国のそろばん（20世紀）

　日本のそろばん（20世紀）

　日本の現在のそろばん

・機械式計算器の発達

　シッカード計算器（1623年）

　パスカル計算器（1645年）

　ライプニッツ計算器（1673年）

　バベッジの階差機関（1822年頃）

　バベッジの解析機関（1833年頃）

・コンピュータの発達

　ENIAC（1946年）

　UNIVAC（1950年）

　大型コンピュータ（1970年代）

　Apple I（1976年）

　パンチカードシステム（1980年）

　IBM小型コンピュータ（1981年）

　CRAYスーパーコンピュータ（1975年）

　Apple II（1977年）

　Deep Blue（チェス用コンピュータ）（1996年）

　地球シミュレータ（横浜市）

　スーパーコンピュータ（京、8.16PFLOPS）

○現在の生活における情報環境利用

　家庭生活、社会生活、産業生活の各々で利用されている情報環境の利点と欠点を整理し、学校教育での教育目的の整理を行う。

　家庭生活での家電製品等の情報環境利用

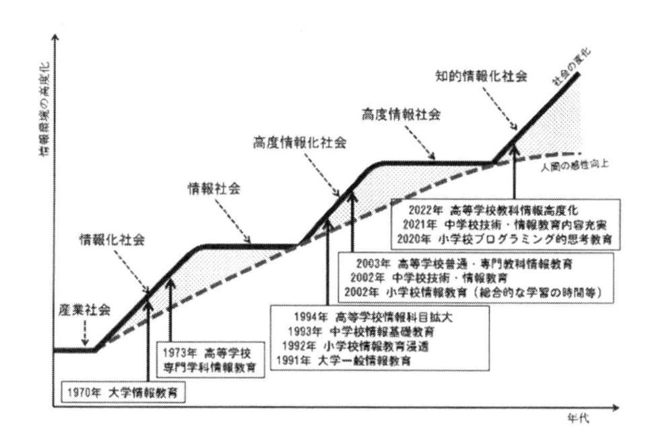

社会生活でのキャッシュレス支払いやインターネット購入等の情報環境利用

産業生活での生産効率を上げるための情報環境利用

現代社会における情報環境利用の利点と問題点

○未来の情報環境の予想

現在の情報環境を見据えて、未来の情報環境についてディスカッションを行う。

○情報環境変化に伴う学習指導要領の改訂

近年の日本においては、戦後の産業社会から情報社会に向けて種々の変化を伴ってきた。産業社会→情報化社会→情報社会→高度情報化社会→高度情報社会→知的情報化社会

これらの中で、学校教育においても学習指導要領の改訂に伴い、変化を模索している。情報化社会においては、1970 年の大学情報教育の開始、1973 年の高等学校専門学科情報教育の開始がある。また、高度情報化社会においては、1991 年の大学一般情報教育の開始、1992 年の小学校情報教育の浸透、1993 年の中学校情報基礎教育の開始、1994 年の高等学校情報科目の拡大、2002 年の小学校情報教育（総合的な学習の時間等）の開始、2002 年の中学校技術・情報教育の開始、2003 年の高等学校普通・専門教科情報教育の開始がある。さらに、現在の知的情報化社会においては、2020 年の小学校プログラミング的思考教育の開始、2021 年の中学校技術・情報教育内容の充実、2022 年の高等学校教科情報の高度化がある。

このように、社会の情報化と教育の改定は未来に向けた子ども達を育てるために必要不可欠である。

○学校教員としての情報教育の捉え方

現在の情報環境を見つめ直し、紀元前から未来への環境の推移を議論し、学校教育においてはどのような視点から情報教育を捉えなおせば良いのかについてディスカッションを行う。また、情報教育の本質は何かについても、問題解決能力の育成ならびに持続可能社会との関連から意見交換を行う。

【参考文献】

(1)　文部科学省『小学校学習指導要領』平成 29 年 3 月。
(2)　文部科学省『小学校学習指導要領解説』平成 29 年 7 月。
(3)　文部科学省『中学校学習指導要領』平成 29 年 3 月。
(4)　文部科学省『中学校学習指導要領解説』平成 29 年 7 月。
(5)　文部科学省『高等学校学習指導要領』平成 30 年 3 月。
(6)　文部科学省『高等学校学習指導要領解説』情報編、平成 30 年 7 月。
(7)　日本学術会議「新しい学術の体系 - 社会のための学術と文理の融合 -」平成 15 年 6 月。
(8)　日本学術会議「人間と社会のための新しい学術体系」平成 15 年 6 月 24 日。
(9)　日本学術会議「新しい学術の在り方― 真の science for society を求めて―」平成 17 年 8 月 29 日。
(10)　日本学術会議「21 世紀を豊かに生きるための『科学技術の

智』」平成 20 年 9 月 18 日。
(11) 日本学術会議「社会のための学術としての「知の統合」—その具現に向けて—」平成 23 年 8 月 19 日。
(12) 日本産業技術教育学会「21 世紀の技術教育（改訂）」2012 年、http://www.jste.jp/main/data/21te-n.pdf
(13) 日本産業技術教育学会「21 世紀の技術教育（改訂）—各発達段階における普通教育としての技術教育内容の例示—」2014 年、http://www.jste.jp/main/
data/21te-nex.pdf
(14) 森山・菊地・山崎編『イノベーション力を育成する技術・情報教育の展望』ジアース教育新社、2016 年 3 月。
(15) 森山・菊地・山崎編『子どもが小さなエンジニアになる教室 イノベーション力育成を図る中学校技術科の授業デザイン』ジアース教育新社、2016 年 3 月。
(16) 菊地「小・中・高等学校でのプログラミング教育の重要性」日本産業技術教育学会『小・中・高等学校でのプログラミング教育実践－問題解決を目的とした論理的思考力の育成－』（第 1 部 総論、第 1 章、pp.3-21）、九州大学出版会、2019 年 9 月。

（菊地 章）

第9章　家庭

1 家庭の教科内容構成開発の仮説

仮説１　教科の認識論的定義

家庭科は、生活事象や生活の総体を対象として、生活事象を構成する要素に関連する知識と技能を、空間軸と時間軸の視点から科学的に理解し、生活自立、生活問題発見・生活問題解決、生活創造を生成するために、理解した知識と技能の統合を指向する。

教科としての家庭科の認識対象は生活事象や生活の総体である。家庭科の背景学問としての家政学の定義では、認識対象を「家庭生活を中心とした人間生活における人と環境との相互作用」と表現している[1)]。生活事象は多様な要素から構成されているが、家庭科では、これらの要素に関連する知識と技能を科学的に理解するという方法によって生活事象や生活の総体を認識する。ここで、科学的というのは、家政学の定義における「人的、物的両面から、自然・社会・人文の諸科学を基礎として研究」することに対応している[1)]。このとき、家庭科では、生活事象を構成する要素を空間軸と時間軸の視点から理解する。空間軸というのは、個人、家族、地域、社会の空間的広がりの観点からの環境との相互作用を意味し、時間軸というのは、生まれてから死ぬまでの個人のライフコースという観点と、他世代との相互作用という観点を意味している。

以上のような認識を通して、教科としての家庭科が生成する内容は、生活自立、生活問題発見・生活問題解決、そして生活創造である。家庭科では、それらの内容を生成するために、理解した知識と技能の統合を指向する。

仮説２　教科内容構成の原理

○家庭科が対象とする生活事象を構成する要素を整理する。その要素は家族・家庭生活、衣食住生活、消費生活・環境に大別される。
○生活事象を構成する要素に関連する知識と技能を、空間軸と時間軸から理解する。
○家庭科の達成目標である生活自立、生活問題発見・生活問題解決、生活創造が内容構成に含まれる。

仮説１の認識論的定義から、上記の原理が導かれる。

第一に、生活事象を構成する要素を整理する必要がある。認識論的定義における家庭科の認識対象は生活事象であるが、生活事象の総体は広範囲にわたるため、教科としての家庭科においては、生活事象の要素を整理する必要がある。小・中・高等学校新学習指導要領（2017年、2018年告示）では、小・中・高等学校での内容の系統性や接続が見えるように、生活事象を構成する要素が、「家族・家庭生活」、「衣食住生活」、「消費生活・環境」という三つの枠組みに整理された[2)]。この枠組みは、学校教育における家庭科の教科内容構成の原理としては妥当である。

第二は、生活事象を構成する要素に関連する知識と技能を、空間軸と時間軸の視点から理解するという内容構成原理である。生活事象を構成する要素に関連する知識と技能は、家政学の定義にもあるとおり自然・社会・人文の諸科学を基礎としている。学校教育の教科という視点からも、多くの教科と関連している。これらを、家庭科内容構成という観点から考えるとき、空間軸、時間軸の視点から理解することが家庭科内容構成の原理となる。

空間軸というのは、個人、家族、地域、社会の空間的広がりの観点からの環境との相互作用を意味しており、家政学の定義においても人と環境との相互作用として表現されている。しかし時間軸については、家政学の定義では表現されていない。時間軸というのは、生まれてから死ぬまでの個人のライフコースという観点と、他世代との相互作用という観点を意味している。生まれてから死ぬまでの個人のライフコースの観点とは、個人の視点で、現在までの生活、現在の生活、将来の生活という時間的観念に基づいて一生涯を見とおすということである。家庭科ではさらに、この観点を、現在の生活における他世代との相互作用という考え方に発展させる。つまり、小・中・高等学校の児童・生徒からみた、乳幼児の理解、高齢者の理解などは、時間軸に沿った内容構成の原理である。

第三は、家庭科の達成目標に関連する内容構成の原理である。教科としての家庭科が生成する内容、つまり教科の達成目標は、生活自立、生活問題発見・生活問題解決、そして生活創造である。この達成目標は、どの教科にも求められているものであるが、家庭科は、生活事象そのものを対象とするという認識論的定義により、この達成目標が教科の存在意義であるといえる。上で述べたとおり、生活事象を構成する要素に関連する知識と技能は、他の多くの教科と関連している。したがって、家庭科は、家庭科だけにとどまらず、理科、社会、保健体育など他教科の内容を生活自立、生活問題発見・生活問題解決、生活創造につなげるという統合的な内容構成をもっている。

仮説３　教科内容構成の柱

①生活事象を構成する要素
　家族・家庭生活
　衣食住生活
　消費生活・環境
②生活事象の空間軸
　個人・家庭・地域・社会の相互作用
③生活事象の時間軸
　生涯発達
　他世代理解
④生活自立
⑤生活問題発見・生活問題解決
⑥生活創造

仮説２の原理にしたがって、教科内容構成の柱をまとめると上記のようになる。

仮説４　教科内容構成の具体

①家族・家庭生活
　生活経営学、生涯発達学、
　家族・家庭関連科学、子ども・高齢者関連科学
②衣食住生活
　衣生活関連科学、食生活関連科学、
　住生活関連科学
③消費生活・環境
　生活経済学、消費関連科学、環境科学
④生活自立
⑤生活問題発見・生活問題解決
⑥生活創造
①から③は空間軸と時間軸の視点から理解する。
④から⑥は①から③の具体的内容のなかで理解を深める。

仮説３の教科内容構成の柱に基づいて教科内容を具体的に構成すると、上記の６項目をあげることができる。

このうち、①から③は生活事象を構成する三つの要素に対応し、④から⑥は家庭科の達成目標に対応している。

①は生活事象を構成する要素の家族・家庭生活に対応し、具体的な学問内容としては、生活経営学、生涯発達学、家族・家庭関連科学、子ども・高齢者関連科学をあげることができる。

②は生活事象を構成する要素の衣食住生活に対応し、具体的な学問内容としては、衣生活関連科学、食生活関連科学、住生活関連科学をあげることができる。

③は生活事象を構成する要素の消費生活・環境に対応し、具体的な学問内容としては、生活経済学、　消費関連科学、環境科学をあげることがで

きる。

①から③で示した学問内容は例示であり、ここにあげられた学問分野だけに限定されるわけではないし、例示した学問分野にも下位学問が存在している。

家庭科における教科内容構成の具体を検討するうえで次の二点に留意する必要がある。第一は、教科内容構成の具体には知識と技能が含まれていることである。上記①から③は、どれかが知識でどれかが技能というように分けられるものではなく、①から③のすべてにおいて、知識と技能が含まれている。第二は、教科内容構成の具体は、①から③が独立に存在するのではなく、空間軸と時間軸の視点から理解することによって、相互に関連づけられることである。たとえば、一生涯を見とおすという時間軸の視点は、①の生涯発達学だけで扱われるのではなく、乳幼児の衣食住生活、高齢者の消費生活というように、②や③においても扱うべき内容である。

内容構成の具体④から⑥は家庭科の達成目標に関連する教科内容の柱に基づいて、教科内容として具体的に構成される項目である。ただし、現時点では、これらの具体的内容に対応する直接の学問はなく、①から③の具体的内容のなかで、④から⑥に結びつけることが必要である。

仮説５　教員養成学生及び子どもに育成される能力

（教員養成のみ記載）

○生活事象を構成する要素に関連する知識と技能を、空間軸と時間軸の視点から理解する能力 ○知識と技能を児童・生徒に指導できる能力 ○知識と技能を生活自立につなげる方法を指導できる能力 ○生活問題発見・生活問題解決について理解し、指導できる能力 ○生活創造について理解し、指導できる能力

教員養成学生及び子どもに共通して育成される能力は、生活事象を構成する要素に関連する知識と技能を空間軸と時間軸から理解する能力である。

知識と技能を児童・生徒に指導できる能力、知識と技能を生活自立につなげる方法を指導できる能力、生活問題発見・生活問題解決について理解し、指導できる能力、生活創造について理解し、指導できる能力は教員養成学生に育成される能力であるが、この能力を身につけることによって、家庭科教員として、子どもにそれらの能力を身につけさせることができる。

これらの能力のうち、知識と技能を児童・生徒に指導できる能力については、仮説４における①から③に基づいて育成することができる。これに対して、知識と技能を生活自立につなげる方法を指導できる能力、生活問題発見・生活問題解決について理解し、指導できる能力、生活創造について理解し、指導できる能力は、仮説４における④から⑥に基づいて育成することができる内容であるが、仮説４のところでも述べたとおり、これらの具体的内容に対応する直接の学問はない。したがって、これらの内容を、家庭科の教科内容構成を考えるうえで、どのように保障するかは大きな課題である。

仮説６　教科と人間（個人・社会）とのかかわり

○家庭科と個人 ・生活事象を構成する要素に関連する知識と技能 ・生活問題発見・生活問題解決・生活自立・生活創造 ○家庭科と社会 ・自立・自律した生活者の養成 ・市民生活の質、家庭生活の質の向上に寄与

家庭科と個人とのかかわりは、次の二点である。第一は、生活事象を構成する要素に関連する知識と技能を空間軸と時間軸の視点から理解することである。第二は、生活問題を発見し、解決方法を探り、生活自立を図り、よりよい生活を創造

する原理を理解することである。

家庭科と社会とのかかわりは、次の二点である。第一は、自立、あるいは自律した生活者を養成することである。第二は、そのことによって、市民生活の質、家庭生活の質の向上に寄与することができることである。

仮説７　教科内容構成の創出による教科専門の授業実践

○概念的・理論的な観点

内容構成に対し次の二つの方針をとる。

方針 1. 生活問題を発見、解決する学習過程を 15 回の授業の文脈を重視して展開する。

方針 2. 授業内容を仮説 4 の 6 要素で構成する。

6 要素の扱い方の留意点

・家族・家庭生活、衣食住生活、消費生活・環境という生活の要素と営みの理解や関連の知識・技能の習得を、生活自立、生活問題発見・生活問題解決、生活創造につなぐための生活実践課題を設定する。

・15 回の授業を通して自分の生活を振り返り、実践的な学習や協働的学習の中で課題解決を繰り返し、評価（自己評価、相互評価）して、さらに解決策を改善するような学習過程の意義を認識して学習を進められるよう構成する。

○授業実践の事例

実践事例

中学校・高等学校（家庭）、授業科目名：衣生活論

授業の目標：中等教育における家庭科衣生活の内容指導について、実践活動も含めながら理解を深め、それらを活かして衣生活課題及び衣生活実践課題の解決を図る。

○中学校、高等学校家庭科における衣生活内容の学習意義、衣生活における実践課題の設定

○中学校、高等学校家庭科（衣生活内容）の授業ならびに自己の衣生活に対する振り返り

○衣生活における実践課題に対する視点：健康、ライフスタイル、文化

○衣生活における実践課題の実施に必要な知識・技能

○衣生活における実践課題の実施：布の裁断、甚平の縫製 1、甚平の縫製 2、人体との関係の理解、パンツの縫製 1、パンツの縫製 2、

○衣生活における実践課題の振り返り、課題の整理

○衣生活における実践課題発表

○まとめ

○従来の教科専門の問題点は、家政学の理念に基づいて各専門諸科学（例えば栄養学など）が再構成された形で提供されず、家庭科の意義や目標も意図されず展開されてきた点にある。

○各教科専門科目は、事例の「衣生活論」と同様に展開され、生活自立、生活問題、生活創造について主体的に継続的に思考させるとともに、各専門諸科学を基盤として生活の在り方を追究する学問として家政学を意識させる。初等教員養成では、これらを 2 単位（90 分× 15 回）で展開する。

家庭科の背景学問は家政学であるという説については、未だ異論も見られる。それは、家政学自体が、特に国内においては、理念と実態が矛盾した形で存在していることによる。その実態は、家政学は個別の専門諸科学の集合体ではないと言われながら、一方で、それらの専門諸科学の方法論や成果に頼って家政学が発展してきたという経緯によるところが大きいと考えている。

従来の教科専門の問題点は、家政学の理念に基づいて各専門諸科学（例えば栄養学など）が再構成された形で提供されず、家庭科の意義や目標が意図されることなく展開されてきた点にある。現在も、開放性の教員養成の中では、家庭科の意義や目標と各専門諸科学との関係性を問うことなく、教科専門の授業として修得されながら、実はいわゆる「専門学」の授業が行われていることが多い。教員養成系の大学でも、少なからずこのような状況が見られる。

今回提示した教科専門の在り方は、このような従来の教科専門の問題点を捉え、改善するよう構想したものである。家庭科の教科専門科目は、中等教員養成では、「衣生活」「食生活」「住生活」

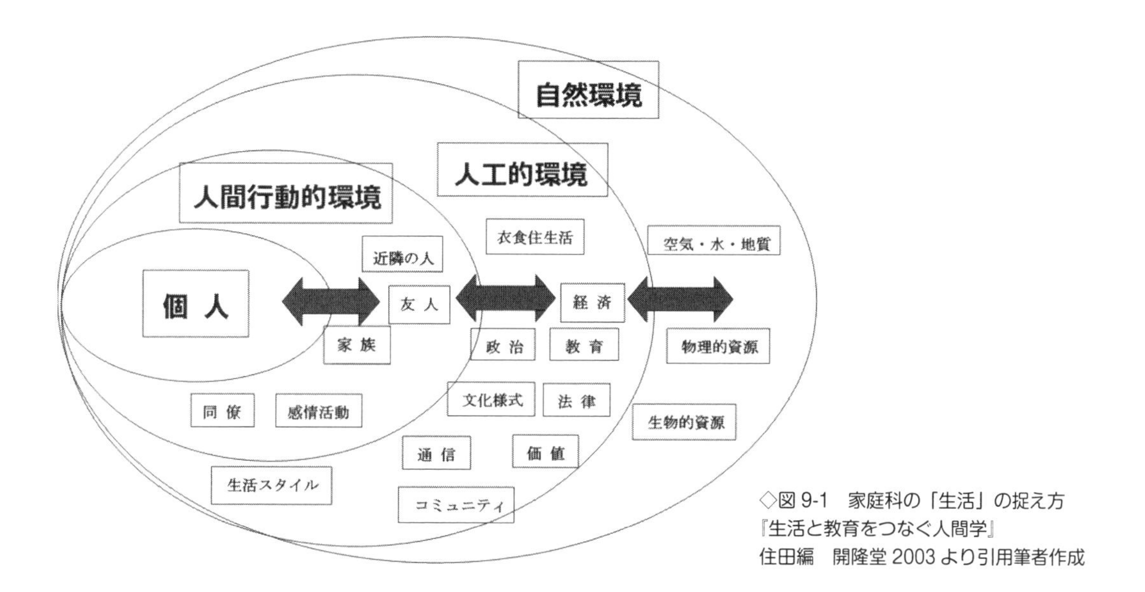

◇図 9-1　家庭科の「生活」の捉え方
『生活と教育をつなぐ人間学』
住田編　開隆堂 2003 より引用筆者作成

「家族・家庭生活」「人間発達」の内容別に、事例として示した「衣生活論」と同様に展開され、生活自立、生活問題、生活創造について主体的に継続的に思考させるとともに、各専門諸科学を基盤として生活の在り方を追究する学問として家政学を意識させるように計画している。図 9-1 は家庭科における生活の捉え方の事例のひとつである[3)]。

2　シラバス（家庭）

次ページより、学部の小学校教員養成及び中学校教員養成のための教科専門科目（各2単位）と教職大学院における教科内容構成に係る専門科目（2単位）のシラバスとその解説を順に示す。中学校教員養成のための教科専門科目としては、「衣生活論」を選んだ。

<table>
<tr><td>授業シラバス</td><td>小学校（家庭）</td><td colspan="2">授業科目名　初等家庭</td></tr>
<tr><td colspan="4">授業の目標
小学校における家庭科を指導するために必要な基礎的・基本的な知識を理解する。</td></tr>
<tr><td colspan="4">教科内容構成の具体（教科内容の概念・技能）
　次の六つの要素で構成する。①家族・家庭生活／生活経営学、生涯発達学、家族・家庭関連科学、子ども・高齢者関連科学、②衣食住生活／衣生活関連科学、食生活関連科学、住生活関連科学、③消費生活・環境／生活経済学、消費関連科学、環境科学、④生活自立、⑤生活問題発見・生活問題解決、⑥生活創造
①から③は空間軸と時間軸の視点から理解する。④から⑥は①から③の具体的内容のなかで理解を深める。</td></tr>
<tr><td colspan="4">評価の観点
1. 生活事象を構成する要素に関連する知識と技能を空間軸と時間軸から理解する。
2. 生活事象を構成する要素に関連する知識と技能と関連付けて、生活自立、生活問題発見・生活問題解決、生活創造について理解を深める。</td></tr>
<tr><td colspan="2">主　　題</td><td colspan="2">教科内容・展開</td></tr>
<tr><td colspan="2">1. ガイダンス（家庭科の学問体系と小学校家庭科の内容構成）</td><td colspan="2">1. 家庭科の学問体系（教科内容）についての理解を深め、小学校家庭科の内容構成との関連を理解する。</td></tr>
<tr><td colspan="2">2. 家庭生活（小学校家庭科における家族の捉え方）</td><td colspan="2">2. 自分自身の家族や家族構成員についてイメージを形成し、そのイメージと現在の自分との関わりについて考える。</td></tr>
<tr><td colspan="2">3. 家庭生活（超少子高齢社会における家族の形成と家族関係）</td><td colspan="2">3. 自分の将来設計をイメージしながら超少子高齢社会における家族について考える。</td></tr>
<tr><td colspan="2">4. 衣生活（小学校家庭科衣生活の学習内容、衣服の働き）</td><td colspan="2">4. これまでの衣生活からなぜ衣服を着用するのかを考えるとともに小学校で学習した衣生活の内容について振り返り、小学校で衣生活を学ぶ意義を理解する。</td></tr>
<tr><td colspan="2">5. 衣生活（生活を豊かにするための布を用いた製作計画、手縫いの基礎）</td><td colspan="2">5. 手縫い、布に関する知識と技能を確認し、布を用いてものを製作し、衣生活で活用する能力について理解する。</td></tr>
<tr><td colspan="2">6. 衣生活（衣服の手入れ、ミシン縫いの理解、用具の安全な取り扱い）</td><td colspan="2">6. 衣服の手入れに関する知識と技能を確認するとともにミシンの仕組み、裁縫道具の取り扱いについて理解する。</td></tr>
<tr><td colspan="2">7. 食生活（小学校家庭科食生活の学習内容）</td><td colspan="2">7. 小学校で学習した食生活の内容について振り返り、小学校で食生活を学ぶ意義を理解する。</td></tr>
<tr><td colspan="2">8. 食生活（食事の役割、栄養を考えた食事）</td><td colspan="2">8. これまでの食事内容を振り返り、食事の役割、健康、栄養を考えたよりよい食事について考える。</td></tr>
<tr><td colspan="2">9. 食生活（調理器具の安全な取り扱い、調理の基礎）</td><td colspan="2">9. 安全に調理器具を取り扱うための知識と技能を確認するとともに基本的な非加熱・加熱操作を理解する。</td></tr>
<tr><td colspan="2">10. 食生活（栄養と楽しさ、おいしさを考えた食事の計画）</td><td colspan="2">10. 栄養バランスとおいしさを考えた一食分の食事を計画し、実践を試みる。</td></tr>
<tr><td colspan="2">11. 住生活（小学校家庭科住生活の学習内容）</td><td colspan="2">11. 小学校で学習した住生活の内容について振り返り、小学校で住生活を学ぶ意義を理解する。</td></tr>
<tr><td colspan="2">12. 住生活（住まいの働き、季節の変化に合わせた生活）</td><td colspan="2">12. 住まいの働き、季節の変化に合わせた快適な住まい方について理解する。</td></tr>
<tr><td colspan="2">13. 住生活（住まいの整理・整頓、清掃の仕方）</td><td colspan="2">13. 住まいの整理・整頓、清掃に関する知識と技能を確認するとともに快適な住まい方について理解する。</td></tr>
<tr><td colspan="2">14. 消費生活（現代の消費生活と消費者）</td><td colspan="2">14. 消費者としての自分について振り返り、小学校で消費生活を学ぶ意義及び知識と技能を理解する。</td></tr>
<tr><td colspan="2">15. まとめ（家庭科の見方・考え方と生活の捉え方）</td><td colspan="2">15. これまでの五つの内容を振り返り、小学校家庭科の内容構成について、教科目標に照らして、総合的な視点で考える。</td></tr>
</table>

解　説
1. 小・中・高等学校家庭科の内容の系統性を明確化し、学校段階に応じて、概念化、体系化していく必要性及び空間軸と時間軸の視点から家庭科の学習対象を捉え、学校段階をふまえて取り扱う必要性を理解する。 2. 自身の成長と絡めながら、これまでの生活が家族に支えられてきたことに気づく。家庭生活が家族の協力によって営まれ、家庭生活を健康・快適・安全・生活文化の視点から捉えることができる。 3. 超少子高齢社会の現状をふまえ、家庭生活が地域の人々とのかかわりで成り立ち、持続可能な社会の構築のためにはこれら地域の人々との協力が大事であることに気づく。 4. これまでの自身の衣生活を振り返りながら健康・快適・安全で豊かな衣生活を営むための基本的な知識と技能について確認する。 5. 生活を豊かにするための布を用いた製作を計画し、その実践を試みることにより、課題をもち、見とおしをもって製作することの重要性を確認するとともに製作に必要な知識と技能を理解する。 6. 日常着の手入れや洗濯の仕方、ミシンの取り扱いを含めた用具の安全な取り扱いについて再確認し、これらの知識と技能が生活自立につながることを理解する。 7. これまでの自身の食生活を振り返りながら、健康・快適・安全で豊かな食生活を営むための基本的な知識と技能について確認する。 8. 日常の食事内容を振り返りながら、問題点、課題を見出し、栄養バランスや健康の視点をふまえて、よりよい食事について考えることができる。 9. 料理を安全・衛生的においしく、調理するための知識と技能を確認し、それらが創造性に富んだ生活自立につながることを理解する。 10. 栄養バランスとおいしさを考えた一食分の食事を計画し、実践を試みる。その中で課題、問題点を見出し、改善策を検討することで見とおしを立てながら、課題を解決していくための知識と技能を再確認する。 11. これまでの自身の住生活を振り返りながら健康・快適・安全で持続可能な住生活を営むための基本的な知識と技能について確認する。 12. 住まいの主な働きや季節の変化に合わせた生活の大切さや住まい方について確認し、健康・快適の視点をもって、自然を生かした生活の大切さについて理解する。 13. 住まいの整理・整頓、清掃に関する知識と技能を確認し、安全・衛生的で快適な住まい方を工夫することが、生活自立につながることを理解する。 14. これまでの消費生活を振り返りながら、課題、問題点を見出し、それを解決するために必要な消費生活・環境に関する基本的な知識と技能を確認する。それらの知識と技能が生活を工夫できる消費者として、持続可能な社会の構築つながっていくことを理解する。 15. 家族・家庭生活、衣食住の生活、消費生活・環境が相互に関連付けられ、状況の変化や課題に応じて主体的に活用できる技能として習熟・熟達していくことがよりよい生活の創造、生活自立に必要不可欠であることを理解する。

<table>
<tr><td>授業シラバス</td><td>中学校・高等学校（家庭）</td><td>授業科目名　衣生活論</td></tr>
<tr><td colspan="3">授業の目標
中等教育における家庭科衣生活の指導内容について、実践活動も含めながら理解を深め、それらを活かして衣生活課題および衣生活実践課題の解決を図る。</td></tr>
<tr><td colspan="3">教科内容構成の具体（教科内容の概念・技能）
次の六つの要素で構成する。①家族・家庭生活／生活経営学、生涯発達学、家族・家庭関連科学、子ども・高齢者関連科学、②衣生活／衣生活関連科学、③消費生活・環境／生活経済学、消費関連科学、環境科学、④生活自立、⑤生活問題発見・生活問題解決、⑥生活創造
①から③は空間軸と時間軸の視点から理解する。④から⑥は①から③の具体的内容のなかで理解を深める。</td></tr>
<tr><td colspan="3">評価の観点
1. 衣生活事象を構成する要素に関連する知識と技能を空間軸と時間軸から理解する。
2. 衣生活事象を構成する要素に関連する知識と技能と関連付けて、生活自立、生活問題発見・生活問題解決、生活創造について理解を深める。</td></tr>
<tr><td>主　題</td><td colspan="2">教科内容・展開</td></tr>
<tr><td>1. 中学校、高等学校家庭科における衣生活内容の学習意義、衣生活における実践課題の設定</td><td colspan="2">1. 家庭科において衣生活について学ぶ意義、衣生活の現代的な課題を考える。パフォーマンス課題「子ども用甚平とパンツを用いて、豊かな衣生活のあり方を子どもをもつ親に説明しよう」を提示する。</td></tr>
<tr><td>2. 中学校、高等学校家庭科（衣生活内容）の授業ならびに自己の衣生活に対する振り返り</td><td colspan="2">2. 被服の機能について理解を深め、自己の衣生活を振り返り、自己の衣生活に関する課題を整理する。</td></tr>
<tr><td>3. 衣生活における実践課題に対する視点：健康</td><td colspan="2">3. 健康な衣生活とは何か、衣生活材料学、衣生活環境学、衣生活デザインの視点から考える。</td></tr>
<tr><td>4. 衣生活における実践課題に対する視点：ライフスタイル</td><td colspan="2">4. ライフサイクルと衣生活について、衣生活材料学、衣生活環境学、衣生活デザインの視点から考える。</td></tr>
<tr><td>5. 衣生活における実践課題に対する視点：文化</td><td colspan="2">5. 衣生活における文化について考える。被服の構成（平面構成と立体構成）の視点から衣生活デザインを考え、日本の衣文化に対する理解を深める。</td></tr>
<tr><td>6. 衣生活における実践課題の実施に必要な知識と技能</td><td colspan="2">6. 衣生活を支える技術について理解し、技能を習得、それらを学ぶ意義について考える。</td></tr>
<tr><td>7. 衣生活における実践課題の実施：布の裁断</td><td colspan="2">7. 子ども用の甚平製作を行う。布の裁断工程から平面構成について考える。</td></tr>
<tr><td>8. 衣生活における実践課題の実施：甚平の縫製（1）</td><td colspan="2">8. 甚平製作の縫製工程を通じて、平面構成について考える。</td></tr>
<tr><td>9. 衣生活における実践課題の実施：甚平の縫製（2）</td><td colspan="2">9. 甚平製作の縫製工程を通じて、平面構成と立体構成の違いの理解を深める。</td></tr>
<tr><td>10. 衣生活における実践課題の実施：人体との関係の理解</td><td colspan="2">10. 甚平製作の縫製工程を通じて、衣服と人体との関係について考える。</td></tr>
<tr><td>11. 衣生活における実践課題の実施:パンツの縫製(1)</td><td colspan="2">11. 子ども用のパンツ（甚平の下衣）製作を行う。布の裁断工程から、立体構成について考える。</td></tr>
<tr><td>12. 衣生活における実践課題の実施:パンツの縫製(2)</td><td colspan="2">12. 子ども用のパンツ（甚平の下衣）製作の縫製工程を通じて、立体構成について理解を深める。</td></tr>
<tr><td>13. 衣生活における実践課題の振り返り、課題の整理</td><td colspan="2">13. 子ども用の上衣と下衣の製作工程を振り返り、健康な衣生活、ライフステージと衣生活について考える。</td></tr>
<tr><td>14. 衣生活における実践課題発表</td><td colspan="2">14. 豊かな衣生活とは何かを考える。パフォーマンス課題「子ども用甚平とパンツを用いて、豊かな衣生活のあり方を子どもをもつ親に説明する企画を構想、発表する。」を提示し、発表を行う。衣生活に関する課題解決のための探究力、創造力を習得する。</td></tr>
<tr><td>15. まとめ</td><td colspan="2">15. 試験を行う。試験後、解説を行い、衣生活の課題解決に必要な知識と技能の定着をはかり、課題解決探究力につなげる。</td></tr>
</table>

<table>
<tr><th colspan="2">解　　説</th></tr>
<tr><td>1. 中学校、高等学校の家庭科の授業において衣生活を学ぶ意義を理解、衣生活における現代的な生活課題を考える。本授業で取り組む衣生活の実践課題を提示し、学びの流れを確認する。
2. 中学校、高等学校の家庭科の授業を振り返り、自立した生活と生活創造のために必要な衣生活に関する知識と技能について、自己の問題点と課題を確認する。衣生活の課題の実践のための準備を具体化する。
3. 衣生活の実践課題に対して、具体的な視点「健康」を提示し、時間（生涯発達）、空間（個人・家族・家庭生活と環境との相互作用）という要素から、考える力を養う。実践課題に衣生活を創造する様々な視点が含まれていることを意識させる。
4. 衣生活の実践課題に対して、具体的な視点「ライフスタイル」を提示し、時間（生涯発達）、空間（個人・家族・家庭生活と環境との相互作用）という要素から、考える力を養う。実践課題に衣生活を創造する様々な視点が含まれていることを意識させる。
5. 衣生活の実践課題に対して、具体的な視点「文化」を提示し、時間（生涯発達）、空間（個人・家族・家庭生活と環境との相互作用）という要素から、考える力を養う。実践課題に衣生活を創造する様々な視点が含まれていることを意識させる。
6. 衣生活の課題解決に必要な知識と技能を整理し、自己の実践力を確認する。またそれらを中学校、高等学校の家庭科の授業において学ぶ意義を再確認する。
7. 甚平の裁断工程を通して、日本の和服文化を理解し、生活創造の技術の歴史的意義とその伝承の重要性、環境との関わりについて認識させる。
8. 甚平の製作（身頃）を通して、衣生活の自立のために必要な技能を確認し、子どもの発達や衣生活の営みにおける家族との関わりを理解する。
9. 甚平の製作（衿、袖）を通して、衣生活の創造のために必要な技能を確認しながら、子どもの発達や衣生活における家族との関わりを理解する。立体構成と平面構成の違いを認識する。
10. 甚平の着脱動作から人体との関係の理解を深め、健康に配慮した衣生活について、人の発達をふまえながら考える。</td><td>11. 子ども用甚平の下衣としてのパンツの製作を通して、衣生活の自立のために必要な技能を確認し、子どもの発達を理解する。先に製作した甚平と比較し、構成の違いについての理解を深める。
12. 子ども用甚平の下衣としてのパンツの製作を通して、衣生活の創造のために必要な技能を確認し、子どもの発達を理解する。先に製作した甚平と比較し、構成の違いから環境へのつながりを検討する。
13. 提示した実践課題の工程を振り返り、質の高い衣生活の創造のために必要な知識と技能について、整理する。それらをもとに課題の企画案を発表できるよう準備する。
14. 前時までに取り組んだ衣生活の実践課題について発表する。発表を通じて内容を共有し、お互いに評価することによって、課題解決探究力と想像力を習得する。
15. ライフステージに応じた被服とその機能、健康や環境に配慮した衣生活、それに係る技能について理解し、よりよい社会の構築に向けて、自立と創造性を目指した衣生活の質の向上を図る。</td></tr>
</table>

<table>
<tr><td>授業シラバス</td><td>教職大学院</td><td>授業科目名　教科内容構成特論（家庭）（仮称）</td></tr>
<tr><td colspan="3">授業の目標
　家庭科の背景となっている学問体系である教科内容について理解し、その理解に基づいて、家庭科の目標及び子どもの発達段階に応じて、教科内容を精選、構成する能力を育成する。</td></tr>
<tr><td colspan="3">教科内容構成の具体（教科内容の概念・技能）
　次の六つの要素で構成する。①家族・家庭生活／生活経営学、生涯発達学、家族・家庭関連科学、子ども・高齢者関連科学、②衣食住生活／衣生活関連科学、食生活関連科学、住生活関連科学、③消費生活・環境／生活経済学、消費関連科学、環境科学、④生活自立、⑤生活問題発見・生活問題解決、⑥生活創造
①から③は空間軸と時間軸の視点から理解する。④から⑥は①から③の具体的内容のなかで理解を深める。</td></tr>
<tr><td colspan="3">評価の観点
1. 生活事象を構成する要素に関連する知識と技能を空間軸と時間軸から理解する。
2. 生活事象を構成する要素に関連する知識と技能と関連付けて、生活自立、生活問題発見・生活問題解決、生活創造について理解を深める。
3. 家庭科の認識論的定義、教科内容構成及び育成する能力を指導的観点から検討する。</td></tr>
</table>

主　　題	教科内容・展開
1. 家庭科の認識論的定義	1. 家庭科の認識論的定義について検討し、理解を深める。
2. 家庭科学習指導要領の批判的検討（初等教育）	2. 家庭科の認識論的定義の理解に基づき「小学校学習指導要領解説 家庭編」における教科目標、内容、指導上の配慮事項等を批判的に検討する。
3. 家庭科学習指導要領の批判的検討（中等教育）	3. 家庭科の認識論的定義の理解に基づき「中学校学習指導要領解説 技術・家庭編」家庭分野及び「高等学校学習指導要領解説 家庭編」における教科目標、内容、指導上の配慮事項等を批判的に検討する。
4. 家庭科教科内容構成の原理	4. 家庭科内容構成の原理について検討し、理解を深める。
5. 家庭科教科内容の柱	5. 家庭科内容構成の柱について検討し、理解を深める。
6. 家庭科教科内容構成の具体	6. 家庭科内容構成の具体について検討し、理解を深める。
7. 家庭科で育成される能力（初等教育）	7. 小学校家庭科で育成される能力について検討し、理解を深める。
8. 家庭科で育成される能力（中等教育）	8. 中学校技術・家庭科家庭分野で育成される能力について検討し、理解を深める。
9. 家庭科と個人・家庭科と社会とのかかわり	9. 家庭科と個人及び家庭科と社会とのかかわりについて検討し、理解を深める。
10. 家庭科授業事例の検討（1）生活課題の発見	10. これまでの検討をふまえて、生活自立と生活創造を目指す授業計画（カリキュラム及び題材計画を含）を構想するうえで必要な「生活課題を発見すること」の意味について検討する。
11. 家庭科授業事例の検討（2）パフォーマンス課題の確認	11. 授業計画（カリキュラム及び題材計画を含）を構想するうえで必要な「パフォーマンス課題」の捉え方について検討する。
12. 家庭科授業事例の検討（3）生涯発達、家族・家庭、消費、環境分野からの検討	12. 授業計画（カリキュラム及び題材計画を含）構想において、生涯発達、家族・家庭、消費、環境分野から授業事例を検討する。
13. 家庭科授業事例の検討（4）衣食住分野からの検討	13. 授業計画（カリキュラム及び題材計画を含）構想において、衣食住分野から授業事例を検討する。
14. 模擬授業の実践と検討	14. これまでの授業計画構想のための検討をふまえて、模擬授業を提案し、検討する。
15. 講義の総括	15. 講義の総括

解　　説	
1. 教科内容学における家庭科の認識論的定義の背景と主旨を理解し、家庭科の認識を深める。家庭科の認識論的定義は次の通りである。「家庭科は、生活事象や生活の総体を対象として、生活事象を構成する要素に関連する知識と技能を、空間軸と時間軸の視点から科学的に理解し、生活自立、生活問題発見・生活問題解決、生活創造を生成するために、理解した知識と技能の統合を指向する。」 2. 家庭科の認識論的定義の理解に基づいて、「小学校学習指導要領解説 家庭編」における教科目標、内容、指導上の配慮事項等を批判的に検討する。 3. 家庭科の認識論的定義の理解に基づいて、「中学校学習指導要領解説 技術・家庭編」家庭分野及び「高等学校学習指導要領解説 家庭編」における教科目標、内容、指導上の配慮事項等を批判的に検討する。 4. 家庭科内容構成の原理について検討し、理解を深める。家庭科内容構成の原理は次の通りである。①家庭科が対象とする生活事象を構成する要素を整理する。その要素は家族・家庭生活、衣食住生活、消費生活・環境に大別される。②生活事象を構成する要素に関連する知識と技能を、空間軸と時間軸から理解する。③家庭科の達成目標である生活自立、生活問題発見・生活問題解決、生活創造が内容構成に含まれる。 5. 家庭科内容構成の柱について検討し、理解を深める。家庭科内容構成の柱は次の通りである。①生活事象を構成する要素:家族･家庭生活、衣食住生活、消費生活･環境 ②生活事象の空間軸：個人・家庭・地域・社会の相互作用 ③生活事象の時間軸：生涯発達、他世代理解 ④生活自立 ⑤生活問題発見・生活問題解決 ⑥生活創造 6. 家庭科内容構成の具体について検討し、理解を深める。家庭科内容構成の具体は次の通りである。①家族･家庭生活：生活経営学、生涯発達学、家族・家庭関連科学、子ども・高齢者関連科学 ②衣食住生活：衣生活関連科学、食生活関連科学、住生活関連科学 ③消費生活・環境：生活経済学、消費関連科学、環境科学 ④生活自立 ⑤生活問題発見・生活問題解決 ⑥生活創造	7. 小学校家庭科で育成される能力及びそれを指導する教師としての能力について検討し、理解を深める。家庭科を指導する教師に必要な能力とは、①生活事象を構成する要素に関連する知識と技能を、空間軸と時間軸の視点から理解する能力　②知識と技能を児童・生徒に指導できる能力　③知識と技能を生活自立につなげる方法を指導できる能力　④生活問題発見・生活問題解決について理解し、指導できる能力　⑤生活創造について理解し、指導できる能力である。本時は小学校において育成する固有の能力と教師の指導力に焦点化する。 8. 中学校技術・家庭科家庭分野で育成される能力及びそれを指導する教師としての能力について検討し、理解を深める。7の①～⑤ の中で中学校において育成する固有の能力と教師の指導力に焦点化する。 9. 家庭科と個人及び家庭科と社会とのかかわりについて検討し、理解を深める。①「教科と個人」①-1：生活事象を構成する要素に関連する知識と技能 ①-2：生活問題発見・生活問題解決・生活自立・生活創造「教科と社会」②-1：自立・自律した生活者の養成 ②-2：市民生活の質、家庭生活の質の向上に寄与 10. これまでの検討をふまえて、生活自立と生活創造を目指す授業計画（カリキュラム及び題材計画を含）を構想するうえで必要な「生活課題発見」の意味について検討する。 11. 授業計画（同上）を構想するうえで必要な「パフォーマンス課題」のとらえ方について検討する。 12. 授業計画（同上）を構想するために、生涯発達、家族・家庭、消費、環境分野の授業事例を検討する。 13. 授業計画（同上）を構想するために、衣食住分野から授業事例を検討する。 14. これまでの授業計画構想のための検討をふまえて、授業を提案し、検討する。 15. 教科内容学の視点での授業計画（同上）の構想、検討を通して、家庭科の認識論的定義及び家庭科の内容構成について各自の解釈を再考する。

3　授業実践展開例

仮説７「②授業実践の事例」で扱った授業科目名「衣生活論」の内容を紹介する。

第１～２回：「中学校、高等学校家庭科における衣生活内容の学習意義、衣生活における実践課題の設定」「中学校、高等学校家庭科（衣生活内容）の授業ならびに自己の衣生活に対する振り返り」

①　衣生活内容の学習意義

衣生活は衣服、衣服を着装する人間、衣服を着装するといった、モノ、ヒト、コトの多様な要素から成り立つ。また最も身近な生活環境として、人間の生活の質の向上のために不可欠な営みである。このことからも、個々の人間が実生活で実践することを意識して学ぶ必要性を理解させる。図9-1に家庭科における「生活」の捉え方を示したが、衣生活は、個人、人間行動的環境、人工的環境、自然環境の全ての環境において相互的に関わる、人間固有の営みである。このような衣生活の特徴について、これまでの家庭科の授業を振り返り、下着、制服など学生が着装してきた衣服を用いて具体的な衣生活内容の学習を認識させる。

②　衣生活の現代的な課題について

図9-2に衣生活の学びの概念図を示す。図中の○、△などの記号によって示した名称は、一般社団法人日本家政学会が専門分野の研究交流組織として設けている部会の名称である。授業ではこの図を用いて、衣服と人間の関係、また衣服を着装するという行為が、人間社会のなかでどのような価値をもち、文化として確立され、歴史として継承されていくのかについて概説する。

図9-2に示すように、衣服、人間、それぞれが関わる事象、現象において基盤となる学問が存在する。衣服の材料である布は、繊維→糸→布という工程を経て、人間がまとうよう形成させる。繊維を含む生活材料については、繊維工学、高分子化学など工学、理学が背景となる。しかし衣生活内容の専門書は、被服材料学、被服整理学という名称が用いられていることが多く、参考資料の指針として衣生活における専門分野を提示し説明する。また人間が衣服を着装したときの人間の生理現象や、衣服の構成（和服と洋服すなわち平面構成と立体構成）の違いによる快適性への影響など、人間が衣服を着装したときの衣服と人間の関係について説明する。さらには流行や社会現象などを通じて、多くの人間が同じ衣服を着装することで生じる社会の変化、動向について考えさせる。これらの学習をふまえ、衣生活における現代的な課題また自己の衣生活に対する振り返りから自己の課題をあげさせる。なお考える活動では、個人で考える時間、グループで考える時間を設定し、話合い活動を取り入れ、他者の意見を聞きながら、自分との意見の相違点、共通点について考えさせる。

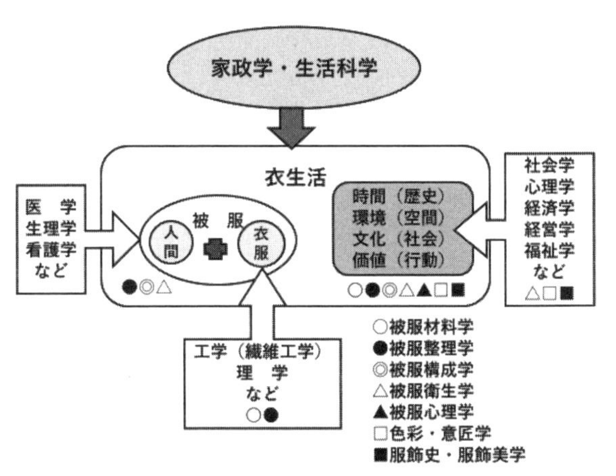

◇図9-2　衣生活の学びの概念図[4)]

③　パフォーマンス課題の提示

この科目では、パフォーマンス課題を提示して、15回の授業のなかで、課題の追究に必要な知識や技能を習得し、それらを総合し応用して、実践できる力を育成する。そのためには、リアルな文脈の中でこれらの力を使いこなし、表現できるパフォーマンス課題が必要である。

第1回の授業では、①、②の活動後、パフォーマンス課題「子ども用甚平とパンツを用いて、豊かな衣生活のあり方を子どもをもつ親に説明しよう」を提示する。今後の授業では、子ども用甚平（平面構成）とパンツ（立体構成）の製作と、実習中に豊かな衣生活のあり方を考え、そのことを子どもをもつ親に説明する企画を構想するという流れを説明する。そしてこのパフォーマンス課題の意味について考えさせる。

第3～5回：「衣生活における実践課題に対する視点：健康、ライフスタイル、文化」

豊かな衣生活を考えるために必要な視点について、図9-2に示した様々な専門分野から概説する。

第6～12回：「衣生活における実践課題の実施に必要な知識・技術、衣生活における実践課題の実施：布の裁断、甚平の縫製1・縫製2、人体との関係の理解、パンツの縫製1・縫製2」

子ども用の甚平とパンツの製作を手ぬぐい3枚（甚平2枚、パンツ1枚）を用いて行う。図9-3に甚平の裁断線、図9-4にパンツの型紙を示した。まず上衣である甚平を縫製させるが、布の裁断前に、図9-3をA4サイズに印刷した用紙を用いて、甚平の模型製作を行う。事前にこの模型製作を行うことによって、甚平の形を想起させておく。

布の裁断工程ではアイロンや裁ちばさみの使用について説明し、実習における安全に対する意識を高めさせる。次の縫製工程では、ミシンの使用方法、基礎縫い（手縫い）を学習させる。甚平のような平面構成では直線縫いのみであるため、ミシンに慣れることができる。直線縫いの練習を重ねることで、ミシン縫製に対して苦手意識をもっている学生の意識を変えられるようにする。また絎けるという和裁特有の手縫いの技法についても、縫うということとの違いを認識させる。また手ぬぐい（綿100%、平織り）を使用することから、夏に着用する衣服材料としての適性とその特徴を考えさせる。完成後には手ぬぐい2枚でできる甚平の大きさから、着用年齢である子どもの発達について理解させる。完成した甚平、またそれをたたんだときの形、裁断図、模型から平面構成の特徴を考えさせる。

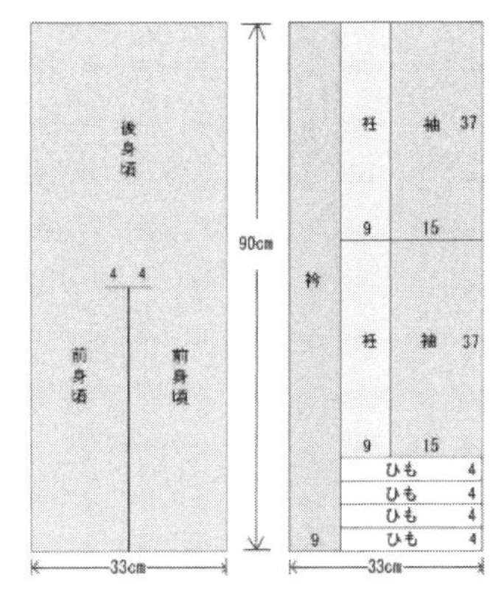

◇図9-3　甚平の裁断線

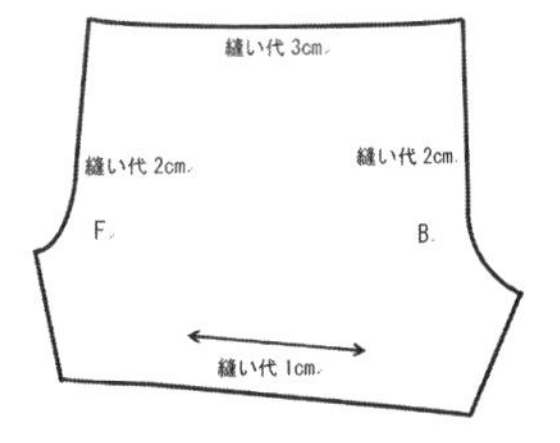

◇図9-4　パンツの型紙

パンツの裁断では、まず図9-4に示した型紙を使うこと、型紙の形から、事前の学習で縫製した甚平と違って曲線があること、身体の前後でその曲率が違うことなどを認識させる。次に1枚の手ぬぐいを用いて、布の耳と布目線（地の目線）を説明し、布のたて、よこ、バイアス方向のそれぞれの特徴を理解させる。この授業で縫製するパンツは手ぬぐいの大きさを活かすため、布目線を無視して裁断することを説明する。裁断後、甚平とパンツでの残布の有無を確認し、平面構成と立体構成での布の使い方の特徴を考えさせる。

第13～15回：「衣生活における実践課題の振り返り、課題の整理 、衣生活における実践課題発表」

縫製の実習を通して、布の取り扱い、裁縫道具の使用方法、被服構成学に関する知識と技術を理解させ、日常着装している衣服がどのような過程を経てできているのかについて分析、考察できる力を習得できるようにする。それらの力を用いてパフォーマンス課題に取り組ませ、豊かな衣生活について考えさせる。パフォーマンス課題の発表（図9-5）を通じて、衣生活に関する課題解決のための探究力、創造力を習得する。

「おとうさん，おかあさんのための生活力アップ講座」

すずしい衣服を考えよう

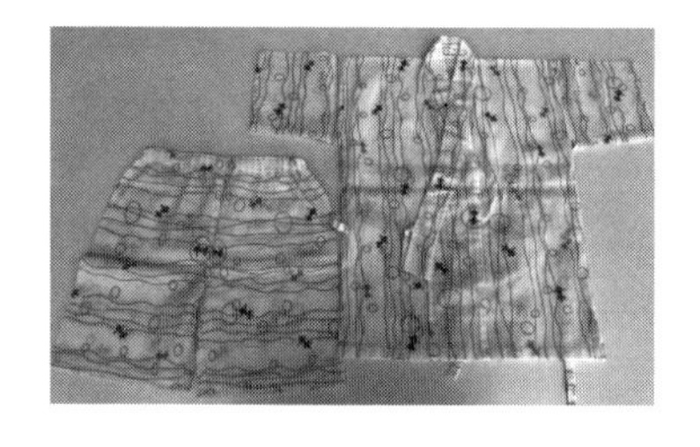

◇図9-5　企画例

【注及び引用文献】

1）日本家政学会編『家政学将来構想1984: 家政学将来構想特別委員会報告書』光生館、1984年、p.32.
2）文部科学省『高等学校学習指導要領（平成30年告示）解説家庭編』教育図書、2019年、pp.8-9.
3）住田和子編『生活と教育をつなぐ人間学』開隆堂、2003年、pp.29-39.
4）日本家政学会第71回大会（徳島・四国大学）ポスター発表資料、2019年。

（元広島大学 平田道憲・広島大学人間生活教育学コース 鈴木明子・村上かおり・冨永美穂子・今川真治・松原主典・高田宏・金崎悠・元広島大学 梶山曜子）

第10章　体育

1　体育の教科内容構成開発の仮説

仮説1　教科の認識論的定義

体育は、知性･感性を育む“身体性（=embodiment）”とスポーツ運動行為を対象とし、エネルギー動員、創造性（play）、言語の身体化、身体の言語化および社会性を要素とする。これらを身体各部位間の相互の関係性において、○身体像の形成、○環境の取り込み、○社会性の向上へと段階的な方向性をもって、構造化し、基礎運動（体操）、スポーツ、戦術・戦略の創造的理解をもって形式化する。

身体運動においては、生活、労働、スポーツといった諸側面から成るものの、その本質においては脳・身体とともに社会的機能を含めた精神・心理的な発育発達の媒体として捉えることができる。その根本的な意義を教育として体系的に凝縮させせることによって体育という教科が成り立つ。

その階層における下部には、身体そのものに関わる健康教育とともに、文化性を加味した精神・心理的な諸課題としての知性・感性の育みと、その手法としての実践的な課題が上部に位置すると考えられる。こうした体育の構造を、教育的視点として捉えるならば、単に精神・心理的な知性と感性の育みに止めるのではなく、身体性といった脳科学、認知科学における到達点として展開することが体育のあり方を規定するといえる。

ここでの身体性とは、脳と身体との関係における脳の優位性ではなく、「脳が身体を支配し、身体で受容する感覚を脳が処理する」という観念から、「身体全体を一つの回路として見做す」という観念への転換が必要となる。こうした転換から、近代以降のスポーツの文化性と教育における実践的な認識、並びに運動における脳機能としての知性、感性の発達への関与を意図することが可能となるだろう。

そこで、構成としては、呼吸循環系などの身体的諸要素を基盤とする身体能力としての健康の保全に関わる課題（エネルギー動員）、人間を人間たらしめる身体性に基づく創造的な知性、感性の育みの課題、さらには、自らの動きを意識化し言語化する課題、言語として意識化され表象された抽象性を具体的な「動き」として発現する課題、さらには、人間行動が示す社会性を発揮する社会的諸能力を支える身体性といった課題が要素としてあげられる。

課題解決の過程として、自らの身体に対する認知としての身体像、すなわち自分がどう動き、それをどう感じるかという感性、そして、自らを取り巻く環境をイメージとして自らの行動における相互媒介の対象として取り込むこと、さらには、その対象において自然的環境から行動環境としての対人的な認識、すなわち社会性に関わる機能の発現を構造化することとなる。

教育としての具体的な展開としては、身体そのものを媒体とする基礎運動や文化性を重視したスポーツの実践を受動的ではなく、より能動的な態度をもって創造的に理解するといった形式化をもって体育の認識論定義となる。

仮説2　教科内容構成の原理

体育の教科内容構成の原理は、“身体性”に関わる現象、実体、本質を見極めることにある。その構成は以下の能力を得る身体活動を範囲に定める. ○自らの身体を“わが意”に基づく環境と相互媒介的に果たす“身体適応能力”○思考・知性と創造性を育む脳神経・生体制御機構による身体を介した“学びの術”○対人・対物・対環境に対する共感力を涵養する“身体感覚（像）”を伴う身体活動○身体の文

化性から波及する自己実現としての身体能力（競争と共同による高揚感）

“身体性”に関わる現象、実体、本質というのは、例えば、鉄棒における“逆上がり”は、現象としては「鉄棒に上がれること」であるが、実体としては「回転軸をつかむこと」、そして、この運動の獲得によって、本質的に「身体操作の範囲を広げる身体適応能力を得る」ということになる。すなわち、単に、特定の運動が、「できたかどうか」ではなく、他の運動へどのように拡延し、応用するかという「知の援用」へと連なる身体活動をもって、教科内容構成の原理とする。

ここで、重要な点として、「身体適応」の問題がある。わが国の教育・体育的分野において、子どもの体力問題として取り上げられる「体力」とは、本来は“Physical Fitness”であり、本質的には「身体適応能力」ということになる。この意味することは、「最大のエネルギーを発揮する」ことではなく、「最大効率によってエネルギーを発揮する」ということにある。この点が他の動物と異なる人間特有の進化の中で獲得した人間本来の「身のこなし」としての能力であり、脳と身体による制御能力の発達へと結びつくと解釈される。いわゆる身体性としての「知性の獲得」であり、「感受性の高揚」ということにもなる。

したがって、受動的ではなく自らの意思による能動的に環境への身体適応を実現することが可能となる身体運動が体育においては重要となる。実体と本質においては、単に身体運動そのものを獲得するというのではなく、知性に満ちた創造的な思考によって、他の運動への“学びの術”として、発揮できることが教授の課題となる。これらことが、自然的、物質的な環境にとどまらず、対人的、社会的要因を含める環境（行動環境）への適応につながり、多面的な人間相互の関係性が凝縮された形態で表れる身体運動であることが重要となる。

今日、精神活動における身体操作の役割が指摘されつつある中で、身体教育は精神性、社会性を考慮した「身体を介した教育」ともなりえるべきであり、この点が、仮説2に示した項目に原理として含まれる。

教科内容構成の柱は、教科内容構成の原理に即して、以下の内容となる。

仮説３．教科内容構成の柱

①身体を意のままに操作する運動・動作に先行するイメージを前提とし、実際の運動・動作におけるイメージとの差を体感する運動・動作。
②“言語の身体化”と“身体の言語化”を引き出す運動・動作課題に共通となる身体・運動能力として、身体の“内部環境”と“外部環境”を適合させる運動・動作。
③競争と協同の混在により、ルール・規範を創造的に思考し、感受する集団行動

体育の教科内容構成の柱としては、認識論定義における「構造化」との関連において位置づけられる。第一に、身体像（イメージ）の形成に関わる点では、たとえ無意識的な「動き」においても、より意識的に価値ある動きへと導くことによって、知性、感性の発達、すなわち、脳機能における高次神経系の発達が促される。漠然とした動きも量的な蓄積によって脳機能は発達するが、より合目的性をもって特化させることによって、一つの動きの学習から、脳や身体全体における情報処理の深化が担保される。

「何を、どうやって」という意識とともに、その土台となる身体イメージによって実際の動きから「何をどうやって行ったのか」という意識化とともに当初のイメージとの差から、より合理的な動きの学習へと高めることが可能となる。そのため、極端に高度な運動スキルは、イメージとして把握することが困難であることから、体育の教科内容の柱としては、事前の「イメージ」を仮説的

にでも捉えられることが前提となるだろう。

第二に、このイメージについては、意識的、言語的に表象されるが、この水準から「動いたこと」に関わる意識化・言語化として表象することが可能な身体運動であれば“身体の言語化”へとつながる。この点は、知性そのものの発達に大きく関係する。同時に、「どう動くか」といった意識と言語に従って、より効率的、合理的に「具体化」する動きの設計能力、それを保証しうる身体運動の課題を含むものであれば、“言語の身体化”につながることになる。すなわち、“言語の身体化”と“身体の言語化”の混成こそが、身体性に基づく「知の援用」を促すことになるといえるだろう。

第三に、このことを実現するものとして、身体内部に関わる感覚・認知といった「内部環境」と、身体外の環境を構成するする物理的、自然的環境における対物的、対人的要素を認知する「外部環境」に適合させるといった身体運動の設計が重要となる。

スポーツ行為においては、ルールや規範に関する教育も重要な柱として含まれる。このことは、「社会脳」にも関係する課題として、身体運動における集団性としての意義が重要な柱として位置付けられる。体操・スポーツにおける個人的な運動技能（技術）も含めて、そこに見られ集団性は、近代体育、近代スポーツにおける根幹的な課題であり、体育における教科内容の柱として、スポーツにおける競争と、そのルール、規範、モラルに関係する共同行為を含むということも教科内容の柱として位置づけられる。

仮説４　教科内容構成の具体

体育教科内容構成における具体は、二つの側面からマトリックス上で示される。
《教科内容の構成 -1：本質としての“学力的側面”》
①環境に対する身体適応能力
②人間の運動と脳神経系の発達
③身体と学習能力
④運動学習と行動変容
⑤言語機能と運動制御
⑥運動と社会性（身体と“社会脳”）
⑦認知能力と運動課題・スポーツ
《教科内容の構成 -2：現象・実体としての“運動形態的側面”
「教科内容の構成 -1」の横断的かつ超越的な内容として、現象・実体的に表出される“個別運動”（体つくり、球技、陸上競技・・等）のカテゴリーに準じた各項目

体育における教科内容の具体は、二つの側面から示される。第一は、本質的な規定としての到達すべき体育の教科内容としての「学力的側面」であり、第二は、教育実践として展開される現象的、実体的な側面としての「運動形態的側面」である。各項目の概要以下の通りである。

仮説３の三つの「教科内容構成の柱」は、体育としての教育実践において、それらに相応する身体運動を介した目的論としても、実践論としても区分しうるものではない。このことは、身体性の概念からして、個別に独立したものとして区分されるのではなく、全体性を維持するという点から、これらの柱を統一的に扱うことになる。

換言すれば、具体的な教育内容の構成は、三つの柱を融合的に見立て、教科内容の具体として「学力的側面」と「運動形態的側面」を関係づけながら展開することとなる。

従って、“学力的側面”としての個々の柱には3つの柱を融合させた意味を含むものであり、同様に“運動形態的側面”においても、3つの柱を融合させることによって「内容学」としての意義が成り立つ。当然、すべてが対等に融合されるものではなく、一定の偏向が生じることにはなるが、少なくとも教科内容として三つの柱をもって「体育」の統一性が保証されることとなる。

こうした視点から、体育の授業として、具体的

に実践される“運動形態的側面”から、例えば「水泳」という具体としては、水泳の技能獲得においても、全身の筋力を使って泳ぐことなく、また、「球技」という具体としても、最大の筋力のみに依存して投げることなく、あくまでも効率の良いエネルギーの動員と神経系・内分泌系の制御系による「知的動作」としての身のこなしとしての「身体適応能力」の学習ということになる。

仮説５．教員養成学生及び子どもに育成される能力（教員養成のみ記載）

1. 身体、脳、心理に関わる科学と、広くは哲学的知見から、運動と身体を核にした具体的な運動の現象を学際的な視点から解釈できる能力。
2. 個々の運動を引き出す身体内の“感受性”を獲得させる教授実践のスキルを開発できる能力。
3. 集団的活動に伴う社会性を形成するための“文化的行動”を身体活動から社会行動への階層的構造として理解し、これを教育現場において操作できる能力。

教員養成学生に育成されるべき能力については、総括的には三点に集約される。第一に、教科内容を学術的に全体として理解する知的理解能力（1.）であり、第二に、体育における教授に関わる能力である（2.）。そして、第三には、これらを社会人としての人間性へと導くために、教育現場において展開できる操作能力（3.）である。第一（1.）については、総じて教科内容構成における「対象論」に相当するものである。いわゆる親学問としての生理生化学、力学、心理学、社会学といった分野の運動領域の総和ではなく、その相互の関係性に関わる内容を意味することとなる。例えば、心拍数の増加において、呼吸循環機能に関する生理学的知識とともに、心因性の心拍の動揺という心理面との関係から、身体運動を総合的に理解できる能力ということになる。あるいは、骨格筋の働きについても、生理学的知見とともに、それが心理的に制御しうるものであり、また民族的（狩猟、農耕民族など）な特性が反映された身体的能力とも関わること、それらが身体能力を介して、日常的な行動様式にも表れていることなどの総合的な理解が例としてあげられる。

その一方で、第二（2.）については、「方法論」に関わるものが、これに相当する。ここで、「教授実践」とあるのは、教育現場における指導理論ともいえるものである。ただし、単に「教科教育法・教授法」を意味するのではなく、身体運動（活動）を通じて、身体内におけるフィードバックとして受容される「感覚」をいかに広げ、なおかつ統合させるか、そして、脳神経系における学習理論による体験・経験の意義を、どう引き出せるのかといった行動学的な理解ともいえるものである。既述した“学びの術”に関わる理論的背景に相当するといえる。

こうした理論は、科学的、哲学的な分野における学習理論に関わる学術的体系において、具体的な行動との関連の諸知見により構成されるものと考えられる。第三（3.）については1.と2.を、社会的行動としての集団的行動に反映させることによって、文化人としての資質を育むことを体育の中で、意図的に操作できる能力ということになる。この場合、人間の諸科学的視点とともに学びの理論がどのような方向性に向けられるのかといった視点を持つことが体育としての教科内容の核となりうる。

集団を介した学びは、他教科を含めた教育全般がそうであるように、とりわけ体育においては、集団的学習において重要な意義を持つといえる。学習において、最終的に、認知・理解することは、個人的学習としては「孤立」しているが、身体運動（活動）においては、個人相互の関係性において、他者との比較、自己自身の過去との比較といった相対性によって、孤立することなく集団的に社会人としての資質の涵養につながるといえる。

仮説6．教科と人間（個人・社会）とのかかわり

個人との関わり
○個々人の身体諸能力においては、エナジェティックスとサイバネティックスからの運動能力や生体制御としての防衛的体力の理解と適用スキルに関する認識をもって、“生きる力”の基盤となる行動力を獲得する。
○身体に関わる諸能力は、精神そのものを支える“身体性”としての“生き抜く力”として具現化される。その力を得ることこそが、体育教育の目指すところであり、音楽、美術ととともに、学校教育における基盤教育と成り得る。
社会との関わり
○運動発生の視点から、一連の“運動機能”の学習は集団的な相互媒介により個々人の行動の中に社会性へと向かう価値意識を涵養する（社会人として基盤形成）

体育における学びの結果は抽象的な知性の獲得とは異なり、身体活動を介しての感性に基づいた知性であり、他教科にみられる知識の獲得、論理的思考、推論的思考といった認知能力を形成するものではなく、感性としての身体性により育まれる一連の思考の基盤となるものである。

身体運動の巧緻性の向上、あるいは知的な身体活動は、脳の高次神経機能を介するものであるとともに、感性的な理解へとつながるものである。これらのことは、諸科学からの知見から一連の思考においても重要な意義をもつものであり、初等中等教育における音楽や美術、あるいは文学に関わる教育とも共有する教育的課題であるといえる。

身体性を介するという意味においては、体育がもっとも典型的な場を提供するものであり、児童生徒の個人との関係においては、将来における“生きる力”へと発揮することが期待されよう。

運動における狭義の意味での体力としての呼吸循環系に関わるバイオエナジェティックスは、心身の健康保全と、それへの関心を引き出し、身体動作の巧緻性といったバイオサイバネティックスは、脳神経系としての高次神経活動へとつながるという点で、個人の将来に大きく関わるものである。

こうした個人としての「生きる力」は、「生き抜く力」としても発揮されるという面では、社会を取り巻く、様々な諸問題に立ち向かう社会人としての基盤的能力においても意義あるものと認められる。体育における、集団的な教育における限られた時空間であっても、その共同と競争の正しい理解、それらを保証する両者の整合性を取り巻く、ルールや規範、モラルといったことへの学習は、身体活動を介するがゆえに、多くの諸課題へつながることが期待される。

仮説7．教科内容構成の創出による教科専門の授業実践

①概念的・理論的観点

・専門分野への遠心力→教員養成への求心力
1. 科学的知見に関係する教育分野→社会性・文化性との接点からのアプローチを含む。
2. スポーツ運動の文化・社会性の知見に関わる教育分野→身体・運動の自然科学的解釈から派生する課題を重視する。
3. 運動方法・コーチング論→身心相関の視点を重視

体育科学（スポーツ科学）、教授法（教科教育）、体育学（人文・社会科学）に関わる授業は、現状においては各授業の「親学問」の専門性に依拠する傾向があるため、「体育」を担う教員資質を涵養する上では各専門分野への「遠心力」が働くという問題が考えられる。「体育」に向かう「求心力」を授業間で発揮するために、第一に文理融合の観点、第二に身心相関論の観点、第三に身体・運動を介した認知（知性）向上との関連性の観点があげられる。具体的には以下の諸点が相当する。1. 科学的知見の理解に関係する教育分

野（運動生理学・バイオメカニックス等）では、各理論における社会性・文化性との接点からのアプローチを含むこと。（例：生理学的特性として見られるリズム・空間把握などの文化人類学的な知見、運動の力学的特性と農耕・狩猟民族間における身のこなしの差異等との関連性）2. スポーツ・運動の社会的規範・ルールなどの文化性、社会性に関わる教育は、個体の心理的メカニズム及び身体・運動の自然科学的な解釈から派生する課題を重視する。（例：生理機能としての「押す力・引く力」による身体・運動文化の違い、狩猟・農耕・海洋民族に伝承される「動作」に見る解剖学的、生理学的な解釈との関連性）3. 教授法・コーチング論（実技実習関連）においては、身心相関としての統一的な視点を重視し、学力としての身体活動を通じた「認知能力（知性）」の向上にむけた課題探索を能動的に学習することを主たる目的として位置づける.（例：「体育」の「学力」としての技能、態度、知識を統一的に捉え、動くこと、動こうとすることによる知性・感性の向上など）

②授業実践の事例

1. 科学的知見に関する分野
・生理学的分野
生体の普遍性に限らず、民族や社会ごとに伝承される動作様式から派生する機能的な特性を教授する。
・バイオメカニックス分野
形態的な特性が人体機能とどのように関連するかを個人と集団（民族など）と関連づけながら教授する。
これらのスポーツ科学等の視点の教授を通じて、個々の児童・生徒に対する個別的な視点を理解する能力へと発展させる。
2. 文化・社会性に関わる分野
・社会の身体性（個々の行動様式の集合体としての社会構成）
・身体の社会性（動物とは異なる心理的、脳科学的な価値意識を起因とする運動の問題）
・身体・運動を起点とした文理にわたる課題を含む。
3. 運動方法などの分野
・運動技能に関連する科学的知見
・各競技におけるルール、マナーなどの歴史的、文化的背景
・正しく「競う」「練習する」「工夫する」ことの意義。

1. 運動生理学的分野においては、生体の普遍性（ヒトに共通した知見）に限らず、民族や社会で伝承される固有の動作様式から派生する機能的な特性を教授する。また、バイオメカニックスなどの力学的分野においては、形態的（構造的）な特性が人体の機能とどのように関連するかを個人と集団（民族など）と関連づけながら教授する。これらの体育科学（スポーツ科学等）の視点の教授を通じて、学校現場における個々の児童・生徒に対する個別的な視点を理解する能力へと発展させる。2. 文化・社会科学に関わる領域においては、社会的規範、コミュニケーションといった行動的な背景に関わる心理学・生理学などの科学的知見との関連を加味する。これには、社会の身体性（個々の行動様式の集合体としての社会構成）、身体の社会性（動物とは異なる心理的、脳科学的な価値意識を起因とする運動の問題）といった身体・運動を起点とした文理にわたる課題を含むこととする。3.「からだつくり」「陸上競技」といった各領域の実技系の授業においては、運動・動作に関する技能に関連する科学的知見と、各競技におけるルール、マナーなどの歴史的、文化的背景との関連を理解させるとともに、正しく「競う」「練習する」「工夫する」ことの意義を理解させる。

③従来の教科専門の問題点

スポーツ科学・健康科学は、専門科目の担当者が所属する個別の学問体系の枠組みで教授されてきた。それら個別の内容の構造や系統については学習者において思考し統合されるものとされ、適切な指導がなされてこなかった。そうした構造や関係についてシステム的思考の重要性も意識されてきたところで

あるが、専門領域間での共同した取り組みは十分とは言えない。
また多くの科学的成果も、成人段階での研究データがそのまま無批判に「活用」されることが多い。身体や運動の縦断的な発育発達データの蓄積と、指導プログラムの検討が急務であると指摘されている。

保健体育科の背景となっているスポーツ科学や健康科学は、それ自体が人間活動の総体を対象とすることから、専門科目の担当者が所属する個別の学問体系の枠組みで教授されてきた。それら個別の枠組みで教授された（ばらばらな）内容の構造や系統については、学習指導実践にむけて学習者において思考し統合されるものとされ、適切な指導がなされてこなかった。そうした構造や関係や系統についてのシステム的な思考の重要性も意識されてきたところであるが、専門領域間での共同した取り組みは十分とは言えない。

またスポーツ科学やトレーニング科学の多くの成果も、成人段階での研究データがそのまま義務教育段階で無批判に「活用」されることが多い。身体や運動の成長発達の縦断的なデータの蓄積と、指導プログラムの検討が急務であると指摘されているところである。

（荒木秀夫）

補論：教科専門科目構成の問題について

教科専門科目の名称もふくむ、「教科専門」そのものの研究方法論が自覚されなくてはならない。

体育科の立揚からは、身体運動に関する理論と実践の問題として、こうした原理的問題に対するアプローチが自覚されてきた。体育科で扱う運動は、理論的な活動ではなく、実践的な活動であるため、理論と実践の関係を、活動という概念的な土俵の上に乗せることによって問題の所在を明示しようとしてきた。以下に示すシラバスや授業実践例では、理論、実践、活動などの基礎概念の理解にどのようなアプローチが可能かが示されている。たとえば、心臓の動きを例示するまでもなく、人間の身体や運動の機能は、言語的理論的に自覚される前から、そこに即自的ではあるにせよ存在しているものである。したがって、体育科であつかうさまざまな基本的な運動や、スポーツ種目ごとの技能的な運動も、自覚される前にすでに子どもたちのものとして、正否や質的良し悪しが自覚される前にそこに即自的に存在しているのである。教員養成の授業科目も、こうした即自的に存在している学生自身の即自的に所持している運動や身体機能を前提として、その対自化と、その即自から対自の過程の自覚を狙いとして構成される。教員養成における教科専門科目は、この即自的な運動や身体機能を、自然科学や社会科学の対自化の営為から得られた実験（実践）的思考を促し，その対自化過程そのものを対自化するという二重性をもつ思考を促す。

こうした二重性を、数員養成課程の体育科の数科専門で、どのように位置づけ、そうした二重性をどのような授業によって形成するか，については課題として残されている。

2　シラバス（体育）

小学校は教科専門科目「初等体育」の２単位、中学校は教科専門科目「体育哲学」の２単位、教職大学院は専門科目「健康・スポーツ（体育）の教科内容構成演習」の２単位のシラバスと解説を示す。

<table>
<tr><td>シラバス（保健体育）</td><td>学部（小学校）</td><td>授業科目名　初等体育Ⅰ</td></tr>
<tr><td colspan="3">授業の目標
現代社会の動向や子どもの状況が投げかける諸問題に適切に対処できる資質・能力・心情を備えた教員を育成する一環として、小学校体育科の目標と学習内容について理解を深め、小学校体育で取り扱われる陸上運動、器械運動、ボール運動、水泳、表現運動などの各種の運動技能を習得し、様々な児童の実態に適切に対応し導くことのできる指導実践力を養成する。</td></tr>
<tr><td colspan="3">教科内容構成の具体（教科内容の概念・技能）
二つの側面からマトリックス上で示される。
《教科内容の構成 -1：本質としての“学力的側面”》
①環境に対する身体適応能力、②人間の運動と脳神経系の発達、③身体と学習能力、④運動学習と行動変容、⑤言語機能と運動制御、⑥運動と社会性―身体と“社会脳”、⑦認知能力と運動課題・スポーツ
《教科内容の構成 -2：現象・実体としての“運動形態的側面”》
「教科内容の構成 -1」の横断的かつ超越的な内容として、現象・実体的に表出される“個別運動”（陸上運動、器械運動、水泳、ボール運動、表現運動）のカテゴリーに準じた各項目</td></tr>
<tr><td colspan="3">評価の観点
1. 各運動領域における基礎的な運動技能の構造や機能を理解し実施することができる
2. 各運動領域における基礎的な運動技能の初等段階における発達課題を理解しわかりやすく説明することができる
3. 各運動領域における基礎的な運動技能の学習過程を理解しわかりやすく説明することができる
4. 各運動領域における基礎的な運動技能の習得や活用を狙いとした運動ゲームを工夫することができる</td></tr>
<tr><td>主題（30 回）</td><td colspan="2">教科内容・展開</td></tr>
<tr><td>陸上運動、器械運動、水泳、ボール運動、表現運動の５領域にわたってそれぞれ実技４時間、講義１時間を原則として履修する。水泳は、６月末から７月の期間に一斉に実施しその他の実技は２つのグループを編成してローテーションで履修する。
各領域の講義は１～２月に実施する。各運動領域の学習内容と実施計画は、以下の通りである。</td><td colspan="2">体育の実技実習の授業では、指導要領にしめされている「運動領域」が内容として位置づけられいる。知識や技能を中心としたこれまでの学力観から思考や判断へという柱立てと重点の移動がすすんでいる。こうしたことを背景となる問題意識とし、初等体育１では、指導要領にしめされている運動領域をとおして、７つの観点から初等段階で扱うべき体育の教科内容への接近が試みられている。現象としての児童生徒の運動の背後にある生物的な側面、心理学的な側面、社会的な側面に教科内容の実体や本質をみようとする立場である。
こうした観点がそれぞれの運動領域でどのように扱われるかについては解説のところでのべる。指導要領でしめされている各運動領域ごとの内容については授業の展開順に以下簡単にしめしておくこととする。</td></tr>
<tr><td>第１週　　オリエンテーション
第 2-9 週　陸上運動・ボール運動</td><td colspan="2">1 － 4：陸上運動：走跳投などの基本動作に関わるエクササイズを実施するなかで、反応性・バランス・リズム・空間認知を育成する、また競走やゲームの場面を工夫する
5 － 9：ボール運動：鬼あそび、ゴール型・ネット型・ベースボール型の球技分類にもとづいたエクササイズを実施するなかで、反応性・空間認知・戦術プレー基礎を育成する、また競走やゲームの場面を工夫する</td></tr>
<tr><td>第 10-15 週　水泳（補講を含む）</td><td colspan="2">10-15: 水泳：水中基本動作、応用水泳、水球、安全水泳、救助法</td></tr>
<tr><td>第 16-23 週　器械運動・表現運動</td><td colspan="2">16-19：器械運動：マット運動、跳び箱運動、鉄棒運動、なわ跳び運動などの基本動作に関わるさまざまなエクササイズを実施するなかで、身体操作の基本とバランス・リズムなどの身体感覚を育成する
20-23：表現運動（林）：基本運動、即興表現、動きのスケッチ、動きと空間の変化・発展、作品作り</td></tr>
<tr><td>第 24-30 週　学校保健、各運動領域の講義（体育理論）・筆記試験</td><td colspan="2">24-27：学校保健：①環境適応能力と健康、②神経系の発達と健康意識、③健康と学習、
④運動学習と健康安全行動、⑤健康意識の言語化とコミュニケーション、⑥健康概念の社会的歴史的変容と健康社会の創造、⑦健康と運動に関する社会的価値認識
27-29: 体育理論: ①生物心理社会的環境と身体の関係、②神経系の発達と遊び・スポーツ、③知的学習と運動学習、④運動とスポーツ行為の多層構造、⑤運動の記述・言語化と自動化、⑥運動・スポーツの社会的価値創造、⑦運動の言語化をとおした認知内容の比較とその交換</td></tr>
</table>

解　説

○教科内容としての陸上運動
①重力場における身体の推進、跳躍、投具へのインパルスの伝達
② 12歳ごろまでの小脳を中心とした神経系に対する発達刺激と、歩様などの個性的運動様式の獲得
③走跳投の学習のつまずきとその克服
④ 12歳ごろまでの歩様など個性的運動様式の獲得の意義の理解
⑤移動様式の観察にもとづいたその内容の言語化とそのコミュニケーション
⑥個性的な運動様式の学習場の工夫創造
⑦個性的な運動様式の自己認知と他者観察をとおした認知内容の比較とその修正

○教科内容としてのボール運動
①予測しにくいボールや人的環境（相手と味方）の変化に対する身体運動の適応
②ボールと人的環境下での運動知性（戦術的知性）の発達、前頭葉を中心とした予測制御
③集団やチームでの戦術的動きの学習
④戦術的動きの学習をとおして、集団的行動の質的向上
⑤ボールと人的環境の変容や、自己の戦術行動の言語的記述とそのコミュニケーション
⑥ボールと人的環境下での戦術行動学習の場の共有とその工夫
⑦ボールと人的環境における戦術行動の自己認知と他者観察をとうした認知内容の比較とその修正

○教科内容としての水泳
①水辺環境下での身体運動の適応と、姿勢制御・移動能力の確保
②水辺環境下でのバランス刺激による神経系の発達
③新奇な水辺環境化での運動学習の特殊性
④生命に関わる安全確保の協働的行動、水泳学習と呼吸
⑤水辺環境化における動きの観察にもとづいた言語的な記述とそのコミュニケーション
⑥水辺環境化での水泳学習場の共有と、学習のしやすい場の工夫・創造
⑦水辺環境における運動の自己認知と他者観察をとうした認知内容の比較とその修正

○教科内容としての器械運動
①マット、跳び箱、鉄棒などの運動器具環境との対峙と身体適応
②回転、バランス、加速など小脳における運動制御機能への発達刺激
③器械運動学習のつまずきとその克服
④器械運動の学習をとおして協働的な学習行動の変容
⑤自己と他者の動きの観察にもとづいた言語的な記述とそのコミュニケーション
⑥マットや跳び箱など学習場の共有と、学習のしやすい場の工夫・創造
⑦運動の自己認知と他者観察をとうした認知内容の比較とその修正

○教科内容としての表現運動
①観る観られるというパフォーマンス環境下での身体表現の適応
②観る観られるというパフォーマンス環境下での運動する自己の観察脳の発達
③観る観られるというパフォーマンス環境下での運動の美的表現の学習
④観る観られるというパフォーマンス環境下での自己の対象化の行動変容
⑤観る観られるというパフォーマンス環境下での表現行動の言語的記述とそのコミュニケーション
⑥観る観られるというパフォーマンス環境下での美的表現の創作の場の共有とその工夫
⑦観る観られるというパフォーマンス環境下での自己認知と他者観察をとうした認知内容の比較とその修正

初等体育1では、それぞれの運動領域ごと授業で体育の理論的な内容についても触れるとともに、保健理論も扱う、その観点についても以下に示しておく。

○教科内容としての保健
①環境適応能力と健康
②神経系の発達と健康意識
③健康と学習
④運動学習と健康安全行動
⑤健康意識の言語化とコミュニケーション
⑥健康概念の社会的歴史的変容と健康社会の創造
⑦健康と運動に関する社会的価値認識

○教科内容としての体育理論
①生物心理社会的な環境と身体の関係
②神経系の発達と遊び・学習・スポーツ
③知的学習と運動学習
④運動とスポーツ行為の多層構造
⑤運動の記述・言語化と自動化
⑥運動・スポーツの社会的価値創造
⑦運動の言語化をとおした認知内容の比較とその交換

先にも述べたように、指導要領でしめされている内容としての運動領域は、技能中心型の学力観を背景としたもので、その背後ではたらいている人間の身体運動動作の生物学的、心理学的、社会的な機能や構造については明示的なものとはなっていない。とりわけ義務教育段階においては、そうした生物心理社会的な機能や構造の成長や成熟の時期であり、より専門的で高度な教師の指導力が求められているといわなくてはならない。

シラバス（保健体育）	学部（中学校・専門）	授業科目名　体育哲学

授業の目標

本講義の目的は、体育学・スポーツ学の原理的、哲学的な側面について、その基本概念や術語の理解を促進するとともに、体育やスポーツに関連する現代的諸問題を深く捉えるための、論理展開上の戦略・戦術・技術の基本の習得、表現や論争のためのコンピテンシーの向上を狙いにしている。

教科内容構成の具体（教科内容の概念・技能）

二つの側面からマトリックス上で示されるが、本授業では「学力的側面」を深める。

《教科内容の構成 -1：本質としての“学力的側面”》

①環境に対する身体適応能力、②人間の運動と脳神経系の発達、③身体と学習能力、④運動学習と行動変容、⑤言語機能と運動制御、⑥運動と社会性―身体と“社会脳”、認知能力と運動課題・スポーツ

評価の観点

1. 発育途上にあるこどもたちの身体や運動をめぐる現代的問題を記述することができる。
2. 論理学の基礎的な概念を理解することができる。
3. 論理学の基礎的な概念を利用して、身体や運動の問題を記述することができる。
4. スポーツトレーニングの基礎原理を理解し、その意味するところを記述することができる。

主　　題	教科内容・展開
1. 本講義のねらい	1. 再生医療と身体の所有、身体のインテグリティ、身体の排他的占有など、モノとしての身体と生きて居る身体の錯綜について理解し、それに関連する情報の収集や分析の仕方を学ぶ
2-4：「身体」をめぐる社会的な視座の現在を理解する	2. 生命倫理に関する身体用語を理解し、その背景となっている論理的な構造を把握する。
	3. 身体・運動・文化としてのスポーツ文化の原理を理解する。
	4. オリンピック教育の可能性と限界を指摘できる。
5-7：スポーツとトレーニングの人間学的問題、スポーツとトレーニングの科学史	5. トレーニング文化の諸原理を理解する。
	6. スポーツトレーニングにおける人間学的問題を理解する、
	7. モノの運動の考察と生きて居る身体の運動の考察の違いはどこにあるか、を理解する
8：運動学の可能性	8. ドイツ語圏のスポーツ指導者のための運動論の流れをおい、スポーツ運動現象の教育哲学的問題を理解する。 身体の運動や動作の現象を全体として理解するという考え方にもとづいた運動論は体育やスポーツ指導に必須の理論として重要であり、その基礎的な体系について理解する。
9：運動研究の歴史	9. スポーツ指導に資する運動研究の歴史を理解する ペスタロッチ、グーツムーツ、ヤーンなどが提示した運動の類型論の基礎的な考え方を理解する。
10：運動の質的観察	10. 一般的な運動の質的メルクマールの理解と指導上の活用
11：運動学習と個体発生	11. 運動学習の三段階、個体発生における児童期、思春期の特徴を理解する
12：コオーディネーションとはどういうことか？	12. 児童期に発達するコオーディネーション能力を理解する。
13：コオーディネーショントレーニング	13. 運動遊びの重要性（コオーディネーション）を理解する。
14：トレーニングコンセプトとステアリング	14. ジュニアトレーニングの基礎原理を理解し、指導者としてのあり方を考察する
15：高次パフォーマンス能力開発とジュニアトレーニング	15. 長期パフォーマンス育成のシステムとそのモデルを理解し、ジュニア期トレーニングステアリング法を理解する

解　説	
1. 医科学・技術の急速な発展を背景とした再生医療の高度化は、これまでの日常的な身体の理解を組み替えることを求めている。とりわけ、生殖医療技術の進歩によって、「身体」の私的な所有、身体のインテグリティ、身体の排他的占有などの重要な問題に対する倫理的な判断をわたしたちに突きつけている。モノとしての身体と生きて居る身体の錯綜について理解し、それに関連する情報の収集や分析の仕方を学ぶ。 2. 生殖医療の高度による、優性主義的な生命倫理に関する自覚が求められており、身体の有能性、病的身体の排除や差別という根源的な問題と向き合うことがもとめられ、身体の価値性をかたる用語を理解し、その背景となっている論理的な構造を把握する。 3. スポーツ基本法の前文で謳われている「スポーツは人類の普遍的な文化である」をいう文言にもとづき、身体・運動・文化としてのスポーツ文化の原理を理解し、成熟社会におけるスポーツの価値について考察できるようにする。 4. スポーツ文化の中軸をなすオリンピックとその教育的価値を人間学的な立場から理解し、その可能性と限界を指摘できるようにする。 5. 練習やトレーニングや学習など、直接的な生産活動以外に時間と空間を確保して、能力そのものの発達を指向するトレーニング文化域をつくりあげてきたが、その諸原理を理解することによって、暴力的な能力開発をこえたトレーニングの方向性を探索できるようにする。 6. スポーツトレーニングにおける人間的自然とはなにか、人間的自然の人工的な改変とはなにか、エンパワメントという場合のパワーや力とはなにか、エンハンスメントとの違い、などの問題を人間学の立場から理解する。 7. モノの運動の考察と生きて居る身体の運動の考察の違いはどこにあるか、を理解する。とりわけ、新現象学運動によって提起されている「いまここにいるこのわたし」という端的な事実に接近するための基礎的なコンセプトの、身体運動理解のうえでの重要性を理解する。 8. ドイツ語圏のスポーツ指導者のための運動論の流れをおい、スポーツ運動現象の教育哲学的問題を理解する。1960年に出版された古典的な運動理論によって提示された、「全体的な運動理解」、「動作質の把握のためのメルクマール理論」、「運動学習の三段階理論」、等基本的な考え方を理解する。 9. スポーツ指導に資する、スポーツの発生以前から追求されてきた運動研究の歴史を理解する。近代体育の黎明期におけるさまざまな運動記述法や運動体系論について理解する。 10. スポーツ指導者として必要となる、スポーツ運動の観察眼の洗練に資する一般的な運動の質的メルクマールの理解と指導上の活用法を学ぶ。動作の基本構造、動作リズム、動作連結、動作恒常性、動作流れ、動作精度、動作強度、動作半径、などの用語をもちいることの指導上の重要性を理解する。	11. 運動発生については、系統発生、個体発生、現実発生の3つの側面があることを理解し、そのなかでも、運動学習の三段階という側面と個体発生の側面について、児童期、思春期の特徴を理解し、自己の成長過程を省察できるようにする。 12. 運動能力の個体発生のなかでのもとくに児童期に発達するコオーディネーション能力の重要性と構造を理解する。小学校段階での主要な発達課題として神経系の発達と対応した運動形態の発達がある。身体的な急激な形態転換には個性があり、個体間変動に対するきめ細やかな、専門的な知識を前提とした対応が必要である。 13. コオーディネーション能力の理論にもとづいて、先人が長い歴史のなかで作り上げてきた児童期、思春期における運動遊び文化の重要性とその構造を理解する。運動遊び文化は身体、その運動動作の発達とともに、ゲームや競争を成立させているルールについての理解、ルールを変えることによる遊び現象の変化に対する理解などをとおして、戦術的な知性の発達を促す点について理解する。 14. ジュニアトレーニングの基礎原理を理解し、指導者としてのあり方を考察する。運動部活動に関わるハラスメント問題を背景とする、ジュニア期のトレーニングシステムの改善がすすめられており、諸外国における取り組みなどについて基礎的な理解をうながす。 15. 長期パフォーマンス育成のシステムとそのモデルを理解し、ジュニア期トレーニングステアリング法を理解する。 ※本授業は、実技実習を中心とした運動方法科目との関連性を意識したカリキュラムとなっている。とりわけ、身体をめぐる科学技術イノベーションの流れを意識しつつ、そこに潜む問題を検索し、スポーツ文化のもつ、身体のリアルなインテグリティの深化に関わる価値をより深く理解することを狙いとして構想されたものである。また運動部活動における、スポーツトレーニングの対象と手法についての基礎的な原理を理解し、指導原理としての人間の尊厳・インテグリティの意識を確かなものとして習得することを狙いとしている。また、これまでの知識・技能を中核とした学力の柱立てから、思考や判断を柱とした学力観へという方向性の転換を意識しつつ、子どもたちの身体や運動現象を総体として捉える現象学的な指導方法論の問題も意識した。身体や運動に関わる情報を主体としての子どもたちがどのように意識化しているか、という問題は、スポーツにおけるジュニアトレーニングにおいてもたいへん重要な問題として扱われるようになってきている。膨大な無意識情報処理を前提として人間の運動的な実存が成立しているということが了解されてきているとはいえ、その膨大な無意識情報を、意識の範疇にどのように取り入れ、処理し、実時間のなかで判断の遡上にのせていくのか、についてはまだ明確になっているとは言い難い。義務教育段階での体育的な活動の指導のなかで、実践的な経験と知の積み上げが求められており、その方向性を意識できる教員の養成が必須だということがいえる。

<table>
<tr><td>シラバス</td><td>教職大学院</td><td colspan="2">授業科目名　健康・スポーツ教育（体育）の内容構成演習</td></tr>
<tr><td colspan="4">授業の目標
・体育科・保健体育科で取り扱われる様々な学習内容と、その背景にある文化的・科学的根拠について理解し、授業において適切で効果的な指導を実施するための理論を身につけ、指導実践で活用するための実用例を学ぶことによって、実践的な教科の指導力を獲得する。
・体育科・保健体育科における体育理論や保健の内容について理解を深め、児童生徒に対する教授能力を身に付ける。</td></tr>
<tr><td colspan="4">教科内容構成の具体（教科内容の概念・技能）
　体育科・保健体育科の授業で取り扱われる形態的内容（器械運動、陸上運動・陸上競技、水泳、ボール運動・球技、武道、表現運動・ダンス、野外運動、体育理論、保健）の学習で活用するための理論と活用方法を学ぶ。取り扱う理論は保健体育の学問領域から構成され、以下の主たる内容に集約される。
① 環境に対する身体適応能力　② 人間の運動と脳神経系の発達　③ 身体と学習能力　④ 運動学習と行動変容　⑤ 言語機能と運動制御　⑥ 運動と社会性―社会脳と創造性問題―　⑦ 認知能力と運動課題・スポーツ</td></tr>
<tr><td colspan="4">評価の観点
1. 体育科・保健体育科の運動領域に関する内容を理解し、それらを説明し指導できる。
2. 体育理論や保健の内容を理解し、それらを説明し指導できる。
3. 教科の内容に関係する文化的背景や科学的理論を理解し、指導の際に活用できる。</td></tr>
<tr><td colspan="2">主　題</td><td colspan="2">教科内容・展開</td></tr>
<tr><td colspan="2">○教科内容構成の基本問題
1. 指導要領にみる教科の目的・目標と内容
2. 体育の原理・哲学からみた教科内容構成
○身体運動スポーツ健康の文化と教科内容構成
3. 体育史からみた身体・運動・スポーツ・健康
4. 体育社会学から見た教科内容構成
5. 体育経営管理学からみた教科内容構成
○発育発達と教科内容構成
6. 身体の発育・発達と教科内容構成
7. 身体運動の能力構造と教科内容構成
8. 運動の測定・評価と教科内容構成
○体育科学・トレーニング科学からみた教科内容構成
9. 運動生理学からみた教科内容構成
10. バイオメカニクスからみた教科内容構成
11. 体育心理学からみた教科内容構成
○学校保健・健康教育と教科内容構成
12. 学校保健からみた教科内容構成
13. 救急法・災害対応からみた教科内容構成
○教科内容の今日的課題
14. 授業形態の変貌：座位型授業から運動性授業動的学習の可能性
15. マイノリティの取り扱いとインクルーシブ教育</td><td colspan="2">　小学校における体育科、中学校・高等学校における保健体育科の目標をふまえつつ、本教科で学習者が身につけるべき内容、それに関連する文化的・科学的根拠、実践方法について理解し、指導で活用するための教科の基盤を学ぶ。
　体育・保健体育の本質を理解する方法として、関係する学問領域からみた教科内容を検討し、実際の教材である各種運動種目の学習との関係やその適用法、実践方法についての理解を深める。
　取り扱うべき教科内容は、① 環境に対する身体適応能力　② 人間の運動と脳神経系の発達　③ 身体と学習能力　④ 運動学習と行動変容　⑤ 言語機能と運動制御　⑥ 運動と社会性―社会脳と創造性問題―　⑦ 認知能力と運動課題・スポーツ、であるが、教育職員免許法で規定されている履修科目や関係する学問領域との整合性を考慮し、それらのカテゴリーを援用して授業内容を構成する。
　関係する学問領域は、体育哲学（①③⑤⑥）、体育史（⑤⑥⑦）、体育社会学（⑤⑦）、体育経営管理（④⑥⑦）、体育心理学（①②④⑤）、運動生理学（①②③⑥）、バイオメカニクス（①②⑤⑦）、発育発達（②③④⑤）、測定評価（①②③④）、保健（①②③④⑤⑥）の各分野である。
　学習指導要領で定められた教科内容は、運動領域において運動種目毎に進行するため、それらの学習において活用できる理論との組み合わせを多く学び、教員としての指導の幅を広げ、児童生徒の興味・関心を高め、深い学びに導くための教員としての資質を涵養する。
　さらに時代の変化に対応した教科内容を取り扱うための方法や課題について考察し、今日的な学習指導の内容と展望を検討していく。</td></tr>
</table>

解　　説	
本授業（2-11）では仮説4-1の教科の本質としての“学力的側面”に基づき、教科内容を理解する方法としての側面から授業内容を構成している。指導要領で定められている教科の学習はこれとは異なる仮説4―2に基づく“運動形態的側面”、すなわち運動種目に従って展開されている。保健体育科を構成する内容はこれらの組み合わせマトリクスの数となり、多岐に渡る。一方、教育職員免許法で定められている保健体育科教員に必要な授業単位は主に“学力的側面”にあたる学問分野に分類される講義であり、“運動形態的側面”に相当する実技科目の必要条件はわずか1単位である。そこで、教職大学院における教科内容構成の授業もこの“学力的側面”に沿って展開することとした。また、学問分野は体育研究の10の専門領域に従って組み立て、仮説4で示される7つの構成要素を全15回の授業で取り扱っている。各運動種目において仮説3の①、②、③の柱を活かすため、核専門領域の知見を生かして個々の運動を引き出す教授実践スキルを開発できる能力（仮説5②）を養成する。その際、それらの科学的原理だけでなく、仮説6の人間（個人・社会）との関わりを含めて構成する。学習方法はアクティブラーニングを中心に行い、各回の授業では、討議や課題のプレゼンテーション、模擬授業を取り入れ、自ら考え発見する体験の機会を多く確保する。 1　指導要領にみる教科の目的・目標と内容とその学習方法を確認し、教科の成り立ちと現状について理解する。 2　体育原理・体育哲学の考え方を理解し、それらの立場からみた教科の内容について考える。 3　体育・スポーツの歴史を学び、それらの社会史的、文化的な意義や価値とその変遷についての理解を深める。 4　体育社会学の立場から見た体育・スポーツを学び、社会における文化的意義や価値についての理解を深める。 5　体育経営管理学からみた体育・スポーツを学び、行事イベントの成立条件や経営基盤などに関する理解を深める。 6　身体の発育・発達と運動に関する理論を学び、運動学習の内容とその適時性、発育・発達との関係についての理解を深める。	7　身体運動の能力構造について、体力学の知見と考え方を学び、体力の構成要素と分類、それらの特徴と開発の可能性に関する理解を深める。 8　体力や運動パフォーマンスの構成要素と、それらの測定・評価の方法に関する理解を深め、運動記録の収集・保存・活用のプロセスを通して、それらを指導に活用するための資質を養う。 9　運動生理学の知見と考え方を学び、身体の生理的なしくみや機能についての理解を深める。代謝・栄養・睡眠・回復と運動刺激との関係を学び、効果的なトレーニングの方法や怪我の予防などについて自ら考える力を養う。 10　バイオメカニクスの知見と考え方を学び、運動現象の力学理論や身体と環境の物理的関係性に関する理解を深めることにより、効果的な技能学習や、安全快適な運動環境を提供できるようにする。 11　体育心理学の知見と考え方を学び、運動の実施や学習場面で起こる心理的現象や反応、それらを良い結果に導くための方法、学習者に配慮すべき内容等についての理解を深める。 12　保健の内容と学習指導法について学ぶ。学齢に応じた保健学習の手順と内容を明らかにし、論点を整理する。 13　救急法・災害対応として、事故や災害のバイスタンダーとなった際の対応法について学び、社会の一員としての資質と責任を養う。リスクマネージメント、CPR、AEDについての基礎的知識と実践方法についての理解を深める。 14　保健体育の多様な学習形態やそれらの特徴、運動性授業の中での理論学習について、その方法と実践について学ぶ。 15　学習集団に含まれる社会的少数者の分類や特徴をとり扱い、多数者と共に体育活動を実施するための方法と実践について学ぶ。

3　授業実践展開例

仮説7「②授業実践の事例」3に示した「運動方法等の分野」の例（初等体育1陸上競技・陸上運動領域）を以下に示す。

義務教育段階での、陸上運動・陸上競技の内容構成については子どもの「身体をつかった集団的な外遊び文化」の衰退とともに、これまでの無意図的で「当たり前の身体活動（遊び）」から意図的で指導者の支援にもとづいた身体活動へという身体や運動の文化をめぐる大変革が進行している認識が出発点となる。水や空気が人間にとって自然に供給されるものではなく、たえざる自然との対峙のなかで人間にとっての水や空気に成ること、人間にとっての水や空気に成ることを支えるための知識、知恵、科学、技術の必要が了解されるようになって久しい。陸上運動・陸上競技であつかう、歩、走、跳、投、などの「基礎的運動リテラシー」も、水や空気と同じく子どもの発達過程のなかで自然に与えられるものであると考えられてきた。しかしこうした過程は遊びや学習の時空間の社会的構造が歴史的に変動することによって、自然な発達や成熟様相の取り壊し（疎外＝Entfremdung）がすすみ、子どもにとっての基礎的運動リテラシーとして「成ること」を支えるための知識、知恵、科学、技術が必要だという認識が共有されることとなった。義務教育段階はこうしたリテラシーが子どものなかに発達・成熟する最適期としてその重要性が認識されるようになった。陸上運動の学びの基礎として作用している対自的要素は次の7つにまとめることできる。

①重力場における身体の移動、跳躍、四肢から投具への運動インパルスの伝達

生後一年半後ころまでに重力場での身体の動かし方の基礎的なリテラシーが獲得される。さまざまな抗重力活動が展開されるが、その典型が移動運動である。そして歩行、走行、跳躍、は小学校高学年までに生涯を通して活用できるリテラシーとして完成される。

② 12歳ごろまでの小脳を中心とした神経系に対する発達刺激

筋活動の基礎となる筋緊張（トーヌス）の調整、バランスの調節、動きの結合性・コンビネーション、その基礎となっている小脳を中心とした神経系の発達は初等段階の体育にとってきわめて重要な課題である。筋を緊張させたりゆるめたりすること、大きな動きと小さな動きをきりかえること、前後、左右、上下の動きとその切り替え、など歩走跳をもちいた多種多様な動きをとおしてリズム感覚、バランス感覚、加速感覚、筋運動の感覚が養成される。

③走跳投の学習のつまずきとその克服法

つまずきという言葉に象徴されるように、歩走跳の学びには転倒やバランスの崩れが伴う。生涯をとおして生活そのものをささえるリテラシーは、数多くの転倒、立ち上がり、転倒への腕支持での瞬時の対応、転がりからの立ち上がり、バランスの崩れた状態の連続的修正、などの「つまづきからの立ち直り」の無限の反復を前提として獲得され、維持され、精緻化される。

④ 12歳ごろまでの歩容など個性的運動様式の獲得

思春期の前頭前野の発達は、移動手段として生涯使用される個々人特有の身体移送手段である歩行、その個性的な表現である歩容の形成が随伴する。個性的な移動様式である歩容は、子どもたちが成人として社会生活を営むための重要な手段である。起床から就寝までの大半の時間の生活様式は座位様式が主となっているものの、座から座への身体の移動の大部分は歩行が中心となる。

⑤移動様式の観察に基づいた言語化とそのコミュニケーション

移動様式は無意図的な生活基盤となっているが、体育の授業では子どもたち自身がみずからの

<授業のねらい>
- いろいろ力配分による跳躍運動の改善の重要性を理解する
- 運動筋肉感覚的分化能力の育成の重要性とその授業での扱いについて理解する
- 他者観察をとうした運動指導上必要な視覚や筋肉感覚的な感覚運動力を育成するエクササイズの組み立て方を理解する

	テーマ	方法	課題
導入20分	ウォームアップ、ランニングいろいろな力加減での跳躍走 - 小さな跳躍走 - 大きな跳躍走 - 右片足ジャンプ - 左片足ジャンプ - 両足ジャンプ	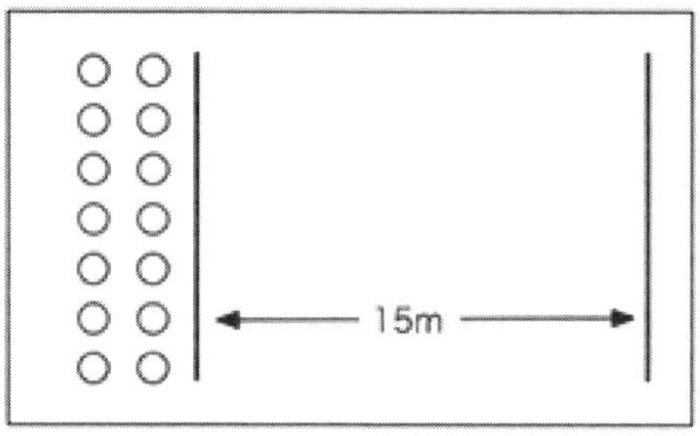 15m - 10 から 20 回のジャンプをする（それぞれ 2 回ずつ）	課題： 自分できめた回数で 15 m を連続ジャンプ －回数の変化とジャンプの大小の関係 －力の発揮の大小の調整 －力発揮の大小と動きの強さの調整 －目標と実際のズレを認識 －他者の動きとの比較 －直線的なジャンプ －加速の感覚を体験する －ゴールラインを正確に踏む （学びの要素：①、③、⑤、⑥、⑦）
主運動50分	短助走（7 ～ 9 歩）でのジャンプ： - 跳び箱に跳びのり、そこから跳び降りる、膝をまげて着地（空中姿勢を変える、縦軸回転をする、手を叩く、足を打つなど） - 跳び箱、ミニハードル、フープ、のとび越え（ゆっきり、素早く、大股で、細かなステップで、上下動を大きく、上下動を小さく、腕を横に広げて） - ゾーン（1,2,3）をねらってへジャンプ（跳び箱から、平均台から、踏切線から（右図）、空中姿勢を変える）	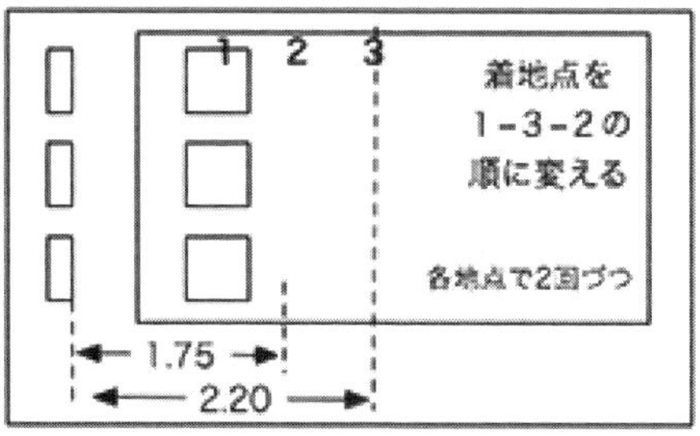 1 2 3 着地点を 1-3-2の 順に変える 各地点で2回づつ 1.75 2.20	・意識するポイント －ジャンプ時上体をまっすぐに立てる（頭の操作機能、バランスの維持） －膝を引き上げ（大腿の緊張と膝下の解緊、膝下の振り下ろし後の支持脚の緊張（伸長短縮サイクル）） －腕を使う（脚の蹴り出しと腕の前後振動とのタイミングの調整） ・観察と説明の課題を課す（他者観察とコミュニケーション） －上手な生徒のデモンストレーション（他者観察と自己観察、その比較） －動きの特徴の言語化（言語化、記号化による動作の意識化） ・観察すべきポイントに集中（言語的な注意の方向づけ） －狙ったゾーンに着地できているか？（モチベーションを高める、目標達成の度合いを意識する） （学びの要素：①、②、③、⑤、⑥、⑦）
終わり20分	いろいろなボールでの的当て競争の場面の工夫（班ごとの模擬授業を含む） - 体操用ボール - バスケットボール - 野球ボール - バレーボール	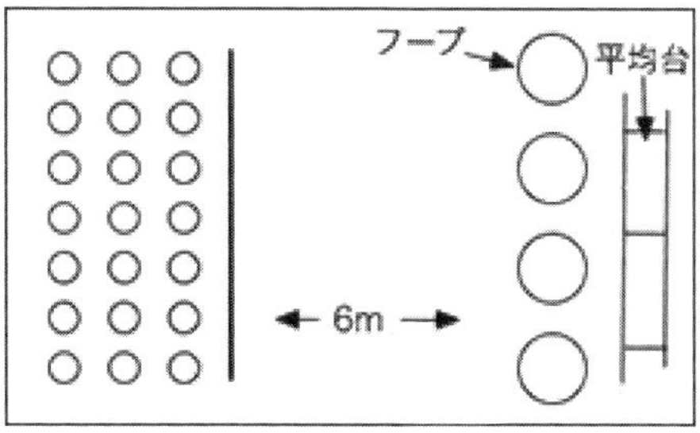 フープ 平均台 6m - それぞれのチームで違うボールを投げる - 1 ラウンドが終了するとボールをチェンジする - チームのリーダーが命中回数を数える	－チームごとの命中回数を競う（タイムリミット） －チームごとの命中回数を競う（ボールの個数と時間を決める） －的の距離を遠くする、近くする －的の大きさを大きくする小さくする。 －これらの組み合わせによって多様な競争場面を創ることができる －あらたな競争場面の要素をみつける（人数、投げるときの姿勢、ボールの種類、投げ方（両手なげ、片手なげ、両足はさみ投げなど） （学びの要素：①、③、⑤、⑥、⑦）

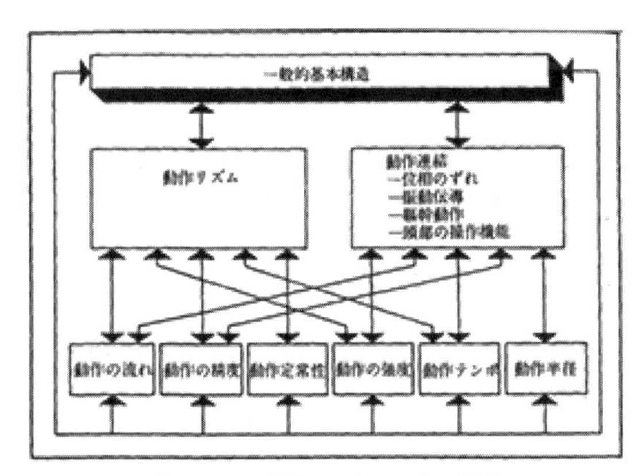

◇図 10-1　動作メルクマールの概観

移動様式（歩や走）と意図的意識的に対峙することが求めれる。

⑥個性的な運動様式の学習場の工夫創造

陸上運動様式の学習やトレーニングの場の工夫、スピードや力を高めるためのエクササイズの工夫は自己の運動様式についての課題意識に基づく。近年トレーニング科学の発展に伴いさまざまなプログラムが用意されており、それらの一般的な理解と実施の方法が学習されなくてはならない。

⑦個性的な運動様式の自己認知と他者観察をとおした認知内容の交換、比較、共有、修正

陸上運動は球技とはことなり、個人運動という特性があるが、他者による観察にもとづいた自己認知の修正や改善が重要になる。他者観察と自己認知の内容比較と共同的な分析と総合によって共同的思考が展開される。

以上の要素を前提とした、学校教育学部２年生選択科目初等体育１「陸上競技・陸上運動」の授業の具体を以下にしめしておく。

「初等体育 1」は、小学校体育科学習指導要領でしめされている「内容（器械運動、陸上運動、球技、水泳、表現運動など）」を通年で実習する科目である。本稿では、そのうち４時間をわりあてられている「陸上競技・陸上運動（走、跳、投、リレーゲームの四分野）」の「跳」運動をテーマとした２時間目の授業案である。

仮設７でも指摘してあるように、体育科の実技系の授業は子どもたちの身体活動を中心に組織される。そうした身体活動をアクティブで深い学びにまで組み立てていくための内容構成の力量がかけてしまうと、単なる遊びや動きとなり、身体や運動の、そして身体や運動による、学びの質と量が保証されなくなる。

＜運動の質を捉えるメルクマール＞

運動学習の質保証を運動形態の面から促そうとする狙いから「動作メルクマール」の提案がある。７つの要素が身体運動の内在的視点を方向づけるものとすれば、メルクマールは外在的視点を方向づけるものということができる。次の図 10-1 は、動作メルクマールを概観したものである。動作形態を観察するための概念的道具として、ドイツのスポーツ運動学から引用した。教師のために用意されたものではあるが、子どもたち同士の動作の他者観察と自己観察にも活用できる。

【引用参考文献】

1. Kurt Meinel. Guenter Schnabel（2014）：Bewegungslehre-Sportmotorik（Abriss einer Theorie der sportlichen Motorik unter pädagogischem Aspekt），Meyer & Meyer
2. マイネル，シュナーベル編著、綿引勝美訳『動作学ースポーツ運動学』、新体育社、1992 年。
3. Thelen, E.（1986）：Development of coordinated movement: Implications for early human development, in: Motor development in children: Aspects of coordination and control. Martinus Nijhoff Publischers。

（綿引勝美）

第三部

教科内容構成の観点からの学習指導要領の検討

第1章　数学の教科内容構成の観点からの学習指導要領の検討

○内容領域

小学校：数と計算、図形、測定（下学年）、変化と関係（上学年）、データの活用

中学校：数と式、図形、関数、データの活用

高等学校：領域分けは行われていない。

○育成すべき資質・能力

以下の①、②、③は、教科内容構成の柱「①数学の内容②現実世界との繋がり③数学の構造化に用いる要素」(教科内容構成の観点）を表す。

(1) 知識・技能

・知識 ①、③

数量や図形などについての基礎的・基本的な概念や性質など（小)、数量や図形などについての基礎的な概念や原理・法則など（中)、数学における基本的な概念や原理・法則の体系的な理解（高）

・技能 ①、②、③

日常の事象の数理的処理（小)、事象の数学化、解釈、表現・処理（中・高）

(2) 思考力・判断力・表現力等

・日常の事象を数理的に捉え見通しをもち筋道を立てて考察する力（小)、数学を活用した事象の論理的考察力（中・高）①、②、③

・基礎的・基本的な数量や図形の性質を見いだし統合的・発展的に考察する力（小)、数量や図形などの性質を見いだし統合的・発展的に考察する力（中)、事象の本質や他の事象との関係を認識し統合的・発展的に考察する力（高）①、③

・事象の数学的表現力（小・中・高）①、②、③

(3) 学びに向かう力・人間性等（小・中・高）①、②

※内容領域の分類と育成すべき資質・能力は、ともに教科内容構成の3つの柱から構成されていると捉えることが可能であり、教科内容学の観点から見て納得できるものである。

最新の学習指導要領について、小学校学習指導要領（平成29年告示）解説算数編、中学校学習指導要領（平成29年告示）解説数学編、高等学校学習指導要領（平成30年告示）解説数学編に基づき考察する。

算数・数学科の内容構成については、今回の学習指導要領改定の元となった平成28年の中央教育審議会答申において、内容の系統性や育成される資質・能力とのつながり等を意識した構成、配列にすることが求められた。小学校算数はこれを踏まえて、数学的な見方・考え方や育成を目指す資質・能力に基づいて系統性を見直し、これまでの領域を整理し直した。その結果、小学校算数の内容は、次の5領域に分けられることとなった。

数と計算、図形、測定（下学年)、

変化と関係（上学年)、データの活用

中学校数学における領域分けについては、名称の変更以外は従前と変わりなく、4領域「数と式」、「図形」、「関数」、「データの活用」からなる。

高等学校数学の領域は特に定められていないが、共通必履修科目である「数学Ⅰ」については、中学校数学との接続を考えてその領域分けを継承し、「数と式」、「図形と計量」、「二次関数」、「データの分析」で構成されている。

小学校算数と中学校数学の領域を仮説3の教科内容構成の柱の下にまとめると表1-1のようになる。

◇表 1-1　平成 29 年告示学習指導要領の領域構成

教科内容構成の柱	小学校算数	中学校数学
量	数と計算	数と式
形	図形	図形
変化	変化と関係	関数
現実世界との繋がり	測定	
	データの活用	データの活用

◇表1-2　平成10・20年告示学習指導要領の領域構成

教科内容構成の柱	小学校算数	中学校数学
量	数と計算	数と式
	数量関係（式）	
形	図形	図形
	量と測定（図形の計量）	
変化	数量関係（関数）	数量関係
	量と測定（速さなど）	
現実世界との繋がり	量と測定（長さ、重さ、時間など）	
	数量関係（統計）	該当領域無(10年告示) 資料の活用(20年告示)

算数の領域「測定」は、長さ、広さ、重さ、時間など身の回りの量とその測定を扱っており、中学校数学で該当する内容は無い。算数および中学校数学の領域構成は、ともに仮説3の教科内容構成の柱と整合性が高いことが分かる。

ここで前回・前々回（平成10年・20年告示）の学習指導要領の領域構成を振り返ってみる（表1-2）。この表から明らかなとおり、算数の領域構成において教科内容構成の柱との整合性が低く系統性に関する意識が弱いことが分かる。この不整合の原因として2つのことが考えられる。一つ目は、3領域「数と計算」、「量と測定」、「図形」は学習内容から構成されているにもかかわらず、残りの領域「数量関係」が考え方や方法によって構成されていることである。これによって、性格の異なるものを同列に扱うという無理が生じ、さらに、「数量関係」の中に、式、関数、統計といった意味が異なるものが入り混じるという系統性上の問題を抱えることになった。不整合の原因の二つ目は、「量と測定」が、現実世界の物がもつ量、抽象概念である図形の量、2つの量の関係を表す単位当たりの量、という3種類の量を扱っていることである。これら3種の量に対応する教科内容構成の柱はそれぞれ、現実世界との繋がり、形から発展した数学、変化から発展した数学であり、本質的に異なったものである。これらを一つの領域にまとめることによっても、系統性上の問題が生じることとなった。

以上の考察から分かるように、算数の学指指導要領における内容構成は、今回の改定で系統性の下に整理され、教科内容学の見地からも疑問のない形に改正されたことが分かる。

次に、新学習指導要領における育成すべき資質・能力について考察する。今回の改定では、これら資質・能力が、「知識及び技能」、「思考力、判断力、表現力等」、「学びに向かう力、人間性等」の3つの柱に整理されることになった。また、これらは数学的活動を通して育成することとされている。小学校算数科では、3つの柱が次のように表現されている。

「数学的な見方・考え方を働かせ、数学的活動を通して、数学的に考える資質・能力を次のとおり育成することを目指す。

(1) 数量や図形などについての基礎的・基本的な概念や性質などを理解するとともに、日常の事象を数理的に処理する技能を身に付けるようにする。

(2) 日常の事象を数理的に捉え見通しをもち筋道を立てて考察する力、基礎的・基本的な数量や図形の性質などを見いだし統合的・発展的に考察する力、数学的な表現を用いて事象を簡潔・明瞭・的確に表したり目的に応じて柔軟に表したりする力を養う。

(3) 数学的活動の楽しさや数学のよさに気付き、学習を振り返ってよりよく問題解決しようとする態度、算数で学んだことを生活や学習に活用しようとする態度を養う。」

中学校および高等学校数学の学習指導要領における3つの柱の定義も、若干の文言の違いはあるものの、本質的にこれと同じである。

上記（2）のうち「日常の事象を数理的に捉え見通しをもち筋道を立てて考察する力」は、仮説

2で述べた「数学化・数学的処理・解釈」のプロセスに対応する。2つ目の能力「基礎的・基本的な数量や図形の性質などを見いだし統合的・発展的に考察する力」も、「数学の世界」を現実世界とみなすことにより、そのプロセスに対応するものと捉えることができる。

これら資質・能力の3つの柱に対し、関連する教科内容構成の3つの柱「①数学の内容 ②数学と世界との繋がり ③数学の構造化に用いる要素」を番号で示すと次のようになる。

(1) 知識・技能
- 知識（数量や図形などについての基礎的・基本的な概念や性質）①、③
- 技能（日常の事象の数理的処理）①、②、③

(2) 思考力・判断力・表現力等
- 日常の事象を数理的に捉え見通しをもち筋道を立てて考察する力　①、②、③
- 基礎的・基本的な数量や図形の性質を見いだし統合的・発展的に考察する力　①、③
- 事象の数学的表現力　①、②、③

(3) 学びに向かう力・人間性等　①、②

この対応は、中学校および高等学校数学の学習指導要領でも本質的に同じである。

以上の考察から、学習指導要領における資質・能力の柱は、教科内容構成の柱との整合性が高く、教科内容学の観点から見て納得できるものである。

（松岡　隆）

第2章　理科の教科内容構成の観点からの学習指導要領の検討

内容領域

小学校：エネルギー、粒子、生命、地球領域

中学校：エネルギー、粒子、生命、地球領域

高等学校：物理基礎、化学基礎、生物基礎、地学基礎

*「物理基礎」、「化学基礎」、「生物基礎」、「地学基礎」のみ

育成を目指す資質・能力

育成すべき資質・能力については、簡素にまとめている。また、以下で番号①、②、③は、教科内容構成の3つの柱：①理科の内容、②科学的アプローチ、③自然観の構築と活用を表す。

(1) 知識・技能

・知識 ①、③

小、中、高等学校全てにおいて、エネルギー、粒子、生命、地球の4つのカテゴリー

・技能 ①、②

観察、実験などに関する基本的な技能（小）、科学的に探究するために必要な観察、実験などに関する技能（中、高）

(2) 思考力・判断力・表現力等

・自然の事物・現象について追究する中で、差異点や共通点を基に、問題を見いだし、表現すること（小3）②、③

・自然の事物・現象について追究する中で、既習の内容や生活経験を基に、根拠ある予測や仮説を発想し、表現すること（小4）①、②、③

・自然の事物・現象について追究する中で、予想や仮説を基に、根拠ある予想や仮説を発想し、表現すること（小5）②、③

・自然の事物・現象について追究する中で、より妥当な考えをつくりだし、表現すること（小6）②、③

・問題を見いだし見通しをもって観察、実験などを行い【規則性、関係性、共通点や相違点、分類するための観点や基準】を見いだして表現すること（中1）②、③

・見通しをもって解決する方法を立案して観察、実験などを行い、その結果を分析して解釈し、【規則性や関係性】を見いだして表現すること（中2）②、③

・見通しをもって観察、実験などを行い、その結果（や資料）を分析して解釈し、【特徴、規則性、関係性】を見いだして表現すること。また、探究の過程を振り返ること（中3）②、③

・観察、実験などを通して探究し、【規則性、関係性、特徴など】を見いだして表現すること（高）②、③

(3) 学びに向かう力・人間性等

・主体的に問題解決しようとする態度を養う。（小）②

・生物を愛護する（生命を尊重する）態度を養う。（小 - 生命、地球）①、③

・物質やエネルギーに関する事物・現象に進んで関わり、科学的に探究しようとする態度を養う。（中 - 第一分野）②、③

・生命や地球に関する事物・現象に進んで関わり、科学的に探究しようとする態度、生命を尊重し、自然環境の保全に寄与する態度を養う。（中 - 第二分野）②、③

・主体的に関わり科学的に探究しようとする態度（高）②

・生命を尊重し、自然環境の保全に寄与する態度（高 - 生物基礎）③

・自然環境の保全について寄与する態度（高 - 地学基礎）③

※内容領域の分類と育成すべき資質・能力は、ともに教科内容構成の3つの柱から構成されていると捉えることが可能であり、教科内容学の観点からみて齟齬がない。

学習指導要領として、小学校学習指導要領（平成29年告示）解説理科編、中学校学習指導要領（平成29年告示）解説理科編、および高等学校学習指導要領（平成30年告示）解説理科編に基づき考察する。

理科の内容構成については、小学校、中学校理科において、「エネルギー」、「粒子」、「生命」、「地球」に大別されている。高等学校の「物理基礎」、「化学基礎」、「生物基礎」、「地学基礎」の学習内容も『「エネルギー」、「粒子」、「生命」、「地球」などの科学の基本的な概念等を柱として構成し、科学に関する基本的概念の一層の定着を図ることができるようにする』と解説されており、高等学校の学習内容も含めて「エネルギー」、「粒子」、「生命」、「地球」に大別することができる。

中央教育審議会答申によると、育成を目指す資質・能力については、（知識・技能）、（思考力・判断力・表現力等）、（学びに向かう力・人間性等）の三つの柱に沿って整理されている。（知識・技能）では、自然の事物・現象に対する概念や原理・法則の理解、科学的探究や問題解決に必要な観察・実験等の技能などが求められる。（思考力・判断力・表現力等）では、科学的な探究能力や問題解決能力などが求められる。（学びに向かう力・人間性等）では、主体的に探究しようとしたり、問題解決しようとしたりする態度などが求められる。また、「理科の見方・考え方」については、『自然の事物・現象を、質的・量的な関係や時間的・空間的な関係などの科学的な視点で捉え、比較したり、関係づけたりするなどの科学的に探究する方法を用いて考えること』（中学校）と整理している。

仮説3の教科内容構成の柱と学習指導要領における理科の内容をまとめると表2-1の様になる。学習指導要領の理科の内容構成の大部分は仮説3の1つの柱である「理科の内容」に含まれ、一部は「自然観の構築と活用」に当てはまる。この利用に関しては、「エネルギー」では、小学校で「電気の利用」において発電、電気の変換、電気の利用、中学校で「エネルギーと物質」において、エネルギーとエネルギー資源、様々な物質とその利用、科学技術の発展、高等学校の「エネルギーとその利用」、「物理学が招く世界」が設定されている。「粒子」では、高等学校の化学基礎で「科学が招く世界」が設定されている。「生命」では、小学校の「生物と環境」で人と環境が、中学校の「生物と環境」で自然環境の調査と環境保全、地域の自然災害が、また「自然環境の保全と科学技術の利用」が設定されている。高等学校の生物基礎で「生態系とその保全」で生態系のバランスと保全が扱われている。「地球」では、中学校の「自然の恵みと火山災害・地震災害」と「自然の恵みと気象災害」が設けられている。また、高等学校の「地球の環境」で地球環境の科学、日本の自然環境があげられている。

◇表2-1　学習指導要領における理科の内容構成

仮説3の教科内容構成の柱	学習指導要領のおける理科の内容
理科の内容	「エネルギー」、「粒子」、「生命」、「地球」
科学的アプローチ	
自然観の構築と活用	「エネルギー」、「粒子」、「生命」「地理」

次に、仮説3の教科内容構成の柱に理科で育成すべき資質・能力も併せてみると、表2-2の様になる。

◇表 2-2　学習指導要領における理科授業で育成すべき資質・能力

仮説３の教科内容構成の柱	学習指導要領のおける理科の内容
理科の内容	「エネルギー」、「粒子」、「生命」、「地球」、（知識）
科学的アプローチ	（技能）、（思考力・判断力・表現力等）、（学びに向かう力）
自然観の構築と活用	「エネルギー」、「粒子」、「生命」、「地球」（知識）、（思考力・判断力・表現力等）、（学びに向かう力・人間性）

育成すべき資質・能力のうち、（知識）は仮説３の教科内容構成の柱では「理科の内容」と「自然観の構築と活用」に対応する。（技能）、（思考力・判断力・表現力等）は「科学的アプローチ」と、さらに（知識）、（思考力・判断力・表現力等）、（学びに向かう力・人間性）は「自然観の構築と活用」に対応する。学習指導要領においては、育成すべき資質・能力は、「エネルギー」、「粒子」、「生命」、「地球」を共通して設定されるが、学年毎に分けて設定されている（上述の枠内を参照）。さらに、（学びに向かう力・人間性）では、小学校、高等学校において全ての学年を通じて同じ内容で、「主体的に問題解決しようとする態度」に関することであり、さらに「生命」・「地球」あるいは「生物基礎」・「地学基礎」にもう１つ設定されている。中学校では、第一分野、第二分野毎に設定されている（上述の枠内を参照）。（学びに向かう力・人間性）は仮説３の②科学的アプローチと③自然観の構築と活用に関わる内容である。

以上のように、学習指導要領の理科内容と育成を目指す資質・能力は、仮説３の教科内容構成の３つの柱とよく一致し、教科内容学の観点と齟齬がない。

（佐藤勝幸　胸組虎胤）

第3章　音楽の教科内容構成の観点からの学習指導要領の検討

活動領域
【表現】と【鑑賞】(小学校・中学校・高等学校)
育成すべき資質・能力
以下の①、②、③、④は教科内容構成の4つの柱「①音楽の形式的側面」「②音楽の内容的側面」「③音楽の文化的側面」「④音楽の技能的側面」を示す。
(1) 知識・技能
・知識　曲想と音楽の構造などとの関わり(小)①②、曲想と音楽の構造や背景などとの関わり(中)①②③、音楽に関する専門的で幅広く多様な内容(高)①②③
・技能　表したい音楽表現をするために必要な技能(小)、創意工夫を生かした音楽表現をするために必要な技能(中)、表現意図を音楽で表すために必要な技能(高)、④
(2) 思考力・判断力・表現力等
音楽表現を工夫する、音楽を味わって聴く力(小)①②、音楽表現を創意工夫する、音楽のよさや美しさを味わって聴く力(中)①②③、音楽に関する専門的な知識や技能を総合的に働かせ、音楽の表現内容を解釈したり音楽の文化的価値などについて考えたりし、表現意図を明確にもったり、音楽や演奏の価値を見いだして鑑賞したりする力(高)①②③
(3) 学びに向かう力・人間性等
音楽を愛好する心情と音楽に対する感性を育むとともに音楽に親しむ態度を養い、豊かな情操を培う(小)①②④、音楽を愛好する心情を育むとともに音楽に対する感性を豊かにし、音楽に親しんでいく態度を養い、豊かな情操を培う(中)①②③④、主体的に音楽に関する専門的な学習に取り組み、感性を磨き、音楽文化の継承、発展、創造に寄与する態度を養う(高)①②③④
※育成すべき資質・能力は、ともに教科内容構成の4つの柱で捉えることできる。ただし、小学校においては、③音楽の文化的側面が欠如している。
また、小学校から高等学校に至るまで活動領域は【表現】と【鑑賞】のみしかなく、教材中心の学習となっていることは否めない。したがって、学年段階に応じて音楽の学習に広がり(scope)や発展性(sequence)をもたせたりすることは極めて困難であると言える。
【表現】と【鑑賞】の2領域のみでは、音楽の文化的側面の学習に深まりや高度化が期待できない。

最新の学習指導要領について、小学校学習指導要領(平成29年告示)、中学校学習指導要領(平成29年告示)、高等学校学習指導要領(平成30年告示)について音楽の教科内容構成の観点から考察する。

表は教科内容構成との関係性について示した。表中の①、②、③、④は、教科内容構成の4つの柱「①音楽の形式的側面」「②音楽の内容的側面」「③音楽の文化的側面」「④音楽の技能的側面」を表す。各項目に主たる側面を示した。

学習指導要領における「育成すべき資質・能力」について考察する。今回の改定では、これら資質・能力が、「知識及び技能」、「思考力、判断力、表現力等」、「学びに向かう力、人間性等」の3つの柱で整理されることになった。中学校学習指導要領の音楽科では、3つの柱が次のように表現されている。

表現及び鑑賞の幅広い活動を通して、音楽的な見方・考え方を働かせ、生活や社会の中の音や音楽、音楽文化と豊かに関わる資質・能力を次のとおり育成することを目指す。
(1) 曲想と音楽の構造や背景などとの関わり及び音楽の多様性について理解するとともに、創意工夫を生かした音楽表現をするために必要な技能を身に付けるようにする。
(2) 音楽表現を創意工夫することや、音楽のよさや美しさを味わって聴くことができるようにする。
(3) 音楽活動の楽しさを体験することを通して、音楽を愛好する心情を育むとともに、音楽に対する感性を豊かにし、音楽に親しんでいく態度を養い、豊かな情操を培う。

高等学校音楽の学習指導要領における3つの柱の定義も、若干の文言の違いはあるものの、本質的にこれと同じである。

上記（1）の「曲想と音楽の構造や背景などとの関わり及び音楽の多様性について理解する」は、「①音楽の形式的側面」「②音楽の内容的側面」「③音楽の文化的側面」の学習によって成立する。「創意工夫を生かした音楽表現をするために必要な技能」は「④音楽の技能的側面」に相当する。(2) の「音楽表現を創意工夫することや、音楽のよさや美しさを味わって聴くこと」は、「①音楽の形式的側面」「②音楽の内容的側面」「③音楽の文化的側面」の学習によって深められると考えられる。そして、(3) の「音楽を愛好する心情を育むとともに、音楽に対する感性を豊かにし、音楽に親しんでいく態度を養い、豊かな情操を培う」ことも「①音楽の形式的側面」「②音楽の内容的側面」「③音楽の文化的側面」「④音楽の技能的側面」の学習を相互にかかわらせることによって達成できるものと考えられる。

これら音楽の学習指導要領における資質・能力の3つの柱の内容に対し、それらと関連する教科内容構成の4つの柱「①音楽の形式的側面」「②音楽の内容的側面」「③音楽の文化的側面」「④音楽の技能的側面」を番号で示すと次のようになる。

(1) 知識・技能
・知識：曲想と音楽の構造や背景などとの関わり　①②③
・技能：創意工夫を生かした音楽表現をするために必要な技能　④

(2) 思考力・判断力・表現力等
・音楽表現を創意工夫する力　①②③
・音楽のよさや美しさを味わって聴く力　①②③

(3) 学びに向かう力・人間性等
・音楽を愛好する心情を育むとともに、音楽に対する感性を豊かにし、音楽に親しんでいく態度を養い、豊かな情操を培う　①②③④

この対応は、高等学校音楽の学習指導要領でも本質的に同じである。

以上の考察から、中学校および高等学校の学習指導要領における資質・能力の3つの柱は、教科内容構成の4つの柱と整合的であり、教科内容学の観点から捉えることができるものである。

次に、小学校学習指導要領について述べる。中央教育審議会答申（平成28年）において、小学校～高等学校を通じた音楽科の課題の1つとして「生活や社会における音や音楽の働きについての関心や理解を深めていくことの更なる充実」が示された。それを踏まえて新学習指導要領において、音楽科で育成を目指す資質・能力は「生活や社会の中の音や音楽と豊かに関わる資質・能力」とされ、目標の中に掲げられた。学習指導要領本文および解説を見る限り、「生活や社会の中の音や音楽」の意味するところは極めて曖昧な状況にあるが、これは教科内容構成における「③音楽の文化的側面」と深く関わるものである。

しかしながら、小学校学習指導要領本文の表現領域においては「③音楽の文化的側面」が示されていない。鑑賞領域でも、「3　内容の取り扱い

(3)」の教材に関して「日常の生活に関連して情景を思い浮かべやすい音楽」（第１学年及び第２学年）、「和楽器の音楽を含めた我が国の音楽や諸外国の音楽など文化との関わりを捉えやすい音楽、人々に長く親しまれている音楽など、いろいろな種類の曲」（第５学年及び第６学年）等を取り扱うといった記述があるにすぎない。この欠如は今後検討を要すると言えよう。

また、教科内容構成における「①音楽の形式的側面」を知覚し、「②音楽の内容的側面」を感受することは、教科の特性・使命として非常に重要な意味をもつ。小学校においてはそれが鑑賞領域のみに行われるかのような表記になっている。すなわち、〔共通事項〕(1) アにおける次のような記述である。「音楽を形づくっている要素を聴き取り、それらの働きが生み出すよさや面白さ、美しさを感じ取りながら、聴き取ったことと感じ取ったこととの関わりについて考えること」（下線は筆者付記）。「音楽を形づくっている要素」は教科内容構成における「①音楽の形式的側面」に相当するものであるが、認識方法は「聴き取る」ことに限定されない。それは表現活動において実際に歌ったり、演奏したり、読譜したりする際にも認識される。したがって「聴き取る」よりも「知覚する」と表記する方が適切であると言えよう。

小学校から高等学校に至るまで、我が国の活動領域は【表現】と【鑑賞】のみしかなく、教材中心の学習となっていることは否めない。特定の音楽（教材）を表現・鑑賞する活動である。したがって、学年段階に応じて音楽学習に広がり（scope）や発展性（sequence）をもたせたりすることは極めて困難であると言える。たとえば、特定の僅かな教材から音楽と文化のかかわりを俯瞰することはできない。小さな窓から世界を眺めることはできないのである。音楽と人間・社会・文化などとの関係を学習内容として掲げ、その理解のために複数の教材を使用するといった発想の転換が必要となる。教材を学ぶのではなく、教材を学習のための道具とするのである。そして、その実現のためには、【表現】と【鑑賞】のみならず、諸外国の動向をも鑑み、もう１つ新たな活動領域を設ける必要もあるであろう。

（中島卓郎）

第４章　美術の教科内容構成の観点からの学習指導要領の検討

小学校図画工作科学習指導要領

【A 表現】「表したいこと」→②内容、「どのように表すか」→①形式、「活動を工夫」→③技能
ア造形遊び　「色や形」→造形要素、「並べたり」「つないだり」「積んだり」→③技能・①形式・②内容
イ絵や立体、工作に表す　「感じたこと」「想像したこと」「見たこと」→②内容、「材料の特徴」「構成」「色や形」→③技能、造形要素
【B 鑑賞】「美術作品」「生活の中の造形」→④文化、「表したいこと」→②内容、「表し方」→①形式
【共通事項】「形や色などの造形的特徴」→①形式、造形要素、「自分のイメージ」→②内容

【造形を考え方の主体にすることおよび基本的な教科の骨格は書かれている。題材や教科内容については基本的な用語によって説明されていて、具体性はあまりない】

※表中の①形式②内容③技能④文化と「造形要素」は、学習指導要領中の文言を教科内容構成の観点から捉えたもの　(中学校、高校も同じ)

小学校図画工作科学習指導要領は「造形」を基本要素とすることと、「内容」を生むために「形式」を考え、「技能」を工夫することを骨格に構成されている。

教科内容については、「表したいこと」(内容)、「工夫」(技能)、「創造的に作る」(形式)とその骨格のみが示され、具体的な教科内容と題材はあまり記述されていない。見受けられるものとすれば、「造形遊び」で、「身近な材料」「場所」「空間の特徴」を基に「色や形」(造形要素)を「並べたり」「つないだり」「積んだり」(技能・形式・内容)する。「絵や立体、工作に表す」で、「感じたこと」「想像したこと」「見たこと」(内容)を「材料の特徴」「構成」「色や形」(技能・造形要素)などを工夫して作るなど。「鑑賞」では「美術作品」「生活の中の造形」(文化)、「表したいこと」「表し方」(内容)を感じ取るなどである。

小学校図画工作科学習指導要領にある「表したいこと」「表し方」などの表現は、内容や形式そのものであり、その中身はまったく説明されていない。また題材や教科内容のみならず、技法、材料道具等においてもほとんど書かれていない。美術の場合、何を作るかよりいかに作るかにが問題であり、題材は個々の教員に任されている。題材自体が細かく規定されていれば、教師はやり辛く、美術という教科の特性から言ってもこれ以上学習指導要領で縛るべきではないと言えるであろう。しかし全般的に図画工作(中・高美術も同様)の学習指導要領は抽象的であり、何を教えればよいのか理解しにくいものになっている。

中学校美術科学習指導要領

【A 表現】「主題を生み出す」→②内容、「表現の構想」→①形式、「表現方法」「制作の順序」→③技能
「対象や事象」「夢、想像や感情などの心の世界」→②内容、「単純化、省略、強調、材料の組み合わせ」→①形式
「機知やユーモア」→②内容
【B 鑑賞】「美術文化の継承と創造」→④文化、「作者の心情や表現の意図」→②内容、「創造的な工夫」→①形式　③技能

【共通事項】「造形的な特徴」→①形式（美術専門要素)、「(造形要素や材料の）性質が感情にもたらす効果」→②内容

【造形を考え方の主体にすることおよび基本的な内容構成が説明されている。教科内容については一般的概略的な用語で描かれており、内容への言及はほとんどない】

中学校美術の学習指導要領の内容については図画工作科と同様、あいまいで抽象的である。「色や形」「材料や用具」「表現の構想」「使う目的や条件」「創造的な工夫」などの用語はあるが、その内容については説明されていない。

絵画・彫刻領域の教科内容に関わっては、「対象や事象」→写実的制作、「夢、想像や感情などの心の世界」→表現主義手規制作、「単純化、省略、強調、材料の組み合わせ」→表現形式などが見られ、デザイン領域では、「構成、装飾」「機知やユーモア」という用語が内容を示す程度に留まっている。

高等学校美術科学習指導要領

【A 表現】各分野の特性を生かして「独創的な主題を生成」→②内容、主題に応じた「表現の可能性」→①形式、特性に基づき「構想」①形式②内容。 意図に応じて材料用具を使い「表現方法を創意工夫」→③技能

【B 鑑賞】造形的なよさ・美しさを感じる(→造形要素)「作者の心情や表現の意図」→②内容、「創造的な表現」→①形式、「工夫」→③技能「美術の働き」「美術文化」→④文化

【共通事項】「造形的な特徴・要素」(→造形要素）により、イメージや作風（→② 内容)、様式（→①形式）を捉える

【用語の点で小・中より具体的（専門的）になってはいるが、内容構成の基本構造に関わるもので、具体的な教科内容についての言及はほとんどない】

高校においては「工芸」及び「専門学科」としての美術もあるが、ここでは一般的な美術に限って解説する。

【表現】については、1年から3年まで用語は少しずつ違うが、総じて各分野でその「特性を生かし」「発想や構想をもとに」「独創的な主題を生成」し、その「独創的な表現の可能性」を考え、「創造的な技能」を身につけるという流れで書かれている。「特性」や「独創的」「創造的」であることの内容は書かれていない。教科内容としては「絵画・彫刻」では「自然・自己・生活」「夢や想像」（題材）から「感じとったこと・考えたこと」や、「形体や色彩、構成」から「独創的な表現」、「材料や用具の特性」を「意図」的に、などがあげられる。「映像メディア」では「色光や視点、動き」などがあるが、「デザイン」は基本構造のみである。

【鑑賞】でも具体的な鑑賞の態度については書かれていない。また〔共通事項〕では「造形要素の働きを理解すること」と、まったく基本的なことしか書かれていない。

図画工作科、中・高美術科の学習指導要領は、総じて美術の基本要素である造形をもとに、主題を生成し表現を考え材料・用具を使って制作するという単純な枠組みしか書かれていない。教科内容から見ると、他の教科の学習指導要領に比べて内容は乏しく、指針とするには物足りないが、これには2つの理由があると考えられる。

1つは、図画工作、美術の学習指導要領が改定されるたびに領域の大括り化が進んでいることがあげられる。それに伴い当然のことながら各分野の専門性は薄れており、美術とは何をする教科か

という大元を曖昧にしているため、その内容も曖昧なものでしか表現できないことになっているのではないか。

２つ目は「主体的」で「深い学び」を実現することが求められていることによる。そのためには生徒の自主的な発想や構想を引き出すことが必要で、教師がやらせたい内容を押し付ける授業にならないよう配慮することが求められる。学習指導要領に「主題を生み出し」「構想を練る」という表現が頻出しているのはその現れとみられる。そのような趣旨での表現で一貫しているため、学習指導要領に具体的な教科内容を載せることが困難になっているのかもしれない。

しかし同じ芸術・表現科目であり、かつ本書において教科内容の構成原理も美術と同様の「内容・形式・技能・文化」の４側面から捉えられるとしている音楽の学習指導要領は、教科内容の構造に対する意識が高いように思われる。美術は音楽ほど教科内容の組み立てが確固としていないという教科の特性があるのかもしれないが、美術の学習指導要領は頼るべき具体性がない。その分自由度が高く、その解釈や授業への組み込み方は教師の主体性に任されていると言えるが、教科としてどのように成立するかという根拠が薄くなる危険もはらんでいる。

（新井知生）

第5章　国語の教科内容構成の観点からの学習指導要領の検討

「対話環」理論及び「対話環」から導かれる「言語４相（言語活動H、言語行為A、言語規則G、言語作品W）」関係論に基づいて、小学校学習指導要領（平成29年告示）国語編、中学校学習指導要領（平成29年告示）国語編、高等学校学習指導要領（平成30年告示）国語編及び解説について検討する。（「解説」本文に必要に応じて「言語４相：AGHW」符号を付して示す（「－」の左は入口、右は奥）。

国語科の目標及び内容の構成

内容：国語科の目標・育成すべき資質・能力 ○小・中・高で国語科の目指す資質・能力： 「国語で的確に理解し効果的に表現する資質・能力」（WH－A、A－HW）これらを育成するため、生徒が「言葉による見方・考え方」（GA）を働かせる。「学びに向かう力、人間性」（A）の育成。
〔知識及び技能〕 (1) 言葉の特徴や使い方に関する事項（GA） (2) 情報の扱い方に関する事項（WH－A） (3) 我が国の言語文化に関する事項（W－GA） 〔思考力、判断力、表現力等〕 A　話すこと・聞くことHA (1) 指導事項（GA）、(2) 言語活動例（H－(WA)） B　書くことHA (1) 指導事項（GA）、(2) 言語活動例（H－(WA)） C　読むことHA (1) 指導事項（GA）、(2) 言語活動例（H－(WA)）
（前略）国語で正確に理解し適切に表現する際には、話すこと・聞くこと、書くこと、読むこと（H）の「思考力、判断力、表現力等」（A）のみならず、言葉の特徴や使い方（GA）、情報の扱い方（W－H－A）、我が国の言語文化に関する「知識及び技能」（W－GA）が必要となる。（中略）「知識及び技能」は、個別の事実的な知識や一定の手順のことのみをさしているのではない。国語で理解したり表現したりする様々な場面の中で生きて働く「知識及び技能」として身につけるために、思考・判断し表現することを通じて育成を図ることが求められるなど、「知識及び技能」と思考力、表現力、判断力等）は、相互に関連し合いながら育成される必要がある。

「小学校学習指導要領解説」pp.7～8

1）　学習指導要領における「言語４相」

「解説」本文の「知識及び技能」と思考力、表現力、判断力等）は、相互に関連し合いながら育成される必要がある」には、本稿で強調した「言語4相」の関連・総合性が明確に指摘されている。

>「知識・技能」と「思考力、判断力、表現力等」の育成において大きな原動力となるのが「学びに向かう力、人間性等」である。（中略、これは）教科及び科目の目標において挙げられている態度等を養うことにより、「知識及び技能」と「思考力、判断力、表現力等」の育成が一層充実することが期待される。

「小学校学習指導要領解説」p.8

教科の目標は小・中・高ともほぼ共通し、高校は以下のように示されている。

>言葉による見方・考え方を働かせ、言語活動を通して、国語で的確に理解し効果的に表現する資質・能力を次のとおり育成することを目指す。(1) 生涯にわたる社会生活に必要な国語について、その特質を理解し適切に使うことができるようにする。(2) 生涯にわたる社会生活における他者との関わりの中で伝え合う力を

> 高め、思考力や想像力を伸ばす。(3) 言葉のもつ価値への認識を深めるとともに、言語感覚を磨き、我が国の言語文化の担い手としての自覚をもち、生涯にわたり国語を尊重してその能力の向上を図る態度を養う。(p.21)

「高等学校学習指導要領（平成30年告示）解説」p.21（以下、高校「解説」と略す）

上記「目標」第一文の「言語活動」は、単なる4活動（H）ではなく、言語行為（A）を意味しており「的確な理解」と「効果的表現」によって主体間に「対話環」が形成される。対話環は「社会」の最小単位である。２主体の一方は必ず学習者本人であるが、相手主体は、目前の教師・友達から文章の筆者・本の作者、過去の自分・公衆へと変化・重層化し、主体間に囲われる「対象・事物」も具体から抽象へと変容し、そこが「思考力・想像力」を育てる現場となる。

国語科の目標は、「対話環」にかける渾然一体の現象を項目的に表現せざるを得ない。「学びに向かう力、人間性」とは２主体間に「対話環」を生じさせて「社会」を築こうとする意欲であり、「対話環」の出発点たる主体の「表現」が、まず「真実」であることが「環が閉じる」条件となる。これが「真理を担う」言葉の第一歩であり、人間が「真理を希求する」根源となるのである。学習指導要領は、これらの内容をよく平易な表現で法規の文体に写し取っている。

2)「言語規則Ｇ」形成の難所の指摘

「解説」に警告されているように、「知識及び技能」は、個別の事実的な知識や一定の手順のことのみをさしている」と受け取られる傾向が強い。授業でよく見られる「読む前の、難語句調べ」、漢字や文法等を「記憶するための練習学習」などがそれである。「国語で理解したり表現したりする様々な場面の中で生きて働く「知識及び技能」として身につけるために、思考・判断し表現することを通じて育成を図る」ことが徹底せず、「言語４相」の総合的獲得の難しいことが懸念されている。

［言語４相］の総合的獲得の決め手は、「活動（H）を通じて意味（A）を生む」ことである。活動（H）が「行為（A）」となってはじめて、行為に伴い次第に「言語規則（G）」が脳の中に生じる（「対話環」原理）。この「仕組み」は一般に徹底了解されていない。現行最新学習指導要領（国語）は、この仕組みを踏まえているともいえるが、次の「解説」の一節には、なお誤解を生む可能性が残されている。

> ①語彙指導の改善・充実
>
> 中央教育審議会答申において、「小学校低学年の学力差の大きな背景に語彙の量と質の違いがある」と指摘されているように、語彙は、すべての教科等における資質・能力の育成や学習の基盤となる言語能力を支える重要な要素である。このため、語彙を豊かにする指導の改善・充実を図っている。語彙を豊かにするとは、自分の語彙を量と質の両面から充実させることである。具体的には、意味を理解している語句の数を増やすだけでなく、話や文章の中で使いこなせる語句を増やすとともに、語句の意味や使い方に対する認識を深め、語感を磨き、語彙の質を高めることである。

（小学校「解説」p.8，高校「解説」p.11）

ここに２つの「誤解の生じやすさ」が含まれている。まず、「語彙が、能力の育成や学習の基盤である」と書かれているのはその通りであるが、実際には、その前に、語彙は「学習の結果」を示すものである、という事実が見落とされがちである。語彙の少なさは、端的に学習が失敗したことを意味する。各教科の語彙は、各教科の学習によって獲得されるのであり、そのために「教科」

がある。

誤解されやすさの２つめは、第２段落にあるように、「意味を理解している語句の数を増やすだけでなく、話や文章の中で使いこなせる語句を増やす」とある「増やす」の語感である。

「語」は形のある「言語作品W」の単位であるため「数えられる」が、語の本質である「概念」は、重なり・入り交じり・具体・抽象・視点の角度の相互関係で複雑に絡み合って「構造」を成している。「語を使いこなす」表現学習が、語彙学習として優れているのは、この複雑な絡み合いを制御する高度な思考力を鍛えるからである。「話や文章（言語作品W）作り（＝表現)、即ち、意味を形にすること（A言語行為)」の中で「語を使いこなす」学習は、「基礎・基盤」というより国語科学習の中心・中核であると言ってよい。

語句・語彙は、それが的確に意味を持つための「構文規則」を備え、それが十全の機能をもつために一定の範囲の、あるいは特有の、「文種・ジャンル」の中で働く。「構文規則」即ち「文法」もまた、語彙と連動して学習されるのである。

以上のことから、学習指導要領解説において「言語規則G」形成の難所がわかりやすく指摘されているとは、残念ながらいえない。

3）高等学校における「言語活動」の配当

	〔思考力、判断力、表現力〕		
	話すこと聞くこと	書くこと	読むこと
現代の国語	○ 20-30	○ 30-40	○ 10-20
言語文化		○ 5-10	古 40-45 近 20
論理国語		○ 50-60	○ 80-90
文学国語		○ 30-40	○ 100-110
国語表現	○ 40-50	○ 90-100	
古典探究			○

（高校「解説」p.14，一部の語を略す）

上記表に見られるように、必修「言語文化」を含め４科目の「聞く・話す」に空白がある。実質ゼロの意味ではないとしても、アクティブ・ラーニング（言語４相の統合的学習）推奨及び各科目の積極的開発へのメッセージ性が後退することは免れない。

（村井万里子）

第6章　英語の教科内容構成の観点からの学習指導要領の検討

(1) 小学校外国語活動・外国語科

(1) 小学校外国語活動（3、4年）内容構成

①「言語材料」

外国語の音声、文字、語彙、表現：英語の特徴やきまりに関する事項（知識及び技能）

②「言語スキル」

三領域（聞くこと、話すこと【やり取り】、話すこと【発表】）に関する事項：情報理解・整理と思考形成（思考力、判断力）に基づき英語で表現したり、伝え合ったりすること（表現力及び技能）

③「言語活動」及び「言語の働き」に関する事項

三領域の統合的・体験的言語活動：コミュニケーションを行う目的や対象、場面、状況などに応じた言語の働き、体験的言語活動

④「題材」及び「文化」に関する事項

自国の文化や、外国語の背景にある文化に対する関心を高め、理解を深めること。

(2) 小学校外国語科（5、6年）内容構成

①「言語材料」

外国語の音声と文字の関連性、語彙（受容語彙と発信語彙）、表現、文構造、言語の働き等）：英語の特徴やきまりに関する事項（知識及び技能）

②「言語スキル」

五領域（聞くこと、話すこと【やり取り】、話すこと【発表】、読むこと、書くこと）に関する事項：情報理解・整理と思考形成（思考力、判断力）に基づき英語で表現したり、伝え合ったりすること（表現力及び技能）

③「言語活動」及び「言語の働き」に関する事項

五領域の統合的・体験的言語活動：コミュニケーションを行う目的や対象、場面、状況などに応じた言語の働き、体験的言語活動

④「題材」及び「文化」に関する事項

自国の文化や、外国語の背景にある文化に対する関心を高め、理解を深めること。

（共通事項）

①　言語材料、言語スキル、言語活動と、言語の働き等を関連付け、総合的に組み合わせて指導

②　学習過程を繰り返し経ること

③　小学校で学習する語彙及び表現は、身近で簡単な事柄を表現するために必要な600語から700語程度

(2) 中学校外国語科

中学校外国語科内容構成

①「言語材料」

外国語の音声や文字、語彙（受容語彙と発信語彙）、表現、文、文構造、文法事項、言語の働き等、英語の特徴やきまりに関する事項（知識及び技能）

②「言語スキル」

五領域（聞くこと、話すこと【やり取り】、話すこと【発表】、読むこと、書くこと）に関する事項：情報理解・整理と思考形成（思考力、判断力）に基づき英語で表現したり、伝え合ったりすること（表現力及び技能）

③「言語活動」及び「言語の働き」に関する事項

言語材料と言語活動、言語の働き等の有機的統合：コミュニケーションを行う目的や対象、場面、状況などに応じた言語の働き、五領域における統合的言語活動

④「題材」及び「文化」に関する事項

自国の文化や外国語の背景にある文化に対する理解を深め、聞き手、読み手、話し手、書き

手に配慮しながら、主体的に外国語を用いてコミュニケーションを行うこと。
（共通事項）
① 言語材料、言語スキル、言語活動と、言語の働き等を関連付け、総合的に組み合わせて指導。
② 学習過程を繰り返し経ること。
③ 中学校で学習する語彙及び表現は、五つの領域別の目標を達成するための言語活動に必要な1600語から1800語程度。
④ 授業は英語で行うことを基本とする。

(3) 高等学校外国語科

高等学校外国語科内容構成
①「言語材料」
外国語の音声や語彙（受容語彙と発信語彙）、表現、文法、言語の働き等、英語の特徴やきまりに関する事項（知識及び技能）：目的、場面、状況等に対応した適切な活用
②「言語スキル」
五領域（聞くこと、話すこと【やり取り】、話すこと【発表】、読むこと、書くこと）に関する事項：情報理解・整理と思考形成（思考力、判断力）に基づき英語で表現したり、伝え合ったりすること（表現力及び技能）。
③「言語活動」及び「言語の働き」に関する事項
言語材料と言語活動、言語の働き等の有機的統合：コミュニケーションを行う目的や対象、場面、状況（言語の働き）などに応じた適切な統合的言語活動
④「題材」及び「文化」に関する事項
自国の文化や外国語の背景にある文化に対する理解を深め、聞き手、読み手、話し手、書き手に配慮しながら、主体的に外国語を用いてコミュニケーションを行うこと。
（科目構成）
① 必修科目：五つの領域を総合的に扱うための必修科目として「英語コミュニケーションⅠ」
② 選択科目：総合的な英語力の向上を図るための選択科目として「英語コミュニケーションⅡ」及び「英語コミュニケーションⅢ」、更に、「話すこと」、「書くこと」を中心とした発信力の強化を図るための選択科目として「論理・表現Ⅰ」、「論理・表現Ⅱ」及び「論理・表現Ⅲ」

平成29年、及び、平成30年に告示された学習指導要領について、小学校学習指導要領（平成29年告示）解説外国語活動編、小学校学習指導要領（平成29年告示）解説外国語編、中学校学習指導要領（平成29年告示）解説外国語編、および高等学校学習指導要領（平成30年告示）解説外国語編・英語編に基づき考察する。

中央教育審議会の答申に基づき、今回の学習指導要領の改訂では、平成23年度から高学年において導入された外国語活動の実施成果と課題を踏まえ、小学校中学年での外国語活動、及び、小学校高学年での外国語科の新規導入が図られている。また、小学校から中学校、高等学校へと各学校間種の接続を円滑に行う等、小・中・高等学校での一貫した外国語教育を展開するための組織的かつ計画的なカリキュラム・マネジメントの方向性が示されている。

これを受け、外国語科においては、小・中・高等学校を通じた領域別の目標に従い、教科内容が以下のとおり体系的に整理された。

(1) 英語の特徴やきまりに関する事項【知識技能・言語材料】

(2) 情報を整理しながら考えなどを形成し、英語で表現したり、伝え合ったりすることに関する事項【思考力、判断力、表現力等：「言語スキル」聞くこと、話すこと（やり取り）、話すこと（発表）、読むこと、書くこと】

(3) 言語活動及び言語の働きに関する事項【言語活動（総合的言語活動）・言語機能】

(4) 題材及び文化に関する事項【文化・社会】

このような構成内容を理解し、言語材料と言語活動、言語機能等を効果的に関連付け、総合的に組み合わせて指導するとともに、各学校間においても学習過程を繰り返し経るような指導の改善・充実が求められている。

すなわち、外国語学習においては、語彙や文法等の個別の言語材料がどれだけ身に付いたかではなく、児童生徒の学びの過程全体を通じて、言語材料をはじめとする知識や五領域の言語技能（マイクロスキルズ）を統合し、実際の文脈の中で展開されるコミュニケーション活動において繰り返し活用することによりそれらを獲得し、更にその言語活動に別の言語材料等を付加し、螺旋状に言語運用能力を高めることが期待されているのである。

平成20年に改訂された学習指導要領では、小学校高学年に外国語活動が導入され、小・中・高等学校で一貫した外国語教育を実施することにより、外国語を通じて、言語や文化に対する理解を深め、積極的に外国語を用いてコミュニケーションを図ることができる言語運用能力の育成が目指された。しかし、音声活動を中心に英語に「慣れ親しむ」ことに主眼を置いた外国語活動では、児童生徒の発達段階や学習段階と学習内容や学習方法とのミスマッチが生じ、音声から文字への学習内容のスムーズな移行が困難であったり、児童生徒のメタ言語能力の育成が不十分となったり、断片的で体系性に欠ける学習内容や学習活動等が課題として指摘されてきた。今回の改訂においては、これら成果と課題を踏まえ、より総合的・系統的に教科学習内容が取り扱われている。

（松宮新吾）

第７章　社会の教科内容構成の観点からの学習指導要領の検討

内容領域

小学校：身近な地域、都道府県、日本、国際社会（地理的環境と生活、歴史と生活、現代社会の仕組みや働きと生活；空間的広がり）；社会的事象の見方・考え方（時間、空間、相互関係）

中学校：世界と日本の地域、歴史との対話、日本とアジアの近世史、日本と世界の近現代史、私たちと現代社会の諸課題

高等学校：地理歴史科：地理総合＊、地理探究、歴史総合＊、日本史探究、世界史探究

：公民科：公共＊、倫理、政治経済

＊は共通必修科目

育成すべき資質・能力

以下の①～⑥は、教科内容構成の柱の①空間、②時間、③人格、④共同性、⑤公共善、⑥技法に該当する。

(1) 知識・技能

・知識　①②③④⑤

地域や日本の地理的環境①と歴史②・伝統④、現代社会の仕組みや働き④[小]；日本の地理①、歴史②、政治（個人の尊厳・人権、民主主義③④⑤）・経済・国際関係④[中]；地理的規則性・法則、文化的多様性①、世界と日本の相互関係の近現代史②、現代の諸課題⑤、人間の在り方③、社会の在り方④⑤の概念と理論[高]

・技能　⑥

情報の調査とまとめ⑥[小中高]

(2) 思考力・判断力・表現力等

・社会的事象の特色・相互関連、意味の多角的考察、社会課題の把握、その解決への選択・判断、その表現・説明③［小中］、議論⑤⑥［中］

・公正な判断、合意形成や社会参画への構想の議論、論理的思考、対話力③④⑤⑥［高］

(3) 学びに向かう力・人間性等③④⑤⑥

・よりよい社会の実現への課題の主体的解決の姿勢③⑥、自国の国土と歴史へ愛情③④⑥、世界の多様な文化の尊重④⑤⑥、国際協調の精神④⑤⑥、自国の平和と各国の主権尊重と協力④⑤⑥［小中高］

最新の学習指導要領について、小学校学習指導要領（平成29年告示）解説社会編、中学校学習指導要領（平成29年告示）解説社会編、高等学校学習指導要領（平成30年告示）解説地理歴史編・公民編に基づき考察する。

社会・地理歴史・公民科の内容構成については、今回の学習指導要領改定の元となった中央教育審議会答申において“よりより学校教育を通じてよりよい社会を創る”という目標のもとに子どもたちが「未来社会」を切り拓くための資質・能力、知識理解の質的向上が求められた。社会科、地理歴史科、公民科ではこの答申を踏まえて社会の急激な変化に子供たちが積極的に向き合い、他者と協働して課題を解決することが重視された。小学校社会の内容は「枠組」として地理、歴史、現代社会の仕組みや働き、「見方」として空間性（位置・空間的広がり）、時間性（時期・推移）、事象・人々の相互関係、「考え方」として比較・分類、総合・関連づけ、と整理されている。中学校社会の領域分けについては従前と変わりなく、高等学校地理歴史科では、知識の総合性、課題解決を重視した「地理総合」と「歴史総合」、系統地理と地誌に立脚する「地理探究」、日本を中心

にした「日本史探究」、世界を中心にした「世界史探究」へと再編された。

そこで小学校社会の領域を仮説３の教科内容構成の柱に対応させるならば、表7-1のようになる。

◇表 7-1　平成 29 年告示学習指導要領の領域の構成

<table>
<tr><td colspan="2" rowspan="2">教科内容構成の柱</td><td colspan="4">小学校社会</td></tr>
<tr><td colspan="2">見方・考え方</td><td colspan="2">枠組</td></tr>
<tr><td rowspan="2">存在</td><td>空間</td><td>空間</td><td rowspan="2">相互関係</td><td>地理</td><td rowspan="2">現代社会の仕組みや働き</td></tr>
<tr><td>時間</td><td>時間</td><td>歴史</td></tr>
<tr><td rowspan="3">価値</td><td>人格</td><td colspan="2" rowspan="3"></td><td colspan="2">個人の尊重、人権など</td></tr>
<tr><td>共同性</td><td colspan="2">民主主義、国際協調など</td></tr>
<tr><td>公共善</td><td colspan="2">概念、理論、諸課題など</td></tr>
<tr><td>実践</td><td>技法</td><td colspan="2">技能
育成すべき資質・能力</td><td colspan="2">情報の調査・まとめ
思考力、判断力、表現力、合意形成・社会参画への議論、課題解決志向、など</td></tr>
</table>

このように教科内容構成の柱と、小学校社会の領域構成とを比べてみると、第１に、現行の学習指導要領の領域構成では、存在の次元と価値の次元とのあいだの根本的な区別がない点が鮮明になる。たしかに、価値の次元の個々の内容は、枠組の一つの「現代社会の仕組みや働き」や「育成すべき資質・能力」の中に部分的に含まれている。しかし、価値の次元が内容構成の体系のなかの一領域として確保されていないため「よりよい社会を創る」という教科の目標が内容領域として具体化されておらず、内容領域の媒介なしに、「資質・能力」として要求されるという構図になってしまっている。他方、現行の構成の「見方・考え方」という視点・方法論が認識における主体の役割を重視している点で評価できる。だが、認識する対象（内容領域）との関連性が、空間的・時間的なものや相互関係という存在の次元に限定されている。「よりよい社会」という目標は、存在だけでなく価値についても認識主体の「見方・考え方」を育てることを必然的に要求するものである。したがって「見方・考え方」も、「育成すべき資質・能力」も、価値の次元に属する人格、共同性、公共善についての認識論的理解を前提として、実践の次元で具体化されるべき価値的内容として整理されるべきである。つまり、現行の「見方・考え方」、「育成すべき資質・能力」「技能」として括られている内容は、価値としての「人格」が具有するに値するものとして再定位すべきである。具体的にいえば、諸課題の主体的解決の姿勢、自国の国土と歴史へ愛情、世界の多様な文化の尊重、国際協調の精神、自国の平和と各国の主権尊重と協力など「よりよい社会」の創造のための実践的な態度・姿勢・行為は、空間・時間上の「存在」の次元での過去と現在の事実的状態についての認識や、地理的・歴史的知識を不可欠の前提としている。それに加えて、それらの実践的な態度・姿勢・行為は、個としての人格にとっての真・善・美などの価値認識、共同性のあり方について協調・協働を望ましいとする価値認識、公共善としての法的・経済的・政治的・社会倫理的・宗教的・文化的な諸価値についての認識、全人類的価値についての認識を、つまり、個人が何らかの「選択・判断」するための前提としての選択可能な諸価値についての知識の理解を、不可欠の前提にしている。したがって、教科内容を、「どこでもないところからの眺め」それ自体としてではなく、自己と結びついたものにし、特定の場所と時期に生きる主体と有機的に結びついた実践的な知識にするためには、教科の内容として明確に「価値の次元」の知識を位置づけるべきである。

第２に、主体性の基盤である「人格」が、社会科の教科内容として明確に位置づけられていないために、存在と価値を統合する実践領域で「人格」が共同性や公共善の実現をめざして取り組む活動に資するはず「技法」（学習指導要領での「技能」）が、教科内容と体系的に結びつけられていないことがはっきりと分かる。とりわけ「技能」が、情報の収集・読解・整理としての「調査とまとめ」だけに限定され、「育成すべき資質・能力」でもあるような技法としての、調査や課題解決に不可欠な「対話的なコミュニケーション」、資料・情報の読解力の根本である「解釈」の位置づけが曖昧である。対話的コミュニケーションは、中学校以上で「能力」として位置づけられているが、それは、解釈と同じように、知識の内容理解と不可分に結びついた習得すべき技法である。他方、現行の中学校社会では、空間構成を基盤として、歴史に関しては人格的要素（歴史との対話）とアジアという地誌的要素とを組み合わせており、価値に関しては「私たち」と「諸課題」という枠組で、共同性・公共善を人格的要素と結びつけている。こうして、地理・歴史・公民の枠内でそれぞれ、社会科としての総合性と実践性を志向している点は評価できる。しかし、価値（共同性・公共善）にかかわる諸課題を地域的多様性や歴史的背景と結びつける視点、身近な地域の課題や国民的課題への視点が弱い。現代の諸課題に関して、自己のローカルな視点と全人類的な視点を往還し、将来展望の視点から過去を再構成するような、地歴公民を横断する教科としての一体性がまだ弱い。この問題点は、高等学校における地理歴史科と公民科への分解によっていっそう深刻である。「地理総合」「歴史総合」「公共」など3領域での総合化への志向は評価できるものの、空間的・時間的な存在と価値とが相互に関連し作用する事象を扱う社会科固有の内容が失われており、人格を軸に存在と価値を統合して課題を設定し解決するための枠組がなく、他地域や過去を踏まえ地球規模の将来の「よりよい社会」をめざす人新世の諸課題を扱うことが難しい構成になっている。

（下里俊行）

第８章　技術・情報の教科内容構成の観点からの学習指導要領の検討

技術・情報に関わる学習指導要領の内容は、小学校でのプログラミング的思考教育、中学校での材料加工・エネルギー変換・生物育成・情報を対象としたものづくり教育、高等学校普通科での情報教育ならびに高等学校専門学科での工業・情報教育として展開されている。小学校においては各教科の目標を達成する際にプログラミング的思考を育んでおり、総合的な学習の時間では情報処理の基本やプログラミングの概念についても学習展開されている。中学校の技術・家庭科（技術分野）では、小学校の工作との関連も意図する必要があり、他教科の基礎的な知識を利用しながら生活や社会の中での工夫し想像する能力の育成を行っている。高等学校での情報教育や工業教育では、中学校での技術教育を引き継いで、より発展的な内容として展開されている。

小学校学習指導要領の概要には、プログラミング的思考に関わる次の記載がある。

○総則改正の要点

言語活動や体験活動、ＩＣＴ等を活用した学習活動等を充実するよう改善するとともに、情報手段の基本的な操作の習得やプログラミング教育を新たに位置付けた。

○各学校の教育目標と教育課程の編成

情報活用能力をより具体的に捉えれば、学習活動において必要に応じてコンピュータ等の情報手段を適切に用いて情報を得たり、情報を整理・比較したり、得られた情報をわかりやすく発信・伝達したり、必要に応じて保存・共有したりといったことができる力であり、さらに、このような学習活動を遂行する上で必要となる情報手段の基本的な操作の習得や、プログラミング的思考、情報モラル、情報セキュリティ、統計等に関する資質・能力等も含むものである。

また、中学校技術・家庭（技術分野）の学習指導要領では教育内容を次のように規定している。

A 材料と加工の技術
(1) 生活や社会を支える材料と加工の技術
(2) 材料と加工の技術による問題の解決
(3) 社会の発展と材料と加工の技術
B 生物育成の技術
(1) 生活や社会を支える生物育成の技術
(2) 生物育成の技術による問題の解決
(3) 社会の発展と生物育成の技術
C エネルギー変換の技術
(1) 生活や社会を支えるエネルギー変換の技術
(2) エネルギー変換の技術による問題の解決
(3) 社会の発展とエネルギー変換の技術
D 情報の技術
(1) 生活や社会を支える情報の技術
(2) ネットワークを利用した双方向性のあるコンテンツのプログラミングによる問題の解決
(3) 計測・制御のプログラミングによる問題の解決
(4) 社会の発展と情報の技術

さらに、高等学校における共通教科情報の学習指導要領は、２科目構成として次の内容となっている。

情報Ⅰ
(1) 情報社会の問題解決
(2) コミュニケーションと情報デザイン
(3) コンピュータとプログラミング
(4) 情報通信ネットワークとデータの活用
情報Ⅱ
(1) 情報社会の進展と情報技術
(2) コミュニケーションとコンテンツ
(3) 情報とデータサイエンス

(4) 情報システムとプログラミング
(5) 情報と情報技術を活用した問題発見・解決の探究

戦前においては、小学校の手工科、高等小学校の手工科と実業科、旧制中学校の実業科と作業科等で技術教育が行われていた。手工科は、戦後において工作科と職業科に分化し、中学校の職業科として戦後の職業教育が開始された。その後、職業・家庭科、技術・家庭科と変わり、当初は男女別の学習であったが、現在では男女共学として授業展開がなされている。また、技術・家庭科の学習内容は、学習指導要領の改定に伴って、次のように変遷している。「設計・製図、木材加工・金属加工、栽培、機械、電気、総合実習」、「製図・木材加工・金属加工・機械・電気・栽培」、「木材加工1・2、金属加工1・2、機械1・2、電気1・2、栽培」、「木材加工、電気、金属加工、機械、栽培、情報基礎」、「技術とものづくり、情報とコンピュータ」、「材料と加工に関する技術、エネルギー変換に関する技術、生物育成に関する技術、情報に関する技術」、「材料と加工の技術、生物育成の技術、エネルギー変換の技術、情報の技術」

技術教育は社会の発展とともに内容が変化しており、特に平成元年に告示された学習指導要領以降では情報の内容が含まれるようになった。また、学習内容については、当初は職業人養成としての教科であったが、普通教育としての技術教育の内容に推移しており、物的な対象や作業そのものに対する「技能」に重きを置いた学習内容としていた状態から、現在では「技術」の用語を用いた表現として考え方を主体とした学習内容に発展してきている。

一方、高等学校における情報教育は、平成11年告示学習指導要領では普通教科情報と専門教科情報が設置され、普通教科情報の科目構成は、情報A、情報B、情報Cで構成された。平成21年告示学習指導要領では普通教科情報は共通教科情報に改められ、科目構成は情報の科学と社会と情報となった。さらに今回の改定では情報Ⅰと情報Ⅱの科目構成となった。

日本における情報教育は昭和45年に大学における理学部情報科学科と工学部情報工学科に始まり、昭和48年から高等学校工業科ならびに商業科で開始された。平成元年告示の中学校学習指導要領では中学校に情報基礎が含まれるようになり、高等学校から中学校へ情報教育の対象学齢が下がった。さらに平成11年告示の高等学校学習指導要領で高等学校での情報科が開始され、従来の工業科や商業科さらには全教科での情報教育から情報科としての情報教育の専門性が深まった。今回の学習指導要領の改訂では、小学校でのプログラミング的思考の教育、中学校と高等学校でのプログラミング教育の深化が行われた。これらの技術・情報教育の歴史的進展を見ると、従来の技術・情報教育での対象や加工そのものを扱う内容から考え方を学習する内容に発展している。技術教育の例を挙げると、木材加工の例では、鋸等の道具を使い職業人としての育成を主たる目標としていたが、子ども達が将来にわたって生きる力を備えるためにどのように工夫し想像するかに焦点が移っていった。情報教育の例では、当初のコンピュータそのものの仕組みや文書処理ソフトウェアの利用のように道具としてのリテラシー教育が主であったが、Society5.0に代表されるように、今後の知的情報社会でどのように生きていけば良いかの未来志向の学習内容に進展している。

学習指導要領変遷から「持続可能」の用語を抜き出してみると、平成10年12月告示中学校学習指導要領では記載がなく、平成20年3月告示では8か所、平成29年3月告示では18か所が記載されている。この中で、社会は持続可能社会を評価する位置付けであり、技術・家庭は持続可能社会を構築する位置付けとなっている。さらに「問題解決」の用語を調べてみると、平成10年12月告示中学校学習指導要領では3か所、平成20年3月告示では2か所、平成29年3月告示では12か所に記載されている。

2017年・2018年に改訂された今回の学習指導要領の基本的な考え方は、諸外国でのコンピテンシーの視点から生きる力としての問題解決能力の育成が主眼に置かれており、持続可能社会の構築を意図しながら小学校から高等学校まで全教科的に問題解決能力の育成に重きを置いていることは未来を築く子ども達の教育として価値があり、特筆すべきである。

技術・情報についての学習指導要領の「概念的・理論的な観点」は、次のように捉えることができる。

○技術・情報の考え方に基づいた生活や社会における問題の発見と解決 ○事例的な学習内容構成から概念的・理論的な学習内容構成への移行 ○持続可能社会を構築する基本的な考え方の確立 ○社会における問題の発見と問題の解決のための技術・情報利用による道筋の確立 ○知識習得型の教科で得られた知識の生活への利用に関わる教科の関連性の明確化

現在の技術・情報に関わる学習指導要領を小学校、中学校、高等学校の全体の流れから技術・情報教育を見直すと、若干の問題もある。小・中・高等学校の一貫した思想の基での技術・情報教育体系になっておらず、特に中学校では異なる対象に対して製作・制作・育成を行いながら技術の見方・考え方を習得する学習内容構成の傾向が強い。ものづくりと情報を融合した小・中・高等学校の一貫した技術・情報教育の体系化が必要となっている。

（菊地　章）

第9章　家庭の教科内容構成の観点からの学習指導要領の検討

今回の改訂では、資質・能力を「知識及び技能」、「思考力、判断力、表現力等」、「学びに向かう力、人間性等（主体的に学習に取り組む態度）」の三つの柱で整理している。小学校学習指導要領家庭編、中学校学習指導要領技術・家庭編の家庭分野及び高等学校学習指導要領家庭編における共通科目である「家庭基礎」では、三つの柱が次のように示されている。

内容領域

小学校・中学校：A 家族・家庭生活、B 衣食住の生活、C 消費生活・環境

高等学校（共通科目　家庭基礎）：A 人の一生と家族・家庭及び福祉、B 衣食住の生活の自立と設計、C 持続可能な消費生活・環境

育成すべき資質・能力

小学校

(1) 知識・技能

家族や家庭、衣食住、消費や環境などについて、日常生活に必要な基礎的な理解ができるとともに、それらに係る技能を身に付けている。

(2) 思考力・判断力・表現力等

日常生活の中から問題を見いだして課題を設定し、様々な解決方法を考え、実践を評価・改善し、考えたことを表現するなど、課題を解決する力を身に付けている。

(3) 主体的に学習に取り組む態度

家庭生活を大切にする心情を育み、家族や地域の人々との関わりを考え、家族の一員として、生活をよりよくしようと、生活を工夫し、実践しようとしている。

中学校

(1) 知識・技能

家族・家庭の機能について理解を深め、家族・家庭、衣食住、消費や環境などについて、生活の自立に必要な理解ができるとともに、それらに係る技能を身に付けている。

(2) 思考力・判断力・表現力等

家族・家庭や地域における生活の中から問題を見いだして課題を設定し、解決策を構想し、実践を評価・改善し、考察したことを論理的に表現するなど、これからの生活を展望して課題を解決する力を身に付けている。

(3) 主体的に学習に取り組む態度

自分と家族、家庭生活と地域との関わりを考え、家族や地域の人々と協働し、よりよい生活の実現に向けて、生活を工夫し創造し、実践しようとしている。

高等学校

(1) 知識・技能

人の一生と家族・家庭及び福祉、衣食住、消費や環境などについて、生活を主体的に営むために必要な基礎的な理解ができるとともに、それらに係る技能を身に付けている。

(2) 思考力・判断力・表現力等

家庭や地域及び社会における生活の中から問題を見いだして課題を設定し、解決策を構想し、実践を評価・改善し、考察したことを根拠に基づいて論理的に表現するなど、生涯を見通して課題を解決する力を身に付けている。

(3) 主体的に学習に取り組む態度

様々な人々と協働し、よりよい社会の構築に向けて、地域社会に参画しようとするとともに、自分や家族、地域の生活を充実向上させるために、実践しようとしている。

前回の学習指導要領の実施状況調査（国立教育政策研究所平成24、25、27年実施）では、児童生徒の家庭科学習への関心や有用感が高いなどの

成果が見られた一方で、家庭生活や社会環境の変化によって家庭や地域の教育機能の低下等も指摘される中、家族の一員として協力することへの関心が低いこと、家庭での実践や社会に参画することが十分ではないことなどに課題が見られた。また、家族・家庭生活の多様化や消費生活の変化等に加えて、グローバル化や少子高齢社会の進展、持続可能な社会の構築等、今後の社会の急激な変化に主体的に対応できるように、学習内容を検討する必要性が示唆された。これらに鑑みて、今回の改訂では、内容の系統性や育成される資質・能力とのつながり等を考慮した内容構成、配列が意図されたと考えられる。

家庭科で目指す資質・能力は、実践的・体験的な学習活動を通して、家族・家庭、衣食住、消費や環境等についての科学的な理解を図り、それらに係る技能を身に付けるとともに、生活の中から問題を見いだして課題を設定しそれを解決する力や、よりよい生活の実現に向けて、生活を工夫し創造しようとする態度等を育成することを基本的な考え方としている。このような資質・能力育成のために、家庭科の内容構成は、小・中・高等学校の内容の系統性を明確にし、児童生徒の発達を踏まえて、各校種の各内容の接続が見えるように改訂された。小・中学校では、共通して「家族・家庭生活」、「衣食住の生活」、「消費生活と環境」に関する三つの枠組みに整理され、高等学校でも若干表記は異なるが、これらの枠組みが基本になっている。このように３校種が体系性をもって同じ内容枠で示されたのは教科設立以降初めてのことである。

また、空間軸と時間軸という二つの視点から、学校段階に応じた学習対象が明示された。空間軸の視点では、家庭、地域、社会という空間的な広がりから、時間軸の視点では、これまでの生活、現在の生活、これからの生活、生涯を見通した生活という時間的な広がりから学習対象をとらえて指導内容が整理された。表 9-1 は、指導内容を整理するための各校種における時間軸・空間軸の捉え方である。

◇表 9-1　平成 29 年、30 年告示学習指導要領における時間軸・空間軸の視点で捉えた家庭科の学習対象

	時間軸	空間軸
小学校	家族の一員として、これまでの生活や現在の生活をみる視点	個人（自己）→家庭（→近隣の人々）
中学校	生活者として、これからの生活を展望した現在の生活をみる視点	個人（自己）→家庭→地域
高等学校	生活者として、生涯を展望する視点	個人（自己）→家庭→地域→社会

生活を時間軸と空間軸でとらえ、その要素が相互に作用しつつ営まれるものとする考え方は、第二部図 9-1（p.171 参照）に示すような生活の捉え方の中にもみられる。今回の改訂で、各教科独自の見方・考え方が示され、家庭科は、「生活の営みに係る見方・考え方」とされた。それは「生涯にわたって自立し共に生きる生活を創造するために、家庭科が学習対象としている家族や家庭、衣食住、消費や環境などに係る生活事象を、協力・協働、健康・快適・安全、生活文化の継承・創造、持続可能な社会の構築等の視点で捉え、よりよい生活を営むために工夫すること」と整理された。これら四つの見方・考え方を働かせて、家庭科の資質・能力を育成する際、第二部図 9-1 に示される生活の要素（生活事象）と要素間の関係性を捉え、生活自立と生活創造のために主体的に問題を発見し解決を目指すことは、家庭の教科内容構成開発の仮説３に示す、家庭科の内容構成の六つの柱に矛盾なく対応している。第二部図 9-1 と関連させて表 9-1 をとらえると、目指す資質・能力に基づいて系統性を見直すことも可能である。家庭科の学習内容は、それぞれを個別の事象として扱うのではなく、生活の総体を構成している要

素として相互の関係性を問うことが、生活課題の解決につながり、教科目標の達成を可能にすると考えられる。

以上の考察から、教科内容構成の六つの柱は、育成すべき資質・能力を支え、それらを鍛える手段として捉えることが可能であり、教科内容学の観点から見て納得できるものである。

〔注及び引用文献〕

・小学校学習指導要領(平成29年告示) 解説家庭編
・中学校学習指導要領(平成29年告示) 解説技術・家庭編
・高等学校学習指導要領(平成30年告示) 解説家庭編
・幼稚園、小学校、中学校、高等学校及び特別支援学校の学習指導要領の改善及び必要な方策等について(答申) 平成28年12月21日　中央教育審議会
・学習指導要領の実施状況調査　国立教育政策研究所(平成24、25、27年実施)

(平田道憲・鈴木明子・広島大学大学院人間生活教育学コース)

第10章　体育・保健体育の教科内容構成の観点からの学習指導要領の検討

○小学校
運動領域
・体つくり運動系
・器械運動系（マット運動、鉄棒運動、跳び箱運動）
・陸上運動系（走運動、跳運動）
・水泳運動系（水遊び、水泳運動）
・ボール運動系（ゲーム、ボール運動）
・表現運動系（表現リズム遊び、表現運動）
・集団行動
保健領域
・健康な生活・体の発育・発達・心の健康・けがの防止・病気の予防
○中学校
体育分野
運動に関する領域
・体つくり運動（体ほぐしの運動、体の動きを高める運動）
・器械運動（マット運動、鉄棒運動、平均台運動、跳び箱運動）
・陸上競技（[短距離走・リレー、長距離走またはハードル走]、[走り幅跳びまたは走り高跳び]）
・水泳（クロール、平泳ぎ、背泳ぎ、バタフライ、複数の泳法で泳ぐ又はリレー）
・球技（ゴール型、ネット型、ベースボール型）
・武道（柔道、剣道、相撲）
・ダンス（創作ダンス、フォークダンス、現代的なリズムのダンス）
知識に関する領域
・体育理論（運動やスポーツの多様性、運動やスポーツの意義や効果と学び方や安全な行い方、文化としてのスポーツの意義）
保健分野
・健康な生活と疾病の予防・心身の機能の発達と心の健康・傷害の防止・健康と環境
○高等学校
体育
運動に関する領域
・体つくり運動（体ほぐしの運動、実生活に生かす運動の計画）
・器械運動（マット運動、鉄棒運動、平均台運動、跳び箱運動）
・陸上競技（[短距離走・リレー、長距離走、ハードル走]、[走り幅跳び、走り高跳び]、[砲丸投げ、やり投げ]）
・水泳（クロール、平泳ぎ、背泳ぎ、バタフライ、複数の泳法で泳ぐ又はリレー）
・球技（ゴール型、ネット型、ベースボール型）
・武道（柔道、剣道）
・ダンス（創作ダンス、フォークダンス、現代的なリズムのダンス）
知識に関する領域
・体育理論（スポーツの文化的特性や現代のスポーツの発展、運動やスポーツの効果的な学習の仕方、豊かなスポーツライフの設計の仕方）
保健
・現代社会と健康・安全な社会生活・生涯を通じる健康・健康を支える環境づくり

体育・保健体育の内容構成については、他教科と同様に、新たな三つの柱「(1) 知識及び技能、(2) 思考力、判断力、表現力等、(3) 学びに向かう力、人間性等」に再編成され、これらの観点に沿って、「体育の見方・考え方」、「保健の見方・考え方」を働かせながら、教科の内容を構成するそれぞれの領域で取り扱い、児童・生徒の資質・能力を育成することが求められている。

次に、それら資質・能力を育むための場となる「指導事項のまとまり」、すなわち学習の領域を校種・学齢進行の時系列で示すと表10-1のようになる。

運動領域においては、各校種・学齢を通して「体つくり運動系」、「器械運動系」、「陸上運動系」、「水泳運動系」、「ボール運動系」、「表現運動系」で構成されており、それらを取り扱う学齢における児童・生徒の発達段階に応じて運動の技能及び知識が規定され、またそれに応じた運動の名称・呼称等が用いられている。中学校・高等学校においては平成20年告示学習指導要領から「武道」が採用されており、日本固有の文化としての技を身につけるとともに、武道の伝統的な考え方を通して、人間形成を図ることなどが求められている。「体育理論」については、「基礎的な知識は、意欲、思考力、運動の技能の源となるものであり、確実な定着を図ることが重要である」として単元を構成している。

保健領域については、小学校において「身近な生活における健康・安全に関する基礎的な内容を重視」し、健康な生活を送る資質や能力の基礎を培う観点からその内容が構成されている。中学校・高等学校においては、生涯を通じて自らの健康や環境を適切に管理し改善していくための資質・能力を育成するための内容が示されている。

ここで、年間計画や単元計画・授業進行を考える。教科におけるひとまとまりの指導事項は領域として構成され、一つの単元として展開される。運動の各領域・分野や保健の内容が第一義的な学びの対象となり、その領域に固有の「知識・技能」を学ぶことになる。さらに、各領域・分野のそれぞれについて、「思考力、判断力、表現力等」および「学びに向かう力、人間性等」に関する内容も記述されている。

仮説4で示された教科内容の具体としての構成要素は、体育を理解する方法としての「学力的側面」と、個別の運動種目に基づく「運動形態的側面」があり、両者の組み合わせが存在する。しかし授業はその片方である運動種目に基づいて進行するため、学力的側面はその運動種目の中で取り扱うことになり、具体的内容は例示されていない。教科内容を構成する本質的な要素であるが、指導の中でこれに言及し深い学びにつなげるためには、担当する教員自身の資質・能力に負うところが大きい。運動の文化や科学に関する幅広いい

◇表10-1　各校種における体育・保健体育の内容（領域・分野）

	小学校体育科				中学校保健体育科	高等学校保健体育科
	1・2学年	3・4学年	5・6学年		1・2・3学年	1・2・3学年
運動領域	体つくりの運動遊び	体つくり運動		体育分野	体つくり運動	体つくり運動
	器械・器具を使っての運動遊び	器械運動			器械運動	器械運動
	走・跳の運動遊び	走・跳の運動	陸上運動		陸上競技	陸上競技
	水遊び	水泳運動			水泳	水泳
	ゲーム		ボール運動		球技	球技
	表現リズム遊び	表現運動			武道	武道
					ダンス	ダンス
					体育理論	体育理論
保健領域		健康な生活 体の発育・発達	心の健康 けがの防止 病気の予防	保健分野	健康な生活と疾病の予防	現代社会と健康
					心身の機能の発達と心の健康	安全な社会生活
					障害の防止	生涯を通じる健康
					健康と環境	健康を支える健康づくり

知見と、他教科の内容を活用したカリキュラム・マネージメントが求められる。

他方、運動領域において、体育では伝統的に体育の能力に相当する「技能・知識」のみをみるのではなく、学習の過程における「態度」や「努力」といった心情的な要素も評価の対象としてきた。1989年告示の学習指導要領から登場した「新学力観」は、そのような意味での体育の見方や考え方を後押しし、他教科への応用・波及も期待されてきた。

一般的に、学習指導要領における各教科の内容については、指導事項のまとまり毎に、児童・生徒が身につけることが期待される資質・能力を三つの柱に沿って示すこととしているが、特に「学びに向かう力・人間性等」については、教科の目標において全体としてまとめて示し、指導事項のまとまり毎に内容を示さないことが基本とされている。しかし、体育・保健体育の運動領域については、教科の目標である「豊かなスポーツライフを実現する」ことを重視し、従前より「態度」を指導内容として示してきたことから、「学びに向かう力・人間性等」に対応した内容もそれぞれの領域で示しており、他教科にない特徴となっている。すなわち、体育科・保健体育科で取り扱う各領域全てにわたって育成すべき資質・能力が例示されていることから、運動形態的分類による基づく教科内容については適切に整理され網羅されていると評価できる。もう一方の学力的側面については、指導要領の中では具体的な言及が見られないものの、教育職員免許法上の保健体育科教員免許を取得するための必要科目のほとんどは、この学力的側面に基づいた科目であるため、保健体育科教員の素養資質として保障されており、それを児童・生徒に対する授業で発揮活用することが前提となっていると言えよう。

新学習指導要領における体育・保健体育の領域に基づく指導内容は、旧来の指導内容と大きな変化は無いようにも見られるが、育成すべき資質・能力の三つの柱とそのバランスについて傾注することにより、体育・保健体育科の持つ全人教育的な効果が期待される。

（松井敦典）

終章 教員養成における教科内容構成開発研究の意義と展望

1 日本の教員養成の課題

(1) 学校における教科による教育

国民を対象とするヨーロッパ近代の学校教育は、19世紀になって成立する。そこでの教科は、3R'sの他道徳・宗教、そして、科学の発展とともに理科・地理・歴史等が加えられ、さらに音楽・美術の芸術教科や体操・裁縫のような身体の健康や家庭の技能を養う教科も加えられた[1]。

一方、日本の近代的な学校制度は、1872年(明治5年)の「学制」の設置に始まる。そこでの教育課程は、欧米のものに学び各種の教科を設定した[2]。

全ての国民を対象とする近代の学校教育の教育課程には、ヨーロッパにおいても日本においても西洋近代の科学的研究の成果が教科として取り入れられている。西欧の近代科学は、16世紀以降発展した。人々は、自然を観察しそこに法則性・規則性・論理性を発見し、それらを記号や言語で記述し人々の生活に役立つようにした。そして、それ以降、科学の対象は自然だけでなく社会や人文といった人間に関わる全ての環境や事柄を取り上げるようになった。このような近代的な科学の成果は、自然科学(数学・物理学・化学・生物学・地学等)、社会科学(歴史学・経済学・法学・政治学等)、人文科学(言語学・文学・音楽学・芸術学・美学等)と学問化され、これらの科学・学問研究の成果が学校の教科と指導内容を構成するようになった。

近代の学校教育の教科は、学問・科学の全体系に基づいて構成されている。それは、このような教科の内容を修得することで、人々は教養を身に付けられ、実際生活にも役立つと考えられていたからである。それは、なぜか。学問・科学の全体系は、本来は、人間が環境のなかで生活するために生み出した知識・経験で、生きることの必要から生まれた知識・経験である。個人の具体的な生活に固着しないで、その生活を抽象化し、その中から全ての人々が認める知識・経験を科学的な内容とした。このように人間の生活の必要から生まれた知識・経験を分類し分科したものが学校の教科である。教科の内容は、本来は人間の生活に必要なものとして生まれたもので、それゆえその体系化された知識・経験を持っていれば、普通の生活に役立つだけでなく、変化する社会においても適応できると考えられていたのである[3]。

(2) 学校における教科教育の機能

学校における教科による教育の機能は、②文化の伝達・伝承と①それを通しての人間形成にある。

①文化の伝達・伝承

科学的研究によって人間の知識・経験が体系化されると、その知識・経験は、学校の教育を通して次の世代に伝達・伝承されるようになった。このことから、近代の学校教育は、それまでの人間が創り上げた知識・経験を文化として次の世代に伝承するという機能を持つようになった。それは、前述したようにこのような科学的な知識・経験を受け継いでいくことで、社会の中でも適用でき難なく生きていけると考えられていたからである。

②人間形成

学校における教科教育の機能のあと一つは、教科の教育によって次の世代に文化を伝達・伝承することで、子どもの伸びる力を引き出しながら人間性を開発するとともに社会に参画できるような能力を育成し人間形成を行うことである。近代の学校教育においては、言語や科学的教科の他、道徳、芸術表現、体育、家庭等も教科として学習の対象になった。これは、近代の学校教育が人々の教育を全人的な人間形成の視点から求められていたことの表れである。

(3) 日本の教員養成の課題

学校の各教科の教科内容は、教員養成の教育によって子ども達の教育内容となり継承されていく。戦後の日本の教員養成の特徴は、第1は大学で行うこと、第2は、開放性（大学の専門学部で教職課程を設置し教員養成を行う）によること、第3は、免許法によることであった。そして、教員養成の理念は、教養や学問を深く学ぶことで広い視野を持った教員の養成とし、このことを免許法で教養科目と教科専門科目の履修を条件とすることで具体化した。このような教員養成の理念は、教員の資質能力を教職専門よりも教科専門を重視するもので、いわばアカデミズムのものといえる。

この教科専門の教員は、理学部や文学部の専門学部の教員が担ってきた。このことから教科専門の教育内容については、理学部や文学部に依存し、教員養成大学・学部独自に研究開発することをしてこなかった。教育学の研究に「カリキュラム研究」があるが、この分野の研究は既存の教科と活動を前提にした構成論が主で、教科内容そのものの在り方や捉え方は研究の対象でなかった。

このような教員養成の経緯から教育学部の教科専門の教育内容は、理学部や文学部のもので学校の教科内容と乖離があると批判され、教員養成大学・学部の主体的改革が求められてきた。この課題に応えるために、教員養成大学や学部では教員養成独自の教科専門の在り方を研究するところがあったが[4)]、これは教員養成系全体のものにはならなかった。

ところが教員養成のこのような実態の中で近年の文部科学省の教員養成の在り方についての提言や政策は、教員養成に対して教職専門重視の観点から改革を求めるものになっている。それは「在り方懇」の提言や「教員免許法の改正」「修士課程教科教育専攻の教職大学院化」である。これらの文部科学省の提言や政策は、教員養成についてこれまでの教科専門重視から教職専門重視へと転換したことを現しており、教員養成大学・学部が本来の目的に沿ったものを創出することを求めていることといえる。その第1は、教科専門の捉え直しである。

そこでわれわれは、教員養成大学や学部の教員や現場教員によって教科専門の教科内容を子どもの学力育成に寄与するものとして捉え直すことを理念とする日本教科内容学会を設立した。そして、この学会に教員養成における教科内容学に関するプロジェクト研究を設置し、教員養成の教科専門の教科内容を「教科内容学」の観点から捉え直し、教員養成のための「各科教科内容構成」のモデルとシラバスを提案することに取り組んだ。このことを次の二つの目標によって実現した。

(1) 各教科の教科内容の体系性と各科教科内容構成開発の原理の究明

(2) 全教科を俯瞰した教科内容の体系性とそれを支える教科内容学の原理の究明

前者は、各教科の教科内容構成開発の原理になるもので、後者は、全教科を俯瞰した教科内容の体系性を創出する原理になる。この両原理の取り組みで教科内容学としての教員養成教科内容構成の開発の実現となる。

2 教科内容構成の開発

(1) 人間の死と文化の継承

ところで、人は一定の年齢で必ず死ぬという宿命を持っている。人が死んでも人類が創出した文化は、親から子どもへと継承され、それは次の時代を生きるための知識・技能となる。この文化の継承を合理的・効果的に行うところが社会的機能としての学校である。人間は、学校教育によって各種の教科を学ぶことで人類が歴史の中で創出した文化を学び文化を継承し、また、人は人類が創出した各種の文化を学ぶことで人間になるのである。その文化は、社会的機能としての学校という教育機関で学ぶことで合理的・効果的となる。

人間は、学校で教科を学び文化を継承するだけでなく、その文化をよりよいものにしていく責務がある。ということは、小・中・高等学校を含め学校で教科を学び文化を継承するだけでなく、その文化をよりよい形にして次の世代に伝えていくことが人類の責務であるということである。この考え方について牧野宇一郎は相対性理論で有名なA. アインシュタインの次のような文章を紹介している。

「貴方がたが学校で学ぶ諸々のすばらしいことは、多くの世代をかけて、世界のあらゆる国での熱狂的努力と限りない労働とによって産み出された作品であることを心にとめなさい。これはすべて貴方がたの相続財産として貴方がたの手に渡されるが、それは貴方がたがそれをうけとり、それに敬意を表し、それを増大させ、そしていつの日かそれを誠実に貴方がたの子どもたちに手渡すためである。」5)

では、教科を通して文化を学びそれをよりよい形にして次の世代に伝えていくためには、どのような学習方法になるのか。このことは、次世代の子ども達に教科を通して文化を伝えるには、その文化をどのように整理したらよいかという問題と、文化が真に伝わり、それとともにそれを増大できるようにする教育方法の問題になる。

(2) 文化の整理方法

次世代の子ども達に教科を通して文化を伝えるには、その文化をどのように整理したらよいのか。

これまで、各教科の教科専門の教育内容については、教員養成のものとしての捉え直しがなかった。そのため、教科専門の教育内容の体系性や構造化の整理もされなかった。本学会のプロジェクトの取り組みは、第1に人類が創出した文化を学問別に分け、学問と教科との関連を整理したうえで教科の認識から各教科独自の教科内容と構成を析出し、教員養成としての教科内容を体系的に示した。第2にそれぞれの教科の教科内容構成を構造的に示した。第3に各教科とも開発した教科内容構成を具体化し、これをシラバスの指導内容に位置づけ授業実践として展開できるようにした。

各教科の教科内容の体系性については、第一部第2章で詳述したが、それを視覚的に整理したものが表2-1（付録資料）である。表2-1は、縦軸と横軸によって示している。縦軸は、学問的世界を5つの分野に整理し、各学問における教科の位置を示している。そして、横軸は、a 文化体系としての学問分類と教科、b 各学問の認識対象と認識方法、c 教科固有の教科内容（教科内容構成の柱）d 学問と教科専門、e 教科の教育的価値、を示している。

人間は、環境との相互作用の過程で様々な学問・科学・芸術・技術等の文化を創出してきた。人間が創出した文化体系を整理し、その学問における各教科の位置、そして、各教科における分化した専門分野、教科固有の教科内容、教科の教育的価値を鳥瞰できるよう整理した。このことで、教員養成の各教科の教科専門においては、いかなる教科内容を教育の対象とし、ひいては子ども達にいかなる教科内容が継承されるかが分かる。そして、この文化を教員養成の教科内容として体系化したものは、一般大学にはない教員養成大学独自の専門的内容となり「在り方懇」の指摘（教員養成大学・学部の教科専門の教育が教員養成独自のものになってない）に応えるものとなる。

第2の各科の教科内容構成の構造化については、教科の認識論から「教科内容構成の柱」を導出し、「教科内容構成の具体（教科内容の概念・技能）」によって示した。この「教科内容構成の具体（教科内容の概念・技能）」が教科内容を構造的に示したものとなり、これを全教科で整理したものが表2-2（付録資料）である。

教科内容構成を構造的に捉え提示したことの意義は、第一部の第2章で述べたがその要点は次の通りである。教員養成における「教科内容の体系性と構造化」の「構造」は、教科の根底にある原理構造を学ぶものであり、また、学習者の認知構造を現すものであることから教員養成教育においても教育の原理になる。従って、教員養成の学生は、「教科内容の体系性と構造化」された「教科内容構成」を経験を通して学ぶことで人類が継承し体系化された学問・科学・芸術・技術等の文化の本質を理解し継承することとなる。従って、彼らのこのような学びによる各科の教科内容の理解は、子ども達の学力育成に寄与するものとなる。

各教科の教科内容構成の構造化の意義について加えると、これは教科専門教員の教科専門に対する共通理解のマップになることである。つまり、教科専門の教科内容構成の全容が構造的に提示されたことで、これによって教員間の共通理解が図られる。その結果、教科で扱うべき内容の欠落が無くなる。最近の修士課程の教職大学院化によって教科専門の教員の補充がなく欠員となっている実態があり、その専門分野の教育内容を補う必要がある。例えば、理科の専門分野で地学の教員が不在の場合は、この教科内容を他の理科の教員が補うことが必要となる。教科専門教員削減の中では、このような事例が多くなる。各科の教科内容構成の構造化は、この時の教員間の共通理解のマップとなる。

第3の各教科とも開発した教科内容構成を具体化し、これをシラバスの指導内容に位置づけ授業実践として展開できるようにしたことは次の通りである。各教科とも開発した「教科内容構成の具体（教科内容の概念・技能）」を小学校・中学校・教職大学院の教科専門科目の授業実践（半期15回・2単位）のシラバスで具体化した。この場合、小学校のシラバスは、小学校の教科の教科専門科目（2単位）について、中学校のシラバスは、各教科の特定の教科専門科目（2単位）のもの（数学は「平面幾何」で理科は「生物」）について示した。教職大学院のシラバスは、専門科目（2単位）として開発し、各教科共専門分野の全内容を包括的に示した。

このようなシラバスの意義の一つは、次の点にある。小学校・中学校・教職大学院のシラバスは、いずれも開発した「教科内容構成の具体（教科内容の概念・技能）」）を指導内容に位置付けており、理論（認識論）から開発した指導内容を授業実践として展開するまで一貫するよう組織していることである。これは、養成の学生に所定の教科内容の修得と能力を保障することを意味する。

意義の二つは、シラバスにおける「教科内容構成の具体（教科内容の概念・技能）」の指導内容が小学校・中学校・教職大学院と発展・深化するように組織されていることである。「教科内容構成の具体（教科内容の概念・技能）」は、小学校・中学校・教職大学院とも同じ構成によるが、構成の具体（教科内容の概念・技能）の設定と教材や活動によって、小学校のものは小学校教員養成レベルの内容、中学校のものは中学校教員養成レベルの内容、教職大学院のものは大学院教員養成レベル（教科の教科専門の教育内容を俯瞰的に構成）のものになっている。このことによって教科内容構成の具体（教科内容の概念・技能）」は、各教科とも小学校教員養成から中学校教員養成へと発展的に示され、教科内容の学びが深化・発展するように、また教職大学院のものは、教科内容の学びが俯瞰・総合するように組織されている。

意義の三つは、シラバスで示す指導内容は養成の対象（小学校・中学校・教職大学院）が異なっても同じ原理で開発し、それが構造的に示されていることから、学生には特定の教科だけでなく全教科の教科内容構成の発展性と体系性が理解できるものとなる。この全教科の教科内容構成の発展性と体系性の理解は、教育現場の教科指導において、子どもの学力を総合的に育成する際の基本的な知識となる。

（3）文化の継承方法

次に各教科の教科内容をどのような方法で学ばせるのがよいのか。それは、第一部の第２章で述べたように「経験を通して学ぶ」（学習者が教材に働きかけ働き返されるという能動と受動の相互作用の経験が伴う）ことであるが、その具体は「アクティブ・ラーニング」や「生成の原理」の方法が推奨される。

学問化された知識や経験を次の世代に伝承するときは、教員による一方的な講義ではうまく伝わらず継承が難しい。大学における教育方法で「講義」による方法の学習定着率は5％という評価がある。片や学生が他者に教える方法の学習定着率は85％という評価がある[6)]。これらの学習定着率のデータからも分かるように講義による方法では、教育内容の伝達・継承はなかなか難しいと言えよう。従って、今日、日本の大学教育においても発表や討論、実験・実習・問題解決学習・課題解決学習等の方法によって学生を授業に参加させる「アクティブ・ラーニング」の方法が推奨されている。

この「アクティブ・ラーニング」も次のような「生成の原理」による教育方法をとることで実質的になる。「生成の原理」は、学問・科学・芸術・技術等は人間が自然・社会・文化との相互作用における問題解決の過程で生成したものであるという理論から導出したものである[7)]。従って、「生成の原理」による教育方法は、教員の一方通行の講義による方法ではない。「生成の原理」による教育方法は、まず、学ぶ内容がどのように生成されているか学習者が学ぶ内容に働きかけ、その生成過程を知ることで自己の知識・経験を再構成、すなわち生成するようにすることである。つまり、「生成の原理」による教育方法は、学習者が外的世界の学ぶ内容（知識・概念）に働きかけ、その内容（知識・概念）を再構成（生成）することで影響を受け学習者の内的世界の知識・経験が再構成（生成）されるという外的世界と内的世界の二重の変化が伴う学習である。このような「生成の原理」による教育方法には、学習者が教材（内容）に働きかけることと学習者が対象の教材（内容）の影響を受けるという能動と受動の相互作用という経験が備わっている。

「生成の原理」による教育方法によって学習されたものは、知識・経験が学生に継承されるとともに知識・経験を生成できるような学習になる。教員養成の教科内容の授業は「アクティブ・ラーニング」や「生成の原理」によって展開されるとき、人類が創出した知識・経験も継承され、また、知識・経験の生成において核となる思考力が育まれ、これが文化を発展・創造していく基盤になると言えよう。

（4）「各科教科内容構成」を学ぶことと「カリキュラムデザイン」の能力

「各科教科内容構成」について、教科内容の体系性と構造化によって提案したことは、「カリキュラムデザイン」の能力としても重要な視点になる。2017（平成29）年告示の新学習指導要領では、カリキュラム・マネジメントとして三つの側面が提示され、その一つが「カリキュラムデザイン」である。「カリキュラムデザイン」の趣旨は次の通りである。「各教科等の教育内容を相互の関係で捉え、学校教育目標を踏まえた教科等横断的な視点で、その目標の達成に必要な教育内容を組織的に配列していくこと。」[8]

この「カリキュラムデザイン」の趣旨は、学校の教育課程において教科や教科外の活動の年間指導計画を作成する際に、従来は例えば教科の国語は国語として独立させ、また、教科外活動の特別活動はそれだけで独立させ年間指導計画を作成していた。カリキュラムデザインは、これを学校教育の目標を踏まえ次のような点から学びをデザインすることである。第1にその学年の教科と教科と、教科と総合的な学習と、教科と特別活動等とで事前に関連性を作り学びをデザインする、第2はこれを学年をまたぎ学びをデザインすることである。思考力育成は、特定の教科だけでなく他の教科内容との関連で学ぶ方が効果的といわれる。「カリキュラムデザイン」は、この考え方を具体化したものになる。(カリキュラムデザインの能力の育成は「在り方懇」が教員養成大学の中学校の教科専門科目に求める「生徒の発達段階や他教科との関連を踏まえてどのような授業を展開すべきかということを内容とする」ことにも応えるものである。)

例えば、「教科」と「教科」を関連させる単元例として理科と算数を関連させた次のような事例が想定できる[9]。小学校5年の理科の単元「もののとけ方」《「水溶液の量」(3時間)「水にとけるものの量」(3時間)「とけたものの取り出し方」(3時間)と算数の単元「割合とグラフ」(3時間)》である。そこで、理科の小単元「水にとけるものの量」と算数の単元「割合とグラフ」を合わせて学習活動を計画し、理科の実験結果を算数の授業として棒グラフと折れ線グラフで表現する学習をする。これは、理科と算数の指導内容を関連させたもので理科で学んだ知識を算数で活用するもので、これを計画の段階でデザインすることで実践できる。

次は「総合的な学習の時間」と「教科」を関連させた事例である[10]。小学校3年の総合的的な学習の単元「カタクリの花」である。子ども達は近くの山に出かけ自然を観察する中でカタクリの花を発見し、花の美しさに感動したことから学習始まる。①カタクリの花を観察し詩や絵にする。これは、国語と図画工作になる。②カタクリの根からカタクリ粉ができるかカタクリの花の球根を掘り実験する。そしてそれを他のでんぷん質と比較することで同じ性質とわかり植物の分類を学ぶ。これは、理科の内容となる。この授業は、総合的な学習で経験した「カタクリの花」の観察経験と関連させ、国語・図工・理科の教科と関連させた授業となる。

カリキュラムデザインは、このような内容による学びを事前に計画としてデザインすることである。またこのことを学年を超えた学びとしてデザインすることであ。教科に限定しても小・中・高等学校の教員が教科を超え他の教科や活動とで見通しを持って計画をデザインすることは難しい。

この「カリキュラムデザイン」の趣旨を実践として計画するには、教員に各教科の教科内容の本質と構造及びその体系が理解されている必要がある。本プロジェクトが開発した「各科教科内容構成」は、教科の認識論から各教科の教科内容構成を体系性と構造から提示したもので、これによって各教科の指導内容の体系性と構造が理解できカリキュラムデザインの能力となる。

3 全教科を俯瞰した教科内容の体系性

子どもの教育と文化の発展においては、学校における教科の教育が不可欠である。そのためには、教員養成において、全教科の教科内容を選択・構成する際に、如何なる目的や方法で取り組んだらいいのかといった研究が求められる。それが「教科内容学」としての「全教科を俯瞰した教科内容の体系性」の研究である。

本プロジェクトは、このことを浪川幸彦が次の

3つの視点で理論化し、第一部の第3章で論述した。要点は、次のようになる。

その第1の視点は、「教科内容学」の学問的な位置付けである。「教科内容学」は、実践的な教育学分野の一つである「教科教育学」に属し、各教科の教育目標及び内容を認識論的に考察し根拠づけることにより、その教育課程を具体化し実践するための理論的な基盤を与えるものである。そして、この「教科内容学」の学校教育及び教員養成教育における意味は、教員が教科を理解し、教育実践するための基礎的教養となるものであり、教員養成において基本的重要性を持つ。

第2の視点は、「教科内容学」の（教科に共通の）体系・枠組みについてである。その一つは教科内容学研究の研究対象と目標である。研究対象は、学習者個人の知識で、その目標は内容と構成を学校教育の場で教育者の立場から考えることである。教科内容学は、この個人の学修（知的成果）を人類の学問・文化との対比から明らかにしようとするものである。あと一つは、「教科内容構成」を体系的に具体化するために考慮すべき次の①～⑥の観点である。①不易と流行の観点。A）人類の文化を継承する観点（不易）、B）21世紀の日本に生きることの観点（流行）。②個人と外界との関係から教科を区分する観点。個人の知識は外界との関りで形成される。この時に外界から個人に向かうのと個人から外界に向かう二つの働きがある。前者が認識で後者が表現である。これによって学問や科学、芸術、技術等の科目整理をする。③個人の生活と人類文化との対比。教科内容学では、人類文化を個人の知識として問題にするが、その際に次の観点を留意することが必要である。A）「社会」の語について、人類文化としての「社会」と学修者個人が生きている「社会」（共同体）との区別。B）人類文化と個人の生活との関係性において、教科内容が個人とどうかかわるかという観点は、文化の教育的価値の根拠として重要となる。④基礎としての言語。言語は、個人の認識・思考において、社会の中でのコミュニケーションにおいて働きを持つ。その意味で学校教育の場で用いられる言語（授業言語）は学習者にとって特別なものであり、従って教育においては言語教科のみでなく、すべての教科においてこの観点から考慮すべきである。⑤認知科学（現象学）的観点の意識。「教育の『究極の目標』は『自分で学べる』こと、つまり教師が不要になることであり、これこそが『人格的独立』である。」教科内容学は、この教育の『究極の目標』を措定しておくことが重要である。⑥いわゆる「親学問」の定義。各教科は背景に元になる学問がある。この元になる学問を「親学問」という。この「親学問」は、「教科の認識論的定義における原理的概念を与える専門分野」と捉える。

第3の視点は、「教科内容構成」の具体化である。各教科の認識を踏まえ教育課程の具体化を図る際の課題は次になる。○教科内容の選択、○教科内容の構成、○教科内容を如何なる教材で能力育成とするか、○教科内容の個人的価値・社会的価値。

以上の全教科を俯瞰した教科内容の体系性を構築する視点によって、教員養成においての教科内容学研究の全体像ができ、教科専門教員が教科内容構成を開発する際の理論的枠組みとなる。

4 残された課題

（1）教科専門と教科教育を関連させた授業内容の創出

ところで教員免許法改正による「大括り化」や「修士課程の教職大学院化」によって教員養成の教育課程の在り方として何が求められるか。それは、教科専門と教科教育の教育内容を関連させた授業内容の創出である。これは、教員養成における現在の大きな課題である。

教科専門と教科教育という異なる専門の内容を関連させるには、その専門で扱う教育内容の範囲や構造が明示化されていなければならない。教科教育の教育内容は明示的になっている。だが、現実の教科専門の実態は、一つの教科で専門科目が分化しており、その教育内容も専門化していることから、教育内容を同じ分野の教科専門や教科教育の教員と共有できる状況にない。また、一教科の中で分化しているものを専門全体の教育内容と捉えたときにその体系性や構造も明示的でない。いわば、教科の専門全体の中で複数の教員が共有できる教育内容の設計図がないと言っていい。従って、現状の中で教科専門と教科教育の教育内容を関連させるとなると、関連させるための設計図がないことから手探りで取り組むしかない。

本研究によって提案した教科内容構成のモデルとシラバスは、教科専門と教科教育の教育内容を関連させた授業創出の設計図になるものである。

そして、この教科専門と教科教育の教育内容を関連させた授業を創出する際の理論は「教育実践学」が拠り所になろう。「教育実践学」とは、教育の理論と実践の統合によって、実践に生き実践を改善する新しい学問の創出を意図したものである[11]。われわれが物や人に働きかけ対象物を変えるという「実践」においては、理論は実践の中に組み込まれて実践に生きており、実践と切り離せない。教育においても教師が子どもに働きかけ学習を成立させているときの実践においては、教育の理論を知的道具として実践を創造しており、理論と実践は分離されていない。「教育実践学」は、このように教育の理論と実践が分離されるのではなく、統合されているものを目指す新しい学問領域である。

この「教育実践学」の理論を基礎にすると「教科専門」と「教科教育」の関連は、次のように組織されよう。すなわち「教科専門」と「教科教育」は、教育の理論であり「模擬授業・教育実習」は教育実践となる。従って、この教育実践を措定するとその理論となる「教科専門」と「教科教育」の関連・組織化が可能となる。

具体的には、各教科のシラバを「教科専門（教科内容構成）」と「教科教育（教科の指導法）」及び「教育実践（模擬授業）」で構成し、「教育実践」との関連で理論（教科内容構成・教科の指導法）を捉え展開するものとなる。「教育実践」は、子どもの発達段階に沿った教科内容と教材による展開となることから、子どもの発達段階との関連でA「教科専門」（教科内容構成）とB「教科教育」（教科の指導法）の内容が選択・組織され、「教科専門」と「教科教育」との関連も自ずから見いだせる。（図終 -1 参照）

A［教科専門（教科内容構成）］
　［教育実践（子どもの発達段階）］
B［教科教育（教科の指導法）］

◇図終 -1　教科専門と教科教育を関連させた授業創出

教員養成の教科専門・教科教育・教育実践をこのように「教育実践学」の観点から捉え直す時、「教科専門」と「教科教育」を関連させた授業の創出も可能となり、また、「教科専門」と「教科教育」の二元論、「教育理論（教科専門・教科教育）」と「教育実践（模擬授業・教育実習）」の二元論の克服も可能となろう。

（2）新しい学問の教員養成としての教科内容化

「全教科を俯瞰した教科内容の体系性」において、「教科内容構成」を体系的に具体化するための考慮すべき観点として「不易と流行」ということを挙げている（第一部第3章38頁）。われわれのプロジェクトの各科教科内容構成の開発は、伝統的な学問と教科を取り上げた。これは、教科内容としては「不易」に該当する。

ところがポストモダンとしての現代では、学問についても新しい成果や捉え方が出てきている。

例えば、理科の分野では、物理・化学・生物・地学の古典的な分類ではなく「物理化学」「生物化学」「分子生物学」「生物物理学」といった新しい分野が登場しているという[12)]。また、「ＳＴＥＡＭ教育」として、科学（理科）、技術、工学、数学で教科内容を関連させて教育したり、さらにこれに芸術の教科内容を関連させ教育したりすることで学生の思考力を育成するという提案もある[13)]。

これらは、教員養成の教育内容として時代が求めている新しい提案で教科内容としては「流行」になる。これらについても教員養成の教科内容学研究の検討の対象となり今後の課題となる。

(3) 小・中学校の教育課程の再編成

現在の小・中学校の教育課程は、当初のものから教科や活動が増えたことなどから週５日制の時間割に収まりきらず、また、教員も多忙になっている。このことから特に小学校の教育課程は再編成し、時代に合ったものにすべきではないかという意見がある。

これは、小学校の教育課程は当初のものに「総合的な学習の時間」「外国語活動」「外国語・英語」「プログラミング教育」等の教科・活動・内容が加わり、全体的に教育内容が増えたことからの意見である。

教育課程を時代に合ったものに再編成するには、教育課程論としての哲学的基礎や諸外国の教育課程との比較研究、学校の公教育としての役割や社会的な要求の観点、子どもの発達研究の知見などが基礎理論になる。が、何よりも現在の教育課程、すなわち各教科の学習指導要領の目標や教科内容について学問的な観点からの整理が不可欠である。

われわれのプロジェクトでは、教科の認識論から導出した各科の教科内容構成の柱の観点から学習指導要領の内容を批判的に検討した（第三部)。これによって現在の学習指導要領の教科内容が教科の本質を扱っているか評価できる。この成果は、今後教育課程の再編成を課題とし検討する際の基礎資料になる。

おわりに

学校の教科の教育で文化は継承され、文化発展の基礎がつくられる。また、これを通して人間形成がなされる。従って、学校教育においては、教科による教育は不可欠で、これは教員養成の教科内容の教育によって保障される。それゆえ、教員養成の免許法が改正されても、また、修士レベルの教員養成であっても教科内容の教育は保障されなければならない。その意味で、教職大学院の教育課程に教科内容に関するものが欠落しているのは、教育の本来の姿からは逸脱した状態である。この姿を団子に例えると、これはいわば「あんこのない団子」の姿と言っていい。

現職の院生でもストレート院生でも教科内容を核にそれとの関連で教職の内容を学ぶことを求めており、それによって教員としてのアイデンティティーも保たれる。なぜなら、教科内容は、人類が学問・科学・芸術・技術等として継承してきた文化で次の世代に継承すべき普遍的な知識や経験であるからである。本来は教職大学院の教育課程に教科内容に関するものが必修として保障されるべきだが、現状では選択として位置付けるしかない。教職大学院の理念に合致するように教科専門の内容を再構成・創出することで[14)]、いずれは必修科目になることを期待したい。そのための一歩になるものが本研究で提案した各科の教科内容構成とシラバスである。

【注及び引用文献】

1)　細谷俊夫「学校」(『教育学大事典』第１巻、第１法規、昭和53年所収) p.353.

2）その教科は次の通りである。下等小学校（6歳～9歳）は、字綴・習字・単語・会話・読本・修身・書讀・文法・算術・養生法・地学大意・窮理学大意・体術・唱歌からなる。上等小学校（10歳～13歳）は、以上の諸教科科目以外に、史学大意、幾何学大意、罫画大意、博物学大意、生理学大意の他に、選択科目として、外国語学、記簿法、図画、天球学が加わる。下等中学校（14歳～16歳）は、国語学・数学・習字・地学・史学・外国語学・理学・画学・古言学・代数学・記簿法・博物学・化学・修身学・生理学・奏楽・政体大意・国勢大意からなる。上等中学校（17歳～19歳）は、国語学・数学・習字・外国語学・窮理学・罫画・古言学・幾何学・代数学・記簿法・化学・修身学・測量学・経済学・重学大意・動物学・植物学・地質学・鉱山学・生理学大意・星学大意からなる。（竹中暉雄「資料①発令時の「学制」前文・条文（「誤謬訂正」を含む）」『明治五年「学制」通説の再検討』ナカニシヤ出版、2013年、418－435頁。）

3）梅根悟『梅根悟教育著作選集、第三巻　カリキュラム改造・新教育と社会科』明治図書、1977年、p333.

4）教員養成における教科専門の改革提案には、次のものがある。①鳴門教育大学コア・カリ編『教育実践学を基盤とする教員養成コア・カリキュラム―鳴門プラン―』暁教育図書、2006年。これは、教育実践学（教科専門・教科教育・教育実習を関連させた授業）をコアとし他の教科専門・教職専門と関連・構造化したものである。船寄俊雄はこのカリキュラムについて、教員養成大学・学部で「教科専門教育と教職専門教育」との連携が求められる中で、魅力ある教員養成の実践であると紹介している。（「大学における教員養成」原則と教育学部の課題」『教育学研究』第76巻第2号、2009年6月）34頁。）②西園芳信・増井三夫編『教育実践から捉える教員養成のための教科内容学研究』風間書房、2009年。これは、教員養成大学・学部の教科専門の教育内容が文学部や理学部等のものと同じになっており、学校の教科内容との乖離があるという課題に応えるために、教科の認識論から各教科の教科内容構成の原理を析出することによって、児童生徒の学力育成に寄与する教員養成の教科内容の在り方を検討し提案したものである。③研究代表増井三夫「教員養成における『教科内容学』研究」（平成22年度日本教育大学協会特別研究報告書）。この報告書は、平成22年度において、日本教育大学協会から特別研究助成を受け取り組んだ共同研究プロジェクトの研究成果をまとめたものである。プロジェクトの目的は、教員養成大学・学部が他の大学・学部と同様に専門学部として独自性を確立する年来の課題に応えるために、その重要な課題の一つである教科専門の内容を「教科内容学」として構築することを目指すことであった。この目的を学校教育の全て教科（国語・社会・数学・理科・音楽・美術・保健体育・技術・家庭・生活）を対象に、そしてこれを担う教員養成大学の教員の代表者によって研究推進し、小学校を中心に各教科に共通する「教科内容学」としての成立要件を導出したものである。

5）牧野宇一郎『デューイ価値観の研究』東海大学出版会、1968年、p.339.

6）アメリカ国立政策研究所「学習定着率」（ハーバード大学、エリック・マズール教授、2012年、京都大学での講演資料）

7）西園芳信『質の経験としてのデユーイ芸術的経験論と教育』風間書房、2015年、pp.185～192.

8）「幼稚園、小学校、中学校、高等学校及び特別支援学校の学習指導要領の改善及び必要な方策等について（答申）」中央教育審議会、2016年12月、p.23.

9）加藤幸次「理科と算数の単元」『カリキュラム・マネジメントの考え方・進め方』黎明書房、2017年、p.84の事例を参考にした。

10）信州大学教育学部附属小学校著『総合的な学習展開』明治図書、1979年、p.70を参考にした。

11）西園芳信「音楽教育実践学」日本学校音楽教育実践学会編『音楽教育実践学』2017年、p.10.

12）安彦忠彦『教育課程編成論』放送大学教育振興会、2013年、p.78。

13）デビッド・A・スーザ、トム・ピレッキ著、胸組虎胤訳『ＡＩ時代を生きるこどものためのＳＴＥＭ教育』幻冬舎、2017年。

14）教職大学院の教育課程の制度設計に携わった横須賀薫は、教職大学院の教育課程に教科専門に関するものが抜け落ちている要因には、教員養成大学・学部の目的に沿った教科専門の開発研究の遅れにあると発言している。（鳴門教育大学戦略的教育研究開発室編『専門職大学院等教育推進プログラム』平成19年度シンポジウム報告書、2006年、p.60.）

（西園芳信）

●●●あとがき●●●

本プロジェクト研究の課題は、教科内容学の理念に基づき、教員養成における教科専門のための教科内容構成の原理と体系を明らかにし、内容構成の具体を開発することであった。この課題は、教育職員免許法改正における大括り化や修士課程の教職大学院化などの教科専門をめぐる状況変化への対処として早急な解決が望まれたものであり、日本教科内容学会の設立に至った主な動機でもある。そのため、生まれて間もない学会が真っ先に手掛けるべき事業として本プロジェクトが開始された。

この課題については、11年前に成果が公表された西園・増井らの先行研究が一定の成果をあげていた。そこで、本研究では、その成果を改善・発展させることにより目的の実現を図る方向性をとった。しかし、そこでは、幾つかの教科が考察対象から外れていたこと、教科によって本質的な考え方が異なっていたこと、また、教科教育に偏った教科があったこと等の重大な不備があり、その改善は容易なことではないように思われた。そのため、教科内容の体系を創出してこれからの教員養成に相応しい教科専門の礎を築くというプロジェクトの大目標の実現は、プロジェクト期間内には達成が難しいようにも感じられた。

このような困難が予想される中ではあったが、ともかく課題を真正面から捉えて挑戦を始めることとした。まず、先行研究の抱えていた難点を解消するため次のような基本方針を定めた。

- 考察対象として、先行研究から外れていた教科もすべて含めることとした。
- 教科ごとに考え方が異なるという問題点を解消するため、すべての教科が同一の考え方で体系化を図るという方針を貫くこととした。
- 異なる考え方が出てきた原因の一つとして、先行研究における教科内容の体系の捉え方に不十分な点があると思われた。そのため、そこで構築されていた作業仮説からなる体系性創出の枠組みを精緻化することとした。
- 全教科分の仮説全体を、一つの表にまとめて表すこととした。これにより、各教科が同一の考え方に従っているかどうかが容易に判断でき、また、各仮説が、表に入る程度の簡潔な形に表されることも狙いとした。
- 議論が教科教育に偏ることを避けるため、プロジェクトのメンバーとして原則的に教科専門の担当者を中心に選ぶこととした。また、教科教育のみに該当する部分は考察対象とせず、それにより教科専門が対象であることが明確に意識されるようにした。

プロジェクトにおいて、最も多くの時間を費やして議論されたのが「仮説1　教科の認識論的定義」である。他の殆どすべて仮説が、これから順に導かれるため、仮説1の改変に伴って枠組み全体が大きく揺らぐことになる。従って、体系性の統一化の成否は、仮説1をいかに最良の形に近づけることができるかにかかっているといえた。

各教科の背景にある学問は、人間が自然・社会・文化との相互作用の中で対象とする内容や構造を認識したものが知識となり、学として体系化され人類文化の価値として継承されてきたものである。そこで、「仮説1　教科の認識論的定義」では、教科の定義を「背景にある学問が対象とする内容や構造の意味とそれを知る方法」として捉えている。端的に言えば、教科の認識論的定義は、「教科とはいったい何か？」という問いに対する答えである。しかし、その問いを「その教科でどのような能力を育成するか」と捉えることも自然である。このように、教科を、背景にある学問から捉えるか、育成する能力から捉えるかの二つの捉え方があるが、前者を取るというのがプロジェクトの立場である。しかし、教科によっては、背景にある学問が多岐に渡りそれらを総合して考えることが困難なものがあり、また、仮説1は教科ではなく学問の定義そのものではないかという批判も絶えず、学問から捉えるという方針についての合意を得ることが困難な状態が続いた。また、実技能力の育成を中心とし、学問から捉えるという方針と馴染みにくい教科もあった。

状況の改善の兆しが中々見えない中、あるメンバーからの提案が前に進む契機となった。その提案では、まず、学問の存在意義の根底には「人間が生きていることと世界があることの解明」があり、すべての学問成立の仕組みを、それぞれの学問特有の要素の構造化によって見いだすことのできる真実にたどり着くことであるとして捉えた。そして、これに従い、教科の認識論的定義を、認識対象、認識方法（構造化）、構造化による内容の生成、を元に構成するというものである。これにより、各教科で、認識対象と認識方法を確定することについて全員の合意が得られ、ようやく統一への道筋が見えてきた。一例を挙げると、国語科の認識対象は、外的世界や内的世界の認識の生成と共有の方法手段である第一言語(日本語)であり、認識方法は主体間の活動を統合する「記号化」の方法であり、それが言語の4相を生成し、相互関連的・統合的に機能させるものであると考えている。以上のような試行錯誤を重ねた末、ようやく仮説の枠組みに関しある程度の統一を果たすことができ、教科内容構成の開発を目指すプロジェクトの目的は一応達成されたと考える。

今後の課題として、プロジェクトの成果である教科内容構成の完成度をさらに高めていく必要があることは言うまでもないが、特に重要な課題として、本研究の成果を生かし、教科専門と教科教育とを関連させた授業内容を創出することがあげられる。教科内容構成は、教員養成や学校での教科指導を意識しながら内容を構成しており、本質的に教科教育と親和性をもつ。逆に、教科教育も、教科内容を抜きにして語ることができず、その深化のために、教科内容の全体像を見渡すことのできる教科内容構成に対する知見が有効に働くと考える。そこで、この両者の関連を教員養成に活用し、教科内容の理解を指導法の改善に活かすことにより、受講生が新たな視野と知見を得ることのできる授業が生み出されると期待される。

ところで、昨年度、鳴門教育大学の教職大学院において、教科専門と教科教育が協力して行う授業を、授業者の一人として実際に体験する機会を得た。そこで、数学教科に関する専門科目を数学教育の専門家と協力して実施したが、双方の教科内容構成と指導法に関する知見が相乗的な効果を生み、極めて生産的な時間となった。教科専門と教科教育の両者が力を合わせることの意義を痛感し、教科専門の新たな役割の一つがここにあると感じた。本プロジェクトによる教科内容構成研究の成果が、教科専門自体の改善に止まらず、教科教育とも係る授業の開発につながり、教員養成の改革に大きく寄与するものであると確信している。

四天王寺大学　　松岡　隆

付録

◇表 2-1　教科内容の体系

	a 文化体系としての学問の分類と教科	b 各学問の認識（表現）対象と認識（表現）方法
第1分野・学問的世界(1)数学・自然(2)人文(3)社会	学問的世界（1）現実世界や自然についての学問 数学：現実的世界に実在する法則と発見に数学を適用し、その実在を科学的に認識 自然科学（理科）：認識の対象が人間の外の世界にあり、これを科学的（客観性・普遍性・合理性）に数量的・概念的に認識	数学：現実世界に見られる 量、形、変化を抽象化した概 念、およびそれらの再抽象化からなる「数学の世界」を対象とし、厳密な論理を用いて導かれた概念相互の関連を、命題として表したもの 理科：自然現象を対象として、物質・エネルギー、時間・空間、生命等の要素に関わる量的･質的把握、因果関係、斉一性と多様性、パターン等の観察･実験･理論を構造化の手段に用い、法則性を把握して客観的自然観を獲得し、それを生活に活用するもの
	学問的世界（2）人文科学（言語学・文学等）人間についての学問 言語（国語・英語）：言語は事物や事象に言語を付与し、事物・事象を他のものと区別し思考の道具とする。そして、言語によって他者とコミュニケ―トし事物や事象の価値を共有するとともに、それらの価値を様々な形式で表現	国語：人間の外的・内的世界における「行為と認識の生成・共有」の仕組み（システム）である第一言語（日本語）を対象とする。主体と主体間の活動が機動させる「記号化」の仕組み（対話環）によって「言語４相」を生成し、逆に、現状の「言語４相」を相互関連・統合的に働かせて「言葉の力」（言語の技能・知識・思考・判断・遂行力）を伸ばすもの 英語:言語（目標言語と母国語）と文化（目標言語文化と自国文化）を対象とし、言語運用能力の育成を通じて、言語が用いられている社会、文化や人間の存在価値や意義を認識・理解するためのもの
	学問的世界（2）人文科学（哲学・歴史学等） 学問的世界（3）社会科学（社会学･経済学･政治学･法学）：社会的諸事実を科学的方法で実証的に研究する学問 社会：社会という表象の意味内容と価値内容を認識	社会：「社会」という表象や現象を対象とし、その存在と価値を理解し、実践するもの
第2分野・芸術	芸術：音・色彩等の媒体による芸術表現 音楽：内的世界（感情）や外的世界（質）の認識を音の組織化によって芸術的表現を得る。	音楽：外界の質（音）や内面（内的経験）を認識の対象とし、時間軸上に音を用い、音楽的表現要素（音色・リズム・速度・旋律・強弱・テクスチュア・形式・構成など）を組織化することによって感性的に形象化し、人間感情や自然の質などを表現するもの
	美術：内的世界（感情）や外的世界（質）の認識を色彩や線、形の配列、また木や石の素材の組織化によって芸術的表現を得る。	美術（絵画・彫刻）：美術〈絵画・彫刻・映像等〉は外界（形）や内面（内的経験）を対象として、空間・平面の媒体上に色・物質等の媒介物を用い、美術的表現要素である造形要素（色、調子、量等）を構成することによって感性的に形象化し、人間感情や自然の質を表現するもの。デザイン・工芸等の領域においては、上記の定義が人間生活上の目的・機能に沿ったもの
第3分野・技術・家庭	技術・家庭：学問的世界の知識を生活創造につなげ、生活の質の向上を目指す世界 技術：自然科学・人文科学・社会科学の知識を基礎として、産業生活や日常生活等での生活の質の向上を目指す。	技術：生活や社会 における表象や現象を対象として、持続可能社会を構築する要素としてのものづくりや情報を、空間的、時間的、経済的、工程的、論理的な側面から評価を伴って科学的に理解し、生活における問題発見・解決や知的創造に関連する知識と技能の統合を指向する。
	家庭：自然科学・人文科学・社会科学の知識を総合して、生活自立と生活創造に応用することによって生活の質の向上を目指す。	家庭：生活事象や生活の総体を対象として、生活事象 を構成する要素に関連する知 識と技能を、空間軸と時間軸の視点から科学的に理解し、生活自立、生活問題発見・生活問題解決、生活創造を生成するために、理解した知識と技能の統合を指向する。

c 教科固有の教科内容（仮説 3. 教科内容構成の柱）	d 学問と教科専門	e 教科の教育的価値
数学科： ①数学の内容（量・形・変化、学校数学との繋がり） ②数学と世界との繋がり、③数学の構造化に用いる要素 理科： ①理科の内容：自然現象（物質・エネルギー、 時間・空間、生命等） ②科学的アプローチ：課題の発見、仮説設定、検証と観察・実験、論理的証明、法則化 ③自然観の構築と活用	数学科： 代数学・幾何学・解析学「確率論・統計学」 理科： 理学、化学、生物学、地球科学	科学的認識の価値
国語科： ①言語活動H　(4 種の活動) ②言語行為A　(遂行的意味) ③言語規則G　(概念機能体系) ④言語作品W　(談話・文章) 英語科： ①英語の形式的側面 ②英語の体系的側面 ③英語の技能的側面 ④英語の文化的側面	国語科 ：国語学・国文学・漢文学・書道 英語科： 英語学・英語文学・英語コミュニケーション・異文化理解	言語的認識の価値
社会科： ①存在の枠組としての空間 ②存在の枠組としての時間 ③価値の枠組としての人格 ④価値の枠組としての共同性 ⑤価値の枠組としての公共善 ⑥存在と価値の次元を統合する技法	社会科： 日本史及び外国史、地理学、法律学、政治学、社会学、経済学、哲学、倫理学、宗教学	社会的認識の価値
音楽科： ①音楽の「形式的側面」（音楽的表現要素とその組織化） ②音楽の「内容的側面」（曲想・雰囲気・特質・感情・イメージ等） ③音楽の「技能的側面」（声や楽器を操作する技能、合唱や合奏の技能、創作の技能、読譜や記譜の技能、批評の技能等）④音楽の「文化的側面」（風土・文化・歴史等） 美術科： ①美術の形式的側面－表現スタイル（具象的表現、抽象的表現、制作者独自の表現等） ②美術の内容的側面－リアリティ、イメージ、感情、概念、機能等 ③美術の技能的側面－技術、方法、素材の解釈　等 ④美術の文化的側面－時代、歴史、地域、環境、批評、教育	音楽科： 声楽・器楽・指揮法・音楽理論、ソルフェージュ 美術科： 絵画・彫刻・デザイン・工芸・美術理論・美術史	芸術的表現の価値
技術科： ① ものづくり 生活における材料・生物・エネル ギーの利用 ものづくりによる問題発見と問題解決 ものづくりによる生活ならびに社 会への支援 産業社会への主体的な参画と持続可能社会の構築 ② 情報生活における情報の利用 情報による問題発見と問題解決 情報処理による生活ならびに社会への支援 情報社会への主体的な参画と持続 可能社会の構築 家庭科： ①生活を構成する要素、家族・家庭生活、 衣食住生活、 消費生活・環境	技術科： 機械・電気・木工加工・金属加工・栽培・情報とコンピュータ 家庭科： 食物学・被服学・住居学・保育学・家庭経営学	家庭の生活認識の価値

第4分野・体育	体育：文化を創造するのは、人間の精神的活動の結果である。文化を創造する精神は、健康な身体の上に成り立つ、それゆえ、体育によって身体的健康を訓練することは必然となる。	体育：知性・感性を育む"身体性（=embodiment)"とスポーツ運動行為を対象とし、エネルギー動員、創造性（play)、言語の身体化、身体の言語化および社会性を要素とする。これらを身体各部位間の相互の関係性において、①身体像の形成、②環境の取り込み、③社会性の向上へと段階的方向性をもって、構造化し、基礎運動（体操)、スポーツ、戦術・戦略の創造的理解をもって形式化する。
第5分野・宗教・倫理	宗教・倫理 宗教：絶対的なものと人間の精神との合一的経験を求めるもので、その絶対的なものは、そのもので価値があり、しかも集団においても承認されるもの 倫理：道徳の起源・発達・本質・規範等を内容とするもの	宗教：神や仏などの人間を超えた絶対的なものと自己の精神との相互関連によって得られる宗教的経験を対象に、祈りや信仰等の方法によって、人間を超えた絶対的なものと精神との一体化を求める宗教的経験を得るもの 倫理：人間の生き方・在り方等の道徳心について、先哲や現実の人間の生き方・在り方の事例を通して、道徳の起源・発達・本質・規範等を知る学問。

②生活の空間軸、個人・家庭・地域・社会の相互作用 ③生活の時間軸、生涯発達、異世代理解 ④生活自立 ⑤生活問題発見・生活問題解決 ⑥生活創造		
体育科： ①身体を意のままに操作する運動・動作に先行するイメージを前提とし、実際の運動・動作におけるイメージとの差を体感する運動・動作 ②“言語の身体化”と“身体の言語化”を引き出す運動・動作課題に共通となる身体・運動能力として、身体の“内部環境”と“外部環境”を適合させる運動・動作 ③競争と協同の混在により、ルール・規範を創造的に思考し、感受する集団行動	体育科： 体育学・体育実技・運動学生理学・衛生学及び公衆衛生学・学校保健	身体的運動認識の価値
	宗教・倫理 （教員養成においては、社会科の中の専門分野としている位置づけられる。）	宗教的・倫理的認識の価値

◇表 2-2　仮説 1 ～仮説 6　各科教科内容構成の開発

	仮説 1. 教科の認識論的定義	仮説 2. 教科内容構成の原理	仮説 3. 教科内容構成の柱
数学科・松岡隆	数学は、現実世界に存在する 量、形、変化を抽象化した概 念、およびそれらを再抽象化して生み出された高次の抽象概念からなる「数学の世界」を対象とし、厳密な論理を用いて導かれた概念相互の関連を、命題として表したものである。このように、数学自体は完全な抽象世界であるものの、現実世界から切り離されて孤立した存在ではない。	○数学の諸概念を現実世界における源に応じて整理し体系化する。これにより、数学の内容は次の 3 つに大別される。• 量の抽象化から発展したもの • 形の抽象化から発展したもの • 変化の抽象化から発展したもの ○次も構成の中に含める。・学校数学との繋がり・現実世界との繋がり（抽出、数学化・解釈）・数学の構造化に用いる要素（論理、集合）	①数学の内容（量・形・変化、学校 数学との繋がり） ②現実世界との繋がり ③数学の構造化に用いる要素
理科・佐藤勝幸・胸組虎胤	理科は、自然現象を対象として、物質・エネルギー、時間・空間、生命等の要素に関わる量的・質的把握、因果関係、斉一性と多様性、パターン等の観察・実験・理論を構造化の手段に用い、法則性を把握して客観的自然観を獲得し、それを生活に活用するものである。	○対象：自然現象 ○論理：課題の発見と説明（量と質、因果関係、斉一性、同一性、時間・空間など） ○経験：自然に触れる観察・実験 ○論理と経験の総合：法則化、同一性と多様性、仮説設定・検証と観察・実験 ○目的：自然観の構築と活用	①理科の内容：自然現象（物質・エネルギー、時間・空間、生命等） ②科学的アプローチ：課題の発見、仮説設定、検証と観察・実験、論理的証明、法則化 ③自然観の構築と活用
音楽科・中島卓郎	音楽は、外界の質（音）や内面（内的経験）を認識の対象とし、時間軸上に音を用い、音楽的表現要素（音色・リズム・速度・旋律・強弱・テクスチュア・形式・構成など）を組織化することによって感性的に形象化し、人間感情や自然の質などを表現したものである。	「生成」の原理。外界の質（音）や内面（内的経験）の相互作用に反省的思考が伴った時、それぞれが再構成されていく。すなわち、そのどちらもが生成されていくという原理。内的経験を音楽的表現要素によって組織化することによって音楽の「形式的側面」が生成され、同時に要素に伴う質が凝縮され、「内容的側面」が生成される。これらの生成においては、それらが生成された背景としての風土・文化・歴史等の「文化的側面」が反映される。さらにこれらの音楽の生成（表現）においては音や音楽を扱う「技能的側面」が関わる。	①音楽の「形式的側面」 ②音楽の「内容的側面」 ③音楽の「文化的側面」 ④音楽の「技能的側面」
美術科・新井知生	美術〈絵画・彫刻・映像等〉は外界（形）や内面（内的経験）を対象として、空間・平面の媒体上に色・物質等の媒介物を用い、美術表現の内的要素である造形要素（色、	○成立の根拠としての要素の構造化－美術独自の表現要素である造形要素（線、色、構成、量など）を、平面あるいは空間上に組織化（構造化）することよって「形	①美術の形式的側面 ②美術の内容的側面 ③美術の技能的側面 ④美術の文化的側面

仮説 4. 教科内容構成の具体（教科内容の概念・技能）	仮説 5. 教員養成学生及び子どもに育成される能力（教員養成のみ記載）	仮説 6. 教科と人間（個人・社会）とのかかわり
次の 6 つの要素を構成要素とする。 ①数学の体系性：数学という学問が雑多な概念・事柄の寄 せ集めではなく、それらが相互に深く繋がり全体が大きな体系をなしていること ②学校数学との繋がり ③現実世界との繋がり：我々を取りまく世界に様々な数学が存在し、数学で世界のある側面が理解できること ④数学の実用性 ⑤数学の文化的価値：数学の歴史と美的価値 ⑥探究的活動：授業が、算数・数学の面白さ・奥深さを伝えて興味・関心を引き出し、創造の場となるよう工夫できる能力を育てる。	○数学の体系・本質、現実世界との繋がり、豊かさ・美しさを理解し、それを元に学校教育における算数・数学の内容の意義付けを行うことができる。 ○「数学の学習＝問題が解けること」という狭小な数学観から脱却し、教科観を子どもの発達に本質的な寄与を与えるものに改めることができる。	○数学科と個人 ・世界を量、形、変化の側面から捉えることができる。 ・数学を生活に活かすことができる。 ・世界を数学的側面から捉えて、その不思議さや美しさを感じることができる。 ・論証を正しく行う能力が育成される。 ○数学科と社会 ・自然や社会における現象や法則を数学概念で表すことができ、数学は諸科学の基盤を与える。 ・数学的考察により、自然や社会における法則を発見できる。 ・数学の成果が社会で活かされている。
①体系性を考慮した内容：科学により得られた知見・概念を体系立ててまとめた内容 ②科学的アプローチ：科学的思考による課題解決 ③自然観の構築と活用 ④科学の人間社会や自然への関わり ⑤学校の理科と科学との繋がり	○内容知（自然現象の知識・理解）：個々の自然現象についての知識・理解、各種現象間の関係性 ○方法知（見方・考え方）：内容知を貫く見方、因果関係、規則性を抽出する考え方、説明方法、観察・実験、デザイン ○価値・態度：挑戦する態度、生命尊重、科学の倫理観、科学への興味、自然に親しむ	○理科と個人： ・日常生活や仕事など様々な場面で、論理的思考と科学技術の知識を適切に使う能力を獲得できる。 ・自然に対する様々な働きかけに対し正しい判断と行動を行うことができる。 ○理科と社会： ・科学技術と産業を推進できる人材の育成が可能となり、社会に活力を与える。 ・自然に対する様々な働きかけに対する正しい判断と行動を可能にし、地域と社会、人間生活を発展させる。
①音楽の形式的側面：音楽的表現要素とその組織化（音色・リズム・速度・強弱・旋律・テクスチュア・形式・構成＜反復・変化・対照＞・アーティキュレーション・専門用語や記号など） ②音楽の内容的側面：曲想・雰囲気・特質・感情・イメージなど ③音楽の文化的側面：風土・文化・歴史・時代様式・作曲者自身の言説・思考・思想などの背景。音楽評論・楽器の発達・音楽のジャンル・音楽と多媒体・社会的文脈と音楽・個人および社会における音楽の役割や機能など ④音楽の技能的側面：音を組織化する技能（作曲・編曲）・声や楽器を操作する技能・合唱や合奏の技能、・指揮の技能・聴音の技能・読譜や記譜の技能・楽曲分析の技能など	音楽の教科内容構成の 4 側面が柱となることで次の能力の育成が期待できる。 ○「内容的側面」と「形式的側面」が位置付くことにより学習の対象が明瞭となり「知覚・感受」する能力と「質」への認識能力が高まる。即ち感性的認識能力が育成される。 ○その認識内容を顕現化するために「技能的側面」の学習が行なわれる。 ○「文化的側面」の学習は人が音楽をどう生成してきたかを風土・文化・歴史・楽曲成立の背景などを視点として理解し、それらを表現や鑑賞に関連させる能力を育む。 ○反省的思考を伴った主体（内的経験）と客体（楽曲・演奏表現・批評）の相互作用により、内部世界と外部世界が生成され音楽の認識能力が育成される。	○音楽科と個人：質の認識、内的生成・外的生成、感性の育成（情操育成の一助）、非日常的体験、情動の開放、自己と他者の認知、他者との協調、自己実現など。 ○音楽科と社会：音楽の機能的側面：音楽による環境づくり（店舗・喫茶店・病院等）、ドラマ・劇・映画における音や音楽の機能、コマーシャル・広告・宣伝における音や音楽の機能、音楽療法（リラックス・活気・意欲）、音楽と他媒体：動きと音楽（ダンス・バレエ・オペラ・行進等）、共同体における音楽：儀式、式典と音楽、戦争と音楽、宗教と音楽、民族と音楽など。
①美術の形式的側面－表現要素と表現スタイル 造形要素－線、面、色、空間、量、構成、調子等 表現スタイル－写実と抽象、立体的と平面的	○教科内容を 4 側面から総合的に見ることで、美術の芸術としての成り立ち、つまり内容と形式と、それに作用する制作的アプローチの影響関係が構造的に把握できる。	○個人との関わり ・感情の育成や情動の開放 ・創造による自己実現の喜び ・自己と他者の理解

	調子、量等）を構成することによって感性的に形象化し、人間感情や自然の質を表現したものである。 デザイン・工芸等の領域においては、上記の定義が人間生活上の目的・機能に沿ったものとなる。	式（スタイル）」が生まれる。 ○成立の根拠としての質－表現されたものには何らかの「外界と内面」の真実－「内容」が付与される。 ○成立の根拠としての手立て－ 表現には素材の解釈やその用法・技術（「技能」）が求められる。 ○成立の根拠としての背景－表現には作者の育った環境や歴史、教育等の「文化」が意識・無意識のうちに反映される。	
国語科・村井万里子	国語科は、人間の外的・内的世界における「行為と認識の生成・共有」の仕組み（システム）である第一言語（日本語）を対象とする。主体と主体間の活動が機動させる「記号化」の仕組み（対話環）によって「言語４相」を生成し、逆に、現状の「言語４相」を相互関連・統合的に働かせて「言葉の力」（言語の技能・知識・思考・判断・遂行力）を伸ばす。	国語の教科内容は「言語の４相」によって構成される。「言語の４相」とは、Ｈ言語活動、Ａ言語行為、Ｇ言語規則、Ｗ言語作品、である。 Ｈ言語活動は「聞く・話す・読む・書く」４活動である。言語活動が「社会的な遂行としての意味」をもつのがＡ言語行為である。 Ｇ言語規則は「概念とその機能の体系（システム）」であり、「言語行為」から生成し「言語行為の遂行」を支える。 Ｗ言語作品（談話・文章）は、Ｈ・Ａの成果物として「形」をもち、その「形」にＧ言語規則の機能を担う規則性と言語行為の一回性を備え、「音声談話・文字文章」として社会的時空間のなかに存在する。Ｇ言語規則は、Ｗ言語作品（談話・文章）から抽出されることで明示化される。 「言語４相」は、一体的システムである言語の「４つの顔（相）」であり、国語科は、４相のいずれかを正面に据えて他の３相を関係づけ、つねに言語の働き（システム）全体を捉える学習である。 ４相を分離させると言語学習は失敗する。４相分離を防ぐには、「対話環」モデルで４相を捉えることが有効である。 Ｈ：Handrung（活動） Ａ：Akt（行為） Ｇ：Gebilde（形成物） Ｗ：Werk（作品）	①言語活動Ｈ　（４種の活動） ②言語行為Ａ　（遂行的意味） ③言語規則Ｇ　（概念機能体系） ④言語作品Ｗ　（談話・文章） Ｈ、Ａ、Ｇ、Ｗのいずれかを拠点とし他の３つを統合的に機能させる。
英語科・松宮新吾	英語は、言語（目標言語と母語）と文化（目標言語文化と自国文化）を対象とし、社会的文脈の中で言語運用能力の育成を図り、言語が用いられている社会、文化や人間の存在価値や意義を認識・理解するための教	英語は、語彙や文法体系等の内的構成要素の知識・理解と、社会や文化等の包括的関連情報の認識・理解に基づく社会的・文化的文脈の中で、目標言語による言語運用能力（言語技能）の習得を目的とした教科内	①英語の知識的・形式的側面 ②英語の体系的側面 ③英語の技能的側面 ④英語の社会的・文化的側面

空間と物質 ②美術の内容的側面－世界像、内面像 リアリティ－写実的表現 イメージ－空想的表現 感情－表現主義的、無意識的表現 造形－自律的表現、抽象的表現 機能－用途、伝達〈デザイン・工芸〉 ③美術の技能的側面－技術、方法、制作素材の解釈やその用法、物質・空間等との関わり ④美術の文化的側面－歴史（美術史）、批評、地域、環境、教育等	○教科内容を網羅的に、内省的・メタ認知的価値をもって把握することができる。 ○美術固有の価値観（美術固有の視点による世界と自分の把握）に基づいた授業が展開できる。 ○教科内容構成と実際の制作との関係性を確認することにより、感性的認識（喜び）と客観的認識（意味）が相互に関わった能力（感覚的把握＋概念的把握）が獲得できる。	↓ 生きる力や意味を生成 ○社会との関わり ・人間の文化的財産として継承され、社会の普遍的価値を形成する ・デザイン分野においては、上記すべてのことが、実生活での機能と生活の潤い（生活環境）につながり、生活上の有用性をもつ
①言語活動H×②言語行為A 言語活動Hに、明確かつ真正な目的・目標を担わせて、言語行為Aとして展開する。 ④言語作品W×③言語規則G 優れた文化的言語作品Wを分析するために、言語規則Gを活用する。 W拠点：陶冶材（W）で、「言語の４相」の働きと意味を学ぶ。 ・日常生活・社会生活に用いられている言語材 ・歴史的に蓄積されてきた文学作品等の言語文化財 ・文学研究・日本語研究の成果（論文・論説・批評） ・社会的メディア（新聞・報道・雑誌・ネットニュース・ＳＮＳ等）の記事や研究資料 ・現代社会の課題・文化を扱う、本・番組・舞台作品 G拠点：平易な学校言語学から専門に踏み込む。例「学校文法」（教科書）と日本語文法の研究書を比較考察する。 A拠点：価値ある「言語行為」テーマを焦点とする「国語科単元学習」を組織し展開。 H拠点：聞く－ラジオ番組を用いて「正確な聞き取り」、感想交流・批評・議論。 読む－「読みの技術」書をもとに、初級読み・分析読み（精読）、点検読書-主題読みを行う。 書く－記録・スケッチ・随筆・報告文・意見文・批評文・論文・物語小説・韻文、などを書き、批評する。 発表（プレゼンテーション）・話し合い－W～H拠点や現代社会、各教科からテーマを掘り下げる。	○学習者に培われる能力 ・言語による「見方・考え方」（意味は、概念的意味と、場面・文脈的意味の総合である）の獲得 ・言語コミュニケーション力の獲得 ・「協働・共同思考」の理念と技法 ・個人の言語による思考・判断力の深化向上 ・言語文化財（言語作品）を理解・表現する技量 ・「言語の価値・社会的役割」への見識 ○教員養成学生に培われる能力 上記６つの体験を土台とし、これらを学習者個人及び学習者集団に獲得させるための「働きかけ」（＝教育営為）の発想、組み立て（計画）展開及び方法選択の基礎的な考え方	○国語科と個人 言語のシステムによって、個人は世界から「対象」を切りとることが可能となる。その際には教師の役割を果たす主体との「共同行為」が必須である（対話環原理）。切りとられる「対象」には、事物それ自体のほか、人と人、人と物事、物事と物事との「関係」が含まれる。 ○国語科と社会 人間主体間や物事間の関係（コミュニケーション）が、社会の構成単位となって「社会制度」が作られ社会秩序が維持される（社会学）。 国語科は社会のなかで生きる「人」に焦点化し、人が人と結ぶ関係や、人と社会・時代・風土との関係など「感性・情意と一体の行為・認識」の意味を、「言語作品」を対象に全体的・具体的・象徴的に学ぶ（①文学の学び）。 「言語作品の全体性・具体性」から言語の諸単位を切り分け、概念・規則・仕組みの生成や、逆に概念・規則・仕組みから認識・論理・情意的意味が引き出される仕組みと社会的意義を取り扱う。（②言語の学び） 言語行為（A）の３つの意味「表出」「叙述」「訴え」を構造的・視覚的に捉える「言語の機関典型（オルガノンモデル）」が有効。
①英語の知識的・形式的側面（言語学習） 言語材料（音声、文字、符号、語・連語及び慣用表現、文・文構造及び文法事項）：英語の特徴やきまりに関する事項 ②英語の体系的側面（意味理解）	○言語運用能力の育成 英語による高度コミュニケーション能力の育成 ○メタ言語能力の育成 英語及び母語という二つの異なる言語体系を	○英語と個人との関わり ア．グローバル社会への参画の手段 イ．多文化マネジメント力の育成 ○英語と社会との関わり 持続可能な多文化共存・共生社会を構築

	科である。	容により構成される。 ①内的構成要素の知識・理解 ②言語運用能力の習得 ③社会的・文化的背景等に関する知識・理解	
社会科・下里俊行	社会科では、「社会」という表象や現象を対象とし、その存在と価値を理解し、実践する。	存在：空間　(地理学、地誌学など) 　：時間　(歴史学、考古学、民俗学など) 価値：人格　(心理学、哲学、倫理学など) 　：共同性 (法律学、経済学、政治学、社会学、宗教学など) 　：公共善 (法律学、経済学、政治学、社会学、宗教学、哲学、倫理学など)	①存在の枠組としての空間 ②存在の枠組としての時間 ③価値の枠組としての人格 ④価値の枠組としての共同性 ⑤価値の枠組としての公共善 ⑥存在と価値の次元を統合する技法
技術・情報科・菊地章	技術・情報科は、生活や社会における表象や現象を対象として、持続可能社会を構築する要素としてのものづくりや情報を、空間的、時間的、経済的、工程的、論理的な側面から評価を伴って科学的に理解し、生活における問題発見・解決や知的創造に関連する知識と技能の統合を指向する。	次の二つの柱から考察する持続可能社会の構築 ○手で触れる「物」を介在させた持続的社会の構築のためのものづくり ○考え方の総称としての「もの」を介在させた持続的社会の構築のための情報	① ものづくり 生活における問題の発見と解決による材料・生物・エネルギーの効果的な利用 ものづくりによる問題発見と問題解決の方策決定 ものづくりによる生活ならびに社会の質の向上への支援 産業社会への主体的な参画と持続可能社会の構築 ② 情報 生活における問題の発見と解決による情報の効果的な利用 情報による問題発見と問題解決の方策決定 情報処理による生活ならびに社会の質の向上への支援 情報社会への主体的な参画と持続可能社会の構築
家庭科・平田道憲	家庭科は、生活事象や生活の総体を対象として、生活事象を構成する要素に関連する知識と技能を、空間軸と時間軸の視点から科学的に理解し、生活自立、生活問題発見・生活問題解決、生活創造を生成するために、理解した知識と技能の統合を指向する。	○家庭科が対象とする生活事象を構成する要素を整理する。その要素は家族・家庭生活、衣食住生活、消費生活・環境に大別される。 ○生活事象を構成する要素に関連する知識と技能を、空間軸と時間軸から理解する。	①生活事象を構成する要素 家族・家庭生活、衣食住生活、消費生活・環境 ②生活事象の空間軸 個人・家庭・地域・社会の相互作用 ③生活事象の時間軸

言語使用場面や文脈に応じた情報やコンテンツの受容（理解）と創造・発信に関する事項：①で学習した項目を意識化させ、実際の文脈の中で活用・発展させることができるもの ③英語の技能的側面（言語運用能力） 言語運用に関わるマイクロスキルズを統合し、実際の言語使用場面や社会的な文脈とリンクした言語活動を展開すること ④英語の社会的・文化的側面（異文化理解・メタ言語学習） 異文化や自文化体験・理解、多文化理解、多文化マネジメントに関わる学習活動。さらに、文学作品の理解等を構成要素とする。	対照的・相対的に理解・分析することができるメタ言語能力の育成 ○多文化マネジメント能力の育成 多文化共生社会の中で人々をマネジメントすることができる異文化間コミュニケーション能力をはじめとした多文化マネジメント能力の育成	
①存在する空間における自然地理学的空間構成と人文地理学的・地誌学的地域構成 ②存在する時間における不可逆的時間区分と循環型時間区分 ③価値としての人格における身体的・精神的・審美的・理論的・実践的な諸価値 ④価値としての共同性における協調と協働の諸形態 ⑤価値としての公共善における法規範、経済的・政治的・社会倫理的・宗教的・文化的な諸価値、全人類的価値（人権・平和・民主主義・持続可能な環境） ⑥存在と価値を統合する実践のための技法としての調査法、表現法、コミュニケーション、解釈	○存在する世界のなかでの自分の位置を知る能力 ○価値の次元で目的や課題を設定して自己形成する能力 ○存在と価値が統合されるかたちで、他者と共有できる価値を見出し、他者との対話による合意を形成しながら、他者とともによりよい社会の形成者になることができる能力	○社会科と個人 ・よりよい社会の形成者の育成を目的とする ・存在する社会の認識を追求できる主体の形成 ・よりよい社会をつくる実践を担える主体の形成 ○社会科と社会 ・人類社会の持続的な質的向上を目的とする ・現在の社会のあり方への批判的な評価 ・将来のよりよい社会のための新しい価値の創造
①持続可能社会の構築するための技術・情報の見方・考え方 ②問題発見・解決に必要な技能 ③問題発見・解決の構想 ④問題発見・解決の設計 ⑤問題発見・解決のための製作・制作・育成 ⑥問題発見・解決の評価 ⑦材料と加工に関わる技術的内容 ⑧生物育成に関わる技術的内容 ⑨エネルギー変換に関わる技術的内容 ⑩情報に関わる内容 ⑪技術・情報による問題発見・解決ならびに評価 ⑫産業社会・情報社会への主体的な参画と持続可能社会の構築	○生活における問題を発見する能力 ○生活における問題を解決する能力 ○生活における問題を評価する能力 ○持続可能社会を構築する能力 ○これらを指導する能力	○教科と個人 問題発見や問題解決に関わる理解 生活における工夫と創造の能力の向上 技術・情報の視点からのイノベーション能力の向上 ○教科と社会 持続可能社会の構築 今後の産業社会と情報社会の進展の理解 技術・情報の視点からのガバナンス能力の向上
①家族・家庭生活／生活経営学、生涯発達学、家族・家庭関連科学、子ども・高齢者関連科学 ②衣食住生活／衣生活関連科学、食生活関連科学、住生活関連科学 ③消費生活・環境／生活経済学、消費関連科	○生活事象を構成する要素に関連する知識と技能を、空間軸と時間軸の視点から理解する能力 ○知識と技能を児童・生徒に指導できる能力 ○知識と技能を生活自立につなげる方法を指導できる能力	○家庭科と個人 ・生活事象を構成する要素に関連する知識と技能 ・生活問題発見・生活問題解決・生活自立・生活創造 ○家庭科と社会

		○家庭科の達成目標である生活自立、生活問題発見・生活問題解決、生活創造が内容構成に含まれる。	生涯発達、他世代理解 ④生活自立 ⑤生活問題発見・生活問題解決 ⑥生活創造
体育科・保健体育科・荒木秀夫・松井敦典・綿引勝美	体育は、知性・感性を育む“身体性(=embodiment)”とスポーツ運動行為を対象とし、エネルギー動員、創造性（play)、言語の身体化、身体の言語化および社会性を要素とする。これらを身体各部位間の相互の関係性において、①身体像の形成、②環境の取り込み、③社会性の向上へと段階的方向性をもって、構造化し、基礎運動（体操)、スポーツ、戦術・戦略の創造的理解をもって形式化する。	体育の教科内容構成の原理は、“身体性”に関 わる現象、実体、本質を見極めることにある。そ の構成は以下の能力を得る身体活動を範囲に定め る。○ 自らの身体を“わが意”に基づく環境と相互媒 介的に果たす“身体適応能力”○ 思考・知性と創造性を育む脳神経・生体制御機 構による身体を介した“学びの術”○ 対人・対物・対環境に対する共感力を涵養する“身体感覚（像)”を伴う身体活動 ○身体の文化性から波及する自己実現としての身 体能力(競争と共同による高揚感)	①身体を意のままに操作する運動・動作に先行するイメージを前提とし、実際の運動・動作におけるイメージとの差を体感する運動・動作 ②“言語の身体化”と“身体の言語化”を引き出す運動・動作課題に共通となる身体・運動能力として、身体の“内部環境”と“外部環境”を適合させる運動・動作 ③競争と協同の混在により、ルール・規範を創造的に思考し、感受する集団行動

学、環境科学 ④生活自立 ⑤生活問題発見・生活問題解決 ⑥生活創造 ①から③は空間軸と時間軸の視点から理解する。 ④から⑥は①から③の具体的内容のなかで理解を深める。	○生活問題発見・生活問題解決について理解し、指導できる能力 ○生活創造について理解し、指導できる能力	・自立・自律した生活者の養成 ・市民生活の質、家庭生活の質の向上に寄与
体育教科内容構成における具体は、二つの側面からマトリックス上で示される。 《教科内容の構成 -1：本質としての“学力的側面”》 ①環境に対する身体適応能力 ②人間の運動と脳神経系の発達 ③身体と学習能力 ④運動学習と行動変容 ⑤言語機能と運動制御 ⑥運動と社会性―身体と“社会脳”） ⑦認知能力と運動課題・スポーツ 《教科内容の構成 -2：現象・実体としての“運動形態的側面”》 「教科内容の構成 -1」の横断的かつ超越的な内容として、現象・実体的に表出される“個別運動”（体つくり、球技、陸上競技・・等）のカテゴリーに準じた各項目	○身体、脳、心理に関わる科学と、広くは哲学的知見から、運動と身体を核にした具体的な運動の現象を学際的な視点から解釈できる能力 ○個々の運動を引き出す身体内の“感受性”を獲得させる教授実践のスキルを開発できる能力 ○集団的活動に伴う社会性を形成するための“文化的行動”を身体活動から社会行動への階層的構造として理解し、これを教育現場において操作できる能力	個人との関わり ○個々人の身体諸能力においては、エナジェティックスとサイバネティックスからの運動能力や生体制御としての防衛的体力の理解と適用スキルに関する認識をもって、“生きる力”の基盤となる行動力を獲得する。 ○身体に関わる諸能力は、精神そのものを支える“身体性”としての“生き抜く力”として具現化される．その力を得ることこそが、体育教育の目指すところであり、音楽、美術とともに、学校教育における基盤教育と成り得る。 社会との関わり 運動発生の視点から、一連の“運動機能”の学習は集団的な相互媒介により個々人の行動の中に社会性へと向かう価値意識を涵養する（社会人としての基盤形成）

◇表 2-3　仮説 7　教科内容構成の創出による教科専門の授業実践

<table>
<tr><td></td><td>仮説 7. 教科内容構成の創出による教科専門の授業実践（教科内容構成の創出によって教科専門の授業はどう変わるか）</td></tr>
<tr><td></td><td>①概念的・理論的な観点</td></tr>
<tr><td>数学科・松岡隆</td><td>○内容構成の方針
・授業内容を仮説 4 の 6 要素で構成する。
・数学の発想や考え方（仕組みや発想が分かること、様々な視点から見て考えること等）を重視する。
○ 6 要素の扱い方の留意点
・「①数学の体系性」の理解のため、授業で扱う数学分野で、現在までに生まれた主要な考え方すべてに触れ、その発展の様子が分かるよう構成する。
・可能な限り、授業で自ら考え発見する体験ができるよう工夫することで、「⑥探究的活動」の要素を実現する。（体験的授業化）</td></tr>
<tr><td>理科・佐藤勝幸・胸組虎胤</td><td>科学そのものの深い理解に基づいた学習計画・教材開発・学習指導を通じて、内容を正確に深く理解することができると共に、科学的思考力や探究方法の習得、科学の本質、科学と人や社会との関わりの理解の達成により、様々な課題について科学的実践できる力量の育成を目指す。内容及び方針を示す。
○内容：教科内容としては、エネルギー、粒子、生命、時間・空間の分野に大別される。学校教科書の知識や実験検証を中心としたものではなく、その基盤となる科学の知見や概念を重視しながら教科内容を再構成する。
○科学的アプローチ：科学的な考え方の習得を目指す。仮説、観察・実験の方法の模索、観察・実験の実践、得られたデータなどの処理、考察のプロセスの理解と遂行をすることができる。
○技能：実験器具、機械の原理を理解し、正しく使用できる。またデータ分析や処理にコンピュータ活用や統計的処理を行うことができる。
○人間・社会との関わり：教科内容は法則や概念の提示のみでなく、その発見に至る歴史的な背景や人間・社会への貢献と弊害にも言及する。
○自然との関わり：人間の生活、生産活動等が自然に及ぼす影響と、自然環境から人間が受ける影響を科学的に理解し、自然環境を保持し、改善する方策を考えることができる。
○学校の理科と科学の繋がり：学校教育で扱われる内容について把握する。</td></tr>
<tr><td>音楽科・中島卓郎</td><td>○認識（学習）の対象（4 側面）が明確になり、質を認識し深める授業となる。
○学習者自身の感性が主体となり、試行錯誤しつつ多様な表現を生成する授業となる。
○学習者は自己の感性にもとづいた音楽への具体的なアプローチの方法を学ぶ。学習者の主体性や専門家としての自立が促進され、汎用的能力が育成されると考えられる（アクティブ・ラーニング）。
○学生の中で教科教育科目・教科専門科目の学習内容が繋がり合う。
○各科目の指導内容の有機的な繋がりが相乗的な学習効果を生み出す。</td></tr>
<tr><td>美術科・新井知生</td><td>・どの美術教科内容も 4 側面から網羅的に捉えられるので、指導するべき対象が明瞭になる。
・授業のどの部分においても、その時の内容のポイントを掴むことができるので、一方的な授業にならず、臨機応変な授業が可能になる。例えばまず演習をし、その内容について学生が省察し発表するようなアクティブ・ラーニングが有効な授業方法となる。このことから以下のことが可能になる。
・学習者自身の感性を主体とし、試行錯誤しつつ多様な表現を生成する授業形態が可能となる。
・4 側面相互の関係性を基に、制作を省察できる 。
・美術独自の価値観に基づいた制作が行われるようになる。
・学生が教科専門科目と教科教育科目の学習内容を繋がりをもったものとして捉えられる。
・学習していない事柄についても、その把握の仕方が分かる（学習の汎用性を持つ）。</td></tr>
</table>

②授業実践の事例	③従来の教科専門の問題点
○「平面幾何」において内容構成に含める６要素の例 ①数学の体系性、②学校数学との繋がり：ユークリッド幾何や学校の平面幾何の公理系 ③現実世界との繋がり、④実用性：形を写真にとればどう写るかを射影の概念で考える ⑤文化的価値：和算や折り紙との関連、幾何の美しさ ⑥探究的活動：多角形の合同条件の発見、現実世界との繋がりを考える体験 ○「フラクタル幾何」において内容構成に含める６要素の例 ①数学の体系性：フラクタルの本質としての相似概念、代数に現れる自己相似、対数を用いるフラクタルの発見方法、２次関数が生成するフラクタル ②学校数学との繋がり：相似の応用、比例・反比例の拡張としてのべき乗測 ③現実世界との繋がり：自然界や社会現象に見られるフラクタル図形、べき乗則 ④実用性：画像圧縮、フラクタルアンテナ ⑤文化的価値：関数を用いた美しい形の生成 ⑥探究的活動：海外線の法則の発見、フラクタル図形を作る活動	これまで数学科の教科専門では、理学部と同じ発想による授業がしばしば行われてきた。そのような授業では、仮説４の要素のうち「①数学の体系性」のみが考慮され、他の５要素については殆ど触れることがないことが大きな問題点であると考えられる。
実践事例（学部における教員養成での実践事例案） テーマ：メンデルの法則：遺伝子とその表現について要点 ・エンドウマメの形や色の遺伝から、因子Ａ、a、Ｂ、ｂの設定とそれらについての関係を仮定することで遺伝のし方を説明しようとしたという背景を理解する。 ・遺伝子があれば、いつでもその形質が発現されるということがないことを理解する。 ・遺伝の様子から想定した因子（遺伝子）がＤＮＡ上の遺伝子を必ずしも反映していないことを理解する。 ・遺伝学におけるメンデルの法則の意味とメンデルの実験について考察する。 ・遺伝を考える上で必要な統計的処理を理解する。 ①因子（遺伝子）Ａ、a、Ｂ、ｂからメンデルの法則を導き出す。 ②因子（遺伝子）をＣ、ｃをさらに加え、メンデルの法則を活用し遺伝子の組み合わせによる形質（表現される性質）を表す。 ③多細胞生物は同じ遺伝子を持った細胞からできているが、全ての細胞が全遺伝子を発現していない事実から遺伝子の存在がその形質発現と一致しないことを考察する。 ④免疫グロブリンＧのＤＮＡ上の遺伝子の構造を示し、ＤＮＡ上の遺伝子を例示する。 ⑤メンデル型遺伝様式とそれ以外について紹介する。さらにメンデルが行った実験を調べ、メンデルの実験について科学的に検証する。	○学問知見の伝達が中心の授業になりやすい。 ○整理された知識が中心で、研究の歴史的な変遷がわかりにくい。 ○科学的思考力や判断力が実験実習のみになり、それらの育成が不十分となる。 ○科学的なアプローチの習得機会が少ない。 ○教員による一方向的な解説の授業になりやすい。
実践事例：ショパン作曲：『英雄ポロネーズ』を教材とした表現（ピアノ）の実技指導 ○形式的側面；ゆっくりとしたテンポ。４分の３拍子。特有のリズムを有する。女性終止など。 ○内容的側面；荘重、威厳、力強さ、緊迫感・・など。これらは音楽の時間的経過とともに変化する。 ○文化的側面；ポーランドの舞曲、宮廷の儀式や凱旋行進から発達した舞曲など。 ○技能的側面；内容的側面に即した学習 例えば、形式的側面をどのように扱えば表現が自己の感受した内容に近づくのか、またその扱いを変化させることによって内容的側面が質的にどのように変化するのかを経験する学習。	○認識の対象が不明瞭な授業 ○教員による一方向的な授業 ○画一的で偏った内容の授業 ○表現を教員が外から形づくるような授業 ○感性を置き去りにした技能中心の授業 ○質の認識が深まらない授業
○アクティブ・ラーニングを用いた授業形態・手順（以下の①～⑦）。 ①教材とその教科内容の講義　②素材、道具を用意し、条件設定をする　③各自の制作　④省察　⑤発表　⑥批評会 ⑦総括 美術専門内容の把握とその教科内容への転換 〔授業実践例〕 ○教科内容－「線の理解」の為の授業（人物クロッキー） 人物クロッキー①を線描画材料（鉛筆、ボールペン、筆等）②により制作③し、それに内省④発表⑤と指導⑥を加え、美術の成立要素を⑦ 1. 内容　2. 形式　3. 技能　4. 文化から照射し教科内容を把握する。	○教員による独善的な授業 ○専門的な技術養成授業 ○知識中心授業 ○美術的目的のあいまいな授業

国語科・村井万里子	〔概念的・理論的な観点〕 方針1. 教科内容を仮説3の「言語4相」(「対話環」理論)、仮説4の4相の組み合わせ、W拠点の「5つの陶冶材」、G・A・H各拠点によって構成する。 方針2.「言語4相」を関連統合的に扱い、「真正の言語活動（対話環)」による「真のアクティブ・ラーニング」が、常に・自然に行われるようにする。 「言語4相」「5つの陶冶材」扱い方の留意点 ・「言語4相」は、いずれか1相を主題・対象化すると共に、他の3相を積極的に関連あるいは強く意識下に置き、常に統合的に取り扱う。 ・陶冶材は、目的に合わせて的確に選択し、集中的に、あるいは組み合わせて用いる。
英語科・松宮新吾	仮説4で定義した4つの構成要素に基づき授業内容を構成する。 ○教科英語の内容構成は、(1) 英語の知識的･形式的側面（言語学習)、(2) 英語の体系的側面（意味理解)、(3) 英語の技能的側面（言語運用能力)、(4) 英語の社会的・文化的側面（異文化理解・メタ言語能力）に関わる事項を、有機的に組み合わせたユニットとして螺旋状に配列したものである。 具体的には、(1) 言語学習として、言語そのものを対象とした言語材料に関わる学習に関する事項と、(2) 言語の意味理解学習として、言語材料等が実際の文脈の中でどのような意味を形成し運用されているのかを理解することに関わる事項と、(3) 実践的な言語運用能力の育成に関わる事項と、(4) 目標言語である英語と、英語が用いられている社会・文化と、母語や自文化との相対的理解を主としたメタ言語能力に関わる事項である。 ○英語は､文化と不離一体の関係にある言語そのものを対象とするため､内容教科と技能教科の両方の要素を併せ持つ教科である｡従って英語は､実用目的のコミュニケーション能力の育成という技能教科としての特性を最優先させながらも､言語や文化に関する知識･理解にフォーカスした文化教養目的も可能とする柔軟な枠組みの中で展開する教科として位置づける。 ○言語材料である英語の発音、単語・熟語の意味と語法、文法構造とその用法や、言語が使用される社会や文化との関連性を、単に知識として理解するだけではなく、その知識を実際の言語使用や言語運用によって体験的に言語習慣化するとともに、体系的な知識として構築するために、そのプロセスをスパイラルに積み重ねることにより、言語スキル及び言語知識として習得させる。 ○教科英語の主目的は言語運用能力の育成である。しかし同時に、言語のみならず文化や社会に関する相対的な知識・理解は、目標言語である英語の発想や思考法に関する認識や理解を促進するものであり、英語の文化的・教育的側面という価値が生じる。

この授業で把握すべき「線」の教科内容の4側面は次のとおりである。 ・「線」の形式的側面－線によって生まれる美術的成立内容－「量」、「バランス」、「動勢」、「構成」、「リズム」、「空間」等 ・「線」の内容的側面－線が持つ性格や感情－「清潔さ」「痛々しさ」「優雅さ」「楽しさ」「大胆さ」等、表現される形象によって生みだされるリアリティや内面感情、形体的性格等 ・「線」の技法的側面－線の種類－スピード感、強弱のニュアンス、線の長さ、直線・曲線等技能面からの作品内容の生成 ・「線」の文化的側面－絵画的表現形式の種類とその歴史的推移。線、調子、色などによる表現の違い。エゴン・シーレ、小磯良平、ジャコメッティ、マティス、クレー等の画家による線表現の典型例	
1. 言語活動の種類別方針 「読む」－4つの読み方（初級読み、分析読み、点検読み、主題読み）習得を目的とし、「問い」の発見と展開を修練するため、教科書とその他の文章を構造的に組み合わせる。 「書く」－①子どもの文章（書く力の発達）の研究（子どもの日記・生活文、学習記録、意見文、随筆） ②教科書単元－書く目的・作品の種類に応じた「内容・方法」研究 「話す（独話）」－歴史的スピーチの研究、「独話活動」実践（小学・笠原登）研究、 「話し合う」－「話し合い指導」の技術指導（中学・大村はま）研究、ドラマや文学における「対話場面」研究 2. 具体例 ◆文学作品（小説・物語）・説明文、論説・評論、古典文学等を用いた「課題探究学習」 ・近現代の児童・青少年文学・民話・伝説・物語（教科書作品含む）研究、それらの批評、書評、読書生活史研究 ・事典・辞書・図鑑を用いる「調べ読み」研究、インターネットを用いる調査研究 ・「新聞」読み（比べ読みを含む）、ネット情報の批評研究 ・修辞法（レトリック）研究……　万葉集、古今和歌集、新古今和歌集、伊勢物語、 ・日本文化研究　……　竹取物語、大鏡、枕草子、源氏物語、徒然草、歴史学、民俗学、近現代の文学作品 ◆日本語・語彙・音韻・文法－「教科書」、研究史、専門書、上記1「書く」－①子どもの文章 ・音韻、語彙（和語、漢語、外来語） ・方言、敬語、文字の由来、文法、文法史・語史 ◆「研究レポート」の作成	○文学や言語学の概論や演習は、教科専門として重要である。しかし授業者側に、内容や方法論における基盤としての教育の重要性が気づかれにくい。教育は学問の末端的応用として見られており、「学問の生成基盤である国語科教育」の重要性への気づきは弱い。 ○教科専門の内容が「専門的知識」に限定され、基本の徹底・一般化・応用は、受講者にゆだねられる傾向がある。 ○言語と文学（領域）、古典と近現代文（時代の違い）の間の関連付けが希薄である。このため教員志望の学生においても両者の関連を見いだしにくい。
実践事例：小中高12年間の一貫英語教育カリキュラムを開発するための授業実践事例 単元のテーマとして「数字」を取り上げ、小中高12年間の一貫英語教育カリキュラムの開発と授業実践事例を示す。そのために、螺旋型に「学習過程を繰り返し経る」ことを、授業実践事例において具現化する。 また、教科構成内容として提案した（1）言語材料に関わる事項、（2）言語使用・言語活動に関わる事項、（3）言語スキルに関わる事項、（4）社会・文化に関わる事項を授業構成要素として位置づける。 ○特定の言語題材「数字」を用いて言語材料等の理解・習熟から言語運用のための技能習得を行い、更に関連した言語材料等を付加し、再び理解・習熟を深化させ、言語運用技能の一層のブラッシュアップへと発展させていく。 ○題材：「数字」 ①言語材料（形式的側面） ア. 低学年：1から10までの数（基数）、イ. 中学年：1から60までの数（基数）、ウ. 高学年：100までの数（基数と序数）、エ. 中学校：数字の位と単位、オ. 高等学校：四則演算と比率（分数、小数等） ②言語スキル（技能的側面） ア. 低学年：聞くこと、話すこと（やり取り）、イ. 中学年：聞くこと、話すこと（やり取り）、話すこと（発表）、ウ. 高学年：聞くこと、話すこと（やり取り）、話すこと（発表）、読むこと、書くこと、エ. 中学校：聞くこと、話すこと（やり取り）、話すこと（発表）、読むこと、書く	○従来の教科専門は、外国語学部や英文学科等で開講されている専門科目群（関連諸科学科目例：英語音声学、英語意味論、英語統語論、英語語用論、言語学概論、応用言語学、英米文学論、第二言語習得理論、心理言語学、社会言語学、文化人類学等）がアラカルト的、網羅的に配列されたもので、学校英語教育という視点で言語諸科学を束ねたり、有機的な関連性を創出したり再構築したりする教科専門科目が位置づけられていないことが課題である。

社会科・下里俊行	内容構成の方針 ○授業内容を仮説4の6つの柱と、それに基づく具体的構成要素をもちいて構成する。 ○次の課題を重視する。 ・主体の生活世界を相対化・対象化し、変容させることができるパワフルな知識の獲得による既存の日常知の批判的見直し ・主体と有機的に融合した知識の獲得による新しい主体の創造 ・専門諸科学の客観的知識を主体の個別具体的な文脈に埋め込むための「枠組み」の提供
技術・情報科・菊地章	○事例的な学習内容構成から概念的・理論的な学習内容構成への移行 ○次世代の社会を構築する基本的な考え方の確立 ○社会における問題の発見とその改善のための技術・情報利用による道筋の確立 ○知識習得型の教科で得られた知識の生活や社会への適用に関わる教科の関連性の明確化

<table>
<tr>
<td>こと、オ．高等学校：聞くこと、話すこと（やり取り）、話すこと（発表）、読むこと、書くこと
③言語活動（体系的側面）
ア．低学年：カードを使って1から10までの数字を聞いて数字を認識することができる。1から10までの数字を言うことができる。
イ．中学年：1から60までの数字を用いて、時間を表現したり、聞いたりすることができる。
ウ．高学年：100までの数字（基数、序数）を扱い、順番を表現したり、買い物で金銭のやりとりをしたりすることができる。
エ．中学校：千、万、億という大きな単位（位）の数字を扱うことができる。
オ．高等学校：基本的な四則演算や、比率、分数、小数点等を用いた表現を理解したり、使ったりすることができる。
④　社会的・文化的側面
ア．低学年：文化による多様な指等のジェスチャーによる数字の表し方等
イ．中学年：文化による多様な数字の表記方法等
ウ．高学年：文化により異なるおつりの計算の仕方等
エ．中学校：文化により異なる物の数え方や単位等
オ．高等学校：文化により異なる数の概念やラッキーナンバーやアンラッキーナンバー等についてのリサーチ</td>
<td></td>
</tr>
<tr>
<td>○第1段階：主体的な主題設定
・社会科の教材にしたい社会事象の提供
・生活世界での特殊・具体的表象の提供
○第2段階：教師による教科内容構成の原理に立脚した問題的事象の分析・整理
・分節化：空間・時間・価値への分析
・概念化：適切な学術的概念への統合
・参照化：発展的な課題について示唆
○第3段階：対話的討論のなかでの学習者の活動
・表現：私的経験の言語化
・調査：レファレンスによる情報検索
・思考：提起された問題について思考
・各自の経験の異化、相対化、客観化の過程
○第4段階：教科内容構成による思考と経験の再組織化・変容
・教師による協働のパターン
・支援者：経験の概念化・言語化の支援
・対論者：教室に不在の他者の代弁
・解説者：専門的知識の提供
・学習者による思考と経験の再組織化・変容
○最終段階：「問題」解決の方向性と主体的な関わりについての各自の思考・判断・表現の促進
・問題解決の方向性の模索、解決案の考案</td>
<td>○「客体化されたままの知識」観
・主体の文脈から遊離した知識
・主体形成の課題との結合を欠いた知識
○脱主体化された教育観
・教科内容の物象化・データ化
・学習者の生活過程から分離した学習観
○社会科という統一的な科目の欠如
・教科専門が専門学科と同じ内容編成
・教科専門科目群を統合・融合する体系的な視点と方法の欠如
○アクティブ・ラーニングでの「学ぶ」内容の学術的な根拠の欠如</td>
</tr>
<tr>
<td>○技術・情報の本質を捉えた問題解決
・社会の変化に応じた技術・情報利用環境の変化
・技術・情報の考え方（技術リテラシー、情報リテラシー、問題解決能力）
・技術・情報イノベーション（技術・情報利用環境における改善、技術革新の本質、情報環境の改善）
○技術・情報展開のための基礎知識利用
・技術利用素材の基本的特性（材料の強度、材料の変化、材料の加工、エネルギーの利用、生物育成の特性、情報の特性）
・情報利用素材の基本的特性（アルゴリズム、プログラム構造、データベース、情報社会）
○問題の本質を捉えた構想・設計
・ものづくりにおける構想・設計（問題解決の視点、問題解決の方法）
○工夫し創造する過程を重視する製作・評価
・構想・設計を踏まえたものづくり実践
・ものづくりにおける問題解決の評価</td>
<td>○異なる対象に対して製作・制作・育成を行いながら技術の見方・考え方を習得する学習内容構成の傾向が強い。
○体系的な考え方に基付いて生活の質を改善するための工夫・創造能力の育成となるよう統一的な視点からの構成が必要である。</td>
</tr>
</table>

家庭科・広島大学大学院人間生活教育学コース	内容構成の方針 方針 1. 生活問題を発見、解決する学習過程を 15 回の授業の文脈を重視して展開する。 方針 2. 授業内容を仮説 4 の 6 要素で構成する。 6 要素の扱い方の留意点 ・家族・家庭生活、衣食住生活、消費生活・環境という生活の要素と営みの理解や関連の知識・技能の習得を、生活自立、生活問題発見・生活問題解決、生活創造につなぐための生活実践課題を設定する。 ・15 回の授業を通して自分の生活を振り返り、実践的な学習や協働的学習の中で課題解決を繰り返し、評価（自己評価、相互評価）して、さらに解決策を改善するような学習過程の意義を認識して学習を進められるよう構成する。
体育科・荒木秀夫・綿引勝美・松井敦典	・専門分野への遠心力→教員養成への求心力 ○科学的知見に関係する教育分野→社会性・文化性との接点からのアプローチを含む。 ○スポーツ運動の文化・社会性の知見に関わる教育分野→身体・運動の自然科学的解釈から派生する課題を重視する。 ○運動方法・コーチング論→身心相関の視点を重視

○問題解決の質を評価できる授業実践 ・技術・情報ガバナンス（技術革新の本質、情報環境の改善、技術の評価、環境改善への提言）	
実践事例（中学校・高等学校（家庭）） 授業科目名：衣生活論 授業の目標：中等教育における家庭科衣生活の指導内容について、実践活動も含めながら理解を深め、それらを活かして衣生活課題および衣生活実践課題の解決を図る。 ○中学校、高等学校家庭科における衣生活内容の学習意義、衣生活における実践課題の設定 ○中学校、高等学校家庭科（衣生活内容）の授業ならびに自己の衣生活に対する振り返り ○衣生活における実践課題に対する視点：健康、ライフスタイル、文化 ○衣生活における実践課題の実施に必要な知識・技術 ○衣生活における実践課題の実施：布の裁断、甚平の縫製1・縫製2、人体との関係の理解、パンツの縫製1・縫製2 ○衣生活における実践課題の振り返り、課題の整理 ○衣生活における実践課題発表 ○まとめ	○従来の教科専門の問題点は、家政学の理念に基づいて各専門諸科学（例えば栄養学など）が再構成された形で提供されず、家庭科の意義や目標も意図されず展開されてきた点にある。 ○各教科専門科目は、事例の「衣生活論」と同様に展開され、生活自立、生活問題、生活創造について主体的に継続的に思考させるとともに、各専門諸科学を基盤として生活の在り方を追究する学問として家政学を意識させる。初等教員養成では、これらを2単位（90分×15回）で展開する。
○科学的知見に関する分野 ・生理学的分野 生体の普遍性に限らず、民族や社会ごとに伝承される動作様式から派生する機能的な特性を教授する。 ・バイオメカニックス分野 形態的な特性が人体機能とどのように関連するかを個人と集団（民族など）と関連づけながら教授する。 これらのスポーツ科学等の視点の教授を通じて、個々の児童・生徒に対する個別的な視点を理解する能力へと発展させる。 ○文化・社会性に関わる分野 ・社会の身体性（個々の行動様式の集合体としての社会構成） ・身体の社会性（動物とは異なる心理的、脳科学的な価値意識を起因とする運動の問題） ・身体・運動を起点とした文理にわたる課題を含む。 ○運動方法などの分野 ・運動技能に関連する科学的知見 ・各競技におけるルール、マナーなどの歴史的、文化的背景 ・正しく「競う」「練習する」「工夫する」ことの意義	○スポーツ科学・健康科学は、専門科目の担当者が所属する個別の学問体系の枠組みで教授されてきた。それら個別の内容の構造や系統については学習者において思考し統合されるものとされ、適切な指導がなされてこなかった。そうした構造や関係についてシステム的思考の重要性も意識されてきたところであるが、専門領域間での共同した取り組みは十分とは言えない。 ○また多くの科学的成果も、成人段階での研究データがそのまま無批判に「活用」されることが多い。身体や運動の縦断的な発育発達データの蓄積と、指導プログラムの検討が急務であると指摘されている。

◇表 2-4　教科内容構成の観点からの学習指導要領の検討

	各教科内容構成の観点からの学習指導要領の検討
	小学校
数学科・松岡隆	○内容領域：数と計算、図形、測定（下学年）、変化と関係（上学年）、データの活用 ○育成すべき資質・能力： (1) 知識・技能 ・知識（数量や図形などについての基礎的・基本的な概念や性質など）①、③ ・技能（日常の事象の数理的処理）①、②、③ (2) 思考力・判断力・表現力等 ・日常の事象を数理的に捉え見通しをもち筋道を立てて考察する力　①、②、③ ・基礎的・基本的な数量や図形の性質を見いだし統合的・発展的に考察する力　①、③ ・事象の数学的表現力　①、②、③ (3) 学びに向かう力・人間性等　①、② ※内容領域の分類と育成すべき資質・能力は、ともに教科内容構成の3つの柱「①数学の内容 ②現実世界との繋がり ③数学の構造化に用いる要素」から構成されていると捉えることが可能であり、教科内容学の観点から見て納得できるものである。
理科・佐藤勝幸・胸組虎胤	○内容領域：エネルギー、粒子、生命、地球領域 ○育成すべき資質・能力： (1) 知識・技能 ・知識（エネルギー、粒子、生命、地球の4つのカテゴリー）①、③ ・技能（観察、実験などに関する基本的な技能）①、② (2) 思考力・判断力・表現力等 ・自然の事物・現象について追究する中で、差異点や共通点を基に、問題を見いだし、表現すること②、③ ・自然の事物・現象について追究する中で、既習の内容や生活経験を基に、根拠ある予測や仮説を発想し、表現すること①、②、③ ・自然の事物・現象について追究する中で、予想や仮説を基に、根拠ある予想や仮説を発想し、表現すること②、③ ・自然の事物・現象について追究する中で、より妥当な考えをつくりだし、表現すること ②、③ (3) 学びに向かう力・人間性等 ・主体的に問題解決しようとする態度を養う。② ・生物を愛護する（生命を尊重する）態度を養う。（生命、地球）①、③ ※内容領域の分類と育成すべき資質・能力は、ともに教科内容構成の3つの柱から構成されていると捉えることが可能であり、教科内容学の観点からみて齟齬がない。
音楽科・中島卓郎	活動領域 【表現】と【鑑賞】 ○育成すべき資質・能力 以下の①、②、③、④は教科内容構成の4つの柱「①音楽の形式的側面」「②音楽の内容的側面」「③音楽の文化的側面」「④音楽の技能的側面」を示す。 (1) 知識・技能 ・知識 曲想と音楽の構造などとの関わり①②

中学校	高等学校
○内容領域：数と式、図形、関数、データの活用 ○育成すべき資質・能力： (1) 知識・技能 ・知識（数量や図形などについての基礎的な概念や原理・法則など）①、③ ・技能（事象の数学化、解釈、表現・処理）①、②、③ (2) 思考力・判断力・表現力等 ・数学を活用した事象の論理的考察力　①、②、③ ・数量や図形などの性質を見いだし統合的・発展的に考察する力　①、③ ・事象の数学的表現力　①、②、③ (3) 学びに向かう力・人間性等　①、② ※内容領域の分類と育成すべき資質・能力は、ともに教科内容構成の３つの柱から構成されていると捉えることが可能であり、教科内容学の観点から見て納得できるものである。	○育成すべき資質・能力： (1) 知識・技能 ・知識（数学における基本的な概念や原理･法則の体系的な理解）①、③ ・技能（事象の数学化、解釈、表現・処理）①、②、③ (2) 思考力・判断力・表現力等 ・数学を活用した事象の論理的考察力　①、②、③ ・事象の本質や他の事象との関係を認識し統合的・発展的に考察する力　①、③ ・事象の数学的表現力　①、②、③ (3) 学びに向かう力・人間性等　①、② ※育成すべき資質・能力は、教科内容構成の３つの柱から構成されていると捉えることが可能であり、教科内容学の観点から見て納得できるものである。
○内容領域：エネルギー、粒子、生命、地球領域 ○育成を目指す資質・能力： (1) 知識・技能 ・知識（エネルギー、粒子、生命、地球の４つのカテゴリー）①、③ ・技能（科学的に探究するために必要な観察、実験などに関する技能）①、② (2) 思考力・判断力・表現力等 ・問題を見いだし見通しをもって観察､実験などを行い【規則性、関係性、共通点や相違点、分類するための観点や基準】を見いだして表現すること ②、③ ・見通しをもって解決する方法を立案して観察、実験などを行い、その結果を分析して解釈し、【規則性や関係性】を見いだして表現すること ② ・見通しをもって観察、実験などを行い、その結果（や資料）を分析して解釈し、【特徴、規則性、関係性】を見いだして表現すること また、探究の過程を振り返ること ②、③ (3) 学びに向かう力・人間性等 ・物質やエネルギーに関する事物・現象に進んで関わり、科学的に探究しようとする態度を養う。（中 - 第一分野）②、③ ・生命や地球に関する事物・現象に進んで関わり、科学的に探究しようとする態度、生命を尊重し、自然環境の保全に寄与する態度を養う。（中 - 第二分野）②、③ ※内容領域の分類と育成すべき資質・能力は、ともに教科内容構成の３つの柱から構成されていると捉えることが可能であり、教科内容学の観点からみて齟齬がない。	○内容領域：物理基礎、化学基礎、生物基礎、地学基礎 「エネルギー」､「粒子」､「生命」､「地球」などの科学の基本的な概念等を柱として構成 ＊高等学校では「物理基礎」､「化学基礎」､「生物基礎」､「地学基礎」のみ検討 ○育成を目指す資質・能力 (1) 知識・技能 ・知識（エネルギー､粒子､生命､地球の４つのカテゴリー）①、③ ・技能（科学的に探究するために必要な観察、実験などに関する技能）①、② (2) 思考力・判断力・表現力等 ・観察、実験などを通して探究し、【規則性、関係性、特徴など】を見いだして表現すること ②、③ (3) 学びに向かう力・人間性等 ・主体的に関わり科学的に探究しようとする態度 ② ・生命を尊重し､自然環境の保全に寄与する態度（高 - 生物基礎）③ ・自然環境の保全について寄与する態度（高 - 地学基礎）③ ※内容領域の分類と育成すべき資質・能力は、ともに教科内容構成の３つの柱から構成されていると捉えることが可能であり、教科内容学の観点からみて齟齬がない。
活動領域 【表現】と【鑑賞】 ○育成すべき資質・能力 以下の①、②、③、④は教科内容構成の４つの柱「①音楽の形式的側面」「②音楽の内容的側面」「③音楽の文化的側面」「④音楽の技能的側面」を示す。 (1) 知識・技能 ・知識	活動領域 【表現】と【鑑賞】 ○育成すべき資質・能力 以下の①、②、③、④は教科内容構成の４つの柱「①音楽の形式的側面」「②音楽の内容的側面」「③音楽の文化的側面」「④音楽の技能的側面」を示す。 (1) 知識・技能 ・知識

	・技能 　表したい音楽表現をするために必要な技能④ (2) 思考力・判断力・表現力等 音楽表現を工夫する、音楽を味わって聴く力①② (3) 学びに向かう力・人間性等 音楽を愛好する心情と音楽に対する感性を育むとともに、音楽に親しむ態度を養い、豊かな情操を培う①②④、 ※育成すべき資質・能力は、ともに教科内容構成の4つの柱で捉えることできる。ただし、小学校においては③音楽の文化的側面が欠如している。また、「①音楽の形式的側面」の知覚および「②音楽の内容的側面」の感受が、鑑賞領域のみに行われるかのような表記になっている。
美術科・新井知生	**【A 表現】**「表したいこと」→②内容、「どのように表すか」→①形式、「活動を工夫」→③技能 ア造形遊び　「色や形」→美術専門要素、「並べたり」「つないだり」「積んだり」→③技能・②形式・①内容 イ絵や立体、工作に表す　「感じたこと」「想像したこと」「見たこと」→①内容、「材料の特徴」「構成」「色や形」→造形要素 **【B 鑑賞】**「美術作品」「生活の中の造形」→④文化、「表したいこと」→②内容、「表し方」→①形式 **【共通事項】**「形や色などの造形的特徴」→①形式、造形要素、「自分のイメージ」→②内容 **【造形を考え方の主体にすることおよび基本的な教科の骨格は書かれている。題材や教科内容については基本的な用語によって説明されていて、具体性はあまりない】** ※表中の①形式②内容③技能④文化と（造形要素）は、学習指導要領中の文言を教科内容構成の観点から捉えたもの（中学校、高校も同じ）
国語科・村井万里子	「対話環」理論の4観点「H 言語活動、A 言語行為、G 言語規則、W 言語作品」を用いて、学習指導要領「国語科」の柱を検討する。 各学年目標：「知識及び技能」＋「思考力・判断力・表現力」 ［知識及び技能］(1) 言葉の特徴や使い方、(2) 情報の扱い方、(3) 我が国言語文化、読書 ［思考力、判断力、表現力等］…A 話す・聞く、B 書く、C 読む 「知識及び技能」(G) は「言語の技能・規則、情報の扱い方、書写、読書技能」、「思考・判断・表現」(H-A) は「A 話す・聞く、B 書く、C 読む (1) 技能、(2) 言語活動例」にある。 「5・6学年」の例：「知識及び技能」(G) (1) 言葉の特徴や使い方、ア. 言葉に相手とのつながりを作る働き（1・2年：事物の内容や経験を伝える働き、3・4年：考えたこと思ったことを表す働き）、イ. 話し言葉と書き言葉との違い、ウ. 漢字と仮名の使い分け、ェ. 漢字（学年別漢字配当表）、オ. 思考に関わる語彙の量を増やし使い語句の構成と変化に気づく、カ. 語の係り受け・接続・話や文章の構成展開、話や文章の種類特徴、キ. 日常の敬語、ク. 比喩や反復表現、ケ. 文章の音読・朗読 (2) 情報の使い方　原因と結果、語関係の図示、(3) 我が国言語文化、ア古文漢文音読リズム、イ昔のものの見方感じ方、ウ語句の意味変化、共通語と方言の違い、仮名・漢字の由来と特質、エ書写（(ア)(イ)(ウ))、オ読書の働き 批評：「5・6学年」「知識及び技能」(1) (2) のように、学習指導要領の「法規的性格」から、項目は網羅的に列挙されて、目標各項の関係の論理的な説明はなされない。

曲想と音楽の構造や背景などとの関わり①②③ ・技能 創意工夫を生かした音楽表現をするために必要な技能④ (2) 思考力・判断力・表現力等 音楽表現を創意工夫する、音楽のよさや美しさを味わって聴く力①②③ (3) 学びに向かう力・人間性等 音楽を愛好する心情を育むとともに、音楽に対する感性を豊かにし、音楽に親しんでいく態度を養い、豊かな情操を培う①②③④ ※育成すべき資質・能力は、ともに教科内容構成の4つの柱で捉えることできる。ただし、活動領域は【表現】と【鑑賞】のみしかなく、教材中心の学習となっていることは否めない。したがって、学年段階に応じて音楽の学習に広がり (scope) や発展性 (sequence) をもたせたりすることは極めて困難であると言える。	音楽に関する専門的で幅広く多様な内容①②③ ・技能 表現意図を音楽で表すために必要な技能④ (2) 思考力・判断力・表現力等 音楽に関する専門的な知識や技能を総合的に働かせ、音楽の表現内容を解釈したり音楽の文化的価値などについて考えたりし、表現意図を明確にもったり、音楽や演奏の価値を見いだして鑑賞したりする力①②③ (3) 学びに向かう力・人間性等 主体的に音楽に関する専門的な学習に取り組み、感性を磨き、音楽文化の継承、発展、創造に寄与する態度を養う①②③④ ※育成すべき資質・能力は、ともに教科内容構成の4つの柱で捉えることできる。ただし、活動領域は【表現】と【鑑賞】のみしかなく、教材中心の学習となっていることは否めない。したがって、学年段階に応じて音楽の学習に広がり (scope) や発展性 (sequence) をもたせたりすることは極めて困難であると言える。
【A 表現】「主題を生み出す」→②内容、「表現の構想」→①形式、「表現方法」「制作の順序」→③技能 「対象や事象」「夢、想像や感情などの心の世界」→①内容、「単純化、省略、強調、材料の組み合わせ」→②形式 「機知やユーモア」→①内容 【B 鑑賞】「美術文化の継承と創造」→④文化、「作者の心情や表現の意図」→②内容、「 創造的な工夫」→①形式　③技能 【共通事項】「造形的な特徴」→①形式 (美術専門要素)、「(造形要素や材料の) 性質が感 情にもたらす効果」→②内容 【造形を考え方の主体にすることおよび基本的な内容構成が説明されている。教科内容については一般的概略的な用語で描かれており、内容への言及はほとんどない】	【A 表現】各分野の特性に応じて「独創的な主題を生成」→②内容、主題に応じた「表現の可能性」(→①形式) の要素・特性に基づき構想する。 意図に応じて材料用具を使い「表現方法を創意工夫」(→③技能) する 【B 鑑賞】造形的なよさ・美しさを感じる (→美術専門要素)「作者の心情や表現の意図」→②内容、「創造的な表現」→①形式、「工夫」→③技能「美術の働き」「美術文化」→④文化 【共通事項】「造形的な特徴・要素」(→美術専門要素) により、イメージや作風 (→② 内容)、様式 (→①形式) を捉える 【用語の点で小・中より具体的 (専門的) になってはいるが、内容構成の基本構造に関わるもので、具体的な教科内容についての言及はほとんどない】
【第2　各学年の目標・内容】……1・2・3学年 1 目標…同一の述語にかかる修飾語を高度化して学年段階を表す。 2 内容［知・技］(1) 音声の仕組み、漢字、単語類別、比喩等の技法、(2) 情報関係：原因・結果、意見・根拠、情報整理：比較分類、引用出典、(3) 言語文化：文語古典、共通語と方言、書写 - 楷書・行書、［思考・判断・表現］(話・聞、書、読)、活動例：紹介・報告、説明・提案、議論・討論／引用、説明・記録、詩・随筆、／文種の選択、批評、編集／説明・記録・報告、小説・物語・随筆、本・インターネット、学校図書館資料活用 批評 1：小・中とも「社会が要請する言語技能」を「めざす資質・能力」としている。(いわゆる易から難への系統であり、子どもの発達実相への顧慮は小さいか。) 批評 2：言語活動例には「文種」と「技能・方法 (引用・ネット活用等)」が混在。 批評 3：修飾語の違いによる目標の段階化は「小中高の一貫性・系統性」を示す。	資質・能力：(1) 言葉による見方・考え方を働かせ、言語活動を通して的確に理解し、効果的に表現する資質・能力、(2) 生涯にわたる社会生活に必要な、伝え合う力、思考力・想像力、(3) 言葉のもつ価値への認識・言語感覚・言語文化の担い手の自覚向上 必修 (数) は単位数：**現代の国語** (2 単位)、**言語文化** (2 単位) 選択：**論理国語** (4 単位)、**文学国語** (4 単位)、**国語表現** (4 単位)、**古典探究** (4 単位) **現代の国語**　目標 (1) 実社会に必要な国語の知識技能、(2) 論理的に考え共感し豊かに想像する力、(3) 読書による自己向上、言語文化の担い手、他者・社会に関わる力、等 **論理国語**　目標　(1) 実社会に必要な知識や技能、(2) 論理的、批判的、創造的に考え伝え合う力、内容［知識・技能］(1) ア言葉のメタ言語機能、イ論証・学術の基礎 (根拠論拠の吟味)、ウエ効果的な組み立て等、(2) 情報の扱い：ア主張・前提・反証 (妥当・信頼性)、イ重要・抽象度－階層化・整理方法、ウ推論、(3) 読書の意義効用、 ［思考力・判断力・表現力］A 書くこと (50 ～ 60 時間)：ア・エ観点・収集・整理、イ報告、仮説・意見文、ウ (社会的) 論説・批評、 B 読むこと (80 ～ 90 時間) 教材：近代以降の論理的文章、現代社会実用的文章、翻訳古典 批評 1：「論理国語」に重要な論理的技能 (G) が集中。感性は教材Wに託される。 批評 2：「文学国語」にも論理的思考力が示され順当。逆に文字ならではの意義づけは弱いか。

<table>
<tr><td>英語科・松宮新吾</td><td>(1) 小学校外国語活動（3、4年）内容構成
①「言語材料」(外国語の音声、文字、語彙、表現)：英語の特徴やきまりに関する事項（知識及び技能）。
②「言語スキル」：三領域（聞くこと、話すこと【やり取り】、話すこと【発表】）に関する事項：情報理解・整理と思考形成（思考力、判断力）に基づき英語で表現したり、伝え合ったりすること（表現力及び技能）。
③「言語活動」及び「言語の働き」に関する事項（三領域の統合的・体験的言語活動）：コミュニケーションを行う目的や対象、場面、状況などに応じた言語の働き、体験的言語活動。
④「題材」及び「文化」に関する事項：自国の文化や、外国語の背景にある文化に対する関心を高め、理解を深めること。
(2) 小学校外国語科（5、6年）内容構成
①「言語材料」：外国語の音声と文字の関連性、語彙：受容語彙と発信語彙、表現、文構造、言語の働き等
②「言語スキル」：五領域（聞くこと、話すこと【やり取り】、話すこと【発表】、読むこと、書くこと）に関する事項：情報理解・整理と思考形成及び表現力と技能の育成。
③「言語活動」及び「言語の働き」に関する事項：五領域の統合的・体験的言語活動
④「題材」及び「文化」に関する事項
(共通事項)
①言語材料、言語スキル、言語活動と、言語の働き等を関連付け、総合的に組み合わせて指導。
②学習過程を繰り返し経ること。
③小学校で学習する語彙及び表現は、身近で簡単な事柄を表現するために必要な600語から700語程度。
※教科構成内容の柱（英語の知識・形式、体系、技能、社会・文化的側面）の土台部分となる基礎領域が配列されているもので、教科内容学の観点から判断して妥当なものである。
※なお、外国語活動（3、4年生）の言語スキルの取り扱いについて、「読むこと」と「書くこと」が限定的に取り扱われていることは、認知学習を促進する観点から、児童の発達段階とのミスマッチが生じないよう今後の検討と工夫が求められる。</td></tr>
<tr><td>社会科・下里俊行</td><td>存在における
①空間
地域社会：身近な地域、市町村、都道府県、県内の特色ある地域
我が国：国土の様子と国民生活、自然環境と国民生活との関わり
地球社会：グローバル化する世界と日本
②時間
地域社会：市の様子の移り変わり、伝統・文化、先人の働き
我が国：歴史上の事象
地球社会：グローバル化する世界と日本
価値における
③人格：不明瞭
④共同性・⑤公共善
⑥存在と価値の統合：不明瞭
地域社会：生産・販売、健康・生活環境、安全、防災
我が国：農業・水産業による食料生産、工業生産、産業・情報、政治の働き
地球社会：グローバル化する世界と日本
※学習指導要領では、空間に重点をおいて時間と価値の枠組を組み合わせて構成されている。だが、子どもの主体性にかかわる人格(③)の要素と、存在と価値を統合する課題設定・課題解決のとりくみ・技法（⑥）の位置づけが不明瞭。</td></tr>
<tr><td>技術・情報科・菊地章</td><td>(1) 情報活用能力に関わる教科横断内容
・コンピュータ等の情報手段を用いた基本的な情報の収集・整理・比較・発信・伝達・保存・共有
・ネットワーク利用による情報の検索
・コンピュータや情報通信ネットワークを利用した基本的な情報手段
・各種の統計資料や新聞、視聴覚教材や教育機器などの教材・教具の基本的な活用</td></tr>
</table>

(1) 中学校外国語科内容構成 ①「言語材料」:外国語の音声や文字、語彙(受容語彙と発信語彙)、表現、文、文構造、文法事項、言語の働き等 ②「言語スキル」: 五領域(聞くこと、話すこと【やり取り】、話すこと【発表】、読むこと、書くこと)に関する事項:情報理解・整理と思考形成及び表現力と技能の育成。 ③「言語活動」及び「言語の働き」に関する事項:言語材料と言語活動、言語の働き等の有機的統合による五領域における統合的言語活動。 ④「題材」及び「文化」に関する事項:自国の文化や外国語の背景にある文化に対する理解を深め、聞き手、読み手、話し手、書き手に配慮しながら、主体的に外国語を用いてコミュニケーションを行うこと。 (共通事項) ①言語材料、言語スキル、言語活動と、言語の働き等を関連付け、総合的に組み合わせて指導。 ②学習過程を繰り返し経ること。 ③中学校で学習する語彙及び表現は、五つの領域別の目標を達成するための言語活動に必要な 1600 語から 1800 語程度。 ④授業は英語で行うことを基本とする。 ※教科構成内容の柱(英語の知識・形式、体系、技能、社会・文化的側面)の基本から基幹部分を構成するベーシック・イングリッシュ(CEFR:Common European Framework of Reference for Languages の A1 レベル)の領域が配列されているもので、教科内容学の観点から判断して妥当なものである。	(1) 高等学校外国語科内容構成 ①「言語材料」: 外国語の音声や語彙、表現、文法、言語の働き等 ②「言語スキル」: 五領域(聞くこと、話すこと【やり取り】、話すこと【発表】、読むこと、書くこと)と、情報理解・整理と思考形成に基づく表現力及び技能。 ③「言語活動」及び「言語の働き」に関する事項:統合的言語活動 ④「題材」及び「文化」に関する事項:異文化間コミュニケーションのための多文化マネジメント力を育成する。 (科目構成) ①必修科目:五つの領域を総合的に扱うための必修科目として「英語コミュニケーションⅠ」。 ②選択科目:総合的な英語力の向上を図るための選択科目として「英語コミュニケーションⅡ」及び「英語コミュニケーションⅢ」、更に、「話すこと」、「書くこと」を中心とした発信力の強化を図るための選択科目として「論理・表現Ⅰ」、「論理・表現Ⅱ」及び「論理・表現Ⅲ」。 ※教科構成内容の柱(英語の知識・形式、体系、技能、社会・文化的側面)の応用・発展部分を構成する CEFR(Common European Framework of Reference for Languages)の A2 から B1 レベルの領域が配列されているもので、教科内容学の観点から判断して妥当なものである。
存在における ①空間 世界と日本の地域構成、世界の様々な地域、日本の様々な地域 ②時間 歴史との対話(③人格の要素) 近世までの日本とアジア、近現代の日本と世界(①空間の要素) 価値における 「私たちと現代社会・経済・政治・国際社会の諸課題」 ③人格:「私たち」との関係が重視されている ④共同性:「現代社会・経済・政治・国際社会」が対象とされる ⑤公共善:現代社会・経済・政治・国際社会の「諸課題」が提起されている ⑥存在と価値の統合 私たちと国際社会の諸課題 よりよい社会を目指して ※学習指導要領では、空間認識を基盤として、時間に関しては人格的要素と空間的要素とを組み合わせた認識が構想され、価値に関しては共同性・公共善が人格的要素と結びつけられており、バランスが良い構成になっているが、空間認識と価値(④共同性・⑤公共善)とを結びつける視点、地域課題や国民的課題(⑥)への視点がやや弱い。	存在における ①空間:「地理探求」、「地理総合」 ②時間:「歴史探究」、「歴史総合」 :「日本史探究」、「世界史探究」(①空間の要素) 価値における ③人格:「倫理」 ④共同性:「政治・経済」 ⑤公共善:「公共」 ⑥存在と価値の統合:不明瞭 ※学習指導要領では、空間・時間を扱う「地理・歴史」と、価値を扱う「公民科」とに分断されており、空間的・時間的存在と価値との有機的連関を扱う「社会科」固有の内容が失われているだけでなく、人格を軸に存在と価値を統合して課題設定・課題解決するための枠組が明示されておらず、地域的・国民的・国際的課題(⑥)を総合的に扱うことが難しい構成になっている。
(1) 技術の概念の理解 ・対象に応じた問題の認識、種々の対象に対する問題の発見と解決、問題解決結果の評価、問題解決結果の改善 ・対象物の特性、生活での利用、技術ガバナンス、技術イノベーション	(1) 情報の概念の理解 ・情報環境利用による問題の認識、情報環境利用による問題の発見と解決、問題解決結果の評価、問題解決結果の改善 ・情報の特性、情報のデザイン、データの処理、データの加工、データの表現、アルゴリズム、データベース、ネットワーク

<table>
<tr><td></td><td>・社会の中で問題となる情報モラルや情報セキュリティの理解
・情報ネットワークを利用した問題の発見と解決
(2) プログラミング的思考に関わる教科横断内容
・学習の基盤として必要となる情報手段の基本的な操作（文字の変換、図形の描画、データの測定、データの出力、データの保存）
・コンピュータに意図した処理を行わせるために必要な論理的思考力
・順次・反復・分岐の基本的な概念
・プログラミング的思考を伴った各教科での目的の学習
・問題の認識、問題解決の理解、解決の方法の模索、結果の発表
・プログラミング的思考を伴った問題解決</td></tr>
<tr><td>家庭科・広島大学大学院人間生活教育学コース</td><td>内容領域：A 家族・家庭生活、B 衣食住の生活、C 消費生活・
環境 育成すべき資質・能力：
（1）知識・技能　日常生活に必要な家族や家庭、衣食住、消費や環境などについて理解しているとともに、それらに係る技能を身に付けている。
（2）思考力・判断力・表現力等　日常生活の中から問題を見いだして課題を設定し、様々な解決方法を考え、実践を評価・改善し、考えたことを表現するなどして課題を解決する力を身に付けている。
（3）主体的に学習に取り組む態度　家族の一員として、生活をよりよくしようと、課題の解決に主体的に取り組んだり、振り返って改善したりして、生活を工夫し、実践しようとしている。
※内容領域の分類と育成すべき資質・能力は、ともに教科内容構成の6つの柱から構成され ていると捉えることが可能であり、教科内容学の観点から見て納得できるものである。</td></tr>
<tr><td>体育科・保健体育科・荒木秀夫・松井敦典・綿引勝美</td><td>運動領域
・体つくり運動系（体ほぐしの運動、多様な動きをつくる運動、体の動きを高める運動）
・器械運動系（マット運動 [回転系][高巧技系]、鉄棒運動 [支持系]、跳び箱運動 [切り返し系][回転系]）
・陸上運動系（走運動 [短距離走・リレー][ハードル走]、跳運動 [走り幅跳び][走り高跳び]）
・水泳運動系（水遊び [水の中を移動する運動遊び][もぐる・浮く運動遊び]、水泳運動 [浮いて進む運動][もぐる・浮く運動][クロール][平泳ぎ][安全確保につながる運動]）
・ボール運動系（ゲーム、[ボールゲーム][鬼遊び][ゴール型ゲーム][ネット型ゲーム][ベースボール型ゲーム]、ボール運動 [ゴール型][ネット型][ベースボール型]）</td></tr>
</table>

・材料の特性を理解した加工、生物の育成管理、電気・機械エネルギー等の効果的利用、情報の入力・処理・出力とプログラミング (2) 材料と加工の技術 ・生活や社会を支える材料と加工の技術 ・材料と加工の技術による問題の発見と解決 ・社会の発展と材料と加工の技術 (3) 生物育成の技術 ・生活や社会を支える生物育成の技術 ・生物育成の技術による問題の発見と解決 ・社会の発展と生物育成の技術 (4) エネルギー変換の技術 ・生活や社会を支えるエネルギー変換の技術 ・エネルギー変換の技術による問題の発見と解決 ・社会の発展とエネルギー変換の技術 (5) 情報の技術 ・生活や社会を支える情報の技術 ・ネットワークを利用した双方向性のあるコンテンツのプログラミングによる問題の発見と解決 ・計測・制御のプログラミングによる問題の発見と解決 ・社会の発展と情報の技術 (6) 総合的な技術による問題解決 ・材料と加工、生物育成、エネルギー変換、情報の全体を網羅した総合的な視点からの問題の発見と解決	・統計処理、プログラミング、グラフィックス表現、Web 表現 (2) 情報Ⅰ ・情報社会における問題の発見と解決 ・コミュニケーションと情報デザイン ・コンピュータとプログラミング ・情報通信ネットワークとデータの活用 (3) 情報Ⅱ ・情報社会の進展と情報技術 ・コミュニケーションとコンテンツ ・情報とデータサイエンス ・情報システムとプログラミング ・情報と情報技術を活用した問題発見・解決の探究
内容領域：A 家族・家庭生活、B 衣食住の生活、C 消費生活・環境 育成すべき資質・能力： (1) 知識・技能 家族・家庭の基本な機能について理解を深め、生活の自立に必要な家族・家庭、衣食住、消費や環境などについて理解しているとともに、それらに係る技能を身に付け ている。 (2) 思考力・判断力・表現力等 これからの生活を展望し、家族・家庭や地域における生活の中から問題を見いだして 課題を設定し、解決策を構想し、実践を評価・改善し、考察したことを論理的に表現するなどして課題を解決する力を身に付けている。 (3) 主体的に学習に取り組む態度 家族や地域の人々と協働し、よりよい生活の実現に向けて、課題の解決に主体的に取り組んだり、振り返って改善したりして、生活を工夫し創造し、実践しようとしている。 ※内容領域の分類と育成すべき資質・能力は、ともに教科内容構成の6つの柱から構成されていると捉えることが可能であり、教科内容学の観点から見て納得できるものである。	内容領域：A 人の一生と家族・家庭及び福祉、B 衣食住の生活の自立と設計、C 持続可能な消費生活・環境、D ホームプロジェクトと学校家庭クラブ活動 育成すべき資質・能力： (1) 知識・技能　人間の生涯にわたる発達と生活の営みを総合的に捉え、家族・家庭の意義、家族・家庭 と 社会との関わりについて理解を深め、自立した生活者に必要な家族・家庭、衣食住、消費や環境などについて科学的に理解しているとともに、それらに係る技能を身に付けている。 (2) 思考力・判断力・表現力等　家庭・家庭や社会における生活の中から問題を見いだして課題を設定し、解決策を構想し、実践を評価・改善し、考察したことを根拠に基づいて論理的に表現するなど、生涯を見通して生活の課題を解決する力を身に付けている。 (3) 主体的に学習に取り組む態度　様々な人々と協働し、相互に支え合う社会の構築に向けて、主体的に地域社会に参画し 、課題の解決に主体的に取り組んだり、改善したりして、自分や家族、地域の生活を主体的に創造し、実践しようとしている。 ※内容領域の分類と育成すべき資質・能力は、ともに教科内容構成の6つの柱から構成されていると捉えることが可能であり、教科内容学の観点から見て納得できるものである。
体育分野 運動に関する領域 ・体つくり運動（体ほぐしの運動、体の動きを高める運動） ・器械運動（マット運動、鉄棒運動、平均台運動、跳び箱運動） ・陸上競技（[短距離走・リレー、長距離走またはハードル走]、[走り幅跳びまたは走り高跳び]） ・水泳（クロール、平泳ぎ、背泳ぎ、バタフライ、複数の泳法で泳ぐ又はリレー）	体育 運動に関する領域 ・体つくり運動（体ほぐしの運動、実生活に生かす運動の計画） ・器械運動（マット運動、鉄棒運動、平均台運動、跳び箱運動） ・陸上競技（[短距離走・リレー、長距離走、ハードル走]、[走り幅跳び、走り高跳び]、[砲丸投げ、やり投げ]） ・水泳（クロール、平泳ぎ、背泳ぎ、バタフライ、複数の泳法で泳ぐ又はリレー）

・表現運動系（表現リズム遊び [表現遊び][リズム遊び]、表現運動 [表現][リズムダンス][フォークダンス]）
・集団行動
保健領域
・健康な生活・体の発育・発達・心の健康・けがの防止・病気の予防
※学習指導要領では、運動領域において「知識及び技能」に相当する上記内容それぞれについての、「思考力、判断力、表現力等」および「学びに向かう力、人間性等」に関する内容も記述されているが、運動を理解する方法としての学問的・理論的内容については言及していない。

・球技（ゴール型、ネット型、ベースボール型） ・武道（柔道、剣道、相撲） ・ダンス（創作ダンス、フォークダンス、現代的なリズムのダンス） 知識に関する領域 ・体育理論（運動やスポーツの多様性、運動やスポーツの意義や効果と学び方や安全な行い方、文化としてのスポーツの意義） 保健分野 ・健康な生活と疾病の予防・心身の機能の発達と心の健康・傷害の防止・健康と環境 ※学習指導要領では、体育分野において「知識及び技能」に相当する上記内容それぞれについての、「思考力、判断力、表現力等」および「学びに向かう力、人間性等」に関する内容も記述されているが、体育を理解する方法としての学問的・理論的内容については言及していない。	・球技（ゴール型、ネット型、ベースボール型） ・武道（柔道、剣道） ・ダンス（創作ダンス、フォークダンス、現代的なリズムのダンス） 知識に関する領域 ・体育理論（スポーツの文化的特性や現代のスポーツの発展、運動やスポーツの効果的な学習の仕方、豊かなスポーツライフの設計の仕方） 保健 ・現代社会と健康・安全な社会生活・生涯を通じる健康・健康を支える環境づくり ※学習指導要領では、体育分野において「知識及び技能」に相当する上記内容それぞれについての、「思考力、判断力、表現力等」および「学びに向かう力、人間性等」に関する内容も記述されているが、体育を理解する方法としての学問的・理論的内容については言及していない。

● ● ●謝辞● ● ●

本書は、日本教科内容学会におけるプロジェクト研究「教員養成のための教科内容学研究」の５年間の成果をまとめたものです。５年間のプロジェクト研究推進と原稿の執筆、そして編集の労をとっていただいた各委員に心より感謝申し上げます。プロジェクト研究の委員以外にも研究協力と原稿の執筆をいただきました。心より感謝申し上げます。

また、本プロジェクト研究推進前の日本教科内容学会第１回大会（鳴門教育大学）においては、鷲山恭彦（元東京学芸大学学長）、竹村信治（広島大学大学院教授）に「教員養成における教科内容研究の意義」についての貴重な講演をいただきました。そして、学会では本プロジェクトが取り組んできた「教員養成における教科内容学研究」の研究成果を大会の課題研究として取り上げてきました。その際には、次の方々に専門の立場から基調講演をいただきました。第４回大会（奈良教育大学）柳澤好治（文部科学省高等教育局大学振興課教員養成企画室長）蛇穴治夫（北海道教育大学学長）、第５回大会（椙山女学園大学）長谷浩之（文部科学省初等中等教育局教職員課教員免許企画室長）安彦忠彦（神奈川大学特別招聘教授）角屋重樹（日本体育大学大学院教育学研究科研究科長）、第６回大会（京都教育大学）柳澤好治（文部科学省総合教育政策局教育人材政策課長）長谷川眞理子（総合研究大学院大学学長）（以上の方々の肩書は当時）。記して感謝申し上げます。

末筆になりましたが、学術研究の出版が厳しい中、本書の刊行を快く引き受けていただいた、あいり出版社長の石黒憲一氏には、大変お世話になりました。ここに厚く御礼申し上げます。

2021年１月吉日
西園芳信

教科内容学に基づく教員養成のための教科内容構成の開発

2021年3月5日　初版　第1刷　発行　　　　定価はカバーに表示しています。

編　者　　日本教科内容学会
発行所　　（株）あいり出版
〒600-8436　京都市下京区室町通松原下る
元両替町259-1　ベラジオ五条烏丸305
電話／FAX　075-344-4505　http://airpub.jp/
発行者　　石黒憲一
印刷／製本　モリモト印刷（株）

 ISBN978-4-86555-083-2　C3037　Printed in Japan